Merry Christmas 1985

to Daddy

with lots of love

from

Diana &

Jeff

SV

Reinhard Bendix

Von Berlin nach Berkeley

Deutsch-jüdische Identitäten

Autorisierte Übersetzung von

Holger Fliessbach

Suhrkamp

Erste Auflage 1985

Druck: Thiele & Schwarz GmbH, Kassel
Printed in Germany

Inhalt

Zweiter Teil

Krisen der Zugehörigkeit – Reinhard Bendix (geb. 1916) und Ludwig Bendix

Dem Andenken meiner Eltern

Vorwort

Als ich daranging, diesen Bericht über meinen Vater zu schreiben, stellte ich fest, daß ich eigentlich nur wenig über sein Leben wußte. Dies ist eine verbreitete Erfahrung. Eltern werden zwar das eine oder andere aus ihrem Leben erzählen, aber nur in seltenen Fällen legen sie Wert darauf, ihren Kindern eine umfassende Schilderung ihres Lebens zu geben; es besteht einfach keine Veranlassung dazu. Solange die Kinder noch klein sind, fehlt ihnen das Interesse dafür, und ihre Aufmerksamkeit erlahmt bald; wenn sie größer werden, sind sie mit eigenen Problemen beschäftigt. Letztlich sind die Gedanken und Handlungen der Eltern vor allem in der dauernd sich wandelnden Gegenwart wichtig. Die Frage, wie sie zu den Menschen wurden, die sie sind, scheint gleichgültig zu sein – bis es nach vielen Jahren für die Kinder oft zu spät ist, diese Frage zu stellen. So basiert der folgende Bericht weniger auf persönlicher Erinnerung als auf Dokumenten, insbesondere auf den unveröffentlichten Memoiren meines Vaters. Er schrieb diese rund tausend Seiten zwischen 1937 und 1938. Für ihn war der wichtigste Zweck dieses Werks, mit dem Trauma seiner Erfahrung unter dem Nazi-Regime und der Vertreibung aus Deutschland fertig zu werden.
Glücklicherweise hat mir eine zweite Gruppe von Dokumenten zur Verfügung gestanden, die mein Vater offensichtlich auch nach vierzig Jahren noch nicht in seine Memoiren einarbeiten wollte, die er aber andererseits auch nicht vernichtete. Unter seiner schriftlichen Hinterlassenschaft entdeckte ich Briefe meines Großvaters, die bis auf das Jahr 1897 zurückgehen, Briefe an meinen Vater von zwei lebenslangen deutschen Freunden, über deren Bedeutung ich aus Gesprächen unterrichtet war, und verschiedene Familienbriefe, die manchen Einblick in die Zeit seiner Jugend und die Zeit der Emigration gestatten. Darüber hinaus hatte mein Vater die Gewohnheit, seinen Gefühlen in Gelegenheitsgedichten Luft zu machen; vieles von dem, was er nicht sagen wollte oder konnte, findet sich in Hunderten von

Gedichten. Zwar sind Gedichte eine zweifelhafte Informationsquelle, selbst in einer Biographie; aber mein Vater selber behandelte sie zumeist als autobiographische Dokumente. In einem Brief bezeichnete er sie einmal als Bemühungen, ambivalente Erfahrungen zu überwinden, sowie als Ausdruck einer tragischen Lebenssituation und Gemütsverfassung.

Der erste Teil dieses Buches beschäftigt sich mit meinem Vater. Er wurde 1877 in einem westfälischen Dorf geboren. 1892 zog seine Familie nach Berlin. Bis 1933, als Hitler an die Macht kam, war er praktizierender Rechtsanwalt und eine Zeitlang nebenamtlicher Richter an einem Berliner Arbeitsgericht. Neben seiner Berufstätigkeit schrieb er zahlreiche Bücher und Aufsätze und wurde als Kritiker des deutschen Rechtssystems weithin bekannt. 1933 wurde er aus der Berliner Anwaltskammer ausgeschlossen. Danach versuchte er einige Jahre lang, als Rechtsberater weiterzuarbeiten, und wurde schließlich 1937 des Landes verwiesen. Nach zehn Jahren Aufenthalt in Palästina sind meine Eltern 1947 nach Amerika weitergewandert.

Der zweite Teil dieser biographischen Studie enthält die Geschichte meiner eigenen Jugend, meiner Emigration und meiner beruflichen Anfänge – im wesentlichen im Lichte meiner Interaktion mit meinem Vater. Im Vordergrund steht das Leben meines Vaters und meine Beziehung zu ihm; aus diesem Grunde endet das Buch mit seinem Tode im Jahre 1954.

Als Sozialwissenschaftler bin ich von Berufs wegen zur persönlichen Distanz gegenüber den Gesellschaften verpflichtet, die ich analysiere, und trotzdem bin ich ein Teil der Gesellschaft, in der ich lebe und die mich in meiner Arbeit unterstützt. Dieses Zusammenspiel zwischen Objektivitätsstreben und Subjektivität ist besonders schwer in den Griff zu bekommen, wo die persönliche Anteilnahme so direkt ist wie in diesem Falle. Ich kann nicht sagen, inwieweit mir der Versuch gelungen ist, die persönliche mit einer unvoreingenommenen Perspektive zu verbinden, aber das vorliegende Buch ist sowohl eine Biographie als auch eine soziologische Fallstudie.

Ich stelle das Leben meines Vaters und meine Beziehung zu ihm in doppelter Perspektive dar: von innen her gesehen und

zugleich in einem größeren sozialen und historischen Zusammenhang.
Über die Kindheit und frühe Jugend meines Vaters gibt es praktisch keine Unterlagen mehr, und er selbst hat mir gegenüber nie von dieser Zeit gesprochen. Aus meiner eigenen Kindheit erinnere ich mich lediglich an einige Gegenstände und sporadische Ereignisse. Das niederschmetternde Erlebnis der Machtergreifung Hitlers hat die Erinnerung an meine Kindheit getrübt und, was noch tragischer ist, bis auf wenige Ausnahmen alle Menschen vernichtet, die mich als Kind gekannt haben. Bedauerlicherweise habe ich diese Dinge nicht zu Lebzeiten meiner Eltern zur Sprache gebracht. Solange sie am Leben waren, war ich noch nicht in der Lage, zu fragen, und ich bin nicht sicher, ob sie bereit gewesen wären, zu antworten. Offenbar brauchte ich den zeitlichen Abstand, um einige Distanz zu gewinnen. Ich konnte mit den meisten jener Verwandten und Freunde sprechen, die meine Eltern zu Lebzeiten kannten. Ferner habe ich alte Freunde von mir befragt sowie einige Personen, die mich und meine Familie in meiner Jugend kannten.
Meine Gründe, diese biographische Arbeit zu schreiben, sind nicht allein persönlicher Art. Das Buch versucht, den Kontakt zwischen Vater und Sohn zu analysieren, die beide ein Leben des Außenseitertums geführt haben. Für diesen Zweck schien es ausreichend, eine vollständige Darstellung des Lebens meines Vaters zu geben und meine eigene Geschichte nur bis zu dem Punkt fortzuführen, an dem sich der Umriß meines Lebens und Wirkens abzeichnet, wie es sich durch die Interaktion mit meinen Eltern und namentlich mit meinem Vater entwickelte.
Trotz allem steht ein Sohn, der über seine Eltern und sich selbst schreibt, vor besonderen Problemen. Ich versuche nicht, ein vollständiges Porträt meiner Mutter zu geben, weil dieses Buch teilweise eine geistige Biographie ist und meine Mutter in diesen geistigen Dingen eine sekundäre Rolle spielte. Die entschiedene Hervorhebung meines Vaters scheint mir durch die moralische und geistige Inspiration gerechtfertigt zu sein, die ich ihm verdanke. Daß ich ihn sehr geliebt habe, verdient, angesichts unserer schmerzlichen Beziehung in seinen letzten Lebensjahren,

ausgesprochen zu werden. Er ließ die Menschen, mit denen er in Berührung kam, nicht unbeeindruckt, und ich kann ihre Reaktion auf ihn nicht ohne eine persönliche Bewertung beschreiben. Zwar habe ich den Ehrgeiz, ihn so zu verstehen, wie er sich selbst verstand, aber ich werde keine falsche Objektivität vortäuschen.

Wahrscheinlich ist es unmöglich, beim Abwägen meiner subjektiven Anteilnahme gegenüber meiner Bemühung um Distanz unparteiisch zu bleiben. Nehmen wir nur das einfache Problem der Anrede! Es wird zahlreiche Bezugnahmen auf die wichtigsten Personen geben, die leicht ermüdend wirken. Meinen Vater bei seinem Vornamen Ludwig zu nennen, erscheint mir unnatürlich; ich habe das mein Leben lang nicht getan. Seit unserer Jugend pflegten meine Schwester und ich unsere Eltern »die Ollen« zu nennen. Diese oder ähnliche Anreden waren Kosenamen, Ehrerbietung gab es in unserer Familie so gut wie gar nicht. Ich erwähne dies, weil familiäre Formen gelegentlich auftauchen werden, vor allem aber deshalb, weil ich mich schließlich entschlossen habe, »mein Vater« zu gebrauchen, wann immer eine persönliche Bezugnahme notwendig ist. Dies wirkt im Englischen ganz natürlich (»my father«), doch die häufige Wiederholung dieser Wendung könnte den Eindruck ungewöhnlichen Respekts erwecken, was ganz irreführend wäre. Wenn irgend etwas, so war mein Vater ein Verächter äußerer Formen und forderte sie am allerletzten in seiner Familie. Dies ist kein besonders wichtiger Punkt, aber er hilft Mißverständnisse vermeiden und beleuchtet die Schwierigkeit, selbst in einer solchen Nebensächlichkeit die Ausgewogenheit zu wahren.

Auf dem viel wichtigeren Gebiet sexueller Beziehungen kann von Ausgewogenheit keine Rede sein, und da Leser in diesem von Freud beeinflußten Zeitalter die »Unterlassung« bemerken werden, sind einige Worte zu diesem Thema am Platze. In seinen unveröffentlichten Memoiren hat mein Vater seinen Beziehungen mit Frauen eine ganze Anzahl von Seiten gewidmet. Er verheiratete sich im Alter von 33 Jahren und beschreibt viele seiner Erfahrungen in den vorangegangenen Jahren. Auch über seine sexuellen Beziehungen in den bitteren Jahren des Naziregimes

1933 bis 1937 enthalten die Memoiren einige vielsagende, aber unbestimmte Andeutungen. Über die Beziehungen mit meiner Mutter ist mein Vater natürlich wesentlich zurückhaltender und ungenauer, wobei man noch bedenken muß, daß er ihr einen großen Teil dieser Erinnerungen in die Schreibmaschine diktiert hat. Jedenfalls steht diese Zurückhaltung in eklatantem Gegensatz zu seiner anderweitigen Offenheit in sexuellen Dingen, und das Ganze hinterläßt den Eindruck eines robusten Mannes, der den Frauen seiner Wahl ein starkes emotionelles und sexuelles Engagement entgegenbrachte. Darüber hinaus habe ich diesen Selbstbekenntnissen zwar Eindrücke, aber kein definitives Bild entnehmen können. In Ermangelung jeder anderen Informationsquelle – ich habe meinen Vater während der Nazizeit einmal mit einer mir bekannten Frau auf der Straße spazierengehen sehen – scheint mir die Auslassung dieses Themas das Einfachste. Demgegenüber erscheinen mir psychologische Spekulationen über das Geschlechtsleben des eigenen Vaters billig und geschmacklos. Und was ich in der Biographie des Vaters bewußt ausgelassen habe, konnte ich nicht gut im autobiographischen Teil dieses Buches behandeln.

Die Art der Darstellung erfordert zwei abschließende Erläuterungen. Im Jahre 1933, als Hitler an die Macht kam, war ich 17 und hatte zwei Jahre lang engen Kontakt mit meinem Vater gehabt. Davor war er ein wichtiger Einfluß, ein Vorbild für mich gewesen; aber ich war noch zu jung, um an seiner kulturellen Welt Anteil nehmen zu können. In den Jahren zwischen 1933 und 1947 haben die weiter unten beschriebenen Ereignisse verhindert, daß ich eine enge Beziehung mit ihm aufrechterhalten konnte. So dauerte mein engster Kontakt mit meinem Vater im Grunde nur zwei Jahre (1930-1932), während unser Kontakt zwischen 1935 und 1947 im wesentlichen brieflich aufrechterhalten wurde. Diese Umstände erklären nicht nur die Lücken im biographischen Material. Sie erklären auch, warum ich mit dieser persönlichen Erinnerung den Dialog rekonstruieren möchte, den mein Vater und ich zu seinen Lebzeiten nicht zum Abschluß zu bringen vermochten.

Dieses Buch wurde auf englisch geschrieben, aber es basiert auf deutsch geschriebenen Dokumenten und zum großen Teil auch auf deutschen Erfahrungen. Daher weicht die deutsche Ausgabe des Buches in manchen Details von der englischen Ausgabe ab, weil ich bei der letzteren auf das vermutliche Interesse eines englischen Lesepublikums Rücksicht genommen habe. Das bezieht sich insbesondere auf Briefstellen, Zitate und gewisse Details, die dem deutschen Leser atmosphärische Nuancen vermitteln können, welche ohnehin für den englischen Leser verlorengehen und vermutlich auch von geringerem Interesse sind.

Hasliberg-Goldern
Juli 1982 Reinhard Bendix

Danksagung

Für Kommentare und Vorschläge, insbesondere bei den ersten Fassungen dieses Buches, bin ich zunächst meiner Frau Jane und meinen Kindern Karen, Erik und John zu Dank verpflichtet. Auch die Anregung, dieses Buch zu schreiben, ging zunächst von meiner Familie und dann von meinen Studenten in Kalifornien aus. Darüber hinaus verdanke ich viele Anregungen Freunden aus Universitätskreisen, die meinen Vater und den Hintergrund meiner Familie kannten, insbesondere Herrn Professor Dr. Henry Ehrmann, Dartmouth College, dem verstorbenen Herrn Professor Dr. Otto Kahn-Freund, Brasenose College, Oxford, der ein jüngerer Kollege meines Vaters in Berlin war, Herrn und Frau Prof. Dr. Van Dusen Kennedy, Universität von Kalifornien, Berkeley, und Herrn Professor Dr. Abraham Wasserstein, Hebräische Universität Jerusalem.

Ein besonderes Wort des Dankes schulde ich meinem englischen Redaktor, Herrn Max Knight, und meinem deutschen Übersetzer, Herrn Holger Fliessbach. In bestem Einvernehmen mit Herrn Fliessbach habe ich seine sehr gute Übersetzung durchgesehen und gelegentlich verändert, wenn eine andere Formulierung, manchmal wohl auch eine altmodischere Ausdrucksweise, mein Sprachgefühl besser befriedigte.

Einleitung

Die Spannungen des 20. Jahrhunderts spiegeln sich in dem Generationskonflikt wider, der in der Jugend am stärksten empfunden wird. In der späteren Lebenszeit geschieht es häufig, daß der Anspruch der Eltern, ein Vorbild abzugeben, mit der wachsenden Unabhängigkeit ihrer Kinder kollidiert. Die Bürde unserer Zeit spiegelt sich auch in der Einsamkeit der Erwachsenen wider. Die Verfolgung unserer individuellen Interessen lockert die familiäre oder genossenschaftliche Verbindung zu denen, die wir lieben, und weil wir vielen Gruppen angehören, sind wir keiner einzigen wirklich ganz zugehörig.

Ich habe meinen eigenen Hintergrund für die Diskussion dieser zwei Problemkreise des Generationskonflikts und einer nur partiellen Gruppenzugehörigkeit gewählt. Dieser Hintergrund umfaßt Deutschland seit den siebziger Jahren des vorigen Jahrhunderts bis zu dem systematischen Massenmord und seinen Folgen; die Entwicklung meiner Beziehungen zu meinem Vater, ein Thema, das bis zu einem gewissen Grad auf meinen Großvater und meine Kinder ausgedehnt wird; die Lebensgeschichte meines Vaters und die Anfänge meiner eigenen Laufbahn; und schließlich die Emigration meines Vaters und die meinige aus Deutschland nach Palästina und den Vereinigten Staaten.

Die Spannungen der modernen Welt sind durch die deutsche Geschichte seit 1870 deswegen eklatant zum Ausdruck gebracht worden, weil die politische Einigung dieses Landes und seine schnelle Industrialisierung zeitlich zusammenliefen. Darüber hinaus haben viele Spannungen unserer Zeit ihren Ursprung in Deutschland; während der dreißiger und vierziger Jahre haben sie apokalyptische Ausmaße angenommen. Der Erste Weltkrieg, die Revolution von 1918 und die darauf folgende Inflation, die Wirtschaftskrise der dreißiger Jahre, die Auflösung der Weimarer Republik, die Jahre der Hitlerdiktatur und des Massenmordes, der Zweite Weltkrieg und seine Folgen (die Teilung Deutschlands

und die Gründung des Staates Israel), schließlich die weltpolitische Rolle der Vereinigten Staaten und ihre Auswirkung auf Europa: das sind die geschichtlichen »Stationen« unserer familiären Erfahrung.
Da ich den Mikrokosmos der Lebensgeschichte meines Vaters und meiner Beziehungen zu ihm zum Thema mache, will ich gleich zu Anfang erklären, daß unsere Erfahrungen, so persönlich und unverwechselbar sie auch sein mögen, doch zugleich auch charakteristische Züge unserer Zeit widerspiegeln. Andernfalls hätte ich nicht geglaubt, daß diese internen Familiengeschehnisse auch für ein größeres Publikum von Interesse sein könnten. Der Leser mag in seinem eigenen Leben Analogien zu unserer Erfahrung des Generationskonflikts und der partiellen Gruppenzugehörigkeit entdecken. Ich wende mich zunächst einer allgemeinen Diskussion dieser Problemkreise zu, bevor ich darangehe, zu untersuchen, wie diese beiden Dilemmata mit der Verpflanzung einer deutsch-jüdischen Familie von ihrem Wurzelboden in Deutschland vor 1933 in ihre neue Umgebung in den Vereinigten Staaten seit 1938 in Zusammenhang stehen.

Generationskonflikt

Die Spannungen zwischen den Generationen, wie sie hier beschrieben werden sollen, bezogen sich zunächst auf die Beziehung zwischen meinem Vater und meinem Großvater, die durch den Bruch meines Vaters mit dem Judentum auf eine harte Probe gestellt wurde, und dann auf die Auseinandersetzung zwischen mir und meinem Vater in bezug auf Deutschland und die deutsche Kultur. Dieses Generationsdilemma ist das persönlichere Problem, welches vor allem in der Jugendzeit seinen Höhepunkt erreicht, obwohl die weitergehenden Folgen einen Menschen zeit seines Lebens begleiten können.
Die Kommunikation zwischen den Generationen ist ein immer wiederkehrendes, schwieriges Problem von kultureller und psychologischer Tragweite. Als Hochschullehrer habe ich persönliche Bekanntschaft mit diesem Problem gemacht. Denn ich habe

Zeiten und Ereignisse miterlebt, an die meine Studenten sich nicht erinnern können, weil sie damals kleine Kinder oder noch gar nicht geboren waren. Jene Ereignisse, die mein Leben geprägt haben, erscheinen ihnen als Geschichte, die sie nicht zu kümmern braucht. Aber auch dem Hochschullehrer wird die persönliche Erfahrung seiner Studenten zunehmend fremd. Denn im Laufe der Zeit wird die Kluft zwischen den Generationen größer, und es mag erzieherisches Wunschdenken sein, zu glauben, daß sie überbrückt werden könne.

Immerhin machen wir alle, ob jung oder alt, die Erfahrung des Alterns. Unsere Eltern repräsentieren einen Ausschnitt aus der Vergangenheit. Wenn wir älter werden, mögen wir uns über die Erfahrungen klar werden, die unsere Mutter und unseren Vater zu den Menschen gemacht haben, die sie sind. Durch unsere Eltern werden wir persönlich von der Vergangenheit berührt. Diese Vergangenheit birgt ein riesiges, unpersönliches Erbe in sich, ob wir uns dessen bewußt sind oder nicht. Wie immer wir mit unseren Eltern zu Rande kommen, beziehen wir uns jeweils auf einen Ausschnitt der Vergangenheit. In den vor uns liegenden Jahren wird sich dieser Prozeß wiederholen, wenn wir selbst zu Eltern werden und unsere Kinder uns mit ihren Wünschen konfrontieren und sich, so gut sie können, mit uns und mit der Vergangenheit, die wir für sie darstellen, arrangieren. Dieser ewigen Wiederkehr können wir nicht entgehen, ebensowenig wie den unterschiedlichen Weisen, wie unsere Eltern und die Vergangenheit, die sie verkörpern, unsere Liebesfähigkeit und unser Verständnis auf die Probe stellen. Weder unsere Eltern noch wir als Eltern sind zu allen Zeiten liebevoll oder liebenswert. Doch wenn es uns nicht gelingt, unsere Eltern ernst zu nehmen, vernachlässigen wir einen Teil unserer selbst. Wir können kaum von unseren Kindern erwarten, das mit Behutsamkeit zu behandeln, was wir vernachlässigt haben. Die Vergangenheit ist immer ein Teil von uns und aus diesem Grunde wert, ins Bewußtsein gerufen zu werden.

Partielle Gruppenzugehörigkeit

Mein Vater und ich haben uns auch mit dem zweiten Problemkreis auseinandersetzen müssen, dem der partiellen Gruppenzugehörigkeit oder der »Marginalität« (Randexistenz, Außenseitertum), wie ich es im folgenden erörtere. Die ungelösten Probleme der Gruppenzugehörigkeit sind typische Erfahrungen von Erwachsenen, obwohl sie schon im jugendlichen Alter ihren Anfang nehmen und häufig frühe Wunden schlagen, die noch in späteren Jahren ihre Folgen haben.

Die Probleme der Gruppenzugehörigkeit stellen eine Erfahrung vieler Menschen dar. Wie schafft man es, Staatsbürger zu sein, wenn man benachteiligt oder gar gezwungen wird, in ein anderes Land auszuwandern? Wie können wir unsere Familienbande aufrechterhalten, wenn unser Leben durch Wohnortwechsel, Trennung und kulturellen Wandel unterbrochen oder zerrissen wird? Wie gesellt man sich zu anderen in Gruppen, wenn Zugehörigkeit und Teilnahme in einer jeden dieser Gruppen Stückwerk bleibt, weil die Menschen der westlichen Gesellschaften vielen Gruppen angehören und nicht anders leben können? Solche und ähnliche Probleme haben sich auf das Leben meines Vaters als eines deutschen Anwalts, der an Gerechtigkeit glaubte, ausgewirkt – aber auch auf meine eigene Erfahrung als amerikanischer Wissenschaftler, der ganz bewußt ein kultureller Mischling geblieben ist. Wie wird man mit dem Schicksal des Außenseiters fertig, der nur zum Teil jener Welt angehört, in der er seinen Lebensunterhalt verdient und seine Interessen verfolgt?

Mein Vater und ich haben uns mit diesen Fragen der Selbstdefinition als Staatsbürger, als Intellektuelle und als Juden auseinandergesetzt. In allen drei Bezügen war mein Vater eine »Randpersönlichkeit« (marginal man), und das trifft auch auf mich zu, und zwar in dem allgemeinen Sinne, daß wir uns in mehr als einer sozialen Welt bewegen, aber in keiner ganz zu Hause sind.[1] Wir teilen dieses Schicksal mit vielen, so daß der in diesem Buch enthaltene Lebensbericht ein allgemeines Phänomen veranschaulicht. Denn wer hat sich nicht mit der Spannung zwischen den Pflichten als Staatsbürger und als Familienmitglied, mit der

Vieldeutigkeit geistiger Spezialisierung oder mit den Wunden der Benachteiligung und der Statusunsicherheit innerhalb der Gesellschaft auseinandersetzen müssen?
Dieses Buch behandelt das allgemeine Problem partieller Zugehörigkeit unter dem besonderen Gesichtspunkt der Jahre des Hitlerregimes. Es versucht, die persönlichen Folgen dieser Jahre für eine spätere Generation zu beschreiben, für die diese Folgeerscheinungen verblaßt oder bedeutungslos geworden sind. Beschwörungen des Holocaust sollten nicht das einzige Mittel sein oder werden, um einer späteren Zeit zu vermitteln, wie dieses barbarische Regime sich auf das Leben gewöhnlicher Menschen ausgewirkt hat.
In der modernen Welt der westlichen Zivilisation sind wir alle mit dem doppelten Dilemma des Individualismus und des Staatsbürgertums konfrontiert. Vielleicht handelt es sich sogar um das dreifache Problem des Individuums, der Nation und der intermediären Gruppen, die letztlich sowohl mit dem Individualismus als auch mit dem Nationalismus unvereinbar sind. Aber nur letztlich. In der Welt, in der wir leben, existieren alle drei – Individualismus, Nationalismus und intermediäre Gruppen – in unsicheren Kombinationen.
Die moderne Lebensform leitet sich von der Französischen Revolution her, die allein die Nation und den einzelnen anerkannte. Intermediäre Gruppen waren anathema. Nach Rousseau wäre der ideale Zustand einer Gesellschaft derjenige, in dem die Menschen allein ihre eigenen, auf Information beruhenden Ansichten ausdrücken, die nicht mit den Ansichten anderer vermengt sind.[2] Denn wenn Menschen sich miteinander verständigen, seien »Kabale und parteiische Verbände« das Ergebnis, wodurch partielle Interessen auf Kosten des Gemeinwillens der Nation begünstigt würden. Als einer dieser unerwünschten Verbände galt die jüdische Gemeinde. In einer Rede vor der französischen Nationalversammlung am 25. Dezember 1789 erklärte der Abgeordnete Clermont-Tonnerre: »Als einer Nation ist den Juden alles zu verweigern; als einzelnen ist ihnen alles zu gewähren. Sie sind verpflichtet, Bürger zu werden. Einige sagen, sie wollten keine Bürger werden. Man lasse sie dies sagen, und

dann lasse man sie fortjagen. Es ist unmöglich, daß sie eine Nation in der Nation sind.«[3] Vor 1789 waren ähnliche Argumente bereits gegen die Jesuiten vorgebracht worden, da diese eine beherrschende Stellung im Bildungswesen innehatten, und etwas später auch gegen die Selbsthilfevereine von Arbeitern, weil man sagte, die Unterstützung Hilfsbedürftiger sei eine Verantwortung der Nation. Rousseau hat, wie wir wissen, nicht das letzte Wort behalten. Vielmehr hat die Zahl intermediärer Gruppen sich vervielfacht, nicht anders als die Sonderinteressen, und jede solche Zwischengruppe wirft eigene Probleme für die Nation im ganzen auf.

Diese Gruppen werfen aber auch Probleme für die Individuen auf, die sich mit ihnen verbinden. Jede Gruppe hat eigennützige Zwecke. Diese Zwecke können aber keine Quelle der Befriedigung sein, die dem Stadtbürgertum der Antike vergleichbar wäre; denn wir können nicht mit ganzem Herzen einer einzigen Gruppe, unter Ausschluß jeder anderen, angehören. Infolgedessen bleibt die Sehnsucht nach Gemeinschaft oder Brüderlichkeit unerfüllt, und dadurch vergrößert sich die Bürde unserer Zeit. Einige können diese Bürde nicht ertragen und verzichten zugunsten einer Sekte oder eines Kultes auf ihre Freiheit, während die meisten von uns lernen, an verschiedenen Gruppen auch ohne ein volles Zugehörigkeitsgefühl teilzunehmen.

Der antike Mythos von Philoktetes – einer der Krieger auf dem Wege nach Troja – beleuchtet unsere Lage in mehr als einer Hinsicht. Bevor er sich dem Heer der Griechen anschließt, bekommt Philoktetes den Bogen und die Pfeile des Herakles. Mit dieser Waffe trifft Philoktetes unfehlbar ins Ziel, doch wird er auf dem Wege nach Troja von einer Schlange gebissen. Der Geruch seiner eiternden Wunde und sein Schmerzensgeschrei machen ihn so unerträglich für die Gesellschaft, daß seine Gefährten ihn auf der einsamen Insel Lemnos aussetzen. Ein Orakel verkündet jedoch, daß Troja ohne die Waffen des Herakles nicht überwunden werden könne. Philoktetes wird nach Troja geholt. Als er bei der Einnahme der Stadt mitwirkt, indem er Paris tötet, wird er auf magische Weise von seinen Wunden geheilt.

Eine der Bedeutungen dieses Mythos ist die überragende Wichtigkeit der Gruppenzugehörigkeit. Der Bogenschütze schreit vor Schmerz über seine Wunde auf und verflucht die Gesellschaft, die ihn verstoßen hat. Seine große Gabe verkümmert im Exil, während vor Troja seine Gefährten sinnlos sterben, weil sie ihn verlassen haben. Diese Erkenntnis verstärkt sein Leiden und seine Verwünschungen. Edmund Wilson erklärt in seiner Deutung des Mythos, daß Philoktetes geheilt werden wird, sobald er seinen Kummer vergessen und seine magische Fähigkeit in den Dienst seines Volkes stellen kann.[4] Die Gesundung von Leib und Seele wird durch diesen Dienst ermöglicht. Diese Gleichsetzung des ganzen Menschen mit dem Dienst an seiner Gemeinschaft entspricht dem antiken Weltverständnis. Ein Mensch gehört zu dem Volk, in dessen Dienst er seinen Ruhm erwirbt. Der Ausschluß des einzelnen aus dieser Gemeinschaft war schlimmer als der Tod, weil er seine Stellung als Bürger und das Gefühl seiner Identität vernichtete. Im Bewußtsein ihrer sozialen Isoliertheit haben moderne Beobachter oft die Alten idealisiert, die sich ihr Leben nicht losgelöst von ihrer Stadt vorstellen konnten. Rousseau wählte sogar Sparta und nicht Athen zum Muster, weil Sparta in puncto rücksichtsloser Disziplin über jedes Individuum Athen weit übertraf. Doch können wir dieses antike Ideal der völligen Identifikation mit der Gemeinschaft nicht mehr akzeptieren, selbst wenn wir die angeblich mit ihm verbundenen Befriedigungen schmerzlich vermissen.

Denn in der modernen Welt ist schon das Wort »Gemeinschaft« zweideutig. Bezieht es sich auf die Nation, in die wir hineingeboren werden, auf die Stadt, in der wir leben, oder auf den Beruf, in dem wir arbeiten? Bedeutet es die Nachbarschaft, in der wir wohnen, den Verband, dem wir beitreten, oder die Familie, der wir angehören? Unsere gemeinsame Erfahrung ist, daß wir an jeder dieser Gemeinschaften teilnehmen, aber an keiner von ihnen mit der Ganzheit unserer Person. Oft stehen wir vor einem Loyalitätskonflikt, wenn wir zu entscheiden suchen, was wir der einen Gemeinschaft und was der anderen schulden. Doch ist es unsere *partielle Verbundenheit* mit vielen Gruppen, die uns ein Gefühl der Freiheit gibt. Wir könnten nicht so leben wie in Athen, weil für uns die vollständige Identifikation mit einer einzigen Gemeinschaft Diktatur bedeuten würde. Wir können uns unser Leben nicht losgelöst von den vielen Gruppen vorstellen, zu denen wir gehören, aber in jeder von ihnen nehmen wir irgendwie eine Randstellung ein – abgesehen von Ausnahmefällen wie einem nationalen Notstand oder einer Naturkatastrophe. Diese allgemeine Marginalität wird von den Qualen jener Intellektuellen aus dem sowjetischen Machtbereich unterstrichen, die später zu Flüchtlingen werden. In ihrer Heimat liegt alle Macht beim Politbüro, und alle gesellschaftlichen Organisationen werden von Funktionären der kommunistischen Partei kooptiert und kontrolliert. Diese Kontrolle erstreckt sich auf *alle* Kommunikationskanäle. Unter diesen Umständen fühlen die Intellektuellen, wie ihre Vorgänger unter den Zaren oder ihre Zeitgenossen unter den wahrhaft Gläubigen des Islam, daß nur sie allein für das ganze Land sprechen. Die Verfolgung durch staatliche Stellen bestärkt sie in dieser Auffassung; denn sie beweist zweifelsfrei, daß sie keine offiziellen Sprecher sind und folglich nicht die Unwahrheit sagen können. Solange sie in Rußland bleiben, identifizieren russische Intellektuelle sich moralisch mit den Idealen russischer Kultur und sehen sich gezwungen, die Konsequenzen auf sich zu nehmen, die sich hieraus ergeben. In gewisser Weise gleichen sie in dieser völligen Identifikation mit der nationalen Gemeinschaft den Stadtbürgern der Antike. Sie sind strenge Kritiker der Korruption unter den Parteibonzen und der illegalen Anhäufung von Reichtum. Wendet man sich den Intellektuellen anderer Nationalitäten im sowjetischen Machtbereich zu, so wird die Identifikation mit dem eigenen Volk und seiner Kultur noch ausgeprägter. Czesław Miłosz, der Literaturnobelpreisträger von 1980, bereiste 1981 seine polnische Heimat und schilderte nach seiner Rückkehr in die USA ein Beispiel für diese Erfahrung in einem Interview:

»Intellektuelle, Arbeiter, Studenten – alle sprechen dieselbe Sprache. Es herrschte wirkliche Solidarität, weil die Menschen ein gemeinsames Ziel hatten, das sie einte. Ich habe erlebt, daß ich als Dichter – und ich betrachte mich nicht als einen besonders leicht verständlichen Dichter – in Polen ein Massenpublikum hatte, das sich aus Menschen der verschiedensten gesellschaftlichen Schichten zusammensetzte. Die Leute verstanden sogar Gedichte, die ziemlich schwer zu verstehen sind. Das kommt selten vor. Meine Gedichte erschienen in einer Auflage von 150000 Stück! Das ist natürlich jetzt vorbei [nach der Verhängung des Kriegsrechts am 13. Dezember 1981]. Ein relativ unzensuriertes literarisches Leben und einen freien öffentlichen Meinungsaustausch – das gibt es in Polen nicht mehr. Aber der menschliche Geist bleibt lebendig.«[5]

In demselben Interview stellte Miłosz fest, daß ihm eine Beurteilung der USA sehr schwer falle. Nach Erziehung und politischem Instinkt habe er erwartet, Bundesgenossen bei den amerikanischen Liberalen zu finden; »tatsächlich sehe ich jedoch, daß wir nicht viel gemeinsam haben«. Als Pole und in seiner Heimat verehrter Dichter mag Miłosz eine Ausnahme sein, und jedenfalls unterscheidet er sich durch seinen Nationalismus von intellektuellen Emigranten aus der Sowjetunion. Aber als Exilant ist er einer jener vielen Menschen, die ihre Identität in einer fremden Umgebung bewahren müssen, in der die Vielfalt der Gruppen und Sympathisanten eine ständige Erinnerung an die wirkliche oder vermeintliche Ganzheit der Heimat darstellt.

Eine solche Ganzheit hat mein Vater nicht erfahren, ebensowenig wie ich. Mein Bericht wird zeigen, daß mein Vater für den größeren Teil seines Lebens davon überzeugt war, die völlige Identifikation mit seinem Heimatland Deutschland erreicht zu haben. Am Ende erwies sich diese Überzeugung als Illusion, während ich durch die Umstände gezwungen wurde, jene Identifikation aufzugeben, bevor sie sich recht ausbilden konnte. So mußten wir beide uns an eine Gesellschaft mit vielen Gruppen und mannigfachen Verbindungen anpassen. Als Einzelfall veranschaulicht unsere Erfahrung das Schicksal des Individualismus im 20. Jahrhundert. Denn obgleich die Vielzahl der Gruppen und die Erfahrung der Marginalität manche Bürde mit sich bringen, sind sie doch zugleich Grundlage individueller Identität.[6]

In Gesellschaften, in denen ein übergreifender Zusammenhang nicht gegeben ist, wird Marginalität zu einem verbreiteten Zustand. Die moderne Kultur mit ihren vielen ethnischen und kulturellen Minderheiten und ihrer intellektuellen Spezialisierung hat Randpersönlichkeiten von vielerlei Art. Mein Vater und ich haben uns als Staatsbürger, als Intellektuelle und als Juden in diesem Zustand befunden. Wir waren Bürger Deutschlands und sind Bürger der USA geworden. Dabei hatten wir uns, wie so viele andere vor uns, zu entscheiden, welche der beiden Sprachen und Kulturen die für uns bestimmende sein sollte. Intellektuelle fühlen sich in der sozialen Welt, in der sie leben, nicht restlos behaglich – zumindest teilweise deshalb, weil ihre »Erkenntnisweise« sie von anderen abhebt. Und assimilierte Juden sind Außenseiter, weniger als Individuum denn als Angehörige einer sehr alten Gemeinschaftstradition (wie brüchig ihre persönlichen Bindungen an diese Tradition auch sein mögen). In dieser Einleitung werde ich die Marginalität von Intellektuellen und Juden behandeln, während ich die Frage des Generationskonflikts und der nationalen Identität einer späteren Erörterung vorbehalte.

Die Randexistenz der Intellektuellen

Mythen wie jener von Philoktetes können einen ganzen Lebensbereich beleuchten, wie beispielsweise das Außenseitertum von Intellektuellen, und Edmund Wilson hat uns aufgefordert, den Mythos in dieser Weise zu deuten. Wie bei jedem Mythos, muß man auch hier Zugeständnisse an die Triftigkeit machen. Die meisten modernen Intellektuellen treffen nicht so unfehlbar ins Schwarze wie der antike Bogenschütze, und ihr Leiden ist nicht so handfest wie eine offene Wunde. Trotzdem können wir für unsere Zwecke Philoktetes als Symbolfigur des modernen Intellektuellen nehmen, in dem geschärfte Sensibilität oder spezialisierte Kenntnisse sich verbinden mit einem mehr oder weniger schmerzlichen Ausgeschlossensein aus der Gesellschaft. Der Mythos spricht davon, daß die besondere Macht des Bogenschützen sich mit dem verbunden hat, was ihn in den Augen seiner Gefährten als anstoßerregend erscheinen läßt, so daß ihre Hoffnung und Ehrfurcht in bezug auf seine magischen Fähigkeiten mit Gefühlen der Angst und des Abscheus vermischt sind. Heutzutage sind die beliebten Reaktionen auf Intellektuelle nicht so simpel und anschaulich wie jene von einst, haben aber eine Familienähn-

lichkeit mit ihnen. Wir staunen über das musikalische Können eines Geigers, machen aber zugleich abwehrende Späße über sein seltsames Verhalten. Manche Errungenschaften der modernen Wissenschaft beeindrucken uns – zumindest anfangs – als respektgebietend und unglaublich. Wenn wir unmittelbarer betroffen sind, etwa beim Arzt, müssen wir darauf vertrauen, daß er das für uns Notwendige tut, ohne daß wir verstehen, wie er es tut. Je schwerwiegender sein Eingreifen ist, desto wichtiger wird es, ihm zu vertrauen, desto größer wird aber auch unsere Besorgnis. Wir müssen buchstäblich glauben, um geheilt zu werden, und das erklärt teilweise die latente Feindseligkeit gegen Ärzte, die gelegentlich mit unseren Hoffnungen einhergeht. Je dringender wir vom Mann des Wissens zu profitieren suchen, desto mehr reagieren wir mit Furcht und Hoffnung; denn er hat die Macht, gute oder böse Folgen herbeizuführen, wir aber haben weder das Wissen noch das Geschick, auf welche sich diese Macht gründet.
Werden Juristen oder Gelehrte mit Hoffnung und Furcht betrachtet, wie Philoktetes? Gewiß verfügen sie über bestimmte Kenntnisse, von denen die Menschen zu profitieren hoffen, aber sie werden zugleich mit einer gewissen Reserve, um nicht zu sagen mit Argwohn betrachtet. Das in der Öffentlichkeit kursierende Stereotyp des Juristen bewegt sich zwischen einem Menschen von großer Integrität und hoher Bildung und einem Menschen von juristischer Spitzfindigkeit und Rhetorik, was schon an Vorstellungen berufsspezifischer Unredlichkeit grenzt. In ähnlicher Weise bewegt sich das Stereotyp des Wissenschaftlers und Gelehrten zwischen einem Menschen von Klugheit und Fachkunde und einem Menschen im Elfenbeinturm, der entweder wirkungslos oder gefährlich sein mag. Aus diesem Grunde lösen die meisten Juristen und Gelehrten recht widersprüchliche Reaktionen aus: manchen flößen sie Respekt ein und anderen Argwohn. Ihr Wissen und ihre Fähigkeiten mögen bewundert, aber auch gefürchtet werden. Beide Arten von Reaktionen beinhalten aber eine persönliche Distanz; denn die bewunderte Person ist dem Gewöhnlichen entrückt, und die gefürchtete Person ist eine Quelle der Gefahr. Im Falle großer Menschen können diese Gefühle recht intensiv sein, und selbst in meiner und meines

Vaters Erfahrung sind solche Gefühle gelegentlich (wie abgeschwächt auch immer) zum Vorschein gekommen.
In welchem Sinne sind Juristen oder Gelehrte aber von der Gemeinschaft ausgeschlossen? Und sind ihre besonderen Gaben auch eine Quelle der Pein, auf die sie, wie Philoktetes, mit »Schreien und Verwünschungen« reagieren? Die Antwort, die der Mythos gibt, ist deutlich genug. Der Bogenschütze schreit vor Schmerz über seine Wunde und verflucht die Gesellschaft, die ihn ausgeschlossen hat. So einfach kann der Fall bei Juristen, Gelehrten und anderen Intellektuellen nicht liegen. Ihre Gaben sind so verschieden wie der Gebrauch, den die Menschen von ihnen machen können. Aber auch Intellektuelle – um diese vage Kollektivbezeichnung zu benutzen – sehen sich nur allzuoft vor einem Abgrund: wenn sie nämlich glauben, eine besondere Gabe zu besitzen, während in der Gemeinschaft Ambivalenz vorherrscht gegenüber dieser Gabe und denen, die sie besitzen. Die Fachkunde und Einsicht, die der Jurist und der Intellektuelle besitzen, haben nicht die Einfachheit von Philoktetes' Pfeil und Bogen, und die geläufigen Spötteleien, etwa über ihren Jargon, haben nicht die Einfachheit der Verbannung auf eine einsame Insel. Aber die Spötteleien gehen mit vielen gehässigen Urteilen einher, die sehr wohl ein Gefühl der Isoliertheit oder Ausgeschlossenheit hervorrufen können. Die ungeheure Literatur von »Intellektuellen über Intellektuelle« spiegelt das Leiden derjenigen wider, deren Gaben nicht anerkannt werden, während die Gemeinschaft, die von ihnen nichts wissen will, sich dessen beraubt, was diese Gaben ihr zu bieten hätten.
Gewiß, die meisten Juristen sehen sich selbst nicht als Intellektuelle. Sie sind gutbezahlte Handwerker, die geistige Werkzeuge für Dienstleistungen einsetzen, die von der Gemeinschaft hoch bewertet werden. Doch was für die meisten Juristen zutreffen mag, galt nicht für meinen Vater. Er selbst sah sich nicht als Rechtstechniker. Seine Sorge galt der Gerechtigkeit und dem rechtlichen Schutz des Einzelnen. Seine umfangreiche Bibliographie dokumentiert einen lebenslangen Kampf um die Reform des deutschen Rechtssystems, das noch immer einer autoritären Tradition verhaftet war. Nicht wenige Kollegen betrachteten ihn

als unbequemen Kritiker und Utopisten. Er wiederum war überzeugt, seiner Zeit voraus zu sein, und hielt sich für einen Propheten, der die Wahrheit verkündet, selbst auf die Gefahr hin, auf Übelwollen und Ablehnung zu stoßen.

Und wie steht es mit Lehrern und Professoren? Viele von ihnen halten sich ebenfalls nicht für Intellektuelle, sofern man unter diesem zweideutigen Begriff jene gebildeten Leute versteht, die ihre geistigen Gaben dazu benutzen, Bilder des Wahren, Guten und Schönen zu entwerfen, und die Welt, wie sie ist, nach diesen idealen Maßstäben zu beurteilen. Lehrer und Forscher haben eine Aufgabe zu erledigen wie die Juristen, ob diese Aufgabe nun darin besteht, Englisch zu unterrichten oder mit Laserstrahlen zu experimentieren. Die Symbole, die sie bei ihrer Arbeit benutzen, bleiben aufgabenorientiert. Nur wenige Englischlehrer befassen sich mit den allgemeineren Problemen der Sprache in Beziehung auf Mensch und Gesellschaft, und nur wenige Physiker philosophieren über die allgemeineren Probleme der wissenschaftlichen Forschung in Beziehung auf die Natur und den Kosmos.

Menschen, die in den USA (und wahrscheinlich auch anderswo) mit geistiger Arbeit befaßt sind, lieben es nicht, als »Intellektuelle« apostrophiert zu werden, und zwar wegen der abschätzigen Nebenbedeutungen, die sich für das breite Publikum mit diesem Ausdruck verbinden. Während meiner akademischen Laufbahn habe ich in dieser Hinsicht einen merkwürdigen Zwiespalt in der Meinung der Leute festgestellt. Sehr häufig begegnet man einem Professor mit heimlichem oder unverhohlenem Respekt, während Politiker, Geschäftsleute und die Medien ihn eher als komische Figur oder sogar mit ausgesprochener Geringschätzung behandeln. Beide Reaktionen sind etwas übertrieben, und man lebt damit, wie es einem sein Temperament gebietet. Zugleich bilden Lehrer und Forscher der verschiedenen Fachrichtungen eigene, locker strukturierte Gemeinschaften, und das eigene Ansehen in diesen Gemeinschaften fungiert als nicht zu unterschätzendes psychologisches Gegengewicht gegen die öffentliche Geringschätzung. In meinem Falle standen alle diese Überlegungen an Bedeutung zurück hinter der Erfahrung der Emigration aus Nazi-Deutschland im Jahre 1938 und der Möglichkeit, an einer amerikanischen Universität zu studieren. Aus einem Lande vertrieben, wurde ich von einem anderen Lande aufgenommen und erhielt dort die Chance, eine akademische Laufbahn einzuschlagen. Dieser elementare Umstand hat zu meiner lebenslangen Skepsis bezüglich der »Schreie und Verwünschungen« von Intellektuellen über das Leiden von Intellektuellen beigetragen. Nichtsdestoweniger räume ich ein, daß Männer und Frauen des Wissens sich oft nicht bequem in die größere Gemeinschaft fügen. Das galt für meinen Vater und trifft in geringerem Umfang auch auf mich zu.

Die Marginalität der Juden

Die Bedingungen, die ich beschrieben habe – die Spannung zwischen den Generationen und das Problem der partiellen Gruppenzugehörigkeit besonders unter Intellektuellen –, sind in den Gesellschaften der westlichen Zivilisation allgemein verbreitet. Mein Vater und ich hatten diesen Bedingungen als Juden gegenüberzutreten und damit unter Umständen, die auch für andere Juden galten, namentlich für jene, die sich der herrschenden Kultur assimiliert hatten. Eine allgemeine Bemerkung über die jüdische Minderheit in der modernen Zeit und über unsere marginalen Beziehungen zur jüdischen Gemeinschaft ist in dieser Einleitung angezeigt.
Die Emanzipation der Juden war eine der Errungenschaften der Französischen Revolution und des 19. Jahrhunderts. Davor hatten Juden in Ghettos gelebt, als eine abgesonderte und verachtete Minderheit, die auf bestimmte, für Christen verbotene Berufe beschränkt war, das Recht auf Selbstverwaltung besaß, aber besondere Steuern entrichten mußte und in regelmäßigen Abständen von mehr oder weniger gelenkten Gewaltausbrüchen des Pöbels heimgesucht wurde. Indem sie mehr als zweitausend Jahre unter diesen Bedingungen zu leben hatten, entwickelten die Juden ihre eigene Art der Integration, einen betonten und zugleich defensiven Gruppenzusammenhalt. Ihre gemeinsamen Religionsübungen und Kulturtraditionen boten ihnen eine Quelle

des Stolzes und ein Gefühl der Zugehörigkeit sowie die Möglichkeit, Nonkonformisten zu bestrafen.
Diese Ghettos basierten auf einer legalen Diskriminierung der Juden als Gruppe. Theoretisch bekam jeder Jude die Möglichkeit, das Ghetto zu verlassen, als diese Diskriminierung beseitigt war. Doch hatten orthodoxe Juden seit zwei Jahrtausenden die jüdische Tradition gepflegt und wollten ihre gewohnte Lebensweise nicht aufgeben, nur weil sie jetzt die rechtliche Möglichkeit dazu hatten. Wo immer daher orthodoxe Juden heute zusammenkommen, entscheiden sie sich dafür, so zu leben, wie sie es immer getan haben, für eine Art freiwilliger Absonderung also, auch wenn der eine oder andere heutzutage soziale und wirtschaftliche Tätigkeiten ausübt, die ihm früher verwehrt waren. Entscheidend für sie ist die strikte Einhaltung des orthodoxen Glaubens und der orthodoxen Kultpraxis. Was das Gesetz den Juden erlaubt, ist vom religiösen Standpunkt aus unerheblich, weil jede Abweichung vom rechten Glauben eine Herausforderung Gottes bedeutet. Orthodoxe Juden sehen in dieser Position das Festhalten an dem einen, wahren Glauben. Als wahre Gläubige sorgen sie sich einzig um die Reinheit der jüdischen Religion, wie sie sie verstehen. Daß sie eine Minderheit sogar innerhalb der jüdischen Gemeinschaft sind und daß eine derartige Konsequenz den orthodoxen Juden eine Art weltverachtender Isolation aufzwingt, ist unwesentlich.
In der Praxis hat die große Mehrheit der Juden sich in unterschiedlichem Ausmaß an das Leben außerhalb des Ghettos angepaßt. Aber die rechtliche Emanzipation der Juden erwies sich als Zwischenstation, und alle Positionen mit Ausnahme der strengsten Orthodoxie haben ihren Preis zahlen müssen. Die formelle Gleichberechtigung vor dem Gesetz trug wenig dazu bei, die gesellschaftliche und wirtschaftliche Diskriminierung der Juden zu beseitigen. Ja, die Befreiung aus dem Ghetto wurde zum Vorspiel des *modernen* Antisemitismus, und wo der Antisemitismus zur politischen Kraft wurde, schlossen Juden sich zu Verteidigungsorganisationen zusammen, um gegen Vorurteil und Diskriminierung zu kämpfen.
Abgesehen von der Orthodoxie gab es für die meisten Juden

andere, von der rechtlichen Emanzipation ermöglichte Anpassungsformen an die Gesellschaft außerhalb des Ghettos, aber es erscheint als unmöglich, das Außenseitertum der Juden in der Gesellschaft aufzuheben. Eine dieser Anpassungsformen ist die Konversion bzw. die Heirat mit Nichtjuden, aber häufig hinterläßt diese Möglichkeit ein schlechtes Gewissen, ungelöste Probleme für Eltern und Kinder sowie die Gefahr der politischen Manipulation in Zeiten eines wachsenden Antisemitismus. Ein zweiter Weg war die Assimilation an die vorherrschende Kultur, manchmal mit und manchmal ohne Beibehaltung der religiösen Gebräuche. Auch dies war eine halbe Lösung, weil rechtliche Gleichstellung die soziale und ökonomische Diskriminierung der Juden nicht beseitigen konnte. Ein dritter Weg war das Engagement für den Sozialismus als eine Lösung des jüdischen Problems, aber wir wissen nicht, wie eine sozialistische Gesellschaft aussehen würde, während kommunistische Gesellschaften den Antisemitismus zu fördern scheinen. Der Zionismus ist der vierte Weg der Anpassung an das Leben außerhalb des Ghettos, und dieser Weg hat zur Gründung des Staates Israel im Jahre 1948 geführt. Jedem Zeitungsleser sind die ungelösten politischen Probleme des Staates Israel bekannt.

Ich glaube, daß trotz der Existenz Israels die Diaspora der Juden in unabsehbare Zukunft fortbestehen wird und damit auch die Wahl zwischen den fünf Optionen der Orthodoxie, der Konversion, der Assimilation, des Sozialismus und des Zionismus. Jede dieser Positionen hat ihre Gegenströmungen und Probleme und ist eine Quelle von gegenseitigen Beschuldigungen, von Zweideutigkeiten, von Kummer und Gram. Keine dieser Positionen »löst das jüdische Problem«, ja, ich bin nicht einmal sicher, was dieser Ausdruck bedeuten soll. Israel, den Wechselfällen der Weltpolitik ausgesetzt, ist selbst ein Teil des Problems geworden, in dem Sinne, daß Juden in vielen Ländern sich zwar mit dem neuen Staat identifizieren, aber nicht selbst in ihm leben wollen. An die Stelle der früheren Idee, daß ein jüdischer Staat eine Heimat für alle Juden bilden werde, ist daher die Koexistenz der jüdischen Bürger Israels und der jüdischen Bürger anderer Länder getreten. Und diese Länder der Diaspora werden nur in demokratischen

Gesellschaften, die die Rechte von Minderheiten schützen, eine fragwürdige Sicherheit für Juden gewähren. Alles dies ist im Nachhinein gesagt, und darin ist kein Trost zu finden.

Von den aufgezählten Optionen ist die einzig konsistente Position die der Orthodoxen, die wahre Gläubige sind und aufgrund ihres Glaubens an die Verheißung Gottes für Sein Volk keinerlei Kompromiß mit der Welt dulden werden. Aber solche Konsistenz ist nur zu erreichen, wenn man die Welt ignoriert. Alle anderen Positionen gründen ihre Entscheidung (oder sollten sie gründen) auf moralische Näherungswerte. Es ist verfehlt, eine dieser Optionen einer anderen aus historischen Gründen vorzuziehen. Die Geschichte überliefert uns bedingte Ereignisse, und angesichts dieser Ungewißheit kann man keine der Optionen aufgrund dessen *beweisen,* was geschehen ist.

Der Holocaust beweist nicht, daß der Zionismus recht hatte und die Assimilationsbewegung unrecht. Hitler war eine Katastrophe für die Welt und für die Juden insbesondere, aber nur der Orthodoxe kann mit Überzeugung sagen, daß Hitler Gottes unerforschliche und unerbittliche Strafe für unsere Sünden war. Wir übrigen müssen ihn als ein bedingtes Ereignis betrachten, als eine Katastrophe, für die man eine Unmenge von Gründen anführen kann, die aber trotz allem nicht unvermeidlich war. Die Kenntnis des geschichtlichen Ausgangs verleiht uns ein trügerisches Gefühl der Gewißheit, das wir dann auf jene Menschen der Vergangenheit übertragen, die einen Ablauf von Ereignissen zufällig richtig vorausgesehen haben. Aber diese Überlegung ist nicht stichhaltig. Vor Hitler konnten weder die Zionisten noch die Anhänger der Assimilationsbewegung die Machtergreifung Hitlers voraussagen, und rückblickend müssen wir beiden Lagern zugute halten, daß sie ihre Entscheidung im Zustand der Ungewißheit trafen. Andernfalls verurteilen wir uns selbst zu demselben fatalen Rechenfehler; denn manche von uns sind heute genötigt, Entscheidungen zu treffen, die wir oder unsere Kinder künftig Ursache haben werden zu bedauern. Es stimmt zwar, daß die Anhänger der Assimilationsbewegung in Deutschland, zu denen auch mein Vater gehörte, die Situation der deutschen Juden in den zwanziger Jahren verkannten; aber genau so verkannten

auch viele Zionisten die künftigen Probleme des Staates Israel. Ich glaube, wir sollten es vermeiden, uns persönlich etwas darauf zugute zu halten, daß wir *nach* dem Ablauf der Ereignisse klüger sind als *vorher*, und sei es nur deshalb, weil auch wir uns in der Zukunft als fehlbar erweisen werden.
Zweck dieser Bemerkungen ist, darauf hinzuweisen, daß jede der erwähnten Positionen, je nach der Zeit, den Umständen und den moralischen Eigenschaften der beteiligten Personen, ihre Berechtigung haben *kann*. Ich sage ausdrücklich »kann«, weil die meisten von uns bei moralischen Entscheidungen zwischen hohen und niedrigen Motiven unterscheiden. Das heißt, ich akzeptiere jede Überzeugung als authentisch, die nicht aus Bequemlichkeit oder Berechnung hervorgeht. Ich mag trotzdem eine solche Überzeugung, wie das orthodoxe Judentum oder die Konversion zum Christentum, für mich persönlich ablehnen, weil ich mich außerstande sehe, sie mit Überzeugung zu vertreten. Oder ich bekämpfe – auf einer anderen Ebene – Faschismus und Kommunismus, weil ich deren auf Zwangsmittel basierende Manipulation des Menschen für verabscheuenswert und ihre Konsequenzen für verhängnisvoll halte. Aber ich gehöre zu jenen, die versuchen, in dieser Welt zu leben. Wenn ich will, daß andere meine Überzeugungen respektieren, muß ich umgekehrt ihre Überzeugungen respektieren, selbst wenn ich sie am Ende ablehne und sie aus moralischen oder politischen Gründen bekämpfe. Ich kann nicht wie die Orthodoxen handeln, die den »wahren Glauben« hochhalten und jede Abweichung von dieser Wahrheit als einen Verrat an Gott ansehen.
Schließlich bleibt noch das Problem der Marginalität für Juden als Gruppe und als Individuen. Es ist ein Rätsel, daß die jüdische Minderheit ihre Identität über die Jahrtausende bewahrt hat, während so viele andere Minderheiten verschwunden sind. Es stimmt zwar, daß einige andere Gruppen, wie etwa die Kelten oder die Basken, von alters her überlebt haben, aber in diesen Fällen ergab sich das Überleben aus der Isolation. Das Wunder der Juden ist ihr Überleben trotz ihrer Zerstreuung in die ganze Welt, und in diesem Sinne sind sie wahrhaft einzigartig, die Randgruppe *par excellence*. Sie haben eine weltweite Zivilisation

und ihren religiösen Glauben aus ihrem tausendjährigen Mißgeschick geschaffen, und daher bedroht die Emanzipation der Juden – halbherzig, wie sie war – ihr Überleben, weil sie die Absonderung verringert und die Juden anderen Minderheiten ähnlicher macht. In dieser Hinsicht hat die Naziverfolgung das Judentum paradoxerweise wiederbelebt, häufig mehr im ethnischen als im religiösen Sinne, obwohl diese Verfolgung die jüdischen Gemeinden überall in Europa dezimiert hat. Mir scheint es eine offene Frage zu sein, ob der Pluralismus der amerikanischen Gesellschaft das Judentum schwächen oder, dank seiner Toleranz, den Juden auch langfristig gestatten wird, ihre kulturelle Gemeinschaft trotz Assimilation und abgeschwächten religiösen Gebräuchen am Leben zu erhalten. Ohne Frage hat der Staat Israel die ethnische Identität der Juden gestärkt. Doch ist es ebenfalls eine offene Frage, ob langfristig gesehen das Judentum als Zivilisation nicht unter dieser Vermengung einer alten, abgesonderten Tradition mit der Welt der Politik zu leiden haben wird.

Die Entfernung ist groß zwischen diesen Zivilisationsproblemen der jüdischen Minderheit in vielen Ländern und den marginalen Beziehungen meines Vaters zur jüdischen Gemeinschaft, die ich als meine eigenen akzeptiert habe. Dennoch besteht ein Zusammenhang. Wenn die Juden durch die Jahrtausende die Randgruppe *par excellence* gewesen sind, dann war dies zu einem wesentlichen Teil auf ihren Zusammenhalt als Gemeinschaft zurückzuführen, der von außen erzwungen und von innen verstärkt wurde. Dieser Zusammenhalt wurde durch die Emanzipation und die nachfolgende Assimilation der Juden bedroht. Doch Juden, die sich zu assimilieren versuchen, wollen oder können oftmals nicht den letzten Schritt tun, weil ihnen die Gesellschaft Hindernisse in den Weg legt und weil sie ein Teil beider Welten sein wollen: des Judentums, dessen Orthodoxie sie hinter sich lassen, und der Kultur jenes Landes, in dem sie leben. Und selbst wenn sie in ihrer Identifikation mit der herrschenden Kultur den letzten Schritt tun, wie es mein Vater getan hat, bleiben doch Bande der Abstammung und gelegentliche Verlust- oder Reuegefühle. In jedem Falle ist die Assimilation kein bequemer oder häufiger Gegenstand bewußter Reflexion, weil sie zumindest unbehagliche Gefühle und mitunter auch eine Empfindung wirklicher Seelenqual auslöst. Vom Standpunkt des Forschers ist dies freilich kein guter Grund, das Thema zu vermeiden. Assimilation ist es wert, um ihrer selbst willen betrachtet zu werden – ein Standpunkt, den ich meiner Erfahrung und den Möglichkeiten verdanke, die mir die Aktiva und Passiva der amerikanischen Zivilisation geboten haben.

Erster Teil

Das Erbe des Vaters – Ludwig Bendix (1877-1954)

Was du ererbt von deinen Vätern hast,
Erwirb es, um es zu besitzen.
Goethe, Faust

Kapitel I

Anfänge, Studienzeit und erste Kämpfe (1877-1897)

Anfänge

Ludwig (Louis)[a] Bendix wurde am 28. Juni 1877 als Sohn des Hebräischlehrers in der jüdischen Gemeinde des Dorfes Dorstfeld, heute ein Vorort von Dortmund, geboren. Er war der einzige Sohn und das älteste von drei Kindern der zweiten Ehe seiner Mutter. Sein Vater Gustav (Gumpert) Bendix (1853-1908) hatte, 22jährig, im Jahre 1875 Johanna Baruch-Rosenberg (1841-1897) geheiratet, eine Witwe von 34 Jahren, die fünf Kinder aus ihrer ersten Ehe mitbrachte. Die Familie lebte in ländlicher Umgebung unter sehr bescheidenen Verhältnissen. Wenn mein Vater an seine Kindheit zurückdachte, erinnerte er sich vor allem an die Süßigkeiten, die er von seiner gutmütigen Tante (der Schwester seiner Mutter) geschenkt bekam, und an das Taschengeld, das er sich verdiente, indem er beim Viehhüten half. Ein Verwandter mütterlicherseits handelte in recht großem Stil mit Vieh und Pferden. Die Familie meines Großvaters lebte in Lünen, so daß die weitere Familie meines Vaters aus der Tante, seinen vier Stiefbrüdern, einer Stiefschwester und den angeheirateten Verwandten seiner Mutter bestand.
Das ist bereits alles, was mein Vater in seinen Memoiren über seine frühe Jugend schreibt.[1] Im Hinblick auf seine spätere Haltung gegenüber dem Judentum ist es angebracht, einen Eindruck des jüdischen Lebens zu gewinnen, in dem er aufwuchs.
Die preußische Provinz Westfalen hatte eine Gesamtbevölkerung

a) Mein Vater änderte seinen Taufnamen Louis in Ludwig um, als er im Jahre 1907 zum öffentlichen Notar bestellt wurde.

von 1,7 Millionen Menschen im Jahre 1871 bzw. 2,4 Millionen im Jahre 1890. Der Anteil der Juden an der Bevölkerung betrug weniger als ein Prozent und lag damit etwas niedriger als in Preußen oder in Deutschland insgesamt. Vor 1808 war es Juden in Westfalen verboten, in Dortmund zu wohnen. Sie lebten in den Dörfern auf dem Lande, durften aber kein Land besitzen und hatten eine besondere jährliche Steuer zu zahlen. Für den Tag, den sie in der Stadt verbringen wollten, mußten sie außerdem eine besondere Gebühr entrichten. Um die Mitte des 19. Jahrhunderts waren diese Beschränkungen jedoch aufgehoben worden. In dem Jahr, in dem mein Vater geboren wurde (1877), hatte Dortmund mit seinen rund 57000 Einwohnern eine jüdische Gemeinde von 888 Personen oder 1,5 Prozent der Bevölkerung. Jüdische Gemeinden wie die von Dortmund oder zeitweilig auch die von Dorstfeld galten im juristischen Sinne als Religionsgemeinschaft der jeweiligen Synagoge, und alle in diesem Bereich ansässigen Juden mußten ihrer zuständigen Synagoge angehören. 1853 zählte die jüdische Gemeinde in Dorstfeld 12 Familien bei einer Gesamtbevölkerung von rund zwölfhundert Einwohnern. 1913 lassen sich bei einer Bevölkerung von über 8000 Menschen 59 Juden nachweisen.[b]

Dorstfeld und das Nachbardorf Huckarde waren typisch für die jüdischen Gemeinden Westfalens, die oft so klein und arm waren, daß es ihnen schwerfiel, langfristig eine Synagoge, eine Schule und einen Friedhof zu unterhalten. Noch zu Beginn des Jahrhunderts hatte man den Gottesdienst für die Mitglieder der jüdischen Gemeinde in Privatwohnungen abgehalten; als die Zahl der jüdischen Bewohner jedoch ihren Höhepunkt erreichte, baute man – wohl um 1840 – eine Synagoge. Aber auch dann war es in diesem Dorf der Hausierer und Händler um die rabbinische Gelehrsamkeit nicht zum besten bestellt. Waren die wirtschaftlichen Verhältnisse ungünstig, konnte die Gemeinde sich nicht

b) Das sind die einzigen Angaben über die Zahl der Juden in Dorstfeld nach 1850, die verfügbar sind. In der ersten Jahrhunderthälfte war diese Zahl größer gewesen. Die speziellen Einwohnerzahlen von Dorstfeld sind 1267 (für 1858) bzw. 8321 (für 1905).

einmal einen Lehrer leisten. Dann pflegte man die Kinder in christliche Schulen des Ortes zu schicken, während ihnen die rituellen Gebräuche des Judentums, das Lesen der hebräischen Gebete und das Schreiben der hebräischen Buchstaben zu Hause von ihren Eltern beigebracht wurden. Sobald die Verhältnisse sich besserten, stellte die jüdische Gemeinde einen Lehrer ein. Von 1870 bis zum Beginn der achtziger Jahre wirkte mein Großvater Gustav Bendix als Volksschullehrer und Dorstfelder Hebräischlehrer. Die reicheren jüdischen Familien ließen ihren Kindern wohl auch einmal bezahlten Privatunterricht im Lesen und Schreiben des Deutschen sowie im Lesen und Sprechen der hebräischen Gebete angedeihen. Manche Kinder schickte man auch nach Dortmund mit seiner größeren jüdischen Gemeinde zur Schule. Aus den Jahren 1843 bzw. 1861 sind auch zwei jüdische Friedhöfe in Dorstfeld belegt.[2]

Die religiösen Gepflogenheiten von Juden in westfälischen Dörfern werden jenen in den Dörfern Südwestdeutschlands wohl nicht unähnlich gewesen sein. Über sie berichtet Werner Cahnmann aus eigener Anschauung, daß die Frömmigkeit des dörflichen Juden weniger eine Sache der Andacht als vielmehr Pflichterfüllung war. In den immer kleiner werdenden Gemeinden hatte ein schleichender Verfall eingesetzt.

Man klagte, die Erwachsenen hätten kein Interesse an ernsthaften jüdischen Studien, die Gottesdienste würden spärlich besucht, die Besucher seien nicht bei der Sache, die Beobachtung des Sabbats werde vernachlässigt u. dgl. (...) Auf der anderen Seite hielt man nach wie vor streng an Gebräuchen fest, die mit dem Lebenszyklus zu tun hatten, mit der Befolgung religiöser Gesetze im häuslichen Bereich und der Erziehung der Kinder, d. h. an Gebräuchen, die familiäre Anklänge hatten.[3]

Verhältnisse dieser Art waren auch in Dorstfeld anzutreffen, weil in der kleinen Gemeinde eine allein in der Familie stattfindende Religion immer mehr in den Vordergrund trat. In dem Maße, in dem die jüdische Bevölkerung schrumpfte, übernahm der Lehrer mehr und mehr die Funktionen, die in größeren Gemeinden Rabbiner wahrnahmen. Selbst dann mußte das Lehrergehalt durch Nebenverdienste aufgebessert werden, sei es durch Heiratsvermittlung oder Beratung bei Eingaben und Archivforschungen, sei es durch die Übernahme einer Versicherungsvertretung.[4]

1884 übersiedelte die Familie meines Vaters nach Münster in Westfalen, wo mein Großvater begann, sich als Versicherungsagent zu betätigen. In seiner Autobiographie verband mein Vater mit den Jahren in Münster die Erinnerung an Lausbubenstreiche und ein oder zwei Fälle körperlicher Züchtigung. Es gab auch die Erinnerung daran, daß mein Großvater nach einer langen Abwesenheit von zu Hause auf einmal wieder heimgekehrt war; welche Bewandtnis es mit dieser Abwesenheit hatte, sollte mein Vater erst viel später erfahren. Nachdem er acht Jahre in Münster gewohnt hatte, zog mein Großvater 1892 mit seiner Familie nach Berlin, wo er völlig in seiner Versicherungstätigkeit aufging und es zu recht beachtlichem Wohlstand brachte.

Der Umzug aus einer Provinzkleinstadt in die Hauptstadt des deutschen Reiches entsprach der damaligen massiven Tendenz zur Verstädterung. Berlin hatte ein rapides Bevölkerungswachstum erlebt: Waren es 1860 noch knapp 500 000 Einwohner gewesen, so zählte die Stadt 1877 etwas mehr als eine Million Einwohner, und um die Jahrhundertwende näherte sich die Zahl der Einwohner der Zwei-Millionen-Marke. Bei einer Gesamtbevölkerung von 56,2 Millionen gab es im Jahre 1900 in Deutschland 586 000 Juden, das entsprach etwa 1 Prozent. Sie verteilten sich über das ganze Reich, konzentrierten sich jedoch in den Städten und insbesondere in Berlin, wo ihr Anteil an der Bevölkerung 4,9 Prozent betrug. Rund 100 000 Juden bei einer städtischen Bevölkerung von etwa 2 Millionen Menschen – das scheint nichts Außergewöhnliches zu sein.

Doch wurde ihre soziale Sichtbarkeit durch ihre Konzentration in einzelnen Berufen gesteigert. Juden waren entweder selbständig erwerbstätig oder leitende Beamte im Bankwesen (54,9 Prozent), im Verkauf (38,6 Prozent), im Wandergewerbe (21,6 Prozent), im Versicherungswesen (18,3 Prozent) und im Handel (17,0 Prozent). Viele Juden wandten sich dem medizinischen Bereich zu. Angesichts der späteren Karriere meines Vaters als Anwalt ist der juristische Beruf von besonderem Interesse. Nach einer Untersuchung wohnte ein Fünftel aller deutschen Anwälte

in Berlin, was nicht verwunderlich ist, wenn man sich die Konzentration der Rechtstätigkeit in der deutschen Hauptstadt vergegenwärtigt. Unter diesen Berliner Anwälten stellten die Juden eine absolute Mehrheit dar. Aus einer neueren Studie über die Akten des Reichsjustizministeriums geht hervor, daß es 1910 am Berliner Kammergericht und den drei Landgerichten insgesamt 1314 Anwälte gab; von diesen waren 57,6 Prozent Juden, 2,1 Prozent jüdischer Abstammung, aber zum Christentum übergetreten, und 40,2 Prozent Christen.[5]
Diese Konzentration der Juden in wenigen Berufen und Gewerben war zu einem guten Teil eine Begleiterscheinung ihrer Diskriminierung. Mit wenigen Ausnahmen war den Juden eine Laufbahn im Staatsdienst und im Offizierskorps verschlossen, in den Berufen also, die im kaiserlichen Deutschland das höchste Prestige genossen. Da auch Lehrer, Richter und Universitätsprofessoren Beamte waren, bedeutete dies, daß Juden von vielen Berufen ausgeschlossen waren, die höhere Bildungsqualifikationen voraussetzten. Gleichzeitig war der Zeitraum von 1890 bis 1910 von zunehmendem Wohlstand gekennzeichnet. So kam es, daß Juden, die die allgemeine Wanderung in die Großstädte mitmachten, in unverhältnismäßig großer Zahl in jene Mittelschichtsberufe drängten, in denen sie nicht diskriminiert wurden und in denen ein höherer Bildungsabschluß entweder erforderlich war oder doch eine wichtige Qualifikation bedeutete.

Der Bruch mit dem Judentum

In seinem Versicherungsgeschäft hatte mein Großvater zwar von diesem Wohlstand profitiert, aber der Erfolg der jüdischen Mittelschichtsfamilien hatte auch seine Schattenseiten. Der rapide wirtschaftliche Aufschwung ging einher mit allgemeinen sozialen Konflikten und mit dem Aufkommen eines virulenten Antisemitismus. Unter diesen Umständen wurde der Generationskonflikt in erfolgreichen jüdischen Familien durch die Tatsache verschärft, daß diese Familien einer Minderheit angehörten, die von Agitatoren für die wachsenden sozialen Übel der Zeit direkt verantwortlich gemacht wurde. Viele rebellierende Söhne aus jüdischem Hause teilten schließlich diese Gefühle und übernahmen antikapitalistische, antibürgerliche und antijüdische Einstellungen. Wegstrebend von einer Lebensweise, die sie ablehnten, warfen manche dieser jungen Juden sich auf Kunst und Literatur, schlossen sich den antikapitalistischen Tendenzen konservativer Gruppen an, rationalisierten ihren Haß auf den »jüdischen Kapitalismus«, indem sie sich dem Kampf aller Unterdrückten gegen die Ausbeutung durch die Bourgeoisie verschrieben, oder wandten sich dem Zionismus zu, in welchem sie eine nationale Lösung des jüdischen Problems erkannten.[6] Inwieweit mein Vater ähnliche Positionen vertrat, kann ich nicht sagen; daß er manche dieser Empfindungen teilte, ist jedenfalls deutlich genug. Ich weiß von seiner großen Sympathie für die Mühseligen und Beladenen und von seiner tiefen Skespis gegenüber der bürgerlichen Gesellschaft. In Kleidung und Benehmen gab er sich formlos bis zur Nachlässigkeit – ein Verhalten, das für meine Mutter eine Quelle des Verdrusses war und vielleicht auf seine anti-bürgerlichen Gefühle in der Jugend zurückging.

Im Jahre 1897, wahrscheinlich im Zusammenhang mit diesem Generationskonflikt der neunziger Jahre, entschied sich mein Vater, die religiösen Gebräuche seiner Familie aufzugeben. Davon wußte ich nichts; auch wird dieser Wendepunkt seines Lebens in seinen Schriften nirgends erwähnt. Soviel Zurückhaltung macht es wahrscheinlich, daß die Erinnerung an diese Episode starke Gefühle des Unbehagens auslöste. Offenbar schrieb mein Vater einen Brief an Gustav Bendix, in dem er ihm seine Entscheidung ankündigte und erklärte. Ich habe von diesem Brief nur dadurch Kenntnis erhalten, daß ich bei Durchsicht des Nachlasses auf die Antwort meines Großvaters stieß, die mein Vater zeit seines Lebens aufbewahrte und zusammen mit seinen anderen Papieren mit sich nach Palästina und später nach Amerika nahm.

Der Entschluß, mit dem Judentum zu brechen, basierte auf einer starken Identifikation meines Vaters mit der deutschen Kultur und hat auch erhebliche Auswirkungen auf den Gang meines eigenen Lebens gehabt. Die Sympathie meines Vaters mit einem Lehrer und zwei Klassenkameraden half ihm, einen neuen Wurzelboden außerhalb seiner Familie zu finden. Aber die Entscheidung, die Assimilation bewußt anzustreben, löste einen Kampf mit meinem Großvater aus, der innerhalb der Familie die jüdische Tradition repräsentierte, wie es für das Oberhaupt des Hauses typisch war. Man kann annehmen, daß Gustav Bendix am Tisch die Gebete sprach und daß seine Frau Johanna darauf sah, daß die jüdischen Speisevorschriften und die anderen Aspekte des jüdischen Rituals eingehalten wurden. Also bedeutete die Entscheidung meines Vaters, daß er von seinen Eltern loskommen wollte, was im Falle meiner Großmutter noch auf seine schmerzlichen Beziehungen zu ihr zurückzuführen ist.

1892 war mein Vater fünfzehn Jahre alt. Er besuchte das Luisenstädtische Gymnasium, wo u. a. Rudolf Lehmann, ein damals bekannter pädagogischer Schriftsteller, zu seinen Lehrern gehörte. Lehmann war zwar jüdischer Abstammung, doch war er als Kind getauft worden und in einem deutschen und christlichen Milieu aufgewachsen. In seinen praktischen und theoretischen Schriften zur Didaktik der deutschen Sprache und Literatur vertrat Lehmann ein Erziehungsideal, das die Humanität eines Goethe mit der eisernen Entschlossenheit eines Bismarck verband. Diese und andere Schriften hatten erheblichen Einfluß auf den Lehrplan für Deutsch an den preußischen Gymnasien.[7] Sie hatten auch einen unmittelbaren persönlichen Einfluß insofern, als mein Vater im Kreis der vorgerückten Gymnasiasten, den Lehmann um sich gesammelt hatte, zwei junge Leute kennenlernte, Max Köhler[c] (1878-1929) und Bernhard Schmeidler (1879-1959), mit denen ihn eine lebenslange Freundschaft verbinden sollte. Alle drei waren stark an Philosophie und Psychologie interessiert, eine Neigung, die Lehmann förderte, indem er für eine ausgewählte Gruppe von Gymnasiasten private Kurse veranstaltete. Später legte Leh-

c) Im späteren Leben nannte Köhler sich Frischeisen-Köhler, zu Ehren seines Stiefvaters. Unter diesem Doppelnamen ist er in Fachkreisen bekannt geworden. Der Einfachheit halber werde ich ihn weiterhin Köhler nennen, mit Ausnahme des letzten Teils dieses Kapitels.

Rudolf Lehmann, Gymnasiallehrer, Luisenstädt. Gymnasium, Berlin

mann den drei Freunden nahe, in ihrem ersten Studienjahr in Berlin und Freiburg zusammenzubleiben. Das Verhältnis dieser drei Freunde zueinander war ein wesentlicher Einfluß im Leben meines Vaters. Ich komme darauf weiter unten zurück.

Zweifellos ging ein schwerer Kampf der Entscheidung über das Judentum voraus, ein Kampf sowohl zwischen Gustav und Ludwig als auch in Ludwigs Seele selbst. In seinen Erinnerungen gibt mein Vater diesem Erlebnis so gut wie keinen Ausdruck, aber mehr als 50 Jahre später wurde er wieder daran gemahnt – als er sich nämlich mit meinem eigenen Drang nach Selbständigkeit auseinanderzusetzen hatte. In einer poetischen Reflexion über diese schmerzliche Erfahrung beschrieb er, unter dem Titel *Sachte, sachte,* seine eigenen Gefühle folgendermaßen:

Es ist zu schwer, sich ganz hineinzufinden,
Daß meine Kinder ihre Wege geh'n.
Ich mühe mich und möcht' es gern versteh'n,
Daß sie nicht mehr gewillt sind, sich zu binden.

›Die alten Bande müssen doch verschwinden!
Was stets geschah, das muß auch hier gescheh'n!
Wart ihr denn anders? Könnt ihr's jetzt nicht seh'n:
Ein jeder kann nur für sich selber schinden!‹
Ich weiß das alles und hab' nicht vergessen,
Wie einst ich selbst mit starken Ellenbogen
Ins Leben stürmte ruhelos, besessen,
Und wie mein Vater stolz blieb mir gewogen.
Jetzt frag' ich mich, ob er nicht heimlich dachte:
Geliebter Junge, langsam, sachte, sachte!

Berkeley, Ende März 1949

Gleichwohl gab Gustav Bendix seinen »geliebten Jungen« nicht ohne Kampf auf. In seiner Autobiographie erinnert mein Vater sich nicht ohne Melancholie, wie sehr meinem Großvater daran gelegen war, daß sein Sohn einmal in seine Fußstapfen träte und sein Nachfolger im Versicherungsgeschäft würde. Bald nachdem er sich in Berlin niedergelassen hatte, pflegte Gustav Bendix seinen Sohn zu seinen verschiedenen Klienten mitzunehmen, um ihm sowohl die technischen Aspekte des Versicherungswesens als auch die Kunst der Menschenbehandlung vorzuführen. Noch viele Jahre später erinnerte sich der Sohn an die Überredungskünste seines Vaters, an die ansehnlichen Provisionen, die ihren Eindruck auf ihn nicht verfehlten, und an den Versuch des Vaters, ihn »festzunageln«, indem er ihn offiziell als Vertreter seiner Versicherungsgesellschaft eintragen ließ. Aber es half alles nichts, wie mein Vater rückblickend feststellt, und so erhielt er schließlich von meinem Großvater die zögernd erteilte Erlaubnis, Jura zu studieren. Der Grund für dieses Zögern war die Befürchtung meines Großvaters, daß das Jurastudium meinen Vater dem Einfluß der Familie und des Judentums entziehen könnte. Vermutlich konnte Gustav Bendix die Einzelheiten dieser Ent-

Ludwig Bendix, 1898

wicklung nicht abschätzen, aber er konnte erkennen, daß mein Vater unter dem Einfluß von Lehmann und seinen zwei Freunden sich von den jüdischen Ideen und Gebräuchen wegbewegte und sich immer mehr mit der deutschen Gedankenwelt identifizierte.

Wie gesagt, der Brief meines Vaters ist nicht erhalten, aber die verbleibenden Dokumente ermöglichen es mir, den damaligen Vorgang zu rekonstruieren. Es gibt gute Gründe für diesen Versuch. Ich bin ein Jude, der ohne Unterweisung im Judentum

Gustav Bendix, 1900

aufgewachsen ist. In dieser Hinsicht ist mein Leben von dem bestimmt worden, was sich 1897 zugetragen hat – 19 Jahre, bevor ich zur Welt kam. Das Leben meines Vaters selbst ist durch jenes

Erlebnis geprägt und überschattet worden. Was jedoch am wichtigsten ist: die verfügbaren Unterlagen bringen Licht in die Frage, was es bedeutete, sich von jüdischen Gepflogenheiten ab- und der Assimilation zuzuwenden. Man kann darin eine Fallstudie zu beiden Themen: Generationskonflikt und partielle Gruppenzugehörigkeit, sehen.
Die feste, aber sehr milde Art, in der mein Großvater auf den persönlichen Ausbruch seines einzigen Sohnes reagierte, läßt vermuten, daß Gustav Bendix trotz allem Verständnis für die jugendlichen Erlebnisse meines Vaters hatte, die zu dieser provozierenden Entscheidung geführt hatten. (Ich komme auf diese Erlebnisse noch zu sprechen).

Berlin SW., den 1. Oktober 1897

Mein lieber Louis!

Trotzdem ich sehr beschäftigt bin, will ich Deinen Brief doch in etwa beantworten, weil Du es zu wünschen scheinst. Freilich, wollte ich näher auf den wunderbaren Inhalt Deines langen Schreibens eingehen, ich müßte ein ganzes Buch schreiben. Dazu habe ich natürlich weder Zeit noch Lust. Die liebe Großmutter, der leider Dein Brief ohne mein Wissen und Wollen vorgelesen worden [ist], hat zwar in ihrer Unschuld gleich die richtigste & beste Antwort gegeben, das treffendste Urtheil gefällt: »Das versteh ich nicht«. Auch mir ist es unverständlich, warum Du grade meinen Geburtstag [27. September], das Roschhaschanahfest [jüdisches Neujahrsfest] benutzt, um mir Dein mich beunruhigendes, ja verletzendes Glaubensbekenntniß abzulegen, ein Bekenntniß, das weder verlangt noch geboten gewesen, unter allen Umständen aber bekundet, daß Du es sehr eilig hast, etwas über Bord zu werfen, was vielleicht sehr werthvoll, etwas zu mißachten, was Du auf seinen wahren Werth noch niemals geprüft, was zu prüfen Du auch gar nicht befähigt bist. Schon die Hinweisung auf Dein früher gezwungenermaßen abgelegtes Glaubensbekenntniß beweist eine Unkenntniß über das Judenthum, die wohl erklärlich, aber unverzeihlich ist, wenn sie zu weiteren Trugschlüssen und Entschlüssen Veranlassung gibt. Das Judenthum als solches kennt kein Glaubensbekenntniß, die sogenannte Barmizwafeier ist keine Confirmation, und was dem ähnlich eingeführt worden, ist eine Copie des Christenthums, auf keinen Fall jüdisch. Was nun das soziale Empfinden und Handeln anbetrifft, so liegt nicht blos kein Grund vor, dieserhalb mit dem Judenthum zu brechen, sondern im Gegentheil: Das Judenthum, die jüdische Religion in ihrem Wesen und inneren Kern ist durch und durch social. Die Agrargesetzgebung, die sanitären, die soziologen [sic] Vorschriften etc, etc. widersprechen dem modernen socialen Empfinden nicht blos nicht, sie gehen im Großen und Ganzen noch weit, sehr weit über das jetzt Verlangte hinaus. Aber freilich, wer bekümmert sich darum, welcher Abiturient hält es, ehe er ein abschließendes und noch dazu verwerfendes Urtheil fällt, für seine Pflicht zu prüfen, ernstlich, gewissenhaft zu prüfen. Ist das Leichtsinn, ist es Furcht, eines Besseren belehrt zu werden, ist es die Neigung zum Absonderlichen? Wer weiß? Ich will es nicht untersuchen, will Dich auch ob Deines jugendlichen Handelns nicht schelten, verdammen: leicht fertig ist die Jugend mit dem Wort! Wenn Du wieder hier bist, werden wir Beide uns mal ernstlich, sehr ernstlich über diese Angelegenheit unterhalten. Kennst Du das Gedicht von dem Blauveilchen?* Denk daran! Da oben auf den kahlen Höhen der reinen Vernunft ist es bitterkalt, öde, traurig. Deine Ansicht über das Versicherungswesen hat mir indeß große Freude bereitet und compensirt einigermaßen das unangenehme Gefühl, welches mir Dein Brief bereitet. Und nun, alles Weitere mündlich. Wann gedenkst Du, zurückzukehren? (...) Grüße Alle von mir und sei auch Du aufs herzlichste gegrüßt von Deinem Dich liebenden Vater.

Wie ich erwähnt habe, bewahrte mein Vater nicht nur diese briefliche Zurechtweisung, sondern auch viele andere Schreiben meines Großvaters auf. Aus diesen geht hervor, daß das Problem des Judentums brieflich zwischen beiden nur noch sporadisch

* *Das Blau-Veilchen,* ein Lehrgedicht von Friedrich Forster (1791-1868), erzählt die Geschichte einer kleinen blauen Blume, die am Bach im Tal steht und ihres bescheidenen Daseins im Schatten überdrüssig ist. Das Veilchen reißt sich mit seinen Wurzeln aus dem Boden los und gewinnt unter großen Mühen die Bergeshöhe, wo es öde, kalt und stürmisch ist. Dort welkt es, von den Anstrengungen ermattet, dahin und stirbt. Die letzten Zeilen des Gedichts lauten:

Hast Du im Tal ein sichres Haus,
Dann wolle nicht zu hoch hinaus!

und beiläufig zur Sprache kam. Gustav Bendix hatte viel Geduld mit seinem einzigen Sohn, nicht zuletzt mit den finanziellen Ansprüchen, die er während seiner gesamten Studentenzeit stellte, und mit den vielen einseitigen Entschlüssen meines Vaters, über die ich nichts weiter weiß, als daß sie mit weiteren Kosten verbunden waren.

In dem Schreiben von 1897, mit dem er auf die Entscheidung meines Vaters über das Judentum reagierte, erwähnt Gustav Bendix ausdrücklich die Bar-Mitzwah-Feier, und am besten demonstriere ich an ihr, welche persönliche Bedeutung der Schritt meines Vaters hatte. Die Bar-Mitzwah-Feier bezeichnet die Aufnahme des dreizehnjährigen Knaben in die jüdische Religionsgemeinschaft. Sie ist ein *rite de passage,* der den Übergang von der Kindheit zu den Verpflichtungen des Erwachsenen markiert, keinesfalls aber ein Glaubensbekenntnis. Bei der Bar-Mitzwah-Feier muß der halbwüchsige Junge am Samstag-Vormittag-Gottesdienst in der Synagoge mitwirken. Er kann aufgefordert werden, aus der Torah zu lesen, doch sind die Gepflogenheiten verschieden. Wenn mein Vater behauptete – wie er es offenbar getan hat –, er sei trotz mangelnder persönlicher Überzeugung gezwungen worden, diese Zeremonie über sich ergehen zu lassen, so verrät dies in der Tat den Einfluß protestantischen Gedankengutes. Das Judentum interessiert sich nicht für die Überzeugungen eines Dreizehnjährigen, die ja noch ganz unfertig sind. Vielmehr besagt die Feier, daß der Junge von nun an die Verantwortungen eines Erwachsenen zu übernehmen hat; er muß die Treue zu den Geboten geloben, und damit wird seine Zugehörigkeit zu der Gemeinde bestätigt. Was die Fortentwicklung seiner Kenntnisse vom Judentum und seines jüdischen Glaubens betrifft, vertrauen die Erwachsenen auf seine zunehmende Reife. Der Lutherische Gedanke der Erlösung allein durch den Glauben faßt den Eintritt des Einzelnen in die Gemeinde (die Konfirmation) als Wiedergeburt auf, basierend auf einer inwendig erfahrenen Gnade. Die Vermutung liegt nahe, daß mein Vater mit zwanzig die einstige Bar-Mitzwah-Feier als eine Art Kindsmißhandlung angesehen hat, durch die ein Heranwachsender in eine Gemeindezugehörigkeit gezwungen wurde, die er schließlich als junger Mann bedauern sollte. Als er wirklich mündig geworden war, deutete mein Vater seine »reifere« Haltung als Konflikt zwischen seinem Individualismus und der mehr kollektiven Ausrichtung des Judentums.[8]

Im Endeffekt war der Bruch mit dem Judentum das Bemühen, die Unabhängigkeit von dem eigenen Vater durchzusetzen. Was bedeutete diese Entscheidung, abgesehen von dem verspäteten Ressentiment gegen die Bar-Mitzwah-Feier? Es handelte sich nicht um eine Konversion. Mein Vater machte niemals einen Hehl daraus, Jude zu sein, und heiratete später auch eine jüdische Frau. Für ihn bedeutete der Bruch mit den religiösen Gebräuchen dasselbe wie für viele assimilierte deutsche Juden. Er hob alle Befolgung religiöser Gesetze auf, nicht nur am Freitagabend und am Sabbat, sondern auch an den hohen Feiertagen. Er gab auch die jüdischen Speisevorschriften (kaschruth) auf und erzog uns Kinder später völlig weltlich.

Das mir zugängliche Material bietet keinerlei Einzelheiten über die Diskussion zwischen Vater und Sohn, die dem zitierten Brief vom Oktober 1897 sicher gefolgt sein werden. So, wie ich die Dinge rekonstruiere, fanden die beiden einen *modus vivendi.* Alle anderen Briefe von Gustav Bendix berühren die jüdische Frage nur am Rande und nicht selten mit feinem Humor. In einem dieser Briefe, datiert vom 16. Juni 1898, macht mein Großvater deutlich, daß er das Verhalten seines Sohnes nicht billigt, doch weicht er jeder Diskussion aus.

Wenngleich der Inhalt Deines Briefes nicht meinen Wünschen & Hoffnungen entspricht, so will ich doch von irgend welcher Erwiederung absehen und der Zukunft, wie Deiner Entwicklung überlassen, die Wandlung hervorzurufen, die ich für richtig halte und die mich die Freude an dem Besitze eines Sohnes inniger, ungetrübter genießen ließe. Also stellen wir der Zukunft anheim, was wir gegenwärtig erhofften aber nicht erwirken können. Und damit Punktum!

Offensichtlich mußte mein Großvater sich in die eigensinnige Haltung seines Sohnes finden, während mein Vater seinerseits versuchte, den Bruch dadurch zu heilen, daß er wissenschaftliches Interesse für das Versicherungswesen zeigte. In seinen ersten

veröffentlichten Zeitschriftenaufsätzen behandelte er später Probleme des Versicherungsrechts. Und ein Gedichtband, den er 1908, kurz vor dem Tod meines Großvaters, herausbrachte, trägt die Widmung »Meinem lieben Vater zugeeignet«. Offensichtlich klammerten Vater und Sohn aus der Beziehung zueinander den Streitpunkt aus, der sie auf immer hätte entzweien können.
Die Entscheidung meines Vaters wurde auch durch die Beziehungen zu seiner Mutter hervorgerufen. Meine Großmutter, Johanna Bendix, starb am 28. Mai 1897, und vier Monate später schrieb mein Vater seinen nicht mehr erhaltenen Brief über das Judentum. Doch die Antwort meines Großvaters betont nur die Reaktion meiner Urgroßmutter auf den »unverständlichen« Schritt des Sohnes; die wahrscheinliche Reaktion der kürzlich verstorbenen Frau und Mutter wird nicht einmal angedeutet. Auch enthalten die Memoiren meines Vaters kaum ein Wort über seine Mutter, und in den umfangreichen Familienalben befindet sich kein Bild meiner Großmutter. Dieses durchgehende Schweigen weist auf Gefühle des Unbehagens in der Beziehung zur Mutter hin, und in den Gedichten meines Vaters gibt es Hinweise auf den tiefen Schmerz dieser Beziehung, der ihn zeit seines Lebens begleitete. Im Lichte dessen, was Dichtung für meinen Vater bedeutete, müssen diese Gedichte als unmittelbare Zeugnisse betrachtet werden. Es handelt sich um drei Gedichte, aber für meine Zwecke genügt es, das erste kurz zu referieren und nur das dritte und letzte als ganzes zu zitieren.
Das erste Gedicht entstand in dem Jahr nach dem Tode von Johanna Bendix, im Dezember 1898. Es ist ein Gedicht der Reue, das sich direkt an die verstorbene Mutter wendet. Es spricht von der Liebe der Mutter, für die mein Vater ihr nicht mehr danken kann, weil sie zu früh verschied und er zu früh verwaiste. Weiter spricht es von der Qual, mit der der Sohn an die tiefen Wunden denkt.

Die ich mit grausam kind'schem Sinn geschlagen,
Und wie ich Dich gemartert, ja geschunden,
Dein mildes Herz gequält mit Höllenplagen,
Und daß ich bitt're Worte hab gefunden,
Die Dir wie Gift im Leben mußten nagen.

Dieses Gedicht hat mein Vater 1908 veröffentlicht und den Band meinem Großvater gewidmet.[9] Aber ein in Kurzschrift geführtes Notizbuch enthält eine längere Fassung desselben Gedichts, deren fortgelassene Verse den reuevollen Reflexionen, die gedruckt wurden, eine ambivalentere Note geben. Zurückzuschauen bringt herzlich wenig Nutzen, heißt es da, und doch ist der Bann der Vergangenheit nicht gebrochen. Das kann im Zusammenhang nur die Beziehung zur Mutter betreffen, die ihn anderthalb Jahre nach ihrem Tode den inneren Frieden nicht finden läßt. Noch immer erfleht er von ihr (so in dem letzten ungedruckten Vers) die Billigung seines stürmischen Unabhängigkeitsstrebens und seiner Weigerung, ein »verdammter Konformist« zu werden. (»Verflucht, wenn je ich zähle zu den Satten«.)

Diese geheimgehaltene Ambivalenz sollte meinen Vater sein ganzes Leben lang begleiten. Aber selbst mit diesem Wissen sind wir nicht vorbereitet auf das dritte Gedicht, das er über seine Mutter schrieb – drei Monate vor seinem Tode und 56 Jahre nach den Ereignissen von 1897. Da dieses Gedicht als Dokument von Wert ist, gebe ich es hier vollständig wieder.

Meine Mutter

'S ist meine Mutter, ich kann's nicht bestreiten.
Ein Königreich gäb ich, wenn sie's nicht wär:
Ich kenn das Bild der Mutter, hoch und hehr,
Vor dem Millionen knie'n in Seligkeiten.

Ach, meine Mutter ist von wildem Holze.
Lehnt sie sich an dich, wird sie dir zu schwer.
Lehnst du dich an sie, hast du die Gewähr,
Daß sie dich frißt in kaltem Eigen-Stolze.

Sie fühlt sich als der Mittelpunkt der Welt.
Sie gilt ihr nur, wenn sie zusammenfällt
Mit ihrem Ich, das garnicht unterscheidet,
Wie wer ihm DIENT, und wer es ängstlich MEIDET.

Ich kann's nicht sagen, was ich ausgestanden.
Sie ist zwar fort, doch immer noch vorhanden.
Ihr Geist wirkt nach, Erinn'rung bleibt lebendig.
Wohl atm' ich auf, doch ach, sie bleibt beständig.

Ich atme auf. Fast wär's zu viel gewesen.
Ich hab's ertragen viele, viele Jahre:
Ein Mensch schlug Wunden – weiß sind seine Haare –
Daß meine Seele nimmer kann genesen.

Ich war im Zwang und fest an ihn gebunden,
Er dachte nur an sich. Ob ich gut fahre,
Ihn kümmert's nicht. Er wollte nicht verwunden
Und bracht' mich sorglos an den Rand der Bahre.

Er lebt nur sich als Mittelpunkt der Welt,
Die ohne ihn aus ihrem Dasein fällt.
Ganz ungehemmt greift er in fremde Kreise
Und bringt sie unbesorgt aus dem Geleise.
Und dieser Mensch, ich wag' es nicht zu sagen,
Ist meine Mutter . . . und nicht zu ertragen.

Oakland, 5./6. 10. 1953

Ludwig Bendix

Das Gedicht liest sich wie eine Beichte nach einer lebenslangen Zeit des Schweigens, der letzte Aufschrei einer Qual, die ein ständiges, gewaltsam niedergehaltenes Gefühl meines Vaters gewesen war. Doch bleibt die Frage, in welcher Hinsicht dieses dritte Gedicht als biographische Aussage im eigentlichen Sinne verstanden werden kann. Eine vernünftige Antwort hierauf muß knapp ausfallen und kann nicht alle Zweifel beseitigen. Sie bleibt der persönlichen Beurteilung überlassen.
Dieser letzte Ausdruck einer unbewältigten Qual erscheint mir am sinnvollsten im Zusammenhang mit der Familientradition, in der mein Vater aufwuchs. Er verbrachte seine Kindheit umgeben von vielen Geschwistern, die alle die Aufmerksamkeit ihrer gemeinsamen Mutter auf sich ziehen wollten. Sobald er konnte, muß er seine eigenen Forderungen denen der anderen hinzugefügt haben. Und da er eine Zeitlang der Jüngste war, war der »grausam kind'sche Sinn« eines der Mittel, sich der Liebe seiner Mutter zu vergewissern. Die familiäre Situation meiner Großmutter – fünf Kinder aus erster Ehe, ein zweiter Mann, der viel jünger als sie selbst war, und drei Kinder aus dieser zweiten Ehe – war so beschaffen, daß sie die Beziehun-

gen zu den eigenen Kindern belasten mußten, selbst wenn meine Großmutter eine Frau von unendlicher Geduld und selbstloser Haltung gewesen wäre. Ich vermag nicht zu sagen, wie sie war, aber das ist auch nicht nötig. Das einzige, worauf es ankommt, ist der Eindruck, den mein Vater von seiner Mutter hatte, und dessen möglicher Zusammenhang mit seiner Haltung zum Judentum.

Hier läßt grade das lange Zögern meines Vaters, »mit der Wahrheit herauszurücken«, vermuten, daß er am Ende doch seinen aus Schuldgefühlen und konventionellen Auffassungen über die Mutterrolle zusammengesetzten Widerstand überwand. Schließlich war nichts dadurch zu gewinnen, daß er 1953 der harten, »nicht zu ertragenden« Seite der Persönlichkeit seiner Mutter Ausdruck gab. Es war nichts zu gewinnen, aber es war auch nichts zu verlieren. Von Krankheit gezeichnet – er hatte sich 1952 einer größeren Operation unterziehen müssen –, im Bewußtsein seiner Hinfälligkeit, den Tod geradezu als willkommene Erlösung erwartend, wußte mein Vater im Oktober 1953, daß es mit ihm zu Ende ging. 1952 und 1953 schrieb er mehr Gedichte bekennerischen Inhalts als je zuvor. Warum also am Ende nicht auch diese Gefühle gegenüber der Mutter zu Papier bringen, wenn er sich bereits über so viele andere Begegnungen in seinem Leben in so persönlicher Weise ausgelassen hatte. In diesem Sinne jedenfalls lese ich sein poetisches Bekenntnis. Wieviel man auch der poetischen Phantasie und den Übertreibungen zugute halten mag, die aus lange unterdrückten Schuldgefühlen erwachsen, wie unsicher die Spekulation über die Gründe seines langen Schweigens sein mögen: ich bin überzeugt, daß mein Vater schließlich eine Seite im Wesen seiner Mutter enthüllt hatte, die ihm in seiner Jugend Leiden verursacht und in seinem Gedächtnis als Wunde fortbestanden hatte, die nicht heilen wollte. Und das ist letztlich *auch* ein Schlüssel zur Rebellion gegen seine Eltern, die durch seine Entscheidung gegen ihr jüdisches Brauchtum zum Ausdruck kam.

Der Zeitpunkt dieser Wende in seinem Leben ist wichtig. Als Gymnasiast war er an das Haus der Familie und an die Mutter gebunden. Kurz nach ihrem Tod machte er sein Abitur. Darauf vollzog er eine Trennung vom Hause seiner Eltern, wie sie radikaler kaum möglich war: nicht nur durch die Aufgabe des jüdischen Brauchtums, sondern zugleich, indem er die Universität bezog, um Jura zu studieren. Gegen alle diese Entscheidungen hatte Gustav Bendix Protest eingelegt, zwar in milder Form, aber ganz unmißverständlich. So waren diese Schritte zugleich ein Hieb gegen meinen Großvater, der schließlich ebenfalls zu dem lieblosen Zuhause gehörte, von dem mein Vater sich so abrupt wie möglich freimachen wollte. Doch schon vor diesem Wendepunkt hatte er in der Schule die Zuneigung und Kameradschaft gefunden, die er in der eigenen Familie entbehrte.

Die drei Freunde[10]

Als ich aufwuchs, war die Freundschaft mit Köhler und Schmeidler ein häufiger Gegenstand der Unterhaltung. Schmeidler habe ich mehrmals getroffen. Köhler aber starb schon 1923, und mit 7 war ich noch zu jung, um von ihm einen lebendigen Eindruck zu haben. Und so beschreibe ich die Freundschaft meines Vaters mit diesen beiden Männern, weil sie an einem exemplarischen Fall zeigt, wie eine dauerhafte persönliche Beziehung dazu beitragen konnte, den Zugriff der jüdischen Tradition zu lockern und eine deutsch-jüdische Lebensform zu etablieren – so lange, bis diese Lebensform vom Hitler-Regime zerstört wurde.

Die Ideen, die meinen Vater dazu veranlaßten, sich von der Religion seiner Familie zu trennen, hatten ihren Ursprung in den Diskussionen mit den zwei Freunden. Kurz nachdem die drei mit dem Studium begonnen hatten, schrieb Lehmann ihnen einen Brief und bat sie, zu jenem Privatkurs in Psychologie Stellung zu nehmen, den sie im Gymnasium bei ihm besucht hatten. Die Antwort meines Vaters an Lehmann erlaubt gewisse Rückschlüsse auf die Überlegungen, denen er bald darauf in seinem Brief über seine Stellung zum Judentum Ausdruck gab. Er stellt fest, die psychologischen Studien hätten sein Interesse für jeden einzelnen Menschen gewaltig gesteigert; er habe gelernt, daß jeder Mensch der Aufmerksamkeit wert sei.

Ich zitiere aus Rudolf Lehmann: *Erziehung und Erzieher*, Berlin 1901, S. 270-271:

Stud. jur. B [Ludwig Bendix] schreibt:

Die verschiedenen Wirkungen des psychologischen Unterrichts lassen sich vielleicht in zwei Gruppen unterbringen: Einfluß auf mein Willensleben, mein Handeln, und zweitens auf mein wissenschaftliches Denken.

I. Praktische Wirkungen

1. Ich lernte eine neue Terminologie kennen, die mir bewies, daß nichts gefährlicher ist, als mit Worten operieren, mit denen man keinen klaren, anschaulichen Begriff verbinden kann. Ich bekam Klarheit über einige besonders wichtige Begriffe, wie gut und böse, egoistisch und altruistisch. Ich ward darauf aufmerksam, daß der Grund für viele Mißverständnisse in der Unklarheit der Begriffe oder in ihrem Fehlen zu suchen ist. ›Denn wo Begriffe fehlen, da stellt ein Wort zur rechten Zeit sich ein‹.
2. Diese Stunden gaben mir Gesichtspunkte, die mir möglich machten, vieler Gefühle, die früher unter der Bewußtseinsschwelle blieben, bewußt zu werden und überhaupt mich besser zu beobachten. Hiermit hängt eng zusammen, daß ich auch andere Menschen besser beobachten und den Motiven ihrer Handlung nachforschen lernte.
3. Damit stieg das psychologische Interesse für die Handlungen der Menschen und ihre Motive. Hatte ich früher schon immer aus einem gewissen demokratischen Grundtrieb heraus für jeden Menschen Interesse, so wurde dasselbe nun gewaltig gesteigert. Freilich mußte ich bald erfahren, daß der Verkehr mit den Menschen nicht in Vertraulichkeit ausarten durfte. Jedenfalls habe ich etwas unbezahlbar wichtiges gelernt, daß jeder Mensch interessant sein kann und daß jeder der Aufmerksamkeit wert ist, wenn auch nur als psychologisches Objekt. So wird es mir möglich, wenn es nötig ist, mit jedem, auch den Unbedeutsamsten zu verkehren.

II. Theoretische Wirkungen

1. Mit dem Zurücktreten des einseitigen Werturteils und mit der Erstarkung des Strebens, alle menschlichen Dinge psychologisch zu verstehen, wuchs auch mein Interesse für die Vergangenheit des Menschengeschlechts; mein historischer Sinn wurde gekräftigt.
2. Ich lernte den Wert und die psychologische Bedeutung der Persönlichkeit und des Genies kennen, was mich in meinen sozialistischen Anschauungen erschütterte und mich im Verein mit starken, persönlichen Erlebnissen dem Individualismus zutrieb.

3. Ich habe eine anschauliche Vorstellung von der großen Wichtigkeit der Psychologie als Wissenschaft bekommen und erkannt, wie unbedingt notwendig es ist, die Grundlage und Voraussetzung aller Geisteswissenschaften, die Psychologie, zu beherrschen, mag man tätig sein, auf welchem theoretischen oder praktischen Gebiet man will.[11]

Da diese Ausführungen aus dem Jahre 1896 stammen, müssen die »starken persönlichen Erlebnisse« sich auf die qualvolle Selbsterforschung beziehen, die jenem Brief an den Vater von 1897 vorausging. Auf einer Ebene hing diese Selbsterforschung mit seiner Mutter zusammen, denn das Interesse an Psychologie, der Gedanke, daß jeder Mensch interessant und der Aufmerksamkeit wert sei, war der Persönlichkeit meiner Großmutter, so wie mein Vater sie erlebte, ganz entgegengesetzt. Auf einer anderen Ebene spiegeln die Ausführungen meines Vaters den Einfluß seiner beiden Freunde wider. Schmeidler war der Sohn eines protestantischen Geistlichen; Köhler bezieht in seiner Antwort auf Lehmann einen bewußt philosophischen Standpunkt. Ein Einfluß beider Freunde muß im Brief meines Vaters mit Händen zu greifen gewesen sein; ist er doch noch im Schreiben meines Großvaters erkennbar.
Die drei Freunde waren für eine Reihe von Jahren unzertrennlich, wobei Köhler eindeutig die dominierende Gestalt war. Mit seiner Eloquenz und Selbstsicherheit beeinflußte er wahrscheinlich die philosophischen Reflexionen meines Vaters, was meinen Großvater dazu veranlaßte, ihn vor der Trostlosigkeit auf den »kahlen Höhen der reinen Vernunft« zu warnen. Sollte dies ein Wink sein, daß die jüdische Gemeinde einen schützenden Hafen bot, was die bloße Vernunft nicht vermochte? Näher zur Sache gehört, daß mein Vater schließlich Mängel an Köhlers Intellektualismus entdeckte und seine eigenen sozialen Interessen als überlegen ansah. Diese Interessen müssen bereits in dem Brief über Judentum ihren Ausdruck gefunden haben; andernfalls hätte mein Großvater sich nicht die Mühe gemacht, sie zu widerlegen. Ich vermute, daß der Brief den ausgeprägten Sippengeist der jüdischen Kultur kritisierte, die Sorge um die eigene Gemeinde, die den Blick vor dem gesellschaftlichen Ganzen verschloß, sehr im Unterschied zu den ansprechenden Bildern

eines sozialistischen Humanismus. Auf jeden Fall waren die erklärten sozialen Neigungen meines Vaters ein weiterer Grund, sich vom Judentum und der philosophischen Hauptbeschäftigung seines Freundes ab- und schließlich der Jura zuzuwenden. (Natürlich ist es paradox, sich in ein und demselben Atemzug für Individualismus, soziale Belange und sozialistische Ideale zu erklären; doch wird dieses Paradoxon am besten im Zusammenhang mit der Vorstellung meines Vaters vom Recht erörtert.)

Mein Vater war offensichtlich sehr von Köhler angetan und akzeptierte seine Führungsrolle in geistigen Dingen. Gemeinsam besuchten sie philosophische Vorlesungen, doch Köhler hörte daneben noch Physik und Biologie, während mein Vater begann, juristische Vorlesungen zu belegen. Er hat Köhlers Briefe aus den Jahren 1896-1920 aufbewahrt. Aus ihnen geht hervor, daß die beiden Freunde viel über Psychologie diskutierten, die bei Köhler (unter Diltheys Einfluß) eine kulturelle Dimension erhielt. Diese Diskussionen waren von bleibender Wirkung auf die spätere Arbeit meines Vaters.

Aber Köhlers Briefe zeigen zugleich, daß mein Vater seinem Einfluß widerstand. Köhlers äußerer Erfolg war groß; schon früh stellte Dilthey ihn als Privatsekretär ein, und so erfuhren die anderen beiden Freunde viel über dessen Arbeiten. Allerdings blieb Köhlers wichtigstes Werk, *Wissenschaft und Wirklichkeit*, ohne große Wirkung. Den Titel hatte mein Vater vorgeschlagen: indes hielt es der Autor nicht für notwendig, dies zu erwähnen. Noch fast 50 Jahre später ärgerte sich mein Vater in seinen Erinnerungen über diese geringfügige Kränkung.

In der Tat war die Beziehung zu Köhler von gewissen Reibungen gekennzeichnet, und das Diminutiv *Mäxchen* war nicht nur ein Kosename, sondern drückte auch Geringschätzung aus. Die Erinnerungen meines Vaters machen deutlich, daß er sich des großen Einflusses Köhlers bewußt war und zu erwehren suchte – ein Umstand, den Köhlers Briefe ihrerseits widerspiegeln. Alle drei Freunde waren von brutaler Offenheit zueinander, doch war Köhler vielleicht von besonderer Rücksichtslosigkeit. Bemerkenswert ist in diesem Zusammenhang ein Brief vom Februar

Ferien in England, 1904.
Max Frischeisen-Köhler, Ludwig Bendix

1903. Darin schreibt Köhler: »Dir fehlt, lieber Louis, ein Zug, der sonst modernen Geistern eigen zu sein pflegt: die Andacht vor dem Kleinen, Unbedeutenden, Alltäglichen. Zwischen ungenügender Selbstsucht und Herabsteigen in den Sumpf des Kleinstädtischen gibt es ein Mittleres: die Überwindung des Niedrigen durch das Verstehen, wenn es sein muß: durch das lachende Verständnis des Lebens.« In Köhlers Augen fehlte es meinem Vater an dieser Art Toleranz.

An einer späteren Stelle desselben Briefes kündigt er an, er werde demnächst einmal über die prinzipielle Unwissenschaftlichkeit der Graphologie sprechen. Nichtdestoweniger legt Köhler ein langes anonymes Gutachten über die Handschrift meines Vaters bei, aus dem ich einige einsichtsvolle Stellen zitiere:

Ein Charakter, zu dessen Grundzügen Maaßhalten und bescheidentliche Selbstbeschränkung nicht gehören. Eine innerlich unruhige Natur, voll dem Selbstgefühl und hohen Aspirationen und dem Drang, dies alles auch nach außen hin zu dokumentieren. Auf etwas besonderes (mag sein, was es will) außerordentlich stolz. Aber nicht nur in diesem Punkt recht empfindlich, sondern überhaupt leicht zu verletzen und erregt. Scharf in Worten und zur Kritik geneigt. In Gesellschaft beweglich und lebendig, ohne offen zu sein (...) Phantasiereich.
Analyse.
(...) Dieses fast starre u. rücksichtslose Element wird durch das Gefühl, das ziemlich stark ausgebildet ist, gemildert (...) Gefühl, das leicht die Schranken der Klugheit überschreitet, (...) Eine impulsive Kraftnatur, reizbar, empfindlich, rücksichtslos, doch auch der Güte zugänglich (...) Die Einfachheit tritt neben der ganzen Sorglosigkeit auf das Aussehen hervor (...) Zähigkeit des Verfassers, der von dem, was er angefangen, nicht leicht abläßt. Endlich noch eins. Die Schrift ist weder bewußt noch unbewußt verstellt. B. gibt sich wie er ist (...) Resümé: Ein Thatmensch, nicht nur Schwärmer, sondern auch Ausführer des Schwärmens. Gefühl fast zu sehr ausgebildet, selbstbewußt, ganz gern im eigenen Gedankenkreis weilend.

Aus meiner Sicht geben die von mir ausgewählten Stellen ein gutes Charakterbild meines Vaters, wenn auch das Gutachten sehr viel anderes enthält, was einfach daneben trifft. Doch die Beschreibung hat ihren Wert, wenn man bedenkt, daß sie ein Bild meines Vaters im Alter von 26 vermittelt. Daß Köhler die Unwissenschaftlichkeit der Graphologie betonte, gleichzeitig aber diese Analyse in Auftrag gab und sie meinem Vater schickte, steht auf einem anderen Blatt.

Offenbar war Köhler zumindest ein gedankenloser Mann in seinen persönlichen Beziehungen, und mein Vater reagierte auf diese Seite der Persönlichkeit seines Freundes, als er es ablehnte, bei Köhlers Beisetzung die Grabrede zu halten. Ein Jahrzehnt später, in seinen Memoiren, fügte mein Vater seiner Beschreibung Köhlers noch den Vorbehalt hinzu, daß sein Freund den Versuchungen der Nazizeit vielleicht nicht so entschieden widerstanden haben würde wie Schmeidler.

Trotzdem minderten diese Reibungen nicht die gegenseitige Zuneigung der beiden. Köhler sprach häufig von den Leistungen meines Vaters und seiner Freundschaft mit ihm. Mein Vater wiederum ignorierte die erlittenen Kränkungen aus echter Zuneigung zu seinem Freund: »Er gehörte zu jenen beneidenswerten Geschöpfen, die gerade ihre Fehler liebenswert machen, da sie ein Spiegelbild der Vorzüge sind, die wir an ihnen schätzen, ja sogar bewundern.« Mit anderen wäre mein Vater nicht so rücksichtsvoll gewesen, aber die Schwächen von »Mäxchen« ließen ihn lediglich bedauern, daß ein so überragend begabter Mensch so »klein« sein konnte. Letztlich vermochte mein Vater in der Beschäftigung mit Philosophie allein keine Befriedigung zu finden und ließ sich dazu verleiten, über Köhlers »Geistesakrobatik« zu spotten, so wie man im Lehmannschen Kreis wohl gelegentlich über seine eigenen sozialreformerischen Ambitionen spottete. Auf beiden Seiten verhielt man sich in hohem Maße aggressiv und defensiv, und das galt auch für die Beziehung der beiden Freunde zu Schmeidler.

Auch die Schilderung Schmeidlers beginnt mein Vater mit einer Beschreibung seiner äußeren Erscheinung. Gewiß, dieser Sohn eines protestantischen Pfarrers hätte sich niemals Mangel an Zartgefühl zuschulden kommen lassen, wie gelegentlich Köhler. Gleichzeitig wußten Köhler wie mein Vater Schmeidlers unbedingte Vertrauenswürdigkeit zu schätzen. Was war er aber auch für ein schmächtiger, engbrüstiger, schmallippiger und milchbärtiger Bursche – freilich zäh wie eine Katze und störrisch wie ein eigensinniges Kind! Die Natur hatte ihn benachteiligt, seiner Erscheinung eignete etwas Schulmeisterliches, fast wirkte er wie die Karikatur eines Mannes, geschweige denn eines echten deutschen Mannes. In dieser Einschätzung klingt noch etwas von dem unangenehmen Männlichkeitskult nach, der in deutschtü-

Die drei Freunde. Sitzend: Ludwig Bendix. Stehend (von rechts nach links): Max Frischeisen-Köhler, Bernhard Schmeidler, N. N., 1897

melnden Kreisen jener Zeit gang und gäbe war. Doch möchte ich glauben, daß in diesem belasteten Vokabular auch das Bild mitschwang, das mein Vater von sich selbst hatte. Er war ein knochiger, schon in jüngeren Jahren etwas beleibter Mann, gut 1,80 Meter groß und kurzsichtig; er wußte um seine physische Präsenz, aber auch um seine Unbeholfenheit.

Die drei Freunde lebten in Freiburg auf engstem Raum zusammen, und ihr Verhältnis war stürmisch. Sie ergingen sich in »wilden, unbarmherzigen und hemmungslosen Wortgefechten«, in denen »Mäxchen« der Meister war, auch wenn er sich jeden Zollbreit seiner dominierenden Stellung gegen seine beiden

Kritiker erkämpfen mußte. »Es gab richtige Eifersuchtsszenen unter uns Dreien«, schreibt mein Vater, »die in Ermangelung sexueller Erfüllung im letzten Antriebe – uns allen völlig unbewußt – *auch* erotische Grundlagen haben mochten«.[12] In allen denkbaren Machtkonstellationen trugen die drei ihre eifersüchtigen Kämpfe aus, die gewöhnlich damit endeten, daß jeder dem anderen die ungeschminkte Wahrheit ins Gesicht sagte, mit geradezu kindischer Rücksichtslosigkeit. Oft genug taten Köhler und mein Vater sich gegen Schmeidler zusammen und ließen ihn ihr Gefühl körperlicher und geistiger Überlegenheit spüren. Noch 1938, als er diese Erinnerungen zu Papier brachte, entschuldigte mein Vater sich nicht bei dem abwesenden Bernhard. Die alte Leidenschaft für die Wahrheit hatte keinen Platz für Entschuldigungen. Vielmehr ermutigt er den fernen Freund in seinem Brief, so als seien keine vierzig Jahre vergangen, ihm »die Wahrheit« ebenso brutal zu eröffnen, wie mein Vater sie ihm aufgezwungen hatte. Aufgrund seines Wahrheitsfanatismus konfrontierte mein Vater jedermann mit dieser Forderung nach Selbsterforschung. Hierin machte er meistens auch bei sich selbst keine Ausnahme.

In seinen Erinnerungen schildert er aus jener stürmischen Studentenzeit nur zwei besondere Erlebnisse, und beide Male zog er den kürzeren. Das eine Mal kam es zu einer Meinungsverschiedenheit über die Tischmanieren meines Vaters. Köhlers Mutter stammte aus einer adligen Familie, sie war eine geborene von der Goltz, und seine Erziehung war in der Tat hochherrschaftlich gewesen. Mein Großvater dagegen hatte nicht gelernt, auf seine Tischsitten zu achten, und ebensowenig mein Vater. Es kam zu hitzigen Redeschlachten, in denen Köhler brutal über meinen Vater herfiel, während Schmeidler vermittelnd eingriff, indem er Köhler in der Sache Recht gab, aber heftige Kritik an seiner Grobheit übte. Mein Vater schreibt: »Bei meiner Unerzogenheit auf diesem Gebiete und meiner tief eingeborenen Neigung zur Bequemlichkeit und Formlosigkeit war es ein schweres Stück, das junge Tier in mir zu bändigen, das wilden Widerstand leistete.«[13] Kein Wunder, daß die Diskussionen bis spät in die Nacht dauerten, der Fortbestand dieses Freundeskreises jedes Mal neu auf dem Spiel stand und jeder Streitpunkt im Lichte letztgültiger Prinzipien und im Geist jenes Wahrheitsfanatismus untersucht wurde, der diese drei Freunde trotz aller Kämpfe zu einer eng verbundenen Gemeinschaft zusammenschweißte. – Bei einer anderen Gelegenheit machte mein Vater einige abfällige Bemerkungen über jemanden, der gerade an ihm vorbeiging und einer schlagenden Verbindung angehörte. Der Betreffende hörte die Bemerkungen, eine Forderung zum Duell war die Folge, und wiederum kauten die Freunde den Fall Punkt für Punkt durch. Mein Vater lehnte die Duellforderung ab und ist daraufhin zweifellos zur Zielscheibe mancher Verleumdung geworden. Diese beiden Erlebnisse stehen beispielhaft für zwei Pole in dem Leben meines Vaters: seine Herkunft aus dem Dorf und seine von Feindseligkeit geprägte Berührung mit einer Welt bewußt germanischen, militanten Auftretens. Im letztgenannten Fall hatte er die Unterstützung seiner beiden nichtjüdischen Freunde, mit denen er sich zu einer eigenen, wenn auch zerbrechlichen Gemeinschaft zusammengeschlossen hatte.

Die drei Freunde bezogen die Universität Berlin und gingen dann nach Freiburg, bevor mein Vater sich selbständig machte und in Straßburg, München und wieder in Berlin weiterstudierte. Frischeisen-Köhler hatte seine Entscheidung getroffen: er wollte Philosophieprofessor werden. Schmeidler und mein Vater dagegen hatten Schwierigkeiten mit ihrer Entscheidung. Mein Vater war zwar in der juristischen Fakultät immatrikuliert, doch fiel seine Wahl zunächst auf die Philosophie; es dauerte einige Zeit, bevor er sich vom Einfluß seines philosophischen Freundes freimachen konnte. Obwohl er Sinn für Theorien hatte, entdeckte er schließlich, daß ihm die Eignung und Neigung fehlte, sich mit wissenschaftlichen Problemen völlig *in abstracto* auseinanderzusetzen. Eine Zeitlang befaßte er sich mit Nationalökonomie, um die formalen Kategorien des Rechts mit realistischem Gehalt zu füllen. Schließlich verschrieb er sich jedoch ganz dem Studium des Rechts, weil diese Disziplin weniger abstrakt, ja sogar humaner zu sein schien als Philosophie, aber auch strukturiert und pragmatisch genug, um seinen Erkenntnis- und Betätigungsdrang zu befriedigen.

Die Erinnerungen geben auch einigen Aufschluß über die Ideen, die meinen Vater während seiner Studentenjahre beeinflußten. Von Köhler angeregt, hatte er sich in ein Seminar über Kant gewagt, das Wilhelm Dilthey veranstaltete. Dieser außerordentliche Mann mit der Fistelstimme und den großen neuen Ideen richtete eine Reihe von Fragen an ihn, doch mein Vater konnte die Fragen nicht einmal verstehen, geschweige denn eine Antwort formulieren. Er erinnert sich, daß er Wochen brauchte, um sich von diesem vernichtenden Schlag zu erholen, und er floh buchstäblich aus der Universität Berlin, um sein Gleichgewicht wiederzugewinnen. Im Anschluß an ein erstes Wintersemester in Berlin (1897/98) bezogen die drei Freunde die Universität Freiburg.[14]

Im Laufe seines juristischen Studiums lernte mein Vater später, in Straßburg, die Bedeutung kennen, die man in Deutschland dem Staat als der Quelle aller Rechtsregeln und dem Studium des Rechts im Sinne einer wissenschaftlichen Disziplin beimaß. Prominente Rechtswissenschaftler wie C. F. von Gerber und Paul Laband entwickelten die Theorie, das Recht sei der alles umfassende, formale Regelungsmechanismus der Gesellschaft. Das existierende Korpus von Gesetzen allein könne kraft logischer Deduktion und ohne die Zuhilfenahme zusätzlicher Auslegungen dazu benutzt werden, alle anhängigen Streitsachen durch *bloße Anwendung* der geschriebenen Rechtsbestimmungen zu entscheiden. In seiner Autobiographie erinnert sich mein Vater an »Laband, den berühmten, damals ersten deutschen Staatsrechtslehrer, einen etwas vierschrötigen jüdischen Brachokephalen (längst getauft, aber unverkennbar jüdischer Abstammung) ... Noch sah ich ihn vor mir, in dem vollbesetzten größten Saal des prächtigen Universitätsgebäudes, wie er auf seinem Katheder leidenschaftlich erregt und erregend eindringlich dozierte und nach seinem von innerster Überzeugungskraft erfüllten Vortrag seinen Schülern den Extrakt ins Heft wörtlich diktierte. Noch erinnerte ich mich, daß ich zum ersten Male einen überzeugten Juristen *erlebte* und mich fast in jeder Vorlesung darüber ärgerte, daß er einen so erheblichen Teil der Stunde mit Diktat verschwendete. ... Jedenfalls verdanke ich es Laband, (...) daß ich für juristisches Denken Verständnis gewann. Er war ein Mann, der ersichtlich in seinen Rechtsformen lebte und in seiner lebendigen Persönlichkeit *seine* Hingabe an den Stoff *mir* zum Erlebnis machte.«[15]

Obwohl mein Vater später dem Ansatz Labands sehr kritisch gegenüberstand, minderte dies nicht seine Hochachtung vor der Leistung dieses »fanatischen Rechtsformalisten«. Freilich trat diese Hochachtung vor dem Recht nur zögernd zutage.

Einen ersten Schritt in diese Richtung verraten die Reminiszenzen meines Vaters an seine Zeit in München. Dort kam er mit einer Bohème in Berührung, deren Lebensweise ihn stark anzog, weil er hier die geschliffenen Manieren vergessen konnte, die er sich so schwer angeeignet hatte. Erich Mühsam, der Dichter und Anarchist, hat das Milieu, mit dem mein Vater konfrontiert wurde, anschaulich geschildert:

> Schwabing war nicht so sehr ein geographischer als ein kultureller Begriff ... Es waren die Gestalten, die den Stadtteil Schwabing zum Kulturbegriff Schwabing machten – Maler, Bildhauer, Dichter, Modelle, Nichtstuer, Philosophen, Religionsstifter, Umstürzler, Erneuerer, Sexualethiker, Psychoanalytiker, Musiker, Architekten, Kunstgewerblerinnen, entlaufene Höhere Töchter, ewige Studenten, Fleißige und Faule, Lebensgierige und Lebensmüde, Wildgelockte und adrett Gescheitelte –, die bei der denkbar größten Verschiedenheit voneinander ... nur verbunden waren durch ihre gleich himmelweite Entfernung von eben diesem juste milieu, vereint waren in einer unsichtbaren Loge des Widerstands gegen Autorität der herkömmlichen Sitten und des Willens, ihr individuelles Gehaben nicht unter die Norm zu beugen ...[16]

Mein Vater entdeckte jedoch bald, daß das Bohème-Dasein letztlich mit der sozialen Ordnung unvereinbar sei. In seinen Erinnerungen erwähnt er sein Minderwertigkeitsgefühl gegenüber den Künstlern, die er kennenlernte, doch dann fügte er hinzu:

> Mir lag die Lebensart in diesen Kreisen nicht. Damals ging Dir, so prüfte ich mich, wohl schon dunkel der Gedanke durch den Kopf, daß die in diesen Kreisen herrschende Weltauffassung, die Du später als literarische bezeichnet und für Dich abgelehnt hast, nicht die Deinige war, und werden konnte. Schon merkte ich, freilich noch undeutlich, daß hier

etwas Wesentliches unbeachtet blieb, das ich später in dem Institutionellen erkannte. Die Rechtsformen, die ich früher im Geiste des Lehmannschen Kreises als bedeutungslos oder doch jedenfalls uninteressant wissenschaftlich geringschätzte, gewannen als Gegenwirkung gegen die sich ganz in geistigen Bereichen verlierenden (so meinte ich damals in München) Künstlerkreise meine Aufmerksamkeit, immerhin so stark, daß ich mich fest entschied, bei meiner Rückkehr an die Universität Berlin mich ernstlich und intensiv mit ihnen zu beschäftigen, also endlich mit dem juristischen Studium anzufangen.[17]

Diese negative Reaktion auf das Schwabinger Künstlertreiben war ein wesentliches Element bei der Assimilation meines Vaters an die deutsche Gesellschaft. Mit 19 hatte er sich den Idealen des Individualismus verschrieben, und seine Impulse für diese Haltung waren eher persönliche als theoretische. Doch die Münchner Bohème legte anscheinend einen verschrobeneren Individualismus, einen unstrukturierteren Widerstand gegen die bürgerliche Gesellschaft an den Tag, als er für sich selbst akzeptieren konnte. Indem er vor dieser institutionsfeindlichen Lebensweise zurückwich und sich nun ernsthaft dem juristischen Studium zuwandte, fand er den Weg in die Alltagswirklichkeit der deutschen Gesellschaft. Hier liegt ein wichtiger Schlüssel zu seinen späteren juristischen Schriften. Denn es dürfte plausibel sein, anzunehmen, daß mein Vater in dem überspannten Individualismus der Künstler und Anarchisten Münchens dieselbe Mißachtung für die Belange des einzelnen entdeckte, unter der er zu Hause gelitten hatte. Gustav Bendix hatte ihn gedrängt, nach Berlin zurückzukehren, doch er zögerte noch. Berlin bedeutete nicht nur den neuerlichen Einfluß Köhlers und Diltheys und damit möglicherweise eine neue Gefährdung seines schwer erkämpften Entschlusses zum Jurastudium. Berlin bedeutete auch die neuerliche Nähe zu seinem Zuhause, dem nicht nur die schmerzlichen Erinnerungen an die Mutter anhafteten, sondern wo auch Konflikte mit dem Vater drohten, mit dem er brieflich zu einem vernünftigen *modus vivendi* gelangt war.

Schließlich ging er doch nach Berlin zurück, beschloß aber, zunächst Nationalökonomie zu studieren, in der Annahme, dies werde das Jurastudium erleichtern. Befaßt die Nationalökonomie sich doch mit den greifbarsten menschlichen Rechtsgeschäften, die das Gesetz regelt: das Verständnis für diesen menschlichen Gehalt würde ihm helfen, seine Abneigung gegen den »leeren Formalismus« des Rechts zu überwinden. Mit diesem Ziel vor Augen nahm er seine Studien bei Gustav Schmoller auf, dem Nationalökonom und Wirtschaftshistoriker, der in den deutschen Universitäten der neunziger Jahre eine Machtstellung einnahm. Schmoller war ein begabter Lehrer, der sich eine Gefolgschaft unter seinen Studenten zu schaffen wußte; er machte meinen Vater mit den Schriften Taines und Tocquevilles bekannt und schlug ihm das Thema seiner Doktordissertation vor (s.u.). Eine Zeitlang scheint mein Vater, zusammen mit vielen anderen, unter seinem Bann gestanden zu haben; denn Schmoller betrieb die Interessen seiner »Schule« wie ein akademischer Unternehmer. Die Enttäuschungen kamen später. In seinem letzten, zweibändigen Werk übernahm Schmoller sich; seine enzyklopädische Gelehrsamkeit hatte etwas Mittelmäßiges, Abgeleitetes und wirkte daher prätentiös. Außerdem erfuhr mein Vater durch Zufall, daß dieser berühmte Gelehrte alles daran setzte, seine jüdische Herkunft zu verschleiern.*

Wie dem auch gewesen sein mag, der persönliche Eindruck meines Vaters erwies sich als entscheidend. Er hatte das von Schmoller vorgeschlagene Thema für seine Dissertation angenommen; sie befaßte sich mit der »rechtlichen Natur der sogenannten Oberhoheit in den deutschen Schutzgebieten«. Der Titel selbst läßt die kritische Tendenz der Dissertation und eine

* Die Einträge in zwei einschlägigen Standardwerken bestätigen die persönliche Information, die mein Vater bekommen hatte, nicht. Weder Siegmund Kaznelson (Hrsg.): *Juden im deutschen Kulturbereich.* Berlin: Jüdischer Verlag GmbH. 1959, noch Ernest Hamburger: *Juden im öffentlichen Leben Deutschlands.* Band 19 der Schriftenreihe des Leo-Baeck-Instituts. Tübingen: J.C.B. Mohr (Paul Siebeck) 1968, geben irgendeinen Hinweis auf Schmollers jüdische Herkunft. Bei Kaznelson findet sich ein besonderes Verzeichnis von prominenten Deutschen, von denen fälschlicherweise angenommen wurde, sie seien jüdischer Abstammung (wie entfernt auch immer), doch Schmollers Name taucht auch in diesem Verzeichnis nicht auf.

von seinem Mentor abweichende Meinung erkennen. Schmollers führende Stellung als der Lehrer künftiger Beamtengenerationen war unübertroffen. In seinen Erinnerungen erwähnt mein Vater, wie sehr Schmoller sich für das berufliche Vorwärtskommen seiner Studenten einsetzte, weniger klar ist, wie er sich zu abweichenden Meinungen stellte. Auch geringfügige Nuancen in der Einstellung zur jüdischen Assimilation mögen eine Rolle gespielt haben. Tatsache ist jedenfalls, daß mein Vater nach Ablegung des juristischen Staatsexamens am Berliner Kammergericht seine Doktorarbeit 1902 an der Universität Göttingen einreichte, an der er nie studiert hatte. Im selben Jahr machte er an dieser Universität sein Rigorosum, und zwar vor Professoren, die ihm völlig unbekannt waren. Dies alles besagt zwar noch nicht viel, doch vermute ich, daß er sich zu diesem Vorgehen veranlaßt sah, weil er den verständlichen Wunsch hegte, einem Konflikt mit einer so einflußreichen Persönlichkeit aus dem Wege zu gehen.

Hier kam wieder etwas von dem Wahrheitsfanatismus meines Vaters ins Spiel: es war richtig, mit dem Judentum zu brechen, wenn man die traditionelle Bindung an diese Religion nicht mehr empfand, aber es war falsch, unehrenhaft und unnütz, seine Herkunft zu verleugnen.[18]

Schließlich überwand mein Vater seine vielen Bedenken und besuchte ein weiteres Seminar bei Dilthey (Berlin, Wintersemester 1899/1900). Trotz der früheren Enttäuschung verdient dies, erwähnt zu werden; denn zu guter Letzt siegte der Einfluß Frischeisen-Köhlers, und die Ideen Diltheys spielten von nun an im Denken meines Vaters eine wesentliche Rolle. Das Werk Diltheys verstärkte die individualistischen Ideale, für die Lehmann eingetreten war, und zeigte meinem Vater, wie diese Ideale mit dem rechtlichen Rahmenwerk in Einklang gebracht werden konnten. Dilthey war, wie Schmeidler, der Sohn eines protestantischen Pfarrers. In seinen Schriften entwickelte er die Bedeutung des Einzelnen, die im lutherischen Glauben und in der klassischen deutschen Literatur ihren nachdrücklichen Ausdruck fand. Auf dieser Grundlage unterschied Dilthey zwischen Geisteswissenschaften und Naturwissenschaften, d. h. zwischen Fächern, die sich mit dem individuellen Erlebnis befassen, und Fächern, die allgemeine Gesetze aufzustellen suchen. Welchen Stellenwert maß er also der Jurisprudenz zu, die dazu neigte, die gesellschaftlichen Handlungen des einzelnen vom Standpunkt abstrakter Rechtsnormen und logischer Plausibilität zu beurteilen? Durch Diltheys Antwort gewann das Recht an Anziehungskraft. Denn er vertrat die Ansicht, die Jurisprudenz *müsse* sich auf psychologisches Verstehen gründen. In Diltheys Augen mußte das Studium des Rechts auf dem Gerechtigkeitsempfinden basieren und sich an den von den Rechtsinstitutionen verfolgten Zwecken orientieren.[19]

Diese Forderung Diltheys war meinem Vater sehr aus dem Herzen gesprochen, ebenso wie die Betonung des individuellen Erlebnisses. In seinen späteren Schriften zitiert mein Vater wiederholt aus Diltheys Werken, insbesondere diejenigen Teile, die den Unterschied zwischen Geisteswissenschaften und Naturwissenschaften sowie die Bedeutung der Einfühlung herausarbeiten. Nach Dilthey erleben wir die Gefühle anderer Menschen bis zu einem gewissen Punkt wie unsere eigenen. Wir können uns mit anderen Menschen und für sie freuen, ebenso wie wir mit ihnen trauern können. Insoweit wir uns diesen anderen Personen in Liebe, Verwandtschaft oder Sympathie verbunden fühlen, sind wir imstande, ein geistiges Bild von ihrem Erlebnis in uns nachzuschaffen. Doch ist dieses Verstehen von unserer Fähigkeit zur Sympathie abhängig, und wahrhaft unsympathische Menschen verstehen wir überhaupt nicht.[20] Zur damaligen Zeit war es ganz ungewöhnlich, diese Betonung der Individualität, des Verstehens und der Einfühlung mit dem Studium und der Praxis der Jurisprudenz zu verbinden; doch eben diese Akzentsetzung wählte mein Vater seit seinen ersten Schriften im Jahre 1902.

Zuletzt gewann die Frage des Jurastudiums noch einen sehr persönlichen Aspekt, als mein Vater von einem Vetter erfuhr, daß Gustav Bendix in den achtziger Jahren zu zwei Jahren Gefängnis verurteilt worden war. Jetzt begriff er auf einmal, was es mit der von der Familie bejubelten Heimkehr seines Vaters nach langer Abwesenheit auf sich gehabt hatte. Mein Großvater hatte seine Schuld entschieden bestritten und nicht nur seine Verwandten, sondern auch seine Geschäftspartner überzeugt. Mein Vater schreibt (1937):

> Diese Mitteilungen wirkten auf mich wie ein Blitzstrahl, der den Menschen niederstreckt. Noch nach 35 Jahren stand mir lebhaft vor der Seele, in welche Verzweiflung ich damals geraten war: *Mein eigener Vater* hat im Gefängnis gesessen! Mit dieser Tatsache konnte ich mich garnicht abfinden; es brauchte viele Jahre, bis ich innerlich wieder von dieser Wunde hergestellt war. Denn der Freiheitsstrafe stand ich mit der Naivität gegenüber, die dem Laien eigentümlich ist; das Strafurteil erschien mir fast wie ein Gottesurteil, das die Wahrheit verkündet und den gemachten Spruch fällt. Aber diese Berührung mit der Strafjustiz mußte sich durch das Leben wesentliche Korrekturen gefallen lassen: Mein Vater, den ich nunmehr auf Grund meines neuen Wissens über ihn genauer und mißtrauischer beobachtete, zeigte keine irgendwie erkennbaren Merkmale der erlittenen Haft. Schwer vorstellbar schien es mir, daß ein Mensch solche Schmach überstehen könnte, ohne für sein ganzes Leben in Trübsinn zu verfallen oder sonst sich gezeichnet zu fühlen. Zu meinem größten Erstaunen betrug sich mein Vater wie jeder andere Mensch ... Ja, er war geachtet und geehrt, wie wenige andere.[21]

Der plötzliche Schock, den diese Entdeckung verursachte, war groß. Die Möglichkeit, daß jemand, der von einem Gericht verurteilt worden war, nichtsdestoweniger unschuldig sein konnte, wurde zu einer wesentlichen Quelle für den »Rechtsfanatismus« meines Vaters und zu einem Motiv für seine Kritik des Justizsystems sowie für seine unausgesetzte Berücksichtigung der persönlichen Zusammenhänge rechtlicher Probleme.
Erfahrungen mit dem Rechtssystem steigerten diese Sorge noch. Während seiner Referendarzeit begegnete er einer Vielzahl von Richtern, die eine defensive und bornierte Einstellung erkennen ließen – nicht nur in ihrem persönlichen Gebaren, sondern auch in der Handhabung ihrer Fälle. Eine solche Einstellung, mochte sie vielleicht auch dem beschränkten Horizont ihres persönlichen Lebens entsprechen, stand nicht in Einklang mit der vernünftigen Einsicht, die von ihnen in ihrer offiziellen Rolle erwartet wurde. Es gab auch Richter, die Lust am Strafen verrieten und schon vor Beginn der Verhandlung von der Schuld des Angeklagten überzeugt zu sein schienen. Andere Erfahrungen beeindruckten

meinen Vater sogar noch stärker. Handelten Richter in gutem Glauben, wenn sie schwere Strafen verhängten, obwohl Fragen tatsächlicher und rechtlicher Natur noch offen blieben? Wollten sie die Unparteilichkeit der Justitia zu simulieren versuchen, wenn sie in Zivilsachen *beiden* Parteien einige Forderungen zugestanden und andere ablehnten? Gewiß gab es Richter, die sich durch ihr leidenschaftsloses und zugleich mitfühlendes Gebaren bei der Verwaltung ihres hohen Amtes auszeichneten. Doch nur allzu oft machte mein Vater die Erfahrung, daß ihm verwaltungstechnische Gesichtspunkte und persönliche menschliche Schwächen dort entgegentraten, wo er erwartet hatte, Gerechtigkeit zu finden. Unmerklich verband sich sein Wahrheitsfanatismus mit einem Gerechtigkeitsfanatismus.

Lebenslauf.

Ich, Ludwig (Louis) Bendix, mosaischer Konfession, wurde geboren am 28 Juni 1877 zu Dorstfeld bei Dortmund als Sohn des General-Agenten Gustav Bendix und seiner verstorbenen Gattin Johanna, geb. Berndt, besuchte bis Ober-Tertia das Gymnasium zu Münster i/W und absolvierte Michaelis 1897 das Luisenstädtische Gymnasium zu Berlin. Seit 1892 sind meine Eltern und ich selbst in Berlin ansässig. Von Michaelis 1897 bis Ostern 1900 habe ich an den Universitäten Berlin, Freiburg i/B., Münster, Straßburg Philosophie, Nationalökonomie und Rechtswissenschaft studiert. Am 7ten Juli 1902 habe ich beim Königlichen Kammergericht zu Berlin die erste juristische Prüfung bestanden, nachdem ich am 14ten Juni 1901 auf 9 Monate zurückgewiesen worden war.

Mein Studiengang ist im Folgenden zusammengestellt:

Winter-Semester 1897–98. Berlin.

1) Practische Nationalökonomie Prof. Dr. Schmoller
2) Das wirtschaftliche Gedeihen der Völker in der Wechselwirkung mit ihrer Kriegsverfassung. " " Delbrück
3) Römische Rechtsgeschichte " " Oertmann
4.) System des römischen Privatrechts " " Dernburg
5) Psychologie " " Stumpf
6) Europäisches Staatensystem in seiner historischen Entwicklung " " Hintze
7) Geschichte, Kritik u. Aussichtslosigkeit des Socialismus " " Reinhold
8) Deutsche Verfassungsgeschichte " Preuß
9) Darwinsche Theorie " Rawitz

Sommer-Semester 1898 zu Freiburg.

1) Deutsche Rechtsgeschichte " " Rosin
2) Socialpolitische Gesetzgebung " " Rosin
3) Deutsches Privatrecht " " Stutz
4) Bürgerliches Recht I " " Eisele
5) Über künstlerisches Schaffen " Cohn
6) Übungen im bürgerlichen Recht " " Merkel

Winter-Semester 1898–99 zu München.

1) Aesthetik u. Theorie der Kunst " " Lipps
2) Übungen im psychol. Seminar " " Lipps
3) Theoretische Nationalökonomie " " v. Mayr
4) Bürgerliches Recht II " " v. Amira

Sommer-Semester 1899 zu Straßburg.

1) Deutsches Staatsrecht " " Laband
2) Handels-, Wechsel- u. Seerecht " " O. Mayer
3) Strafrecht " " Heimberger
4) Sachen- u. Familienrecht " " Laband
5) Über Kolonien
6) " Revolutionär. Sozialismus } " " Knapp
7) Übungen im staatswiss. Seminar
8.) Ethik
9) Übungen über Kants Kritik der praktischen Vernunft } " Ziegler
10) A. Comte u. der Positivismus " " Windelband

Winter-Semester 1899/1900 zu Berlin.

1) Civilprocess — Prof. Dr. Heymann
2) Strafprocess — " " v. Liszt
3) Verbrechen als sozialpathologische Erscheinung — " " v. Liszt
4) Konkursrecht — " " Kohler
5) Fortbestehendes preussisches Privatrecht — " " Dernburg
6) Rechtsfälle — " " Eck +
7) Schwierige Stellen des B. G. B. — " " Heymann
8) Nationalökonomische Übungen — " " Schmoller
9) Philosophische " — " " Dilthey

Sommer-Semester 1900. Berlin.

1) Civilprocessuale Übungen — " " Heymann
2) Zwangsvollstreckung — " " Heymann
3) Übungen im B. G. B. — " " Oertmann
4) Völkerrecht — " " v. Liszt
5) Kirchenrecht — " " Kahl
6) Verwaltungsrecht — " " Hübler
7) Übungen im Deutsch. Staatsrecht — " " v. Martitz
8) Nationalökonomische Übungen — " " Wagner
9) Währungs u. Münzwesen — " " Wagner
10) Allgemeine Staatslehre — " " Bornhak
11) Pandektenstellen — " " Oertmann

Winter-Semester 1900/01 zu Berlin.

1) Rechtsphilosophie — " " Paulsen
2) Rechtsentwicklung in Preußen — " " Heymann
3) Civilistische Fälle — " " "
4) Handelsrechtliche Übungen — " " Behrend
5) Nationalökonomische " — " " Sering

Winter-Semester 1901/02 zu Berlin.

1) Verwaltungsrecht — " Bornhak
2) Übungen im römischen Recht — " " Seckel
3) " " bürgerlichen " — " " Seckel
4) " " Strafrecht — " " Heilborn
5) Deutsches Konsularrecht — " " Heilborn
6) Römischer Civilprocess — " " Schollmeyer
7) Wechselrecht — " " Gierke

Kapitel II

Der deutsche Anwaltsberuf

Im Jahre 1907 eröffnete mein Vater in Berlin seine Anwaltskanzlei. In Deutschland war der Beruf des unabhängigen Rechtsanwalts eine Errungenschaft neueren Datums – anders als etwa in England, wo es ihn bereits seit Jahrhunderten gab. Ein kurzer Blick auf die Entstehungsgeschichte der deutschen Rechtsanwaltschaft wird die einschlägigen Ansichten meines Vaters verständlicher machen.

Geschichtlicher Hintergrund

Solange Deutschland politisch zerstückelt war, hatte es eine unabhängige Anwaltschaft nicht gegeben. 1815 hatte der Wiener Kongreß einen Deutschen Bund aus 39 souveränen Territorien geschaffen, von denen jedes einzelne sein eigenes Gerichtssystem besaß. Die Richter wurden von der jeweiligen Obrigkeit eingesetzt, während das einzelne Gericht seinerseits verschiedene rechtskundige Personen zur Amtsausübung innerhalb seines Zuständigkeitsbereiches zuließ, die entweder einen Mandanten direkt vor Gericht vertreten oder juristische Schriftsätze und sonstige Dokumente vorbereiten durften. Die gerichtlichen Angelegenheiten wurden überwiegend schriftlich abgewickelt, die Öffentlichkeit war von allen Verhandlungen ausgeschlossen, und das Recht des einzelnen, seinen Fall vor Gericht durch einen Rechtsbeistand vertreten zu lassen, war auf seltene Ausnahmefälle beschränkt.

Im Laufe des 19. Jahrhunderts ging infolge der Zusammenlegung von Gerichtsbezirken die Zahl der offiziell zu Rechtsgeschäften ermächtigten Personen zurück; sie blieben aber weiterhin der Reglementierung durch die Gerichte unterworfen. Gelegentlich trafen sich diese Personen, um gemeinsam interessierende berufliche Fragen zu erörtern, doch waren solche Zusammenkünfte selten und strikt reglementiert. Kurzum, die deutschen Landesherren und ihre obersten Beamten lehnten es ab, eine öffentliche Diskussion über die Rechtsthematik zuzulassen, da die monarchische Obrigkeit den Anspruch erhob, alleiniger Schiedsrichter in öffentlichen Angelegenheiten zu sein.

Dieser Anspruch war allerdings im Deutschen Bund umstritten gewesen, seit die Französische Revolution das Prinzip des monarchischen Absolutismus in Frage gestellt hatte. In Preußen sprachen sich viele hohe Beamte für Reformen aus, um die Monarchie zu retten; aber jeder Reformvorschlag beschwor das Gespenst allgemeiner Unruhen herauf, wie man sie in Frankreich erlebt hatte. Aus diesem Grunde äußerte 1799 der preußische Finanzminister Struensee gegenüber dem französischen Geschäftsträger: »Die heilsame Revolution, die ihr von unten nach oben gemacht habt, wird sich in Preußen langsam von oben nach unten vollziehen.«

Schließlich gewann die Idee der Reform und der konstitutionellen Regierungsform an Boden, doch verstärkten sich auch die repressiven Maßnahmen gegen die »Aufwiegelung«. Als 1848 in Frankreich eine Revolution ausbrach, führte der Ruf nach einer konstitutionellen Monarchie schließlich zur Einberufung einer deutschen Nationalversammlung nach Frankfurt, die über eine gesamtdeutsche Verfassung beriet und König Friedrich Wilhelm IV. von Preußen die Kaiserkrone sowie die Herrschaft über ein geeintes Deutschland antrug. Der preußische König lehnte das Angebot ab, da er ein erklärter Gegner des ihm zugrunde liegenden Prinzips der Volkssouveränität war.

An der Protestbewegung gegen den Absolutismus waren Männer mit juristischer Ausbildung maßgeblich beteiligt gewesen, und auch die Delegierten zur deutschen Nationalversammlung bestanden zu fast einem Sechstel aus Juristen. Sie waren daran interessiert, die deutsche Nation zu einen und ihren Berufsstand von der direkten Kontrolle durch die Gerichte zu befreien. Das Ziel des Deutschen Anwaltsvereins, die juristische Lage der Anwälte zu verbessern und »Ehre und Würde des gemeinsamen

Standes« zu wahren, wurde nach und nach Wirklichkeit. Anstelle von früheren Bezeichnungen setzte sich der Begriff »Rechtsanwalt« durch. In immer mehr Gerichtsbezirken führte man das Recht zu schriftlichen Einlassungen, zum mündlichen Vortrag und zum öffentlichen Zugang zu den Verhandlungen ein, bis diese Praktiken endlich allgemein gebräuchlich wurden.[1]

Die zunehmenden Rechte der Anwälte und ihre wachsende Unabhängigkeit von den Gerichten waren ein integraler, wenngleich nicht der wichtigste Bestandteil der nationalen Einigungsbewegung, deren Kulminationspunkt der französisch-deutsche Krieg von 1870/71 unter Führung Bismarcks und des preußischen Staates war. Zwar schlug die patriotische Begeisterung für die deutsche Einheit hohe Wellen; aber die Folgen der Einigung schufen kulturelle Belastungen, die für jedermann spürbar waren. Da mein Vater in den neunziger Jahren des vorigen Jahrhunderts groß wurde und der Anwaltsberuf von diesen Entwicklungen unmittelbar betroffen wurde, kann dieser prägende Einfluß auf sein Leben in meiner Erzählung nicht übergangen werden.

Unmittelbar nach der nationalen Einigung setzte in ganz Deutschland eine rapide Industrialisierung und Urbanisierung ein. Alle Übel einer sich entfaltenden industriellen Zivilisation – plötzliche Überbevölkerung der Städte, Ausbeutung, Profitschneiderei, üble Geschäftstüchtigkeit, krasse und sehr sichtbare Gegensätze zwischen reich und arm, die rasche Zunahme der Maschinenproduktion –, diese und verwandte Entwicklungen schienen sich in den wenigen Jahren nach der vernichtenden Niederlage Frankreichs (1871) insbesondere in Berlin zu konzentrieren. Deutsche Nationalisten, und unter ihnen auch viele Juristen, waren hin- und hergerissen zwischen der leidenschaftlichen Sehnsucht nach nationaler Einheit und der Erkenntnis, daß die Einigung zugleich auch das Wachstum der Städte und der Industrie beschleunigte und damit eben jene Werte gefährdete, denen die nationale Einheit sich angeblich verschrieben hatte. Der immer schneller werdende Wandel des modernen Lebens schien ebensosehr die nostalgische Sehnsucht nach einer idealisierten Vergangenheit zu wecken, wie er die Suche nach Sündenböcken förderte, die man für die bedrohliche Unsicherheit des modernen

Großstadtlebens verantwortlich machen konnte. Die Deutschen wollten eine nationale Gemeinschaft werden, die jedem einzelnen persönliches Wohlergehen und moralische Stabilität bot. Wenn statt dessen die nationale Einheit mit Wirtschaftskrisen und verbreiteten sozialen Störungen verbunden war, war es am bequemsten, sich aus ganzem Herzen hinter Bismarcks Einigungswerk zu stellen und die Schuld an den verhaßten Nebenwirkungen der Industrialisierung bei den Sozialdemokraten und Juden, bei radikalen Volksverhetzern und den notorischen »Staatsfeinden« und »Vaterlandsverrätern« zu suchen.[2]

Öffentlicher Dienst, privater Nutzen

In diesem Meinungsklima sahen die deutschen Rechtsanwälte sich in einer besonders spannungsreichen Lage. Teilweise profitierten sie von der Kodifizierung des Rechts, die im Anschluß an den französisch-deutschen Krieg und die Errichtung des Kaiserreichs 1871 erfolgte. Nach der neuen Rechtsanwaltsordnung (RAO) von 1878 wurde der deutsche Rechtsanwalt als geachteter Beruf anerkannt, dessen besonderer, quasi-öffentlicher Status eine auf der Verfassung basierende Definition erheischte. Dieser Definition zufolge zeichneten sich die Zusammenkünfte und Veröffentlichungen der Anwaltskammern und Anwaltsvereine durch ihren quasi-öffentlichen Charakter aus, so daß alle rechtmäßig zugelassenen Anwälte sich als integralen Bestandteil des Rechtsstaats betrachten und daher ihren Beruf als einen quasi-öffentlichen verstehen durften.[3] Doch trotz ihres quasi-öffentlichen Status bildeten die Rechtsanwälte keinen Bestandteil des Staatsapparates, und auch ihr Einkommen war nicht staatlich geregelt, sofern sie nicht als öffentliche Notare bestellt waren. Indem sie private Dienstleistungen erbrachten, waren sie vielmehr ein integraler Bestandteil der Welt des Handels. Auf diese Weise standen deutsche Anwälte sowohl in einer hochgeachteten Beziehung zum neu geeinten Staat als auch in einer mit tiefem Mißtrauen, ja häufig sogar mit Verachtung betrachteten Beziehung zu Handel und Gewerbe. Viele Deutsche jener Zeit dachten bei dem Wort »Handel« sogleich an »Moneten« und an die vielen Beschimpfungen, die man für die Juden bereit hatte. Die Tatsache, daß die Mehrheit der Berliner Anwälte vor dem Ersten Weltkrieg in der Tat Juden waren, verschärfte nur noch das psychologische Dilemma des Rechtsanwaltsberufes. Daß diese Gefühle sehr tief saßen, geht auch aus dem Umstand hervor, daß die ganze Thematik nicht nur in Pressepolemiken jener Zeit zum Ausdruck kam, sondern sich sogar zu einem Problem des Verfassungsrechts auswuchs.

Der Lehrer meines Vaters, Paul Laband, explizierte die eigentümliche Doppelposition des Rechtsanwalts[a], der ein öffentliches Amt versehe und *zugleich* einem Gewerbe nachgehe. Die Rechtsanwaltsordnung von 1878, die Zivilprozeßordnung und die Gerichtsverfassungsordnung wiesen dem Rechtsanwalt eine für den Rechtsstaat unentbehrliche Funktion zu. Der Rechtsstaat garantierte in einem Streitfalle jeder Seite das Recht, sich durch einen Anwalt vertreten zu lassen. Der Staat setzte die Bedingungen für die Zulassung bei Gericht fest und überwachte das berufliche Gebaren der Anwälte durch ein Rahmenwerk disziplinarischer Maßnahmen. Der Staat verlangte von den Anwälten auch die Wahrnehmung öffentlicher Aufgaben, wie etwa im Falle der Pflichtverteidigung. Somit sind die juristischen Kenntnisse des Anwalts sowie seine Versiertheit in sämtlichen Verfahrensfragen kraft staatlicher Autorität sichergestellt. Gleichzeitig aber gehen Anwälte, indem sie ihren Beruf ausüben, einem »Gewerbe« nach. Dementsprechend war die RAO bestrebt, einen Mittelweg zwischen den formal unvereinbaren Imperativen öffentlicher Dienstpflicht und privater Initiative zu finden.

Die Ausübung der Rechtsanwaltschaft ist freigegeben, aber doch zugleich an die staatliche Zulassung geknüpft; sie erstreckt sich auf das ganze

a) Laband war jüdischer Abstammung, aber als Kind getauft worden. Gut vierzig Jahre, nachdem er Labands Vorlesungen besucht hatte, beschreibt mein Vater ihn in seinen Erinnerungen als einen »etwas vierschrötigen jüdischen Brachokephalen (längst getauft, aber unverkennbar jüdischer Abstammung)«. Diese Befangenheit in bezug auf »jüdisches Aussehen« war für meine beiden Eltern typisch, und selbst die Flucht vor der Hitlerschen Judenverfolgung änderte hieran kaum etwas.

Reich und ist doch zugleich lokalisiert [indem sie das Recht, die Rechtsanwaltspraxis auszuüben, von der Zulassung bei einem Gericht abhängig macht]; der Rechtsanwalt hat amtliche Obliegenheiten, die er unter gewissen Umständen auch wider seinen Willen erfüllen muß; er ist einer Disziplinargewalt unterworfen, aber er hat andererseits keinen staatlichen Vorgesetzten und keine Beamtendienstpflichten; die Rechtsanwaltsordnung ist ebensowohl eine Ergänzung des Gerichtsverfassungsgesetzes als der Gewerbeordnung ... [452] Der Rechtsanwalt hat ein öffentliches Amt und er ist doch kein Beamter; er versieht sein Amt nicht kraft einer *Dienstpflicht,* sondern er macht aus der Wahrnehmung der zu seinem Amt gehörenden Geschäfte ein *Gewerbe.*[4]

Als mein Vater als Anwalt zugelassen wurde, wurde er also Mitglied eines Berufsstandes, der offiziell als Bestandteil des Rechtsstaates[5] bezeichnet wurde. Das Bewußtsein, öffentliche Verantwortung zu tragen, war bei den Anwälten gerade deshalb so ausgeprägt, weil ihnen gleichzeitig der Ruch des Gewerbes anhaftete – was in den Augen sowohl konservativer als auch radikaler Kritiker der Industriegesellschaft den ganzen Berufsstand befleckte.

Alle akademischen Berufe sehen sich vor mehr oder weniger unvereinbare Ansprüche gestellt, doch wurden die deutschen Anwälte aus historischen Gründen mit einer besonderen Situation konfrontiert.[6] Ihre maßgeblichen Wortführer waren sowohl für die nationale Einigung Deutschlands als auch für die Emanzipation ihres Berufsstandes von der Kontrolle durch die Gerichte eingetreten. Als die nationale Einheit 1871 Wirklichkeit geworden war, setzten diese Wortführer sich weiter für die rechtliche Kodifizierung des neu geeinten Reiches ein. Als führende Gruppe innerhalb des Rechtsstaates waren die Anwälte stolz auf den neuen institutionellen Rahmen; doch in diesen Stolz mischte sich unbemerkt die Vorstellung, der Sieg über Frankreich und die nationale Einheit seien »die natürliche Folge der überlegenen moralischen und kulturellen Kraft Deutschlands« gewesen.[7] Andererseits waren diese nationalistischen Anwälte selbst Angriffen ausgesetzt, weil sie sich der Konkurrenz des Marktes stellten und weil so viele von ihnen Juden waren. Daher regelte die Anwaltsordnung nicht nur die vertraglichen Obliegenheiten von

Rechtsanwälten einschließlich ihrer Gebühren, sondern auch den besonderen Status und die Standesethik der Anwaltschaft.[8] Die Schriften meines Vaters aus jener Zeit zeigen ihn bis zu einem gewissen Grade befangen in diesen statusorientierten und patriotischen Bekundungen. Gleichzeitig versuchte er, seine eigene Position zu definieren. Als Individualist entging ihm natürlich nicht, daß eine vom Rechtssystem vorgesehene Überordnung der formalen Gesichtspunkte des Verfahrens über individuelle Belange der Parteien für die Betroffenen eine außerordentlich schmerzliche Erfahrung sein konnte. Trotzdem war er als Anwalt gehalten, eine positive Einstellung zum Recht zu vertreten und nach legalen Mitteln zur Verteidigung der Interessen des einzelnen zu suchen.

Nationales und individuelles Interesse

Freilich war es im Deutschland der Jahre zwischen 1890 und 1914 nicht leicht, sich als Individuum gegen die vorherrschende Stimmung des Nationalismus und Imperialismus zu behaupten. Das erste Buch meines Vaters wurde von einer Gesellschaft herausgebracht, welche die nationale Stärke Deutschlands und seine Kulturmission im Ausland auf ihr Panier geschrieben hatte.[9] Trotzdem betonte er in diesen Studien zur Kolonialpolitik die Notwendigkeit, ein umfassendes und einfühlendes Verständnis für die einheimische afrikanische Bevölkerung, von ihrer eigenen kulturellen Warte aus, zu entwickeln. Nach seiner Überzeugung mußten alle Bemühungen um Beeinflussung dieser Menschen ohne ein solches Verständnis ergebnislos bleiben.[10] In seinem zweiten Buche befaßte er sich mit der strafrechtlichen Verantwortlichkeit von deutschen Auswanderern, die nach Übersee gingen und die amerikanische Staatsbürgerschaft erwarben. Nach vorherrschender Meinung blieb die Verurteilung solcher Personen durch ein deutsches Gericht wirksam und war zu vollstrekken, falls diese Emigranten jemals zurückkehrten, und zwar selbst dann, wenn sie die deutsche Staatsbürgerschaft aufgegeben hatten. Mein Vater trat dieser Auffassung mit einer eingehenden

Rechtskritik entgegen, in welcher er das nationale Interesse gegen das nicht minder legitime Interesse des Einzelnen abwog, der nicht im Dienst einer nationalen Sache unmenschlich behandelt werden dürfe. Er betonte, daß die Nation ein positives Interesse daran habe, die persönliche Entscheidung von Emigranten zu respektieren, selbst wenn diese sich eine Verfehlung gegen das Gesetz hatten zuschulden kommen lassen; denn ihre staatsbürgerliche Loyalität wird in der neuen Umgebung eine andere geworden sein, und Bürger von zögernder oder geteilter Loyalität sind für eine Nation von fragwürdigem Wert.[11]

Es war ein schlagender Beweis von Unabhängigkeit, in einem nationalistischen Lande in dieser Art und Weise zu schreiben. Dessenungeachtet akzeptierte mein Vater als Rechtsanwalt die herrschende Ordnung und suchte das Beste aus ihr zu machen. Der Erste Weltkrieg fiel mit den ersten Jahren seiner Anwaltstätigkeit zusammen, und seine Schriften spiegelten die Probleme der Zeit wider, die ihn am meisten beschäftigten. 1914 veröffentlichte er zwei Bücher, *Bürgerliches Kriegssonderrecht* und *Der Gesetzliche Zahlungsaufschub im Krieg*. Nach Beendigung des Krieges schrieb er *Völkerrechtsverletzungen Großbritanniens* (1919). Hierbei stützte er sich ausschließlich auf englische Parlamentsakten, weil er davon ausging, daß man den kriegführenden Mächten die Verletzung des Völkerrechts aus ihren eigenen Dokumenten nachweisen könne. Aber wie belangreich dieser Standpunkt für eine ideale Weltordnung der Zukunft auch sein mochte: 1919 bewies ein solches Buch vor allem den Nationalismus seines Verfassers. Wie so viele Liberale jener Zeit, teilte auch mein Vater die nationalen Gefühle der Mehrheit des Volkes und identifizierte sich mit dem Land seiner Geburt. Er maß zwar in späteren Jahren diesen seinen Erstlingswerken kein besonderes Gewicht mehr bei, und doch kündigte sich in ihnen bereits seine lebenslange Beschäftigung mit den Mängeln des Obrigkeitsstaates an. Die Kolonialverwaltung des kaiserlichen Deutschlands und später die Notverordnungen der Kriegsregierung unterstrichen die Mängel, die dem Regierungssystem der Wilhelminischen Ära anhafteten. Die bis ins kleinste gehende Reglementierung, die sich nicht auf die Kooperation der Bevölkerung verlassen wollte, führte praktisch auf allen Gebieten zu einem Zusammenbruch. So wurden beispielsweise Verstöße gegen Notverordnungen während des Krieges von Staats wegen verfolgt. Aber diese Verordnungen hatten den Zweck, die Kriegsanstrengung zu unterstützen, und wurden häufig mißachtet, weil sie nicht mehr dem Verständnis des Volkes von Recht und Unrecht entsprachen. Die Menschen verfolgten ihre eigenen wirtschaftlichen Interessen, so gut sie es unter Kriegsverhältnissen vermochten. Unter diesen Umständen konnte man mit gesetzlichen Schritten die einstige Selbstdisziplin der Bevölkerung nicht wiederherstellen, auch wenn man den Versuch dazu unternahm. Nach Ansicht meines Vaters war dieser Versuch einer Disziplinierung von oben im dritten Kriegsjahr zu einer einzigen Katastrophe geworden. Er glaubte, daß eine geschichtliche Epoche zu Ende gegangen sei, und hoffte, die Menschen würden lernen, daß eine auf der Zustimmung aller basierende Regierungsform die einzig mögliche Alternative zum Obrigkeitsstaat sei; doch hierzu bedurften die Menschen einer neuen Orientierung. Not und Leiden des Krieges hatten eine sozial einebnende Wirkung gehabt und konnten vielleicht zu einer Verringerung der Gegensätze in Wirtschaft und Staat beitragen. An die Stelle der früher üblichen Dominanz der Legislative, des Obrigkeitsdenkens und der Durchreglementierung hatte die Betonung von Eigeninitiative, persönlicher Verantwortung und Selbstkontrolle zu treten.[12]

So hatte mein Vater schon vor Aufnahme seiner Anwaltstätigkeit seine parallel zu ihr verlaufende Karriere als juristischer Schriftsteller begonnen. Von den durchschnittlichen Vertretern seiner Zunft aber unterschied er sich durch seine eingreifende Kritik des deutschen Rechtssystems.

Kapitel III

Ein Kritiker der richterlichen Unparteilichkeit (1914-1918)

Einführung: Autoritarismus

In den Jahren vor dem Ersten Weltkrieg war es üblich geworden, einen Unterschied zu machen zwischen der Monarchie, die angeblich den Interessen aller diente, und dem Markt, der für die eigennützigen Interessen der Gesellschaft da war. Für Gustav Schmoller, den Lehrer meines Vaters, waren die Errungenschaften des öffentlichen Lebens in Deutschland dem Patriotismus und der Fachkenntnis der höheren Beamten zu verdanken. Nach seiner Überzeugung konnte jedermann in Deutschland damit rechnen, daß sein Fall von wohlweisen Amtswaltern behandelt wurde, die über den Parteien standen. Schmoller war auch der Meinung, daß man den gravierendsten Klagen der Arbeiter abhelfen und jeden nur erreichbaren Fortschritt erzielen konnte, wenn man die Arbeitsverhältnisse in der Privatwirtschaft nach dem Vorbild der Beschäftigungsbedingungen im Staatsdienst gestaltete.[1] Diesem quasi-offiziellen Verständnis zufolge wurde Deutschland von unparteilichen Beamten verwaltet. Man ging davon aus, daß ein kleiner, aber hochstehender Bruchteil der Bevölkerung nicht nur über die Macht, sondern auch über die Weisheit und sittliche Größe verfügte, die in der Monarchie Gestalt gewonnen hatte. Der Kaiser und seine Beamten legten fest, was das öffentliche Interesse war, und die Bevölkerung fügte sich der staatlichen Obrigkeit.

Mein Vater hatte schon als Student und angehender Anwalt seiner Skepsis gegenüber diesen autoritären Anschauungen Ausdruck gegeben, und er sah seine Skepsis in den Kriegsjahren durchaus bestätigt.

Die Unzufriedenheit mit dem überlieferten Beamtentum mußte umso mehr um sich greifen, je mehr Personen während des Krieges unmittelbar zum Dienst für den Staat herangezogen wurden und sich von der Macht ausgeschlossen sahen, für die sie bis zur Selbstaufgabe und Selbstvernichtung in Anspruch genommen wurden, und je stärker die Kriegswirtschaftsgesetze und ihre Strafdrohungen in das Leben jedes Einzelnen eingriffen und die schwersten Opfer von ihm verlangten.
Je größer diese Opfer in der Heimat und an der Front empfunden wurden, desto tiefer wurde auch der Gegensatz des Einzelinteresses zum Allgemeininteresse erlebt, und um so lebendiger mußte schließlich die Besinnung des Einzelnen auf die uneinschränkbaren Rechte des Individuums gegen den Staat werden.[2]

Mein Vater war nicht der Meinung, die deutschen Beamten verstießen gegen die Gesetze oder mißbrauchten ihre Ämter. Die Sache war schlimmer. Der pflichteifrige und aufrechte Beamte war weitblickend, willensstark und peinlich genau: für ihn waren die Forderungen des Staates automatisch mit dem Interesse des Volkes identisch. Für einen Beamten dieses Schlages waren die Aufrechterhaltung und Durchsetzung der staatlichen Autorität Ziel und Inhalt seines Lebens. Es fiel ihm nicht ein, die fraglichen bürokratischen Maßnahmen am Gesetz zu überprüfen; vielmehr war er davon überzeugt, daß gewisse Maßnahmen im öffentlichen Interesse lagen, das ihm anvertraut war. Infolgedessen verlangte und erwartete er, daß das Gesetz diese Maßnahmen rechtfertigte. Nach Auffassung meines Vaters brauchte hieraus so lange kein Konflikt zu erwachsen, wie das Verhalten des Beamten der herrschenden Meinung entsprach. Aber bürokratische Maßnahmen und richterliche Entscheidungen verlieren rasch ihre tragende Grundlage und erscheinen als einseitig und willkürlich, sobald dieser stillschweigende Konsens der Bevölkerung wegfällt. Dann wird die Öffentlichkeit von Unruhe erfaßt, der Rückgriff auf die private Gewalt wird gang und gäbe, und die herkömmliche Ordnung der Gesellschaft gerät in Gefahr. *Caveant consules!*[3] (Mögen die Behörden sich vorsehen!)
Trotz dieser antiautoritären Gesinnung verraten die Schriften meines Vaters aus dem Ersten Weltkrieg, daß auch er sich mit Deutschland identifizierte. Sie bezeugen seine patriotische Sorge

über die Kriegswirtschaftsgesetze und seine fortdauernde Beschäftigung mit der Frage einer Rechtsreform. Immerhin hielt er auch unter den Bedingungen des Krieges an seiner Kritik der autoritären Gepflogenheiten in Deutschland fest und versuchte, als die Niederlage sich abzuzeichnen begann, die Umrisse einer nicht-autoritären Rechtsordnung zu skizzieren.
Doch obgleich diese generelle Tendenz seines Werkes unzweideutig ist, stellt uns die Art seines beruflichen Werdeganges zwischen 1907 und 1933 vor ein Rätsel.

Engagement für den Anwaltsberuf

Während dieser ganzen Jahre betätigte mein Vater sich intensiv als juristischer Schriftsteller; seine Bibliographie umfaßt zwanzig Bücher und selbständige Veröffentlichungen sowie mehr als 230 Aufsätze. Was konnte einen praktizierenden Anwalt dazu bewegen, neben seiner starken beruflichen Inanspruchnahme mit einer solchen Beharrlichkeit seinen Standpunkt zu artikulieren?
Die in Kapitel I geschilderten Vorfälle legen drei Antworten auf diese Frage nahe. Erstens: das Trauma der zu Unrecht gegen meinen Großvater verhängten Gefängnisstrafe verstärkte die Anteilnahme meines Vaters am Los der geplagten und ihr Recht suchenden Menschen, mit denen er täglich zu tun hatte. Zweitens kann man sein lebenslanges Eintreten für die Belange des Individuums gegen die Unerbittlichkeit des Rechts vielleicht als einen weiteren Ausdruck der Selbstbehauptung gegen meinen Großvater auffassen, der seinem Sohn nicht erlauben wollte, Jura zu studieren; diese Selbstbehauptung äußerte sich auf symbolische Weise auch in dem Bruch mit der Religion seiner Familie. Drittens: den in seinen Schriften zum Ausdruck kommenden sehnlichen Wunsch, eine Welt zu schaffen, in der einer für den anderen da ist und das Ich *nicht* im Mittelpunkt steht, kann man *auch* als Reaktion auf die (von ihm als solche empfundene) Egozentrik seiner Mutter verstehen.
Trotzdem bleibt die Frage bestehen, warum sein Schaffen etwas Zwanghaftes an sich hatte. Den Schlüssel zu diesem Rätsel finden

wir in der zweiten der obigen drei Antworten. Der Brief meines Großvaters von 1897 bringt die Entscheidung meines Vaters, mit den religiösen Gepflogenheiten des Judentums zu brechen, in Zusammenhang mit seinen hochfliegenden Plänen und seinen absonderlichen geistigen Interessen. Mit den »hochfliegenden Plänen« war dabei die Wahl der juristischen Laufbahn, mit den »absonderlichen Interessen« die philosophische Diskussion der drei Freunde gemeint. Beruflicher Ehrgeiz und geistige Interessen deckten sich aber mit eben jenen Aspekten der deutschen Kultur, die meinen Vater dem Judentum abspenstig machten. Großvater Bendix war unglücklich über diese »unverständliche« Handlungsweise seines Sohnes, und noch ein halbes Jahrhundert später hatte mein Vater die Seelenqual jener Tage nicht vergessen. »Auch ich konnt' nicht helfen, ihn aufzuwühlen« lautet eine Gedichtzeile meines Vaters aus dem Jahr 1949. Die beiden waren einander zugetan, aber ihre Beziehung war bestimmt von Seelenqual und Liebe auf der einen Seite und Schuldgefühlen und Liebe auf der anderen Seite; und so möchte ich vermuten, daß mein Vater bis zuletzt eine gewisse Reue über die Schmerzen empfand, die er meinem Großvater zugefügt hatte. Ein Weg, die Selbstbehauptung meines Vaters mit seinem zwanghaften Schreiben und Publizieren in Verbindung zu bringen, besteht darin, letzteres als einen Akt der Buße und als ständigen Versuch zu werten, die Richtigkeit seiner ursprünglichen Entscheidung durch diese schöpferische Tätigkeit unter Beweis zu stellen.

Trotzdem war die ganze Lebenseinstellung meines Vaters nach vorne orientiert; er wollte Taten sehen. Mögen unterbewußte Gefühle des Bedauerns oder der Schuld bei ihm auch mitgespielt haben, für ihn war seine schriftstellerische Tätigkeit in erster Linie der Beweis seiner aktiven Teilhabe an der deutschen Gesellschaft im allgemeinen und dem deutschen Rechtssystem im besonderen. Seine Anwaltskanzlei und seine juristischen Schriften waren ein Zeichen seiner staatsbürgerlichen Zugehörigkeit.[a]

a) Es gibt freilich noch eine andere, eher spekulative Überlegung. Beide Freunde meines Vaters wurden Hochschulprofessoren. In seinen Schriften gebrauchte er oft in einem ermahnenden Sinne die Begriffe »Wissen-

In diesem Sinne waren seine Schriften auch ein Zeichen dafür, daß Gustav Bendix' Freude an seinem einzigen Sohn ungetrübt sein durfte, selbst wenn der Sohn mit seiner Berufswahl dem dringenden Rat seines Vaters zuwidergehandelt hatte.
Mit größerer Zuverlässigkeit als das psychologische Profil meines Vaters läßt sich der geistige Hintergrund skizzieren, vor dem seine Schriften entstanden. Lehmann, Dilthey und die beiden Freunde hatten ihn, im Einklang mit der klassischen Tradition eines Goethe und Humboldt, den Wert des Individuums schätzen gelehrt. Besonders der Unterricht bei Lehmann hatte ihn in dem Bestreben bestärkt, »alles Menschliche zu verstehen« und »an jedem Menschen Interesse zu nehmen«, wie er es als Neunzehnjähriger in dem Aufsatz für seinen Lehrer ausgedrückt hatte. Das Studium der Rechte verwandelte dieses frühe psychologische Interesse in eine Leidenschaft für die Gerechtigkeit, der man durch die mit juristischen Mitteln geführte Verteidigung des einzelnen zum Siege verhelfen konnte. Mein Vater rang mit Zähigkeit darum, diese individualistische Position sowohl gegen die strenge Starrheit des wilhelminischen Gerichtssystems als auch gegen den überwältigenden Nationalismus jener Zeit zu behaupten. Alle von mir genannten Einflüsse sind denn auch in seiner Broschüre *Das Problem der Rechtssicherheit* (1914) nachweisbar, in der mein Vater seine Betrachtungsweise des Rechts darstellte und die Grundsätze formulierte, die er in seinen späteren Schriften anwandte.[4]
Der Begriff *Rechtssicherheit* beinhaltet dabei sowohl die Sicherheit, die das Recht bietet, als auch die Gewißheit, daß gleiche Fälle gleich behandelt werden. Die erstere Bedeutung besagt, daß Freiheit und Eigentum garantiert sind, daß die Justiz frei von

schaft« und »wissenschaftlich«, auch wenn er gegenüber unangebrachten akademischen Prätentionen sehr sarkastisch sein konnte. Offenbar schätzte er wissenschaftliche Arbeit, doch betonte er häufig, daß ihn persönlich nur die »aktive Gestaltung des sozialen Lebens« befriedigen könne. Unablässiges Publizieren war seine Antwort auf die immer neuen Aufgaben der gesellschaftlichen Reform. War es vielleicht auch die Befriedigung unerfüllter akademischer Träume?

Korruption und ihre Unparteilichkeit gewährleistet ist. Die zweite Bedeutung des Begriffes besagt, daß alle Gesetze und Regelungen eindeutig sind, so daß sie von Juristen und Laien gleichermaßen verstanden und so angewandt werden können, wie sie angewandt werden sollen. Wo diese Bedingungen gegeben sind, wird der Ausgang eines Rechtsstreites vorhersehbar, was eigentlich eine dritte Bedeutung von »Rechtssicherheit« ist. Sicherheit durch Recht, eindeutiger Sinn des Rechts und Vorhersagbarkeit der Rechtsanwendungen sind in einer Rechtsordnung Vorbedingungen von Wahrheit und Gerechtigkeit.
Mein Vater hielt diesen Begriff der Rechtssicherheit für eine Illusion, mochte er zugleich auch das Ideal des Obrigkeitsstaates sein. Seiner Schrift von 1914 gab er den Untertitel »Zur Einführung des Relativismus in die Rechtsanwendungslehre«. Der Gedanke, den *Relativismus* ausdrücklich zu einem Grundprinzip der richterlichen und administrativen Tätigkeit zu erheben, war den meisten deutschen Beamten anathema; für sie waren die Rechtsnormen etwas Absolutes – nicht bloß sittlicher Maßstab und autoritativer Erlaß, sondern auch in dem übertragenen Sinne, daß man der Rechts*wissenschaft* Gewißheit zuschrieb. Demgegenüber war mein Vater davon überzeugt, daß vom Standpunkt des kritischen Beobachters aus eine ganze Reihe von typischen Tatsachen- und Rechtsauslegungen gleichermaßen möglich seien. Kein Rechtsakt kann unzweideutig sein; denn die Sprache, in der er abgefaßt ist, ist unvollkommen, und seine Bedeutung verändert sich mit den sich verändernden Verhältnissen. Er berief sich auf Bismarcks Äußerung in dessen *Gedanken und Erinnerungen:* »Die Haltbarkeit aller Verträge zwischen Großstaaten ist eine bedingte, sobald sie im Kampf ums Dasein auf die Probe gestellt wird«. Dasselbe gelte, so sagte mein Vater, für jede rechtliche Norm. Sobald die greifbaren Interessen der Menschen dem Gesetzestext zuwiderlaufen, ist es allemal der Text, der durch geeignete Interpretationen zum Nachgeben gezwungen wird. Das liegt daran, daß die streitenden Parteien es nur deshalb zum Rechtsstreit kommen lassen, weil sie ihre Rechte verletzt sehen; sie glauben, ihre materielle und seelische Existenz aufs Spiel setzen zu müssen, weil sie überzeugt sind, daß die Gerechtigkeit

auf ihrer Seite steht. Bei einer solchen Auseinandersetzung kann eine Seite im Recht sein und trotzdem ihren Fall vor dem Gericht verlieren.[5] Diese tragische Kluft zwischen der offiziellen Betonung der Rechtsförmigkeit des gerichtlichen Verfahrens und den Interessen des einzelnen soweit wie möglich zu verringern: dafür setzte mein Vater sich in seinem Beruf ein. Die Schrift über Rechtssicherheit gibt Aufschluß über sein lebenslanges Bemühen, das deutsche Rechtssystem schreibend und durch Warnungen zu reformieren.

Rationale Betrachtung irrationaler Kräfte

Nach Ansicht meines Vaters werden Rechtsnormen nicht nur durch die Vieldeutigkeit ihres Wortlauts und durch greifbare Interessen beeinflußt, sondern auch durch die Persönlichkeit des Richters. Die Folge ist, daß keine zwei Rechtsfälle einander wirklich gleich sind und daß der Disput über die zutreffende Textauslegung immer Züge eines Kampfes trägt. Er schreibt:

> Diese in der Irrationalität des Menschen gelegene Vieldeutigkeit seines Tuns, diese mit dem Interesse und der Machtverschiebung eintretende Umdeutung und Wirkungslosigkeit gesetzlicher oder vertraglicher Bestimmungen bringt es mit sich, daß der Ausgang jedes echten Rechtsstreites im Zivil- oder Strafprozeß – und nur von diesem ist hier überhaupt die Rede! – grundsätzlich ungewiß ist, und daß die letztgetroffene Entscheidung grundsätzlich keinen Anspruch auf allgemeine Geltung erheben kann.[6]

Die Anwendung einer Rechtsnorm auf einen Rechtsstreit ist nach Auffassung meines Vaters immer Ausdruck der Gesamtpersönlichkeit des Richters, in ganz ähnlicher Weise, wie ein Kunstwerk Ausdruck der Gesamtpersönlichkeit des Künstlers ist. Die Aufgabe des Richters ist unlösbar mit den Rechtsnormen und den durch Zeugenaussagen bestätigten Tatsachen verquickt, etwa so, wie das Werk des Künstlers unlösbar mit den verwendeten Materialien und den dargestellten Gegenständen oder Themen verquickt ist. Die Schlüsselbegriffe in der Untersuchung meines Vaters sind »Persönlichkeit« und »Kampf«; vielleicht verbanden sich in ihnen Einflüsse Goethes und Nietzsches miteinander. Er schreibt, daß die Vertreter der gegnerischen Parteien ihre ganze Persönlichkeit »einsetzen«, um ihrer Meinung zum Siege zu verhelfen:

Jede Niederlage treibt zu neuer Sammlung aller Kräfte, jeder Sieg zwingt zur Selbstbehauptung und Verteidigung der errungenen Positionen.[7]

Dieser Kampf um die Auslegung des Rechts bedeutet, daß um die Anwendung einer im Gesetz enthaltenen Rechtsnorm gestritten wird. Wenn wir Gesetz und Norm selbst als ungerecht empfinden, werden wir versuchen, sie zu ändern. Doch nach einiger Zeit wird die neue Norm sich ebenfalls als unbefriedigend herausstellen, weil sich die Verhältnisse und unsere Vorstellungen geändert haben. Ebenso herrscht Unsicherheit über das »Tatsächliche« jeder Handlung. In anschaulicher Weise illustriert der japanische Film *Rashomon* das, worauf mein Vater hinauswollte. Mehrere Menschen sind Zeugen eines Mordes in einem Wald. Sie geben unterschiedliche Versionen dessen zu Protokoll, »was geschehen ist«. Am Schluß ist der Zuschauer im Zweifel, ob es wirklich nur *eine* Wahrheit gibt.

Gewiß gab auch mein Vater zu, daß Rechtsnormen und die »Tatsachen« dem jeweiligen Rechtsstreit einen gewissen Rahmen geben. Doch innerhalb dieser Grenzen bewertet jede Partei und jeder Zeuge Gesetze und Tatsachen nach Maßgabe der eigenen Persönlichkeit; d. h. die unter mehreren möglichen Auslegungen gewählte gibt dem Betreffenden am ehesten das Gefühl des Endgültigen. Daraus folgt, daß jeder Rechtsstreit neue Anforderungen an den Richter stellt, bzw., was auf dasselbe hinausläuft, die Richterpersönlichkeiten unterscheiden sich voneinander in ihrer Fähigkeit, unterschiedliche Rechtsfälle gerecht zu entscheiden. Mein Vater stellte sich selbst die unvollendbare Aufgabe, die Irrationalitäten der Rechtsanwendung ans Licht zu ziehen – nicht, weil sie jemals völlig zu beseitigen wären, sondern weil ihre Bewußtmachung der Rationalität der Rechtsanwendung zugute kommen würde.[8] Die programmatische Feststellung von 1914 wiederholte mein Vater 1932 in seinem letzten abgeschlossenen Werk:

Freilich liegt allen meinen Ausführungen eine wissenschaftliche Voraussetzung zugrunde, die man geradezu einen wissenschaftlichen Glaubenssatz nennen kann, daß nämlich die Rationalisierung des Irrationalen uns in seiner Beherrschung weiterhilft, daß diese Rationalisierung nicht bloß theoretische Fruchtbarkeit besitzt, sondern auch für die praktische Rechtsanwendung Anregungen gibt und nützlich werden kann und soll. Die Beschreitung dieses Weges der Rationalisierung des Irrationalen beruht aber nicht bloß auf einem Glaubenssatze, sie ist gleichzeitig auch ein Wagnis und ein Einsatz, und ohne Wagnis und Einsatz sind wir Knechte des Lebens, aber nicht seine Herren.[9]

Die Kritik, um nicht zu sagen, der Kreuzzug meines Vaters, galt den Unvollkommenheiten der Rechtsordnung, nicht aber den ihr zugrunde liegenden Annahmen. Das Recht erschien ihm als eine Grundvoraussetzung der bürgerlichen Gesellschaft, ja sogar als ein Steuerungsprinzip in seiner eigenen Familie. Er pflegte darauf zu bestehen, daß Angelegenheiten zwischen Verwandten schriftlich geregelt wurden, um Streitigkeiten vorzubeugen, die bei aller persönlichen Vertrautheit entstanden und oft eben deshalb besondere Mißhelligkeiten verursachten.
Das Problem der Rechtssicherheit ist »wissenschaftlich« im weitesten, deutschen Sinne des Wortes, aber es ist nicht das Werk eines nach Objektivität strebenden Gelehrten. Die Schrift ist das parteiliche Dokument eines an seine Sache hingegebenen jungen Rechtsanwalts. Mein Vater rief die Richter dazu auf, die irrationalen Faktoren hinter ihren Entscheidungen aufzudecken, d. h. die Werte und vorgefaßten Meinungen, welche das eigentlich Ausschlaggebende bei diesen Entscheidungen waren. Die Richter, nicht die Anwälte entscheiden über die ihnen vorgetragenen Fälle; trotzdem sind sie Geschöpfe der Gesellschaft, in der sie leben. Hier ist der Marxsche Einfluß am Werk; vertrat doch Marx den Standpunkt, daß in einer von Klassengegensätzen zerrissenen Gesellschaft jeder, der behauptet, über dem Interessenkampf zu stehen, etwas zu verbergen habe. Was die Richter verschweigen, ist ihre tatsächliche Parteilichkeit für Recht und Ordnung. In den Augen meines Vaters war es Aufgabe des Rechtsanwalts, diese Parteilichkeit ans Licht zu bringen, so daß eine kritische Stellungnahme zu ihr möglich wurde. Der Anwalt hat keine Veranlas-

sung, mit seinem Engagement für den Fall seines jeweiligen Mandanten hinterm Berge zu halten; es ist seine Aufgabe, alle rechtlichen Möglichkeiten auszuschöpfen, um den Fall für ihn zu gewinnen. Hier sehen wir den Einfluß Nietzsches am Werk. Wenn alle geistigen Fähigkeiten des Menschen ebenso viele Waffen im Kampf ums Überleben oder um die Herrschaft sind, dann ist der Rechtsanwalt als Fürsprecher des einzelnen Mandanten dem Richter als dem Fürsprecher von Recht und Ordnung ebenbürtig. Und da hinter dem Richter sämtliche Machtmittel des Staates stehen, kann nur das leidenschaftlichste Engagement des Rechtsanwalts für die Sache seines Mandanten ihn befähigen, die rechtsgemäße Verteidigung gegen diese überwältigenden Machtmittel zu führen.

Dieser Glaube an das Recht wurde zu einer Leidenschaft, die sich auch auf das persönliche Gebaren meines Vaters auswirkte. Obwohl er einen feinen Sinn für Humor besaß, fehlte ihm doch, wie sein Freund Köhler treffend bemerkt hatte, »das lachende Verständnis des Lebens«. Noch nach vierzig Jahren erinnerte er sich eines amerikanischen Studenten, der in Freiburg zu ihm gesagt hatte: »Sie nehmen das Leben zu schwer! Sie müssen es mehr als Spiel nehmen!«[10] In seinen Erinnerungen gesteht (und demonstriert) mein Vater die Richtigkeit dieser Bemerkung. Lebenslange Gewohnheit ließ ihn dreizehn verschiedene Bedeutungen des Wortes »Spiel« aufzählen und dann hinzufügen, hierin zeige sich seine unausrottbare »legalistische« Gewohnheit, Unterscheidungen dort zu treffen, wo die geläufige Bedeutung des Wortes offenkundig und angemessen sei. Auch hatte er die Angewohnheit, »in Klammern zu denken«, wobei er die ohnehin schon verschachtelte deutsche Satzstruktur mit Abschweifungen und Einschaltungen befrachtete. Er war sich über diese »schlechten« Angewohnheiten im klaren, ließ sie aber durchgehen; vielleicht machte er sich nicht bewußt, daß sie ein Makel in seinen Schriften waren und gelegentlich auch die Beziehungen zu anderen Menschen belasteten.

Im Jahre 1914, als mein Vater seine Schrift über Rechtssicherheit herausbrachte, war er 37. Sein Engagement für das Recht war mehr als die Wahl einer Berufslaufbahn. Es bedeutete seine

Hingabe an die deutsche Kultur und Gesellschaft, anstelle der in seiner Familie üblichen Bindung an das Judentum. Diese Feststellung ist ganz wörtlich zu nehmen. Nachdem mein Vater die jüdischen Gebräuche aufgegeben hatte, trat er nicht etwa zum Christentum über. In einem gewissen Sinne war sein Glaubensbekenntnis nun die Fortentwicklung und Reform des deutschen Rechts: die Ausübung des Rechts wurde ihm zur Lebensform. In der Vorstellung vom Recht als einem Werk zur Ordnung und Verbesserung des Menschengeschlechtes kann man Elemente jüdischer Religiosität erkennen. Doch mußte man nicht »vom Judentum abgefallen« sein, um diese Vorstellung zu teilen. Viele Angehörige der deutschen Anwaltschaft schwärmten vom Ideal des Rechtsstaates. Diese Rechtsordnung wurde freilich während des Ersten Weltkrieges untergraben, als mein Vater an seiner Kritik der richterlichen Praxis arbeitete.

Richter und Anwälte

In den Jahren des Ersten Weltkrieges machte sich die Parteinahme der Richter für Recht und Ordnung besonders ärgerlich bemerkbar, da der Ausnahmezustand die autoritäre Haltung der Richterschaft verschärfte und die Persönlichkeitsrechte des einzelnen gefährdete. Von verschiedenen Autoren waren neue Methoden vorgeschlagen worden, um die Gewißheit richterlicher Entscheidungen zu erhöhen; doch gingen diese Vorschläge von der »typisch deutschen« Annahme aus, daß es für jeden einzelnen Fall nur eine einzige richtige Entscheidung gebe. Hiergegen formulierte und erneuerte mein Vater die Kritik am Ideal der Rechtssicherheit. »Das Ideal der vollkommenen Rechtssicherheit ist das Ideal des ins Grab steigenden Obrigkeitsstaates, für dessen Anerkennung und Verbreitung er eintritt, weil dies seine Herrschaftsausübung erleichtert. Es ist ja ganz klar: wenn jedem versprochen wird, er könne sicher sein, daß ihm sein vermeintliches Recht werde, so kann und muß er mit der Ordnung zufrieden sein, die diesen Zustand angeblich gewährleistet.«[11] Die Kriegsnotgesetze gefährdeten solche Annahmen, wobei mein

Vater freilich der Überzeugung war, daß Notgesetze auch in Friedenszeiten falsch seien. In jeder Notstandssituation lagen alle Entscheidungen in den Händen von zuständigen Beamten, deren Verfügungen ohne Ausnahme allgemeine Gültigkeit beanspruchten, während der einzelne Staatsbürger jeglicher Verantwortung enthoben war. Um diesen grundsätzlichen Mangel zu beheben, der durch die Kriegszustände nur noch verschlimmert wurde, trat mein Vater dafür ein, die herrschenden Gepflogenheiten umzukehren und den einzelnen Bürgern größere Entscheidungsbefugnisse einzuräumen, den Beamten aber geringere.[12] Bevor ich mich seinen Verbesserungsvorschlägen zuwende, möchte ich auf das Kernstück seiner Untersuchung eingehen: die unterschiedlichen Aufgaben von Richtern und Anwälten in einer geordneten Gesellschaft.

Richter sind dazu aufgerufen, Streitfälle in den menschlichen Beziehungen zu schlichten und so das Rechtssystem aufrechtzuerhalten. Was die Bedürfnisse und Leidenschaften der streitenden Parteien betrifft, so sind die Richter zwangsläufig zurückhaltend und distanziert. Durch ihre offizielle Stellung halten Richter sich naturgemäß für Unparteiische, die die ihnen vorgetragenen Fälle gleichsam von ferne, über dem Kampfe stehend, entscheiden. Trotzdem war mein Vater überzeugt, daß diese Haltung selbst eine parteiliche Auffassung sei, die zu all den idealen Eigenschaften hinzukomme, die ein Richter besitzen mochte. Um nur ein Beispiel zu nennen:

Die Unparteilichkeit des Richters bringt es mit sich, daß ihm der Sieg der einen oder anderen Partei gänzlich gleichgültig ist. Die Gleichgültigkeit gegenüber den persönlichen Interessen der Partei, die hinter der Sache stehen, führt dahin, daß für den Richter die Erledigung der Sache selbst im Vordergrund steht. Die Fortbewegung, ja die Fortschaffung der Sache aus seinem Arbeitsbereich wird notwendig zum Gegenstand seines spezifisch richterlichen Interesses, und ganz natürlich wird hinderlich empfunden, wer der glattesten und kürzesten Erledigung dieses Interesses störend in den Weg tritt. Aus solcher Geistesverfassung heraus kommt der eine Richter schnell, allzuschnell zur Endentscheidung aus einem die Sache nicht erschöpfenden, aber sie vor ihm jedenfalls beendigenden Gesichtspunkt ...[13]

Mein Vater betonte, daß Eile bei der Erledigung von Fällen in der Tat eine wichtige Funktion des Richters sei, da es anderenfalls zu Klagen in der Öffentlichkeit über die schleppend arbeitende Justiz komme. Die Richter werden mit diesem Zeitdruck auf unterschiedlichste Weise fertig werden. Für die Parteien eines Rechtsstreites kann jedoch das Interesse an zügiger Erledigung nicht von wirklichem Belang sein. Die Pflicht des Richters, menschliche Beziehungen durch die Schlichtung von Streitigkeiten zu ordnen, muß formalen Regeln gehorchen, die sich mit den nicht minder berechtigten Belangen des Einzelnen stoßen. Der Anwalt kann dazu beitragen, die notwendige Voreingenommenheit des Richters zu korrigieren, der für Ordnung und eine leistungsfähige Rechtspflege sorgen muß. Es ist sogar die spezielle Aufgabe der Anwälte, alle rechtlichen Möglichkeiten zu erkunden, um die Ansprüche ihrer Mandanten durchzusetzen. Mitfühlendes Verständnis für die Nöte und Ängste seiner Mandanten ist die ideale Eigenschaft eines Anwaltes, der alles zu erreichen sucht, was rechtlich möglich ist. Das lebenslange Aufgehen des Anwaltes in dieser parteilichen Wirksamkeit ist unentbehrlich, wenn er die nicht minder notwendige Distanziertheit und »Unparteilichkeit« der vom Richter verkörperten Rechtsordnung wettmachen soll. Denn nur allzuoft werden die Belange des den Beistand des Rechts anrufenden Individuums den formalen Erfordernissen der Rechtsordnung untergeordnet. Mein Vater hätte es am liebsten gesehen, wenn jeder Richter einmal in seinem Leben persönlich die Erfahrung eines Prozesses machen würde, um ihn für diese schmerzhafte Seite des Rechtssystems empfindlicher werden zu lassen.[14] Ein derartiger Vorschlag ist nur vom Standpunkt eines zutiefst der Rechtsordnung verpflichteten Mannes aus zu verstehen, der sieht, daß ihr Formalismus zwar unentbehrlich ist, aber im Leben des rechtssuchenden Einzelnen oft verheerend wirkt. Demgemäß sollte der Anwalt darauf bedacht sein, daß die Rechte des Individuums nicht den Interessen von Recht und Ordnung zum Opfer fallen. Der Anwalt kann dazu beitragen, diese notwendige Voreingenommenheit des Justizsystems zu korrigieren.

Allerdings verwahrte mein Vater sich gegen den Verdacht,

lediglich ein einseitiges Plädoyer im Interesse der Rechtsanwälte vorzutragen. Der Anwalt soll ein Parteigänger seiner Klienten sein; denn als solcher kann er eine humanisierende Wirkung haben, was einer lebensfähigen Rechtsordnung nur förderlich ist. Die Schlichtung von Streitfällen nach Maßgabe festgelegter Regeln ist ebenso unentbehrlich wie die Rechtsvertretung durch den Anwalt. In den Augen meines Vaters stellt der Konflikt zwischen den verfahrensmäßigen Erfordernissen des Rechts und den berechtigten Interessen des Einzelnen das tragische Element in der richterlichen Tätigkeit dar.[15]

Reformvorschläge

Die Kriegsverhältnisse ließen nach Überzeugung meines Vaters die Mängel in den herrschenden Vorstellungen über Recht und Verwaltung verschärft hervortreten. Wenn es eine Rechtssicherheit nicht gibt, wäre es besser, sich ausdrücklich einzugestehen, daß das Resultat aller Rechts- und Verwaltungsverfahren unvorhersehbar ist. *Jedermann* sollte sich mit dem Gedanken vertraut machen, daß Tatsachen und Rechtsnormen unterschiedlichen Deutungen zugänglich sind. Dann werden die Menschen allmählich erkennen, daß Meinungen, die sie selbst ablehnen, gleichwohl von anderen Leuten vertreten und möglicherweise auch von einem Richter akzeptiert werden. Sobald eine solche Einstellung einmal Platz gegriffen hat, wird sie wahrscheinlich die gegenseitige Nachsicht unter den Menschen erhöhen und die Bereitschaft zum Kompromiß fördern. In den Augen meines Vaters gab es eine annähernde Entsprechung zwischen dem Glauben an Rechtssicherheit und einer Haltung der Unversöhnlichkeit auf der einen Seite und der Einsicht in die Unsicherheit des Rechts und einer Geneigtheit zur Versöhnung auf der anderen Seite.[16]
Diese Überlegungen wandte er nun auf die Gepflogenheiten der Strafgerichtsbarkeit an. Er stellte die allgemeine These auf, daß man die einzelne richterliche Entscheidung lediglich als *einen* von mehreren möglichen Versuchen betrachten müsse, einen gegebenen Rechtsstreit beizulegen, selbst wenn sie für diesen betreffen-

den Fall bindend sei. Andere Lösungen des Konflikts sind möglich, obgleich keine zwei Streitfälle jemals völlig gleich sind. Außerdem hat das Einverständnis der Öffentlichkeit mit dem Rechtssystem im ganzen eine flüssige und veränderliche Qualität, die im Gegensatz steht zu dem formal bindenden Charakter von Gerichtsentscheidungen.

Des näheren schrieb § 266 der Strafprozeßordnung (StPO) vor, daß die Urteilsbegründung eines Gerichtes auch eine Aussage über die von dem Gericht als erwiesen angesehenen Tatsachen sowie über die rechtlichen Aspekte der Straftat enthalten müsse. In der Praxis liegen nur wenige Fälle ganz einfach, und nur selten wird ein Rechtsstreit durch ein Geständnis geklärt, das alle Unsicherheiten beseitigt. In den Augen meines Vaters sind die Tatsachen, die im schriftlichen Beschluß des Strafrichters festgehalten werden, nur einige von den zahlreichen Tatsachen, die während der Verhandlung zur Sprache kommen, und folglich gibt es verschiedene mögliche Deutungen, zwischen denen der Richter sich zu entscheiden hat. Ferner gibt es die Unsicherheit der juristischen Argumentation, sobald es darum geht, einen gegebenen Fall unter die einschlägigen Gesetze und Regeln zu subsumieren, und sobald die vorgefaßten Meinungen des Richters in seine Überlegungen eingehen. Schließlich gibt es die Unsicherheit der Urteilsfindung. Sobald jedoch ein Fall entschieden und das Urteil gesprochen ist, erklärt das Recht die letztlich gewählte Deutung zur einzig möglichen, obwohl sie aus einer Vielzahl anderer möglicher Deutungen ausgewählt worden ist, die ein anderes Urteil oder sogar den Freispruch gerechtfertigt hätten.

Diese Erwägungen veranlaßten meinen Vater, eine Neufassung von § 266 Abschnitt 1-3 StPO anzuregen. Er forderte, daß der Richter im Falle einer Verurteilung des Angeklagten verpflichtet werden müsse, anzugeben, welche anderen möglichen Deutungen der von ihm berücksichtigten Tatsachen es gebe, für welche von ihnen er sich aus welchen Gründen entschieden und warum er die anderen Möglichkeiten verworfen habe.[b] Diese und verwandte

b) Ende der zwanziger Jahre unternahm mein Vater, von diesem Gedanken ausgehend, eine kritische Durchsicht von zwei Bänden mit

Vorschläge zielten darauf ab, das Verständnis der Öffentlichkeit für die interpretatorische Unsicherheit zu erhöhen, die allen Rechtsentscheidungen anhaftet. Mein Vater hoffte, daß angesichts solcher Ungewißheit der Glaube des einzelnen an sein eigenes Recht erschüttert werde. Denn dann müsse jedermann zur Kenntnis nehmen, daß die Gegenseite ebenso fest an *ihre* Sache glaubt. Die Lust am Prozessieren werde zurückgehen, sobald der Einzelne zu dem Ergebnis komme, daß das Risiko zu hoch und ein Kompromiß die bessere Alternative sei.[17] Diese Argumente, zwischen 1916 und 1918 in einer Reihe von Aufsätzen zur Diskussion gestellt, führten die Thematik der 1914 erschienenen Schrift meines Vaters über Rechtssicherheit fort.

Der Kritiker und seine Kritiker

Die Härten der Kriegswirtschaft hatten die öffentliche Duldung des obrigkeitlichen Zwanges allmählich erschöpft – eine Situation, die meinen Vater wahrscheinlich um so fester auf seinem Standpunkt beharren ließ. Die Besprechungen seiner Schrift von 1914 verraten, daß den Philosophen vor allem die Betonung der erkenntnistheoretischen und psychologischen Probleme der richterlichen Urteilsfindung gefiel. Einer dieser Kommentatoren war Max Frischeisen-Köhler, der in den Gedanken meines Vaters wahrscheinlich einen Reflex seiner eigenen Ideen erkannte. Richter und Rechtsprofessoren äußerten sich kritisch, weil mein Vater die Gewißheit und Endgültigkeit der in ihrer Person und ihren Handlungen verkörperten Autorität des Staates angetastet hatte. So wiesen die Schriften meines Vaters ihn als umstrittenes Mitglied der Anwaltszunft aus.

Die Besprechungen der Schrift von 1914 sowie der mit ihr zusammenhängenden späteren Aufsätze sind skeptisch bis ableh-

Reichsgerichtsentscheidungen in zivil- und strafrechtlichen Fällen. Siehe *Die irrationalen Kräfte der zivilrechtlichen Urteilstätigkeit* (1927) und *Die irrationalen Kräfte der strafrichterlichen Urteilstätigkeit* (1928). Beide Bücher werden in Kapitel VII diskutiert.

nend und lassen die berufsständische Reaktion auf den Ansatz meines Vaters erkennen. Einige sind ironisch und herablassend, andere betont höflich, aber negativ, wieder andere zwar etwas anerkennender, aber dennoch negativ. Allgemein bestand in den Besprechungen die Tendenz, zu behaupten, daß die psychologische Disposition des Richters in der Tat eine Rolle spiele und daß sie in Richterkreisen auch häufig diskutiert werde. Zugegebenermaßen war dieser Aspekt jedoch noch nie zuvor so energisch hervorgehoben worden. Einer der Kritiker wischt das alles zwar als eine natürliche Folge der Begrenztheit der menschlichen Erkenntnis vom Tisch; doch gibt es dafür einen anderen, der die Bedeutsamkeit der Materie anerkennt. Verschiedene Kritiker räumen ein, daß der Begriff der »Rechtssicherheit« mehrdeutig sei und vielleicht überschätzt werde, doch einzelne Verteidiger befürworten dieses Ideal als eine Richtschnur des Verhaltens, auch wenn es nicht völlig zu verwirklichen ist. Einig sind sich alle Kritiker in der Ablehnung des Vorschlags, dem Begriff der Rechts*unsicherheit* allgemeine Anerkennung zu verschaffen. Sie erwarteten, daß die Folge hiervon eine erhöhte Lust am Prozessieren sein werde, während mein Vater hoffte, daß das Bewußtsein der Unsicherheit gerade die Bereitschaft zur *außergerichtlichen* Beilegung von Streitigkeiten fördern würde. Entschieden verwahrte man sich auch dagegen, daß mein Vater die tatsächliche Feststellung durch den Richter »eine Fiktion« nannte – ein Beispiel für seine Neigung zur Übertreibung, die man ihm bei mehr als einer Gelegenheit ankreidete.[c]

Hier kommen wir in der Tat zum Kern der Sache. Die meisten Kritiker bemängelten (abgesehen von ihren Einwänden gegen viele seiner Vorschläge) die Untersuchung meines Vaters, weil sie prinzipiell den Wert einer Motivationsanalyse bezweifelten. Sie

c) Er wußte, daß seine Ideen auf Ablehnung stoßen würden. Wie ein Kritiker darlegte, enthalten die tatsächlichen Feststellungen eines Richters bereits jene Interpretationen, die er nach sorgfältiger Würdigung des Beweismaterials für stichhaltig hält; eine richterliche Entscheidung muß eine unzweideutige Aussage enthalten, nicht aber Ausführungen über mögliche andere Interpretationen, die überflüssig sind und dem Wert der Entscheidung Abbruch tun.

bestritten nicht, daß bei der richterlichen Urteilsfindung eine Vielzahl von Regungen eine Rolle spielten: kleinliche wie hochherzige, persönliche Vorlieben wie politische Stellungnahmen. Aber sie sahen nicht, wie eine Analyse dieser Motive zu irgend etwas führen solle. Mein Vater hätte dem vielleicht sogar beigepflichtet, wenn ein gefestigtes politisches System bestanden hätte und die Regierung sich der Zustimmung der Öffentlichkeit hätte sicher sein können. Aber sein Interesse für den richterlichen Entscheidungsprozeß trat erstmals zu Beginn des Ersten Weltkrieges zutage, nahm während des Krieges zu und fand seine volle Ausprägung in den politisch unsicheren Jahren der Weimarer Republik. In unsicheren Zeiten, in denen sich eine erhebliche Kluft zwischen den Gefühlen und Überzeugungen der Staatsgewalt und denen des Volkes auftut, ist es besonders wichtig, die Motive von Beamten zu erforschen und alternative Rechts- und Tatsacheninterpretationen zu untersuchen. Seine Kritiker konnten oder wollten nicht verstehen, wozu eine solche Untersuchung nütze sei; einer von ihnen bezeichnete es als ein überflüssiges Paradoxon, von der »Unparteilichkeit als einem einseitigen Standpunkt« zu sprechen. Trotzdem traf dieses Paradoxon ins Schwarze, sofern es darauf hinweisen wollte, daß der Unparteilichkeitsanspruch eines Richters in dem Augenblick falsch wird, wo der Staat, in dessen Namen der Richter spricht, mangels Rückhalts beim Volk unter dem Deckmantel neutraler Unparteilichkeit seine ureigensten Interessen vertritt.[18]

Die Debatte um die »Rechtssicherheit« war symptomatisch für die Zeit, obgleich man dies erst nachträglich so deutlich erkennen kann. Der ungerechte Vorsprung dessen, der im nachhinein klüger ist, war übrigens etwas, was meinen Vater immer wieder beschäftigte, und er wurde nicht müde zu betonen, daß der Mensch nicht anders als im Angesicht der Ungewißheit handeln kann. Doch wenn Handeln auch stets mit dem Risiko des Scheiterns verbunden ist, kann die aus der Rückschau gewonnene Erkenntnis, wenn sie dieses Risikos eingedenk bleibt, von Nutzen sein. Ich wäre nicht der Sohn meines Vaters, wollte ich nicht zu seiner Grundposition Stellung beziehen, wohl wissend, daß Zurückblicken leichter ist als der nach vorne gerichtete

Einsatz. Um die Einzelgängerrolle meines Vaters und die gesellschaftliche Bühne, auf der sie sich abspielte, verständlicher zu machen, gliedere ich meinen Kommentar in einen logischen und einen politischen Teil.

Logische Analyse

Argumente von der Art, wie ich sie eben beschrieben habe, neigen dazu, sich zwischen verschiedenen Abstraktionsebenen hin und her zu bewegen. Ich bin zwar der Ansicht, daß mein Vater die Rolle des Richters und des Rechtsanwaltes zutreffend analysiert hat. Es *gibt* Parteilichkeit auf beiden Seiten; aber sie ist von unterschiedlicher Art. In diesem Punkt schadete mein Vater seiner Sache, indem er es versäumte, klarere Unterscheidungen zu treffen. Solange das Recht die Zustimmung der Öffentlichkeit genießt, ist die Unparteilichkeit des Richters als eines Repräsentanten der Rechtsordnung keine Fiktion. Schließlich beklagt sich auch niemand über die Parteilichkeit des Polizisten, der den Verkehr regelt, weil die Menschen sich normalerweise darin einig sind, daß die Verkehrsregeln vernünftig sind und der Polizist sie in fairer Weise anwendet. Im Falle einer Demonstration mögen die Anweisungen eines Polizisten umstrittener sein, werden aber trotzdem noch akzeptiert. Im Falle von Unruhen neigen die Polizisten dagegen häufig zu größerer Willkür, und zwar in dem Maße, in dem ihre eigene Rolle gefährdet erscheint. Vermutlich erstrecken sich die Verhandlungsführung und die schließliche Urteilsfindung des Richters über ein ähnliches Kontinuum, das von ungeschmälerter öffentlicher Zustimmung und problemloser Unparteilichkeit bis zu aktivem öffentlichen Mißfallen und dem bloßen Anschein von Unparteilichkeit reicht. (Diese Analogie sollte freilich nicht überstrapaziert werden, da Polizisten die Ordnung aufrechterhalten, während Richter Streitfälle schlichten: zwei unterschiedliche Funktionen, wie sehr sie sich auch überschneiden mögen.) Mein Vater verwies auf ungeklärte Interessenkonflikte als Hauptursache der Rechtsunsicherheit und der Parteilichkeit der »richterlichen Unparteilichkeit«.[19] Aber er überzog seinen Standpunkt gelegentlich, weil einige seiner Kritiker sich taub stellten; und damit komme ich zur politischen Seite dieser Debatte.

Politische Analyse

Warum wurde diese abstrakte Auseinandersetzung mit solcher Leidenschaftlichkeit geführt? Nach einem Jahrtausend der politischen Zersplitterung hatte Deutschland unter Führung Bismarcks durch den deutsch-französischen Krieg von 1871 seine Einigung erlangt. Die Monarchie war das Symbol dieser Einigung; sie beanspruchte, die Interessen des ganzen Volkes zu vertreten, und die Mehrheit der Deutschen billigte diesen Anspruch, auch wenn eine lautstarke Minderheit anderer Ansicht war. Die offiziellen Hüter des Rechts verkörperten diese noch so junge politische Einheit. Dieser Hintergrund spielte gewiß eine Rolle, wenn selbst so liberale Vorkämpfer der jüdischen Minderheit wie der Historiker Theodor Mommsen die Juden zur Konversion drängten, wenn Schlagwörter wie »Vaterlandsverräter« so unbekümmert gegen Sozialdemokraten, Katholiken und andere mit dem herrschenden monarchischen und protestantischen Prinzip unzufriedene Gruppen gerichtet wurden. Die Begeisterung für die deutsche Einheit bedeutete, daß der Ausbruch des Ersten Weltkrieges enthusiastisch begrüßt wurde. Das bevorstehende Völkerringen schien ein Grund zum Jubel zu sein.[20] Doch dann zog dieser Krieg sich jahrelang ergebnislos hin und untergrub allmählich jenes Regime, für das er als eine Gelegenheit zur Demonstration deutscher Stärke begonnen hatte. Als Deutschland 1917/18 der Niederlage entgegenging, war auf einmal die ganze Basis der Monarchie in Frage gestellt und mit ihr auch das deutsche Rechtssystem mit seinen immer zahlreicher werdenden kriegsbedingten Notverordnungen. Diese Entwicklung spaltete das ganze Land und nicht zuletzt auch die Anwaltschaft. Deutschland befand sich im Krieg, und die Anhänger der Monarchie und ihrer Gesetze hielten bis zuletzt an ihrem zuversichtlichen Glauben an den Sieg fest. Für sie stand eine ganze Welt auf dem Spiel, und sie verdächtigten jeden des Verrates, der die Niederlage vorhersah und damit den Optimismus der Bevölkerung untergrub. Die Gegenseite behauptete nicht minder nachdrücklich, die Niederlage Deutschlands stehe unmittelbar bevor und es komme einer Vernichtung seiner Zukunft gleich, dies zu ignorieren. Von Sieg zu sprechen, wo die Niederlage besiegelt war, war für viele von ihnen genau so schlimm wie der Fortbestand einer Monarchie, die das Land in diesen Krieg geführt hatte und nun selbst vor dem Untergang stand.

Vor dem Hintergrund solcher Meinungskämpfe waren selbst abstrakte juristische Fragen umstritten, und 1918 legte mein Vater es darauf an, zu provozieren. Er hatte das juristische Establishment schon mit seiner Schrift von 1914 herausgefordert, als er den herrschenden Glauben an die Vorhersagbarkeit von Rechtsentscheidungen sowie deren Unparteilichkeit in Frage stellte. Er wußte, daß deutsche Richter Monarchisten waren, während größere Teile der Bevölkerung zunehmend die Berechtigung der Monarchie anzweifelten. Indem er die Rechte des Einzelnen in einer Gesellschaft betonte, die Einheit und Monarchie über alles andere stellte, wußte er, daß er für sich selbst einen einsamen Vorposten gewählt hatte. Verschiedene Rezensenten seiner Schrift von 1914 hatten seine Einstellung zu den Richtern mißbilligt, weil er alle Rechtsanwälte aufgefordert hatte, richterliche Entscheidungen anzufechten, die ihnen voreingenommen zu sein schienen. Selbst sein wohlwollendster Kritiker warnte vor diesem Ansatz: er hatte den Eindruck, daß er auf Mißtrauen gründe und zu endlosen Verzögerungen sowie zu mancherlei persönlichen Mißverständnissen zwischen Richtern und Anwälten führen werde. Dieser Kritiker wandte sich auch gegen die häufig anzutreffende Gepflogenheit, die Anwälte als Gegner des Rechtssystems anzusehen; denn juristisch waren sie von eben diesem System mit gewissen Funktionen betraut worden. Es gab gute Gründe, an der Einstellung von Richtern zu zweifeln, und dieser Kritiker vertrat mit meinem Vater den Standpunkt, daß Anwälte das beste Gegengewicht gegen die unvermeidlichen Grenzen von Richtern seien.[21] Doch andere Rezensenten waren weniger höflich. Sie kennzeichneten die Schriften meines Vaters

als typischen Ausdruck der Voreingenommenheit des Anwalts, der sich selbst für die Säule der Rechtspflege hält und Richter als notwendiges Übel betrachtet.
Anwälte sind von Berufs wegen dazu verpflichtet, Angehörige des Richterstandes eindringlich zu befragen, wenn richterliche Entscheidungen gegen die Interessen ihres Mandanten ausfallen. Doch wenige Anwälte gingen in ihren Analysen der richterlichen Motive so weit wie mein Vater. Er hatte sich dem Anwaltsberuf nach seinen eigenen »Spielregeln« angeschlossen. Selbst wohlwollende Kollegen widersprachen ihm in der Öffentlichkeit, weil sie seine bohrende Untersuchung des richterlichen Entscheidungsprozesses für unklug sowie aus rechtlichen und intellektuellen Gründen für fragwürdig hielten. Für meinen Vater war dies jedoch nicht eine Frage der Klugheit, sondern der Wahrheit und Gerechtigkeit. Der Krieg und seine Nachwirkungen hatten diese Frage dringlich werden lassen. 1917 war die Stabilität des deutschen Kaiserreiches unterhöhlt, die Zustimmung der Öffentlichkeit schwand dahin und mit ihr auch die Grundlage einer Rechtsordnung im eigentlichen Sinne. In dem Maße, in dem die Entbehrungen des Krieges zunahmen, die Kritik lauter wurde, wurden Gesetze und Vorschriften autoritärer. Es gab guten Grund für meinen Vater, eine Richterschaft zu kritisieren, deren monarchistisches Empfinden und autoritäres Gebaren immer stärker an den Nerven einer Öffentlichkeit zerrten, welche mehr und mehr ihre Illusionen über den Krieg und die politische Ordnung in Deutschland verlor. Aber viele deutsche Juristen waren ein Teil dieser Ordnung und einer solchen Kritik abgeneigt, selbst als die militärische Niederlage und die auf sie folgende Revolution nach einer politischen Neuordnung zu rufen schienen.

KAPITEL IV

Der familiäre Rahmen
(1910-1916)

Meine Eltern heirateten 1910, drei Jahre, nachdem mein Vater seine Anwaltskanzlei in Berlin eröffnet hatte. In jenen längst verflossenen Tagen galt es, zumindest in Kreisen der Mittelschicht, als ausgemacht, daß ein junger Mann erst dann heiraten und einen Hausstand gründen solle, wenn er finanziell unabhängig geworden war. Zum Zeitpunkt ihrer Eheschließung war mein Vater 33, meine Mutter 27 Jahre alt. Von einer Trauung nach jüdischem Ritus ist nichts bekannt. Genau wie mein Vater, hatte auch Else Henschel ihre Bindungen an die jüdische Tradition verloren, wobei sie sich allerdings in diesem Falle lediglich der Einstellung ihrer Eltern angepaßt hatte.

Meine Eltern

Meine Mutter stammte aus einer jüdischen Mittelschichtsfamilie. In meiner Jugend lebten die Eltern meiner Mutter sowie zwei Brüder und eine Schwester in oder bei Berlin. Eine andere Schwester meiner Mutter hatte einen Franzosen geheiratet und lebte im Ausland, während ihr jüngster Bruder im Ersten Weltkrieg an der Westfront fiel. Mehrere Generationen zuvor war die Familie meiner Großmutter aus dem Elsaß nach Hamburg gekommen. Die Familie meines Großvaters mütterlicherseits stammte aus einer Gegend nordöstlich von Hamburg, die zu Dänemark gehört hatte. Als dieses Gebiet in den sechziger Jahren des 19. Jahrhunderts von Deutschland annektiert wurde, wurde mein Großvater deutscher Staatsbürger.
Oberflächlich betrachtet, hatten meine beiden Großväter vergleichbare Berufe. Großvater Gustav Bendix war ein leitender Versicherungsangestellter in Berlin; Großvater Adolph Henschel

Stammbaum

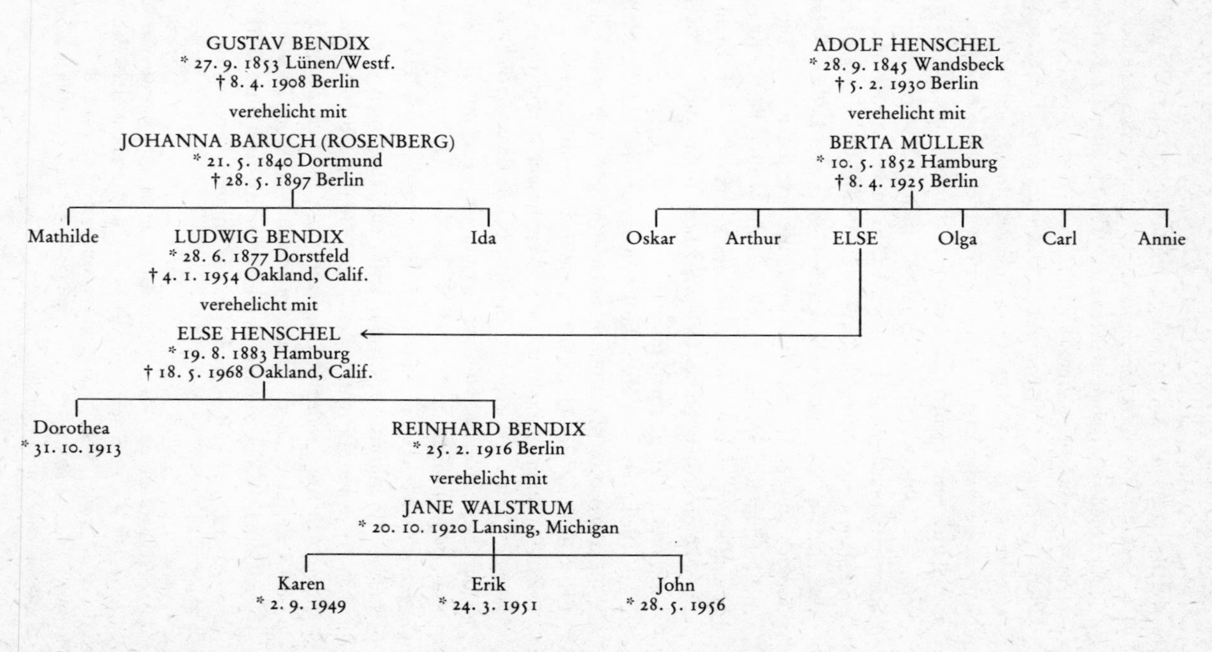
GUSTAV BENDIX
* 27. 9. 1853 Lünen/Westf.
† 8. 4. 1908 Berlin
verehelicht mit
JOHANNA BARUCH (ROSENBERG)
* 21. 5. 1840 Dortmund
† 28. 5. 1897 Berlin
ADOLF HENSCHEL
* 28. 9. 1845 Wandsbeck
† 5. 2. 1930 Berlin
verehelicht mit
BERTA MÜLLER
* 10. 5. 1852 Hamburg
† 8. 4. 1925 Berlin
Mathilde
LUDWIG BENDIX
* 28. 6. 1877 Dorstfeld
† 4. 1. 1954 Oakland, Calif.
Ida
Oskar
Arthur
ELSE
Olga
Carl
Annie
verehelicht mit
ELSE HENSCHEL
* 19. 8. 1883 Hamburg
† 18. 5. 1968 Oakland, Calif.
Dorothea
* 31. 10. 1913
REINHARD BENDIX
* 25. 2. 1916 Berlin
verehelicht mit
JANE WALSTRUM
* 20. 10. 1920 Lansing, Michigan
Karen
* 2. 9. 1949
Erik
* 24. 3. 1951
John
* 28. 5. 1956

war Besitzer einer Buchhandlung in Hamburg. Doch von größerer Bedeutung als die Gemeinsamkeiten waren wahrscheinlich die Unterschiede zwischen den beiden. Gustav Bendix hatte als Hebräischlehrer in einem kleinen Dorf angefangen; Adolph Henschel scheint seine Karriere in Hamburg gemacht und so gut wie keine der jüdischen Gewohnheiten mehr beibehalten zu haben, die in der Familie meines Vaters noch in die Augen fielen. So hatte eine meiner Tanten väterlicherseits mit 13 Jahren religiöse Unterweisungen erhalten, meine Mutter und ihre Schwestern dagegen nicht. Auch wuchs meine Mutter in einem großstädtischen Milieu auf, in dem die Familie Wert darauf legte, daß die Kinder wohlerzogen waren. Gustav und Ludwig Bendix dagegen wurden ihren dörflichen Hintergrund zeit ihres Lebens nicht recht los. In der Familie meiner Mutter herrschte eine bewußte Vornehmheit, in der meines Vaters eine diesbezügliche Unbekümmertheit. Dieser Gegensatz beeinflußte auch die Beziehung meiner Eltern zueinander.
Merkwürdigerweise gehen die Erinnerungen meines Vaters mit keinem Wort auf die Bühnenlaufbahn meiner Mutter vor ihrer Eheschließung ein. Und doch hatte meine Mutter, als sie 1910 heiratete, schon einiges von der Welt gesehen, und diese Erfahrung hatte sie reifer gemacht. Nach dem Besuch einer Schauspielschule in Hamburg begann sie 1904, mit 21 Jahren, ihre Bühnenlaufbahn, der sie bis zu ihrer Heirat sechs Jahre später treu blieb. Sie trat in größeren Städten wie Hamburg, Leipzig, Frankfurt a. M. und Berlin auf, aber auch in zahlreichen kleineren Provinzstädten. In späteren Jahren erinnerten nur noch ihre gepflegte Aussprache und die Freude am Rezitieren an diese Zeiten, doch ihre Sammlung von Theaterkritiken enthält einige zeitgenössische Stimmen über ihre Wirkung auf der Bühne. So schrieb eine prominente Frankfurter Zeitung 1905:

Die einzige, die dem Geist dieser Komödie gerecht wurde, war Else Henschel, die als Kammerzofe Jenny das Temperament eines Vollblutpferdes bewies. Von ihr ging überschäumende Lebensfreude aus, ihre Augen funkelten listig und verschmitzt. Dies war vortreffliches Spiel: pikant, ohne outriert zu sein.

Familie Henschel, 1922

Zwei Jahre später erschien eine ähnliche Kritik in einem Magdeburger Blatt:

Einfach hinreißend war Else Henschel als Josette. Sie war ein sehr fröhliches Mädchen, voller verspielter Launen und bezaubernder Nichtsnutzigkeit, amüsant in ernsten Situationen und überwältigend ernst in den amüsanten Szenen, und eroberte alle Herzen durch ihre echte Wärme.

Andere Kritiken sind auf einen ähnlichen Ton gestimmt, wobei auch häufig die Blumen und der brausende Beifall erwähnt werden, die sie bekam.
Mein Vater sagte oft von meiner Mutter, sie sei ihr Leben lang eine »Ingénue« geblieben. Das bezog sich nicht nur auf einige der Rollen, in denen sie ihre größten Erfolge erzielt hatte, sondern auch auf das Bild, das mein Vater von ihr hatte. Nach den Kritiken zu urteilen, war dieses Bild jedoch nicht völlig zutreffend. Wenn ein Theaterkritiker über meine Mutter schrieb, sie habe »in dem höchsten Liebestaumel wie im tiefsten Kummer und Gram stets den richtigen Ton getroffen«,[1] so hatte er wohl kaum die mit List und Anmut gepaarte beschwingte Fröhlichkeit im Auge, die für das Fach der Ingénue kennzeichnend ist. Doch anscheinend fühlte mein Vater sich am wohlsten, wenn er die fröhlichen und anmutigen Seiten im Wesen meiner Mutter hervorheben konnte.
Die Familie meiner Mutter war kosmopolitisch eingestellt. Einige ihrer Verwandten waren Musiker, und ihr eigener Entschluß, Schauspielerin zu werden, scheint den kulturellen Neigungen der Familie entsprochen zu haben. Dagegen gab es, wie ich viele Jahre später erfuhr, in der Familie meines Vaters manches Naserümpfen über seine Heirat mit »einer vom Theater«. Nach der Eheschließung 1910 gab meine Mutter ihre Bühnenlaufbahn auf und machte Familie und Haushalt zum ausschließlichen Gegenstand ihrer Fürsorge und ihres Schönheitssinnes. Sie war stets das Muster gutbürgerlicher Ehrbarkeit, während mein Vater unkonventioneller war. Auf seinem offiziellen Kanzleipapier fand sich der aufgestempelte Vermerk: »Ich bitte alle Höflichkeitsformeln zu unterlassen, wie ich selbst es tue.« Alle Geschäftsbriefe meines Vaters begannen sogleich mit der jeweiligen Mitteilung

Else Henschel, ca. 1909

und endeten mit seiner Unterschrift; alle Floskeln wie »Sehr geehrte Herren« oder »Mit vorzüglicher Hochachtung« blieben fort. Diese Gepflogenheit führte zu erheblichen Auseinandersetzungen zwischen meinen Eltern, und meine Mutter tadelte meinen Vater heftig für seine bewußte und, wie sie fand, brüskierende Verletzung der Umgangsformen. Offensichtlich sah er das nicht so; vielmehr wurde in seinen Augen von diesen Formalitäten zuviel Aufhebens gemacht. Es wurde Zeit, daß jemand wie er den Anfang machte und eine größere Unmittelbarkeit des Umgangs praktizierte, die mit all den abgedroschenen und verlogenen Phrasen aufräumte.
Bei einem solchen Unterschied der Temperamente wurde meinen Eltern das Zusammenleben nicht leicht, und mein Vater hat verschiedentlich beschrieben, wie sie es schafften, miteinander auszukommen. Seine durchsichtigste Strategie bestand darin, meine Mutter auf Händen zu tragen, und letztlich ließ sie es sich immer gefallen, weil seine Gefühle echt waren. Doch hatte diese vorbehaltlose Anerkennung insofern ihre Grenzen, als meinem Vater nicht entging, daß das Aufgehen meiner Mutter in Heim und Familie auch seinen Preis forderte. Indem sie ihr Heim zu ihrer Burg machte, schloß sie die übrige Welt aus; das ermöglichte ihr zwar, sich in diesem Reich völlig sicher zu fühlen, ließ sie aber gleichzeitig unfähig werden, Kritik zu ertragen.
Darüber hinaus war diese Strategie nur beschränkt tauglich, da das häusliche Regiment meiner Mutter die Gewohnheiten meines Vaters nicht einfach durchgehen lassen konnte, mochte er auch noch so nachdrücklich die völlige Überlegenheit meiner Mutter bestätigen. Irgendwann beging er immer einen »Fauxpas«, der der Zurechtweisung bedurfte, woraufhin Wutausbrüche und schließlich die Aussöhnung die unfehlbare Folge waren. Es war ein Schema, dessen ich mich noch aus Kindertagen erinnere und das bis in die letzten Jahre meiner Eltern das gleiche blieb – augenscheinlich unbeeinflußt von ihren äußeren Lebensumständen.

Ludwig und Else Bendix, 1912

Eheglück (nach über 40 Jahren in einem Raum)

Wir lieben uns. Und doch es ist nicht leicht,
In *einem* Raum stets friedlich auszukommen:
Die Ordnung, die dir frommt, soll mir auch frommen.
Und ach wie oft hast du sie mir gezeigt.
Ich bin ein Liederjahn und will's bequem.
Die Schönheit kommt bei mir an zweiter Stelle.
Bei dir ist's umgekehrt. Das ist die Quelle,
Daß du mir häufig sagst: »'s ist nicht an dem,
Daß uns're Sessel sind für Hemd und Hose.
Du weißt es doch, daß ich mich drum erbose.
Wenn einer kommt, was soll denn der nur sagen?
Mein krankes Herz kann das nicht mehr vertragen.«
Manchmal reizt mich dies alte Lied aufs Blut.
Und weil du Recht hast, flackert meine Glut.
Und ich sprech' heft'ger, du gerätst in Wut,
Bis du's erreichst. Und wir sind wieder gut.

Oakland, den 26. 5. 52

Falsch an dieser Beschreibung ist übrigens die Betonung des »einen Raums«. In unserer großen Berliner Wohnung hatte sich die Szene genauso abgespielt. Das Gedicht verkürzt auch die Langwierigkeit dieser Auseinandersetzungen, die durch sie hervorgerufenen Temperamentsausbrüche auf beiden Seiten und die stundenlangen Diskussionen, die sich an sie anschlossen. Gerechterweise muß ich hinzufügen, daß meine Eltern sich niemals gegenseitig anschrien. Meine Mutter setzte eine Miene tiefster Mißbilligung auf, während mein Vater einen Spaziergang unternahm, um seinen Zorn abzureagieren.[2]

Ich kann diese gegensätzlichen Tendenzen meiner Eltern am besten bewerten, indem ich deren Einfluß auf mich selbst beurteile. Das ist auch ein Zweck der obigen Schilderung, da der Generationskonflikt ja in den Beziehungen eines Kindes zu beiden Eltern auftritt, auch wenn das vorliegende Buch sich vornehmlich mit meinen Beziehungen zu meinem Vater befaßt. Meiner Mutter verdanke ich den aufmerksamen Sinn für das Detail und das Gefühl des Unbehagens, wenn für mich wichtige Dinge nicht in Ordnung sind. Aber der Ordnungssinn meiner

Mutter war von einer peinlichen Genauigkeit und ihr Sinn für das Detail übertrieben; jedenfalls kam es mir in meiner Jugend so vor. Dieser frühe Eindruck ergab sich zu einem guten Teil aus der Unterschiedlichkeit des Standpunktes. Für sie waren häusliche Angelegenheiten ein Zeichen dafür, daß es mit der Welt seine Richtigkeit hat; mir sind sie immer als von untergeordneter Bedeutung erschienen. Als ich jung war, setzte ich mich gegen den Zwang zur Wehr, den die Anordnungen meiner Mutter mir auferlegten. Ich begehrte oft auf, aber die Spannung blieb auch erhalten, wenn ich mich ausschwieg und meine aggressiven Gefühle unterdrückte. Diese frühe Verhaltensweise hat sich in meinem Erwachsenendasein fortgesetzt; ich bin ziemlich tolerant gegen Unordnung, solange ich weiß (oder zu wissen glaube), daß die Dinge im Notfall in den Griff zu bekommen sind.
Was ich meinem Vater schulde, ist ungefähr das Gegenteil. Er neigte dazu, alle äußeren Vorkehrungen anderen zu überlassen; er war mit seinen eigenen Gedanken beschäftigt. Nachträglich scheint mir, daß er seinerseits ebenfalls zu Übertreibungen neigte; er nannte diese Eigenheit seine »Bequemlichkeit«, von der er zugab, daß sie ein Fehler sei, die er aber mit seiner Inanspruchnahme durch »wichtige« Dinge glaubte entschuldigen zu können. Wahrscheinlich kam ihm nie der Gedanke, daß er damit die Inanspruchnahme aller anderen Menschen abwertete – auch wenn er sich gegen diese Schlußfolgerung vermutlich verwahrt hätte.
Ich reagierte empfindlich auf diese »Bequemlichkeit«; sie machte mich ungeduldig. Aber meine Reaktionen waren zurückhaltend, weil ich seiner Nachlässigkeit nicht den übertriebenen Ordnungssinn meiner Mutter entgegensetzen wollte. Ich konnte oft seinen Standpunkt nachvollziehen, daß Äußerlichkeiten unwichtig seien, aber *so* unwichtig waren sie auch wieder nicht, und gelegentlich pflegte er mir recht zu geben, allerdings ohne seine Gewohnheiten zu ändern. Schon früh fühlte ich mich also zwischen den Übertreibungen beider Elternteile hin- und hergezerrt und versuchte, mir eine mittlere Position zu erkämpfen.
Der Akzent liegt freilich mehr auf dem »Erkämpfen« als auf der »mittleren Position«. Die Abhängigkeit meines Vaters von der Hilfe anderer bei allen Verrichtungen des täglichen Lebens

entwickelte sich im Laufe der Zeit zu einer Unfähigkeit in praktischen Dingen, die mich manchmal rasend machte. Doch genausosehr regten mich die Nachsicht meiner Mutter gegenüber meinem Vater und ihre regelmäßigen Klagen darüber auf, wie unbequem seine »Bequemlichkeit« in Wirklichkeit sei. Zwar hingen beide mit einer unerschütterlichen Zuneigung aneinander, die für mich etwas sehr Beeindruckendes hatte, aber jeder behandelte den anderen wie ein großgewordenes Kind. In ihrer Beziehung lag etwas wie ein unausgesprochener Tausch, so daß sie einander in ihrer Unfähigkeit und zugleich in ihrer Besessenheit bestärkten.

Durch ihre vom Schönheitssinn diktierte (und oft im Schneckentempo erledigte) Häuslichkeit entfernte meine Mutter sich immer mehr von der sie umgebenden realen Welt und gefiel sich in der Mühe und Sorge um Dinge, die für andere Menschen (einschließlich meiner Schwester und mir) oft nebensächlich waren. Mein Vater wiederum begründete mit der schriftstellerischen Tätigkeit, der er neben seiner Anwaltskanzlei nachging, seinen Rückzug aus der Welt der Dinge und kultivierte seine Abhängigkeit von anderen. Einem Außenstehenden konnte er leicht als ein zerstreuter Mann erscheinen, der durch seine geistigen Beschäftigungen andere Menschen von sich fernhielt, während meine Mutter als eine Frau wirken mochte, die die Familie zusammenhielt und ihren Mut bewies, indem sie mit einem solchen Mann verheiratet war. Doch verkennen solche Einschätzungen sowohl die dem Anwalt zukommende kämpferische Haltung meines Vaters gegenüber der Außenwelt als auch die Machtstellung meiner Mutter, die rein aufs Häusliche beschränkt war. Sie verkennen auch, daß meine Eltern gut zueinander waren, wenn auch nicht unbedingt gut füreinander.

In den Jahren des Ersten Weltkrieges setzte mein Vater seine Anwaltspraxis und seine schriftstellerische Tätigkeit fort, diente aber zugleich als Soldat in der Heimwehr. Noch Jahre später pflegte er schmunzelnd von seiner körperlichen Untauglichkeit als Heimwehrmann zu sprechen, da er kurzsichtig war und die jahrelange Schreibtischtätigkeit ihren Tribut gefordert hatte. Auf Familienbildern, die ihn in Uniform zeigen, erkennt man seine

Ludwig Bendix, 1915/16

Beleibtheit, aber auch, daß er in seiner Einheit der Größte war. Ich erinnere mich an die Wehmut in seiner Stimme, wenn er von seinem Dienst im Juliusturm der Spandauer Zitadelle sprach, wo 120 Millionen Goldmark lagen – ein Teil der französischen Reparationszahlungen, die nach dem Ende des deutsch-französischen Krieges 1871 eingegangen waren. Die Disziplin in dieser Kompanie von Männern mittleren Alters war recht locker. Wie andere auch, erhielt mein Vater gelegentlich Urlaub, so daß seine Anwaltskanzlei nicht allzusehr in Mitleidenschaft gezogen wurde und er nötigenfalls vor Gericht erscheinen konnte.

In diesen Jahren kamen meine Schwester und ich zur Welt (1913 bzw. 1916). In einer Zeit kriegsbedingter Not war es wichtig für die junge Familie, daß sie Eier, Gemüse und andere landwirtschaftliche Erzeugnisse bekam. Hier erwies sich der Kontakt zu einem Offizier als nützlich, der der Vorgesetzte meines Onkels Carl, des Bruders meiner Mutter, war. Dieser Offizier war Förster in einem kleinen Dorf, das 80 Kilometer südöstlich von Berlin lag. Unsere beiden Familien pflegten ihre Beziehungen zu den Dorfbewohnern. Später, Anfang der zwanziger Jahre, kauften meine Eltern ein altes Bauernhaus und ließen es zu einer Ferienwohnung umbauen. Die militärische Beziehung erklärt, wieso zwei jüdische Mittelschichtsfamilien aus Berlin ihren Weg in ein kleines Dorf fanden, das bis auf den heutigen Tag recht abgelegen liegt, aber eben deshalb für meine Eltern von Reiz war.[3]

Aus der Zeit zwischen ihrer Eheschließung 1910 und dem Ende des Ersten Weltkrieges 1918 erzählten meine Eltern uns Kindern so gut wie nichts; gelegentlich sprachen sie davon, wie sie jenes Dorf entdeckt hatten, von der schweren Zeit an der Heimatfront oder von dem Dienst meines Vaters in Spandau. Vielleicht ist dieser Mangel an Informationen bezeichnend für eine gewisse Ereignislosigkeit mitten in Kriegsbedingungen aller Art. In der Euphorie der ersten Kriegsjahre scheinen meine Eltern sich der festen Überzeugung hingegeben zu haben, daß sie als assimilierte Juden von gutbürgerlicher Achtbarkeit sich im Einklang mit den patriotischen Gefühlen ihrer Nachbarn und des ganzen Volkes befanden. In seinen Erinnerungen schreibt mein Vater, daß er und meine Mutter sich auf deutsch klingende Namen für uns Kinder geeinigt hatten – jüdisch klingende Namen kamen nicht in Betracht.[a] Dies waren die ersten Jahre der Anwaltspraxis meines Vaters und der Ehe meiner Eltern. Trotz kriegsbedingter Beschränkungen hatten sie sich auf eine bürgerliche Lebensweise eingerichtet und waren mit sich selbst und ihren Kindern beschäftigt. Als die militärischen Aussichten sich verdüsterten, nahmen die antisemitischen Umtriebe in Deutschland zu, aber es ist anzunehmen, daß meine Eltern diese Dinge als Exzesse ansahen, wie sie in Zeiten eines nationalen Notstandes und weitverbreiteter Entbehrungen an der Tagesordnung sind.[4]

Eine Erfahrung in Osteuropa

Bei der Stille unseres Familienlebens inmitten von Krieg und Unruhen ist es um so bemerkenswerter, daß es ein Erlebnis im Jahre 1916 gab – einen Fall, der sich in einer kleinen jüdischen Gemeinde in Litauen abspielte –, auf das mein Vater in späteren Jahren noch des öfteren zu sprechen kam, und zwar immer in einem verwunderten und sehnsüchtigen Ton. Der Fall blieb ihm so stark in Erinnerung, daß er es dreißig Jahre später (1949) für der Mühe wert hielt, dieses Erlebnis schriftlich festzuhalten. Die Episode stellte die einzige direkte Berührung meines Vaters mit osteuropäischen orthodoxen Juden dar. Wie kein anderes Erlebnis seit 1897 machte sie ihm klar, wie sehr er in seinen Beziehungen zum jüdischen Gemeinschaftsleben zum Außenseiter geworden war.

a) Meine Schwester wurde auf den Namen Dorothea Elisabeth Charlotte getauft, ich auf den Namen Reinhard Maximilian Johannes; allerdings haben wir immer nur unseren ersten Namen als Rufnamen benutzt. – Die Namenswahl war für die deutsch-jüdische Assimilation von einer gewissen Bedeutung; schon früher hatte mein Vater seinen Taufnamen Louis (der natürlich kein jüdischer Name war) in Ludwig abgeändert. Die Wahl von jeweils drei nicht-jüdischen Vornamen für uns Kinder verleiht der ganzen Angelegenheit einigen Nachdruck.

Der vordergründige Anlaß für jene Niederschrift meines Vaters war der Umstand, daß man nach dem Zweiten Weltkrieg Archivmaterial aus dem früheren deutschen Reichsaußenministerium entdeckt hatte; es handelte sich um Pläne, nach dem Ersten Weltkrieg eine Zwangsumsiedlung von Kriegsveteranen nach Osteuropa durchzuführen. Mein Vater hatte von diesen einstigen Geheimplänen im Zusammenhang mit einem großen Strafprozeß erfahren, bei dem er als einer der drei Verteidiger von zwei prominenten jüdischen Holzkaufleuten auftrat, die er wegen ihres Reichtums und Einflusses die jüdischen »Herzöge« der litauischen Grenze nannte.[5] Er war zu dem Prozeß durch Alfred Klee hinzugezogen worden, einen angesehenen Wortführer der jüdischen Gemeinde Berlins, der sich als Redner hervortat, jedoch für die juristischen Aspekte der Sache keine Zeit hatte. – Klee, mein Vater und ein dritter Anwalt trafen schließlich in Memel ein. Nach ihrer Ankunft fuhren sie nach Gorsdy weiter, wo sie von der Familie eines der Holzkaufleute gastfreundlich empfangen und – es war ein Freitag – an eine festlich gedeckte, mit Kerzen erleuchtete Tafel geführt wurden. Die gläubigen Mitglieder der Familie begaben sich mit Klee zur Abendandacht in die Synagoge. Mein Vater ging nicht mit. »Es tut mir heute noch leid«, schrieb er dreißig Jahre später. Das Gespräch nach dem Abendessen drehte sich um die bevorstehende Verhandlung. Die drei Anwälte waren besorgt; sie besaßen keine Erfahrung mit Militärgerichten, deren Urteil endgültig war.

Die Holzhändler hatten dem deutschen Heer 50000 Pferde verkauft, die sie sich aus der näheren Umgebung beschafft hatten, und waren nun angeklagt, für die Tiere Wucherpreise verlangt zu haben. Die Angeklagten hatten sich aber auch des Verrats an Rußland, ihrem Vaterland, schuldig gemacht, da sie die deutschen Soldaten als Befreier vom russischen Joch begrüßt und ihren Vormarsch durch den Verkauf der Pferde begünstigt hatten. Bei diesem Unternehmen hatten Juden aus der Gegend mitgeholfen. Diese Juden – wohl mehr als hundert an der Zahl – kamen nun von nah und fern auf ihren kleinen Wägelchen, um als Zeugen für die Angeklagten auszusagen, wohl wissend, daß sie selbst, sei es auch nur mittelbar, in diesen Prozeß verwickelt waren. Damals

Ludwig Bendix in Telsche, Litauen, 1916

war die Stadt Telsche (das heutige Telsiai) ein jüdisches »stetl«; überall gingen die Juden im Kaftan umher, nicht nur Kaufleute und Hausierer, sondern auch Handwerker, und alle sprachen Jiddisch, so daß für die Verhandlung Dolmetscher benötigt wurden.
Damals glaubte man, daß die deutsche Militärverwaltung Kriegsveteranen in der Gegend ansiedeln wolle und daher die Evakuierung der besetzten Gebiete plane. Der Prozeß gegen die Holzhändler war ein Mittel zu diesem Zweck; ihre Verurteilung hätte die Evakuierung »gerechtfertigt«. Das Gericht zeigte sich jedoch nachsichtig; die Beklagten wurden freigesprochen, doch mußten sie geringfügige Geldbußen wegen Fahrlässigkeit erlegen.[6]
Mein Vater schreibt:

Unsere Rückkehr durch das jüdische Land auf dem Wägelchen glich einem Triumphzuge nach gewonnener Schlacht. Vor dem nächsten jüdischen Dorfe kam uns auf einem prächtigen Schimmel ein Judenjunge mit weißer Fahne jubelnd im Galopp entgegengeritten und geleitete uns zu einer Festversammlung der Gemeinde, die nach den üblichen Dankgebeten mit Recht *Klee* als ihren Retter vor den deutschen Befreiern feierte. Als wir dann wieder in Gorsdy ankamen, erhielten wir Briefumschläge mit unserem, von Klee geregelten Honorar.[7]

Wenn er sich in späteren Jahren an diese Geschichte erinnerte, schien mein Vater immer ein Gefühl des Verlustes und der Verwunderung über dieses jüdische Gemeinschaftsleben zu empfinden, das er bei dieser Gelegenheit kennengelernt hatte. In Dorstfeld hatte man nichts von dieser Vitalität gekannt; es war für ihn eine merkwürdige Welt, aber zugleich auch eine merkwürdig anziehende.
In der Schilderung meines Vaters ist keinerlei Hinweis auf den üblichen Antisemitismus von deutschen Armeeoffizieren oder auf die Zunahme des Antisemitismus in den späteren Kriegsjahren zu finden. Statt dessen erwähnt er, daß der Prozeß nach deutschem Recht geführt worden war, daß man Zeugen vernommen hatte und daß die Verhandlung ohne Zwischenfälle verlief. Der Freispruch lief den Interessen der Armee zuwider und schien den Glauben meines Vaters an das Recht zu bestätigen. Aus der

Tatsache, daß mein Vater die antisemitischen Umtriebe jener Zeit mit keinem Wort erwähnt, läßt sich zwar kein zuverlässiger Schluß ziehen, doch paßt diese Unterlassung zu der offenkundigen Tendenz meiner Eltern, solche Umtriebe geflissentlich zu ignorieren.

In gewisser Weise wiederholte diese Episode an der litauischen Grenze nach zwanzig Jahren noch einmal den einstigen Konflikt meines Vaters mit meinem Großvater, der dem Entschluß zum Jurastudium vorausgegangen war. Vor der Verhandlung hatte mein Vater sich nicht seinem Kollegen angeschlossen, als dieser ganz unbefangen mit Angehörigen der jüdischen Gemeinde deren religiöse Feiern am Freitagabend besuchte. Warum nicht? Wollte er seiner früheren Ablehnung des Judentums treu bleiben? War es ihm peinlich, Teilnahme und Glauben zu heucheln, die er nicht empfand? War es Verlegenheit darüber, daß er sich nur noch schwach an die hebräischen Gebete erinnerte, die er als Kind gelernt hat? Oder war es die schärfere Ablehnung einer jüdischen Lebensweise, an der er keinen Anteil zu haben wünschte? Letzteres wohl kaum; denn aus dem ganzen Schriftstück sowie aus meiner Erinnerung an seine Erzählungen habe ich den Eindruck der Sehnsucht nach einer Lebensweise behalten, der er sich nicht zugehörig fühlte, um deren Wärme er aber diese Juden beneidete. Die Episode blieb ihm durch all die Jahre hindurch gegenwärtig, weil sie in symbolischer und psychologischer Hinsicht seinen zweiten Abschied von der jüdischen Gemeinschaft darstellte. Er hatte die sinnerfüllte Teilhabe an einer Gemeinschaft miterlebt, zu der sein Kollege gehört, von der er selbst sich aber ausgeschlossen gefühlt hatte. Er wußte, daß der juristische Triumph ihn noch weiter absonderte, selbst wenn man ihm feierlich dafür dankte, daß er mitgeholfen hatte, ihn zu erringen.

Kapitel V

Ein Parteigänger der Unparteilichkeit
(1918-1919)

Der Erste Weltkrieg wurde an der Ostfront durch die bolschewistische Revolution von 1917 und den deutsch-russischen Friedensvertrag von Brest-Litowsk 1918 beendet. Auch an der Westfront ging der Krieg seinem Ende entgegen. 1918 beliefen sich die gesamten Verluste (Gefallene, Verwundete und Vermißte) in Rußland auf 76 % der mobilisierten Streitkräfte, in Deutschland auf 65 % und in Österreich-Ungarn auf 90 %. Friedensverhandlungen zwischen den westlichen Alliierten und den Mittelmächten waren im Gange, als am 3. November 1918, ausgehend von den Matrosen in Kiel, die deutsche Revolution ausbrach. Die Erhebung griff schnell auf die Arbeiter und Truppen hinter den deutschen Linien über. In der Folge wurde die deutsche Monarchie gestürzt und die Weimarer Republik errichtet.

Die bolschewistische Revolution und der Sturz der deutschen Monarchie waren Wendepunkte der Weltgeschichte. In den Jahren 1918 und 1919 schritt mein Vater, wie viele andere Menschen auch, aus dem Kreis seiner unmittelbaren Sorgen und Pflichten heraus und wandte sich den brennenden Fragen des Tages zu. Als tagespolitischer Publizist war er aktiver als je zuvor. Zwischen 1918 und 1920 veröffentlichte er 29 Aufsätze und zwei selbständige Bücher. Doch obgleich er sich mit den allgemeineren Problemen befaßte, war er weder ein Politiker noch ein politischer Kommentator. Während der ganzen revolutionären Erhebungen war er für die Rechtsreform tätig und beteiligte sich an den Diskussionen um eine neue Verfassung. In meinen Augen hat er politisch nichts unternommen, um die von ihm erstrebten Reformen durchzusetzen; doch er selbst sah es anders. Die Beteiligung an Diskussionen außerhalb seiner eigentlichen Berufssphäre war *seine* Art der Mitwirkung am Aufbau einer lebensfähigen Demokratie.

Die Diskussionen um die Arbeiterräte

In den Monaten vor und nach der Revolution von 1918 verschärften sich die Mangelsituationen allenthalben, und es kam zur Bildung zahlreicher Machtzentren, als verschiedene Gruppen angestrengt versuchten, festen Boden unter die Füße zu bekommen. Trotz der Niederlage hatte der Kaiser noch eine Zeitlang seine Position als oberster Feldherr inne; in seiner Umgebung beriet man über seine künftige Handlungsweise, da er noch nicht abgedankt hatte. Im September 1918 hatte die Oberste Heeresleitung um einen sofortigen Waffenstillstand nachgesucht, fuhr aber fort, den Alliierten Bedingungen bezüglich des Gegenstandes und des Modus von Friedensverhandlungen zu stellen, mit der Begründung, nur so könne sie die Verantwortung für eine geordnete Demobilisierung übernehmen. Unterdessen veranlaßten die Alliierten die Mehrheitsparteien im Reichstag, die volle Regierungsverantwortung unter Führung des Prinzen Max von Baden zu übernehmen, der vom Kaiser zum Reichskanzler ernannt worden war. Schließlich gab es noch ein weiteres Machtzentrum, und zwar die Bewegung der Arbeiter- und Soldatenräte.

Der Kaiser floh zuletzt nach Holland und dankte ab, während Friedrich Ebert, der Führer der Mehrheitssozialisten, von der scheidenden Regierung zum Reichskanzler ernannt wurde; der Regierung Ebert fiel die Aufgabe zu, eine verfassunggebende Versammlung einzuberufen. Zunächst stand die neue Regierung jedoch vor der Aufgabe, ihre Autorität gegen die konkurrierenden Machtansprüche der Obersten Heeresleitung auf der Rechten und dem Obervollzugsrat der Arbeiter- und Soldatenräte auf der Linken durchzusetzen.[1]

Da ich beabsichtige, die Diskussionen meines Vaters mit Führern der Berliner Arbeiter- und Soldatenräte darzustellen, sei eine kurze Schilderung dieser Rätebewegung vorausgeschickt. Ende Oktober 1918 versuchten zwei Flottenoffiziere in Kiel, der erwarteten Kapitulation Deutschlands zuvorzukommen, indem sie Befehl zu einem selbstmörderischen Angriff der deutschen Hochseeflotte gegen die britische Flotte gaben. Dieser Versuch wurde von meuternden Matrosen vereitelt, die einen Matrosenrat bildeten. Diese Handlungsweise der Matrosen war das Signal zu ähnlichen Protesten gegen die herrschenden Obrigkeiten; in vielen Teilen Deutschlands und vor allem in Berlin bildeten sich Arbeiter- und Soldatenräte. Die Rätebewegung wurde zu einem Ausdrucksmittel der allgemeinen Friedenssehnsucht im Volke. Die Räte wurden auch ein Instrument lokaler Machtausübung dort, wo die chaotischen Verhältnisse der Zeit die reguläre Regierung handlungsunfähig gemacht hatten. Von größerer politischer Tragweite war jedoch der Umstand, daß die Rätebewegung in den Augen einiger ihrer Führer den Anfang einer Revolution der Arbeiterklasse im Sinne der bolschewistischen Revolution von 1917 in Rußland bedeutete. Und diese Männer hatten enge Verbindungen zu den linken Unabhängigen Sozialdemokraten (USPD), der Minderheitspartei in Eberts Koalitionsregierung. Diese Regierung befand sich in einer Zwischenphase, bis eine Nationalversammlung eine verfassungsmäßige Grundlage für die neue Republik geschaffen haben würde. Bis zum Zusammentreten dieser Versammlung am 6. Februar 1919 in Weimar war die Autorität der Regierung unsicher. Und in dieser Periode der Unsicherheit zwischen November 1918 und Februar 1919 kam es in Deutschland zu einer verhängnisvollen politischen Polarisierung.

Ebert und seine Kollegen fürchteten Gewalttätigkeiten und Bürgerkrieg, wie sie in Rußland ein Jahr nach der bolschewistischen Revolution noch immer wüteten. Ihre Angst vor einer Erhebung war nicht unvernünftig. Straßenkämpfe, Demonstrationen und Streiks wurden aus einer ganzen Reihe deutscher Städte gemeldet, und die radikale Agitation war erheblich. Es gab jedoch auch viele Beweise der Mäßigung. Die meisten Arbeiter- und Soldatenräte unterstützen die Mehrheits-SPD und nicht die USPD oder die radikaleren Spartakisten. Trotzdem war die Regierung nicht bereit, sich auf diese volkstümlichen Kräfte zu verlassen. Die Arbeiterschaft hatte es abgelehnt, Milizen zum Schutz der Regierung zu stellen; vorhandene Garnisonen erwiesen sich als unzuverlässig, als es notwendig wurde, Massendemonstrationen gegen die Regierung unter polizeiliche Aufsicht zu stellen. Am 10. November 1918 beschloß Ebert, das bedingte Hilfeangebot der Obersten Heeresleitung (OHL) anzunehmen, obwohl die OHL keine höhere Autorität anerkannte und am 4. Dezember die Aufstellung paramilitärischer Freikorps ermutigte, die sich aus rechtsgerichteten Elementen unter Führung früherer Offiziere zusammensetzten.

Als Reaktion auf diese und andere Entwicklungen berief die Rätebewegung einen Rätekongreß ein. Am 16. Dezember 1918 versammelten sich Delegierte aus ganz Deutschland in Berlin. Von den Delegierten waren 80 % für einen gemäßigten Kurs; und von diesen 80 % unterstützten wiederum 60 % die Regierung.[2] Aber 20 % der Delegierten bildeten einen radikalen Flügel, und zweimal wurden die Beratungen des Kongresses von bewaffneten Kräften der Arbeiter- und Soldatenräte unterbrochen, wodurch die heikle Position der Mehrheit unterstrichen wurde. Noch wichtiger war, daß der Konflikt mit der OHL und der Regierung sich zuspitzte, als der Kongreß formell die Ablösung des bisherigen Militärsystems durch eine Volksmiliz forderte, die selbst ihre Offiziere wählen und dem Oberbefehl der Zivilregierung unterstellt werden sollte.[3] Die OHL reagierte unverzüglich, indem sie Reichskanzler Ebert wissen ließ, daß sie die Regierung nicht länger stützen könne, falls diese Resolution des Rätekongresses nicht abgelehnt würde.[4] Kurz darauf wurde die Deutsche Kommunistische Partei gegründet, neue Unruhen erschütterten die Regierung, und unter stillschweigender Billigung der Regierung und der Armee wurden Volksaufstände von den schon früher aufgestellten paramilitärischen Freikorps niedergeknüppelt. Rückblickend betrachtet wird deutlich, daß dieser Rückgriff auf offen illoyale paramilitärische Verbände der Rechten in den Wochen vor dem Zusammentreten der verfassunggebenden Versammlung und in den Monaten ihrer Beratungen einer der Gründe für die Schwäche der Weimarer Republik und für den späteren Aufstieg der Nationalsozialisten war.

Dies war die Situation, in der mein Vater, über sein unmittelbares Anliegen einer Reform der Rechtsordnung hinaus, sich in die Politik wagte. Subjektiv nahm er »aktiven Anteil am Wiederaufbau der deutschen Republik«, um seine Worte zu gebrauchen. Er glaubte an das Recht, war jedoch kein politisch aktiver Mensch.[5] Zugleich *war* er aber jemand, der sich über politische Themen schriftstellerisch äußerte, und so ist es angebracht, seinen Ansichten und Meinungen in diesen ereignisreichen Jahren nachzugehen.

Wahlrechtsreform

Die politische Diskussion während der deutschen Revolution von 1918/19 stammte zu einem nicht unerheblichen Teil aus zweiter Hand. Die Rede von der Volkssouveränität lag in der Luft, und die bolschewistische Revolution von 1917 in Rußland war das große Symbol dieser Souveränität. In den Augen vieler war das alte wilhelminische Regime nicht nur durch die militärische Niederlage, sondern auch durch seinen Militarismus, Imperialismus und Autoritarismus kompromittiert. Volkssouveränität schien sich als Alternative anzubieten. In dieser Zeit schrieb mein Vater über die Bolschewisten in einer abstrakten, ja sogar unpolitischen Weise. Er war zwar ein Gegner von Revolutionen und zeigte sich entsetzt über das, was er über die Praxis des Bolschewismus erfuhr, aber manche bolschewistischen Ideen billigte er. Dieser Billigung fügte er stets den Nachsatz hinzu »was immer man sonst über die Bolschewisten aus anderen Gründen denken mag«, anscheinend in der Überzeugung, daß dieser Zusatz jedes Mißverständnis seiner Position ausschloß. Während praktisch jeder andere Publizist seine Aussagen in parteilichen Begriffen formulierte, blieb mein Vater seiner »Unparteilichkeit« treu. Es muß vielen Menschen als kaum glaubhaft vorgekommen sein, daß ein gebildeter und auch politisch kenntnisreicher Mann auf diese Weise seine Meinung sagte. Einigen erschien seine Art als naiv. Andere hielten es für unverzeihlich, daß er offenbar seine Meinung sagte, ohne die politischen Auswirkungen dessen, was er sagte, in Rechnung zu stellen. Wieder andere fragten sich, wie er den Unparteilichkeitsanspruch der Richter bestreiten, in diesem Zusammenhang aber denselben Anspruch in eigener Sache erheben konnte. Aber genau das hat mein Vater getan. Sein ganzes Verhalten stand mit seinem in früheren Jahren gefaßten Entschluß in Einklang, die Wahrheit zu sagen, so wie er sie sah. Seine Sache war einzig und allein eine Politik der Grundwahrheiten. Leider werden diese Grundwahrheiten selten gehört, vor allem nicht in unsicheren Zeiten, wenn die meisten Menschen bei allem, was sie sagen, die Auswirkung möglichst auf ein bestimmtes Publikum oder auf eine besondere Situation berechnen. In Wirklichkeit waren die Aussagen meines Vaters akademisch, stillschweigend setzten sie guten Willen und reichlich Zeit voraus – knapp bemessene Güter in der politischen Arena, zumal in Zeiten der Revolution. Die Folge war, daß er leicht einen falschen Eindruck erweckte.

Seine Teilnahme an Diskussionen der Arbeiterräte ist hierfür typisch. Seine Veröffentlichungen zu verfassungsrechtlichen Tagesfragen waren einzelnen Vertretern der Berliner Arbeiterräte-Bewegung zu Gesicht gekommen. In den hektischen Monaten um die Jahreswende 1918/19 tauchten viele Probleme auf, auf welche den Führern jener Bewegung die Antwort nicht leichtfiel. Sie brauchten ein Programm zur Durchsetzung ihrer hauptsächlichen Ideen. Als sie erfuhren, daß Ludwig Bendix sich mit diesen Fragen befaßt hatte und aktiv an ihnen interessiert war, waren sie daher gern bereit, sich der Dienste meines Vaters zu versichern. In einer seiner Schriften schreibt mein Vater, wie Richard Müller, ein Politiker der Arbeiterräte-Bewegung, in seinem Büro erschien und ihn aufforderte, einen Entwurf zur Reform des Wahlrechts auszuarbeiten. Auf die Kontroverse, die aus dieser Einladung entstand, komme ich weiter unten zu sprechen.

1919 reagierte jeder, der im öffentlichen Leben stand, auf die folgenschweren Ereignisse, die sich zwei Jahre zuvor in Rußland abgespielt hatten. In den Augen meines Vaters war es »das weltgeschichtliche Verdienst der [neuen] russischen Verfassung – was immer man im übrigen von ihr halten mag –«, daß ihr Grundrechtekatalog sich nicht, wie die Vorschläge für die Weimarer Verfassung, die damals diskutiert wurden, auf die formalen Aspekte des Rechts beschränkte. So formulierten die deutschen Vorschläge etwa in bezug auf Versammlungs- und Redefreiheit lediglich allgemeine Grundsätze. Im Gegensatz hierzu machte die russische Verfassung Aussagen über die Durchsetzung dieser Freiheiten, wie etwa den Bau von entsprechend ausgestatteten Versammlungssälen, konkrete Hilfen bei der Bewältigung organisatorischer Schwierigkeiten, freie Rede für die Unterprivilegierten usw.[6] Eine formale, in der Verfassung verankerte Garantie von Rechten ist wenig wert, wenn die Menschen durch Massenarmut an der Ausübung dieser Rechte gehindert werden. Mein Vater mußte zwar bald erkennen, daß diese neue Theorie des Staates in Rußland nicht zur politischen Wirklichkeit geworden war. Doch in seinen Augen entkräftete dies nicht die Notwendigkeit, demokratische Ideale, wenn sie sinnvoll sein sollten, durch politische Beteiligung des Volkes durchzusetzen.[7] In Wirklichkeit betrachtete er die bolschewistische Revolution vom Standpunkt seiner juristischen Erfahrung aus:

Mich als praktischen Juristen hat die Berührung mit allen Schichten der Bevölkerung gelehrt, daß es keine gesetzliche und vertragliche Ordnung gibt, die auf die Dauer die Menschen bindet und zur Befolgung ihrer Vorschriften anhält, wenn sie nicht ein Ausdruck ihres eigensten Strebens und Wollens sind.[8]

Die bolschewistische Verfassung hatte seine Sympathie, weil sie das Ideal der Herrschaft durch das Volk ernst zu nehmen schien.

Dies war auch der Grund für seine Sympathie mit der Rätebewegung, der er die formale oder »Zahlendemokratie« gegenüberstellte. Die Führer der USPD waren die entschiedensten Verfechter der Rätebewegung und leidenschaftliche Gegner des parlamentarischen Systems. Mein Vater schloß sich ihrer Kritik an diesem System teilweise an. Die Mängel eines Parlaments schrieb er dem Umstand zu, daß die Zahlendemokratie den Menschen aufspaltet in einen politischen Teil, den sie anerkennt, und einen wirtschaftlichen Teil, den sie ignoriert. Die formale Demokratie erzeugt die Fiktion eines rein politischen Menschen, welchem sie alsdann das Wahlrecht zugesteht. Als ob der Mensch nur während einer Wahl existierte und politisch zählte! Die Rätebewegung wollte den engen Zusammenhang zwischen den politischen Überzeugungen eines Menschen und seiner Stellung im

Wirtschaftsleben dadurch wiederherstellen, daß sie das Wahlrecht unmittelbar auf die Rolle dieses Menschen im Beruf bezog. Diese Idee sagte meinem Vater zu, der wieder den ganzen Menschen in den politischen Prozeß einbringen wollte. Trotzdem bemerkte er einschränkend:

Das Rätesystem hat kein eigenes neues Ziel, es will genau dasselbe, wie die Zahlendemokratie: die völlig uneingeschränkte Durchführung der Volkssouveränität auf allen Gebieten des politischen und wirtschaftlichen Lebens. Das Neue des Rätesystems kann also nicht im Ziel liegen, es liegt im Weg, in der neuen Methode, in den neuen Formen, in denen der souveräne Volkswille seinen Ausdruck suchen und finden soll.[9]

Mein Vater war begierig, diese neue Idee mit allem, was zu ihr gehörte, zu ergründen. Und obgleich er dem Ziel einer »uneingeschränkten Durchführung der Volkssouveränität« beipflichtete, mußte dieses Ziel doch erst im einzelnen ausgearbeitet werden.
Um die Volkssouveränität nach Maßgabe der sozialen und wirtschaftlichen Rolle eines jeden Menschen durchzuführen, wäre es notwendig, das Wahlsystem auf einem Verzeichnis der Wahlberechtigten nach Beruf und Wirtschaftstätigkeit aufzubauen. Alle gewählten Funktionsträger müßten auch jederzeit absetzbar sein, um ihre Verantwortung gegenüber der Wählerschaft als der eigentlichen Verkörperung der Volkssouveränität zu erhöhen. Schließlich sollten als Übergangsmaßnahme Beigeordnete eingesetzt werden, die die alten Beamten zu überwachen hatten, bis das neue Wahlsystem ausgearbeitet war und die neugewählten Beamten deren Pflichten übernommen hatten. Seine Aufmerksamkeit wandte mein Vater vor allem dem erstgenannten Vorschlag zu, der genauen Beschreibung eines neuen Wahlsystems. Dieses neue Wählerverzeichnis müßte in regelmäßigen Abständen die Wählerschaft nach Beruf und wirtschaftlicher Situation erfassen und würde den Entwurf eines Wahlrechts auf dieser Grundlage erforderlich machen. Die Ausarbeitung dieser Einzelheiten würde Jahre, wenn nicht Jahrzehnte dauern.[10]
Dieser Punkt wurde von meinem Vater wiederholt hervorgehoben – sehr zur Enttäuschung von politischen Befürwortern des

Rätesystems wie etwa den USPD-Führern, denen in der ersten Jahreshälfte 1919 die Zeit davonlief. Seine kritische Würdigung von Entwürfen zur Weimarer Verfassung war im *Arbeiter-Rat* veröffentlicht worden, dem führenden, wenn auch kurzlebigen Organ der Berliner Rätebewegung. Die Herausgeber hatten meinen Vater als »bürgerlichen Politiker« vorgestellt – eine Kennzeichnung, gegen die er sich energisch verwahrte. Er war nicht der Meinung, daß politische Positionen in dieser Weise klassengebunden seien oder daß die Überzeugungskraft eines Arguments sich dadurch abschätzen läßt, daß man die soziale Herkunft seines Urhebers untersucht. Um die Atmosphäre zu reinigen – namentlich in einem Blatt wie dem *Arbeiter-Rat*, das die Parteilichkeit auf sein Banner geschrieben hatte –, definierte er seine eigene Position, indem er feststellte: »Ich gehöre keiner Partei an, kann keiner angehören. Ich fühle mich beengt und in meinem intellektuellen Gewissen beeinträchtigt, wenn ich denke, ich sollte mich zu einem bestimmten Programm mit bestimmten, notwendig einseitigen Sätzen bekennen.« Die Verfassungsentwürfe, die damals diskutiert wurden, erklärten, daß niemand genötigt werden dürfe, seine religiösen oder politischen Überzeugungen zu offenbaren. Mein Vater befürwortete diesen Grundsatz, weil es gute Gründe für eine solche Zurückhaltung gibt. Die Menschen vertreten widersprüchliche Ansichten und sollten die Möglichkeit haben, ihre Meinung zu ändern. Persönlicher Lebensstil und politische Doktrin widerstreiten einander häufig, etwa wenn Leute der Mittelschicht sich mit einer Arbeiterpartei identifizieren oder wenn Arbeiter konservativen Ansichten huldigen. In einer Demokratie muß Raum sein für eine solche »kognitive Dissonanz« (wie man natürlich erst viel später sagte) – aber auch für unparteiliche Positionen. Mein Vater lehnte das Etikett »bürgerlicher Politiker« für sich selbst aus allen diesen Gründen, aber auch deswegen ab, weil er sich, wie er in der klarsten Bekundung seines eigenen Außenseitertums sagte, wirklich mit der »Parteilosigkeit der Intellektuellen« identifizierte.

Diese Partei der Parteilosen ist es, zu der ich mich bekenne, und der ich gern Gehör und im politischen Kampfe größere Beachtung verschaffen möchte. Die ausschließlich sachlich beteiligten Parteilosen sind es vielleicht, die die Zeichen der Zeit mit dem heiligen Feuer des reinen unbeteiligten Willens erkennen, und in deren hellseherischem Geiste die Zukunft sich ansagt.[11]

Diese Einstellung behagte den USPD-Führern wenig. Sie sahen die Sache der Revolution durch die Mehrheitssozialisten gefährdet und riefen nach einer Diktatur des Proletariats. Zugleich waren einige von ihnen sich klar darüber, daß ihre Ideen einer auf der Rätebewegung fußenden neuen politischen Ordnung in Deutschland noch nicht ausgereift waren. Doch ihr Hilfegesuch an meinen Vater war unglücklich gewesen. Was man wollte, waren rasche und politisch nützliche Antworten. Die Vorstellungen meines Vaters über Volkssouveränität, die durch ein Rätesystem zu verwirklichen sei, rechneten mit langen Zeiträumen und betonten die Sachkenntnis des Juristen. Den Politikern erschien dies als juristische Haarspalterei, während meinem Vater ihre Ungeduld und ihr Ruf nach revolutionärem Handeln als politische Romantik vorkam.

Bei der Erörterung politischer Probleme beschränkte mein Vater sich bewußt auf deren rechtliche Seite. Für ihn *war* das Recht etwas Politisches, und für diese Art von Politik besaß er die nötige fachliche Kompetenz. Seine Politik befaßte sich mit den verfassungsmäßigen Grundlagen der Gesellschaftsordnung; es war nicht die Politik des tagtäglichen Verhandelns und Kompromisseschließens. Bei dieser theoretischen Arbeit hielt er seine Distanz für etwas Positives.[12]

Damals machte es der Sturz der Hohenzollern-Dynastie dringend notwendig, grundsätzliche Fragen der Verfassung zu regeln, und mein Vater hatte den Wunsch, zu ihrer Lösung beizutragen. Er hatte bereits betont, daß jeder richterlichen Entscheidung ein Schein von Endgültigkeit anhaftet, der trügerisch ist, da jede Entscheidung jeweils nur einen einzigen Streitfall regelt. Daher trägt jede Einzelentscheidung nur zusätzlich zur Annahme oder Ablehnung der Rechtsordnung durch die Öffentlichkeit bei. Trotzdem stand mein Vater in den ungeklärten Verhältnissen der Jahre 1918 und 1919 vor eigenen widersprüchlichen Imperativen, und seine Sorge um rechtliche Grundsätze verschärfte diese Probleme nur noch.[13] Er war ein Verfechter der Volkssouveränität gegen den autoritären Staat der Vergangenheit. Schon lange vor der Revolution von 1918 hatte er betont, daß Entscheidungen offizieller Stellen die Zustimmung der Öffentlichkeit haben müssen, wenn sie wirksam sein sollen. Aus diesem Grund sympathisierte er mit der Idee, daß eine rein formale Demokratie weder eine materielle Gleichheit der Menschen noch eine Beteiligung des Volkes an der Regierung fördere. Er bemühte sich, gegen den alten Obrigkeitsstaat das voranzubringen, was als »partizipatorische Demokratie« bekannt geworden ist. Doch als Jurist wußte er, daß diese Ideen leere Schlagworte bleiben würden, solange ihre Durchführung nicht im einzelnen ausgearbeitet war. Er wußte auch, daß unter dem Deckmantel dieser Schlagworte praktisch überall neue Formen des Obrigkeitsdenkens lauerten. Daher forderte er neue Verfahrensweisen, die dem alten Ungeist entgegenwirken und die neue politische Beteiligung der Massen sicherstellen sollten. Einen neuen autoritären Geist sah er in der bolschewistischen Führungsspitze aufkommen, und denselben Verdacht hegte er gegen die deutschen Revolutionäre der Linken. Dieselben Gefahren erkannte er in den Methoden, deren sich die Mehrheitssozialdemokraten bedienten, um an der Macht zu bleiben. Und er blieb höchst skeptisch gegenüber denjenigen Richtern und Beamten, die schon vor der Revolution, unter dem alten Regime, tätig waren.[14]

Er stand auf einsamem Posten. Im Kampf gegen den autoritären Geist kaisertreuer Richter hatte er darauf bestanden, ihre Motive zu analysieren. Nun, im Kampf gegen die Gefahren einer volkssouveränen Herrschaft, bestand er auf einer sorgfältigen juristischen Klärung der Verfahrensweisen, durch welche der Wille des Volkes seinen Ausdruck finden sollte. Einzelne Richter und die Politiker der USPD mochten ihn für starrköpfig halten, aber nachteilige Meinungen gehörten zu seinem täglichen Brot als Anwalt. In den Augen meines Vaters unterstrichen diese kritischen Reaktionen einfach den Umstand, daß er politisch aktiv war. Die Ansicht, daß sein eigenes Beharren auf rechtlicher Klärung politisch unrealistisch sei, hätte er als kleinmütig zurückgewiesen.

Die Beteiligung meines Vaters an den Diskussionen der Arbeiterräte veranschaulicht die Stärken und Schwächen seiner Betrachtungsweise in einem öffentlichen Rahmen. Als ein Mann von Grundsätzen lehnte er es ab, sein Verhalten, geschweige denn seine Ideen, den Erfordernissen der Situation anzupassen. Nur unter diesen Bedingungen pflegte er politischen Gebrauch von seinen Talenten zu machen. Doch er selbst empfand seinen Prinzipienstandpunkt in den Rätediskussionen nicht als Beschränkung. Für ihn war es augenscheinlich, daß seine politischen Gegner es versäumten, sich die rechtlichen und gesellschaftlichen Folgerungen aus ihrer eigenen Position klarzumachen. Er hätte bestritten, daß es paradox sei, wenn er die Irrationalitäten hinter der Fassade der Rechtswissenschaft und zugleich die Notwendigkeit sorgfältiger Überlegungen bei einer beabsichtigten Reform politischer Institutionen betonte. In seinen Augen kam es darauf an, beides zu tun: die uneingestandene politische Voreingenommenheit richterlicher Entscheidungen *aufzudecken* und politische Vorschläge, wie etwa ein Wahlrecht nach Berufen, unter dem Gesichtspunkt ihrer Durchführbarkeit zu *untersuchen*. Nach seiner Meinung war es nur vernünftig, wenn man von den Richtern verlangte, daß sie sich selbst kritisch prüften, und von den Politikern, daß sie sich rational verhielten oder die Fachleute befragten. Gestützt auf seine juristische Erfahrung, fühlte er sich genötigt, den verantwortlichen Entscheidungsträgern in jedem Falle die verborgenen oder potentiellen Folgen ihrer Handlungen vor Augen zu führen. Dies war eine praktische Aufgabe, kein Gegenstand einer politischen Theorie. Das Ergebnis war, daß er durch seine Analysen in die Opposition geriet – sei es als Einzelgänger im Anwaltsberuf, sei es als Parteiloser unter Politikern. Er selbst sagte von sich, er sei in erster Linie am aktiven Wiederaufbau der Gesellschaft interessiert.

Mein Vater war überzeugt, einen positiven Beitrag zum Recht und zur Neuorganisation der deutschen Gesellschaft zu leisten. Daß seine Arbeit ihn in Auseinandersetzungen und Streitigkeiten verwickelte, bestätigte nur diese Überzeugung. Er wußte, daß die

Aussichten der Demokratie unsicher waren, so wie er wußte, daß der Antisemitismus weit verbreitet war. Der tägliche Kontakt mit Menschen aus vielen Lebensbereichen sowie häufige Begegnungen mit Beamten und Vertretern verschiedener privater Organisationen boten ihm weitgehende Beobachtungsmöglichkeiten. Unter diesen Umständen handelte er als verantwortungsbewußter deutscher Bürger, der die Hindernisse kennt, die der jungen Republik im Wege standen, aber auf ihre Beseitigung hofft. Dies war ein ehrenwerter Standpunkt und hatte in seinen Augen nichts damit zu tun, daß er Jude war. Zur Zeit der Revolution von 1918 war er Anfang vierzig; reiche Erfahrungen lagen hinter ihm. Angesichts dieser Erfahrungen schrieb er am 25. Januar 1919 einen Brief an die jüdische Gemeinde von Berlin, in dem er seinen Austritt aus der Gemeinde erklärte.[a] Dies war ein Vierteljahrhundert nach dem Brief an seinen Vater, in welchem er seinen Entschluß mitgeteilt hatte, mit den religiösen Gepflogenheiten der Juden zu brechen. Der Entschluß zu diesem noch formelleren Schritt muß für ihn bereits eine Zeitlang festgestanden haben. Er wollte nicht länger einer Gemeinde angehören, an deren Aktivitäten er nicht teilnahm.[15] Doch gab es 1919 auch juristische Gründe, die seinen Entschluß beschleunigten.

In Preußen konnten seit einem Gesetz von 1873 Angehörige

a) Nach den Archiven der jüdischen Gemeinde Ost-Berlins beendeten meine Eltern ihre Zugehörigkeit zur Gemeinde am 25. Januar 1919. Die jüdische Gemeinde verlor in jedem Jahr eine gewisse Zahl ihrer Mitglieder. Einige traten zum Christentum über, andere blieben zwar jüdischen Glaubens, beendeten aber ihre Zugehörigkeit zur Synagogengemeinde. Die Zahlen, um die es dabei ging, waren klein. Bei rund 160000 Juden in Berlin betrug die Zahl der Erwachsenen, die ausschieden, selten mehr als 200 pro Jahr. 1919 und 1920 stieg diese Zahl allerdings auf 354 bzw. 441; später ging sie wieder auf den früheren Durchschnitt zurück. Für Juden, die zum Christentum übertraten, waren die materiellen Anreize beträchtlich: man räumte sich mit diesem Schritt viele Hindernisse aus dem Weg, die eine berufliche Karriere in der Wirtschaft, im Staatsdienst und in der Armee blockierten. Diese Anreize galten nicht für Juden, die ihre Gemeinde verließen, aber ihre jüdische Identität bewahrten. Dieser letzteren Kategorie gehörten meine Eltern an.

christlicher Gemeinden aus der Kirche austreten, ohne daß sie das Recht verloren, sich Christen zu nennen.[b] Dieses Gesetz benachteiligte die Juden, da diese aus einer Synagogengemeinde *nur* austreten durften, wenn sie gleichzeitig in eine andere eintraten. Eine neue Verordnung von 1876 erlaubte dann auch den Juden, die Zugehörigkeit zu einer Synagogengemeinde zu beenden. Doch anders als Christen mußten Juden persönlich vor einem Richter erscheinen und erklären, daß ihr Austrittsentschluß sich auf religiöse Bedenken gründe. Eine dritte, vom 13. Dezember 1918 stammende Verordnung erleichterte dann den Austritt aus der Synagogengemeinde, indem nun dieser Vorbehalt einer öffentlichen religiösen Rechtfertigung entfiel.[16] Die Verordnung von 1918 war Teil der von der Revolution betriebenen Trennung von Kirche und Staat. Früher hatte mein Vater sich das Gesetz von 1876 nicht zunutze gemacht; denn beim Fehlen einer religiösen Überzeugung wäre es für ihn mißlich gewesen, *religiöse* Gründe für den gewünschten Austritt anzugeben, der ihm eine weltliche Angelegenheit zu sein schien. In diesen Dingen tat er nunmehr den letzten Schritt, und meine Mutter tat es ihm aus Überzeugung nach, nicht bloß aus Willfährigkeit.

In diesem Entschluß meiner Eltern spiegelte sich ihr Selbstverständnis wider, sich als Deutsche zu fühlen, die nur zufällig jüdische Vorfahren hatten. Viele Jahre später gab mein Vater dieser Idee in den Überlegungen Ausdruck, mit denen er seine Erinnerungen abschloß.

Aber eigentlich kann ich garnicht von Assimilationsbemühungen sprechen und, wenn ich von der Vergangenheit aus in die Zukunft blicke, im Grunde nicht einmal von Assimilation. Wir lebten, das ist das Merkwürdigste, durchaus nicht als Fremde, die Einheimische werden wollten, sondern als Einheimische, die es nicht verstanden und es sich verbaten, als Fremde angesehen und behandelt zu werden. Wir fühlten uns keineswegs als assimilierte Juden, sondern als Deutsche, wie die anderen Deutschen, und hatten unser Judentum abgeschrieben; es glich einem Erinnerungs-

b) Dieses Gesetz war Bestandteil von Bismarcks Kulturkampf gegen die katholische Kirche.

posten, der mit 1 RM in unserer Lebensbilanz zu Buche stand. Und vielleicht auch das nicht einmal! Alle unsere Aktiven, um in diesem Bilde zu bleiben, waren Deutsch! Wir lebten in der deutschen Wissenschaft und Kunst als der unsrigen; die deutsche Politik war und bestimmte unser Schicksal. Unser ganzes Leben war tief im deutschen Leben verwurzelt und hatte keinen anderen Wurzelboden wie den deutschen. Ich hatte in meinen verschiedenen Betätigungen am Aufbau der deutschen Republik regen Anteil genommen.[17]

Noch zwanzig Jahre danach verbindet diese Aussage die Trennung vom Judentum mit der aktiven Teilnahme an den politischen Dingen in Deutschland. Die Anwaltspraxis meines Vaters und seine Kritik der richterlichen Entscheidungen waren Aspekte dieser politischen Beteiligung, ebenso wie seine Einwände gegen das Wort »Assimilation«.[18]

Es lohnt sich, auf diese Einwände näher einzugehen. Assimilation setzt einen Unterschied zwischen zwei Lebensweisen voraus. Das Wort besagt, daß der Angehörige einer Minderheit die Gebräuche seiner Eltern und ihrer Verwandten aufgibt; statt dessen übernimmt er die Kultur der Mehrheit. Ein gutes Kriterium ist die Sprache. Nehmen wir an, eine jüdische Familie verrichtet ihre Gebete auf Hebräisch, während die Kinder diese alte Sprache gar nicht mehr lernen oder das wenige vergessen, was sie gelernt haben, und die Gebete nach einer Weile ganz aufgeben. Dies muß bei meinem Vater der Fall gewesen sein. Die einzige Sprache, die er sprach, war Deutsch, wenn man von seiner Lektüre der auf Französisch, Englisch und Lateinisch verfaßten Fachliteratur absieht. Seine sprachlichen Fertigkeiten waren das typische Produkt humanistischer Bildung an einem deutschen Gymnasium, zu der auch das klassische Griechisch gehörte. Wenn man ihn nun einen assimilierten Juden nannte, brachte man seine Kindheit ins Spiel, als mein Großvater noch dafür gesorgt hatte, daß er Hebräisch lernte. Rückblickend konnte mein Vater sagen, daß er »dies alles« mit zwanzig aufgegeben hatte: *er* fühlte sich nicht als »assimilierter Jude«. Später verwarfen die Nazis den ganzen Begriff der Assimilation, indem sie jeden zum Juden erklärten, der einen jüdischen Großelternteil hatte. Aber Assimilation war weder vor noch nach dem Ersten Weltkrieg eine einfache Sache, selbst wenn man den Antisemitismus und die Nazis beiseite läßt. Mein Vater war ein eingetragenes Mitglied der jüdischen Gemeinde. Das deutsche Gesetz vom Dezember 1918 gab ihm die Möglichkeit, aus dieser Gemeinde nach Belieben auszuscheiden; aber selbst, als er diesen Schritt vollzog, verbot ihm sein Stolz, sich vom jüdischen Denken und Glauben loszusagen, wie wenig er sich auch mit beidem identifizieren mochte. Er hatte nun eine Bindestrich-Identität als deutscher Jude angenommen, wenn nicht in seinen eigenen Augen, so doch in denen vieler Deutscher. Daß er darauf bestand, »Deutscher zu sein«, spiegelt die Zweideutigkeit dieser Position wider. Die herrschende Kultur des Landes hatte keinen anerkannten Platz für eine Minderheit, die darauf bestand, beides zu sein: deutsch und jüdisch.

Doch 1919 lagen diese Überlegungen meinem Vater fern. Er war aus der jüdischen Gemeinde durch eine formelle Erklärung ausgetreten, die ein im Dezember 1918 verabschiedetes Gesetz ihm ermöglicht hatte. Er hatte es wohl getan, weil er der Meinung war, daß es eines aufrechten Mannes nicht würdig war, die Zugehörigkeit zu einer Gemeinde zu behaupten, an der er keinen Anteil hatte. Statt dessen wollte er tun, was in seinen Kräften stand, um seine Zugehörigkeit zur deutschen Anwaltschaft zu rechtfertigen, an der er sehr wohl Anteil hatte. Natürlich war es eben diese unausgesprochene Selbstrechtfertigung, die ihn von den gewöhnlichen Mitgliedern des Anwaltsstandes unterschied.

Kapitel VI

Politik und Richterstand
(1918-1923)

Die politische Situation zu Beginn der Weimarer Republik

Die Weimarer Republik war von Anfang an in Gefahr, weil sie von allen Teilen der Bevölkerung zu wenig Unterstützung erhielt.[1] Diese antidemokratischen Einstellungen waren ein Vermächtnis des wilhelminischen Deutschlands und der erst 1871 erfolgten Reichseinigung. Sie waren aber auch ein Nebenprodukt der chaotischen Zustände nach der militärischen Niederlage Deutschlands sowie der Ängste, die die bolschewistische Revolution von 1917 ausgelöst hatte. Die Folge war 1918 eine Hinwendung zur radikalen Rechten, deren Verkörperung paramilitärische Gruppen unter der Obhut der Obersten Heeresleitung (OHL) waren.

Was meinen Vater betrifft, so nahm er die Gefahr sehr ernst, die für die junge deutsche Republik von jenen Beamten ausging, die nach wie vor monarchistisch gesinnt waren, aber trotz des Regimewechsels im Amte blieben. In allen seinen Schriften machte er warnend auf die unversöhnliche Ablehnung des Grundsatzes der Volkssouveränität aufmerksam, die bei hochgestellten Beamten vorherrschte. Für das Verständnis seiner Schriften und seiner speziellen Reformvorschläge ist daher ein kurzer Abstecher in die politische Welt des deutschen Richterstandes (in diesem und teilweise auch im nächsten Kapitel) unerläßlich, insbesondere um die Art und Weise zu verdeutlichen, in der sein Werdegang als deutscher Rechtsanwalt ihn in seinem Beruf zum Außenseiter werden ließ.

Im April 1919 wurden auf einer Versammlung von Arbeiter- und Soldatenräten die rechtsgerichteten paramilitärischen Freikorps scharf verurteilt. Die neue Regierung dagegen erteilte eben diesen

»Regierungstruppen« ein besonderes Lob und erklärte, sie hätten die Republik gerettet. Zu dieser Zeit wurden Mitglieder der KPD in »Schutzhaft« genommen, auch wenn kein anderes Verdachtsmoment gegen sie vorlag als allein die Tatsache ihrer Parteizugehörigkeit. Viele Juristen akzeptierten solche Maßnahmen, aber dieses Vorgehen erregte den Zorn meines Vaters, der darin die ungebrochene autoritäre Gesinnung des alten Regimes erkannte. Einer seiner ersten Angriffe gegen die trotz republikanischer Staatsform noch immer mächtigen reaktionären Kräfte war ein Protest gegen die Schutzhaft – eine rechtliche Maßnahme, die sich damals auf eine Notverordnung von 1916 stützte. Er schrieb 1919, daß niemand, der einer Organisation angehöre, welche an der Regierung Kritik übe, vor der Verhaftung sicher sein könne, sofern die bloße Zugehörigkeit zu dieser Organisation ein rechtmäßiger Verhaftungsgrund sei. Er sah die Wurzel des Übels in der Unsicherheit der Regierung sowie in der alten autoritären Gesinnung.

Welche Kurzsichtigkeit! Als ob die Autorität der Regierung nicht gestärkt würde, wenn in Unterordnung und zur Förderung des Staatsinteresses die offenbaren Fehler ihrer Organe zugegeben würden, Mißgriffe, für die sich in den aufregenden Tagen manche Entschuldigungsgründe finden ließen. Freilich führt dieser Weg notwendig dazu, auch die Verfehlungen der Gegner der gegenwärtigen Regierung erheblich milder zu beurteilen. Sollte das etwa der tiefere, vielleicht unbewußte Grund für die formelle, starre Vertretung der eigenen Rechtswidrigkeiten sein?[2]

Durch eine Ironie des Schicksals wurde mein Vater selbst in Schutzhaft genommen, und zwar von den Nazis, zuerst 1933 und dann wieder 1935. Eben jene rechtliche Maßnahme, die er 1919 verurteilt hatte, sollte zum Instrument werden, das seine eigene Berufslaufbahn zerstörte.

Die Machtübernahme durch die Sozialdemokraten 1919 hatte in weiten Kreisen Unzufriedenheit geweckt. Infolgedessen wurde die Regierung handlungsunfähiger, was sich z. B. darin äußerte, daß sie die Staatsdiener aus der Kaiserzeit in Amt und Würden ließ. Mein Vater übte Kritik an dieser Praxis und wandte sich auch gegen die Vorstellung, daß Ruhe und Ordnung einzig und allein durch die Freikorps aufrechterhalten werden könnten.

Solange keine Alternativen erprobt würden, seien diese Maßnahmen für eine demokratische Regierung ganz besonders unklug. (Mein Vater scheint sich nicht klargemacht zu haben, daß Bemühungen, eine Arbeitermiliz zum Schutz der Republik aufzustellen, fehlgeschlagen waren.) Ein politisches System, das aus einer Revolution hervorgegangen war, gefährdete seine eigene Grundlage, wenn es sich zu seinem Schutz und seiner Funktionsfähigkeit auf rechtsgerichtete Truppen verließ. Trotz der weitverbreiteten Furcht vor öffentlichen Unruhen glaubte mein Vater, daß die neue, republikanische Konzeption den unbeschränkten Einsatz von Zwangsmitteln verbot, und meinte, daß auch die Regierungsmaßnahmen dem sittlichen Gesetz unterstellt waren. Seiner Ansicht nach war es »grade der politische Ertrag des Weltkrieges und der Revolution, daß die Allmacht des Staates zugunsten des Rechts und Glücks seiner Angehörigen gebrochen ist, [so daß] umgekehrt der Staat seine abgegrenzten Kreise und bestimmten Schranken von dem Recht und Glück seiner Angehörigen erhält.«[3]

Er kam zu dem Schluß, daß die Regierung den Kontakt zu den Massen verloren habe, die in den Anführern der Freikorps ihre Feinde erblickten.

Diese Kritik an der politischen Linie eines Ebert und Noske wurde von einem Standpunkt aus geschrieben, dem der alte Obrigkeitsgeist gefährlicher dünkte als die neue Volkssouveränität. Mein Vater forderte die Regierung dazu auf, sich auf neue Leute zu stützen: neue Offiziere, neue Richter und neue Beamte, die auf der Seite der demokratischen Ordnung standen. Ohne Beamte, die der Demokratie verpflichtet waren, konnte er sich die Weimarer Republik nicht vorstellen.

Die führenden Politiker der SPD, Ebert und seine Kollegen, sahen es anders. Sie waren der Überzeugung, daß die alten Beamten aus technischen Gründen unentbehrlich waren. (In gleicher Weise haben die Amerikaner nach 1945 Nazis wegen ihrer technischen Unentbehrlichkeit in ihren Stellungen belassen.) Die Mehrheits-SPD besaß keine geeigneten Kandidaten in genügender Zahl, die für eine Ablösung der alten Garde qualifiziert und verfügbar gewesen wären. Auch wurde der Rückgriff auf die Beamten der Kaiserzeit durch die Haltung dieser Leute erleichtert: sie machten zwar keinen Hehl aus ihrer konservativen und monarchischen Gesinnung, stellten sich aber der SPD-Regierung zur Verfügung, indem sie erklärten, daß Not am Mann sei und sie bereit seien, einzuspringen. Selbstverständlich blieben sie aus eigenem Interesse im Amt; aber indem sie zur Aufrechterhaltung geordneter politischer Verhältnisse beitrugen, wollten sie sicher auch der Bevölkerung unnötiges Leid ersparen. Fürs erste hatte diese Mischung aus eigennützigen und altruistischen Motiven den Fortbestand einer Verantwortungsethik zur Folge. Im ersten Jahr der Republik versahen monarchische Beamte weiterhin ihren Dienst, indem sie tatsächlich ihrem Anspruch gemäß handelten, politisch neutral zu sein.[4] Jedenfalls sah es damals so aus.

Weder die Regierung noch die Beamten dachten viel über ihren tieferen Zielkonflikt nach, der an die Oberfläche kommen mußte, sobald die akute Notlage vorüber war. Außer bei den radikalen Linken (die allerdings andere Ziele hatten) herrschte damals übereinstimmend die Ansicht, daß man in den Monaten nach Beendigung des Krieges Ruhe und Ordnung brauche, um die Ernährung der Bevölkerung und eine geordnete Demobilisierung zu gewährleisten.[5]

Im Gegensatz zu vielen Juristen hielt mein Vater diese Ansicht für eine Illusion. Seine Stellungnahme war eine Minderheitsposition, aber sie ist zugleich ein Schlüssel zum Verständnis seiner Einstellung zur richterlichen Urteilstätigkeit, die er später entwickelte. Er verwahrte sich stets gegen die positivistische Annahme, daß Richter (oder Beamte) ihre Entscheidungen dadurch herbeiführen, daß sie ein bestimmtes Gesetz auf eine gegebene Reihe von Tatsachen anwenden. Seiner Ansicht nach vermögen weder Gesetze noch Tatsachen für sich selbst zu sprechen. Um brauchbar zu sein, müssen sie interpretiert werden; Richter und Beamte neigen aber bei der Auslegung von Gesetzen und der Deutung von Tatsachen zu vorgefaßten Meinungen, auch in politischer Hinsicht. Solange Deutschland eine Monarchie war und die Deutschen in ihrer Mehrheit diese Monarchie unterstützten, war die Loyalität gegenüber der Monarchie für die Richter eine Selbstverständlichkeit, und ihre konservativen Gesetzesauslegungen bzw. Tatsachendeutungen warfen keine besonderen Probleme auf. Nachdem Deutschland aber eine Republik geworden war, während die amtierenden Richter in ihrem Herzen monarchistisch gesinnt blieben, standen ihre Gesetzesauslegungen tendenziell im Widerspruch zu elementaren Grundsätzen der neuen Verfassung. Mein Vater akzeptierte zwar die Tatsache, daß Richter nach ihrem eigenen Ermessen zu Entscheidungen gelangen müssen; sie sind keine Automaten. Was er bekämpfte, war, daß republikfeindliche Richter im Amt blieben und ihre Stellung bewußt oder unbewußt dazu benutzten, ihre eigenen Überzeugungen durchzusetzen, die nicht mehr der Verfassung entsprachen.[6]

Der deutsche Richterstand

Die geistigen Vorbehalte republikfeindlicher Richter entwickelten sich bald zu einer Ideologie. Früher hatten deutsche Richter den Beamteneid auf den Kaiser persönlich abgelegt. Der Kaiser repräsentierte das verfassungsmäßige Prinzip einer obersten Gewalt, die über dem Streit von Parteien und Interessengruppen stand. Das alte deutsche Ideal eines sittlichen Prinzips über der Politik war in der Person des Kaisers und damit auch in den Gesetzen verkörpert, die in seinem Namen erlassen wurden. In den Augen konservativer Richter war die Legitimität von parlamentarischen Edikten nicht zu vergleichen mit der Legitimität der kaiserlichen Autorität, die »über der Politik« stand. Ein Parlament setzt sich aus Vertretern von Parteien zusammen. Daher spiegeln alle Gesetze die Kompromißlösungen gewöhnlicher Politik wider, welche in einem »vulgären« Schachern um Vorteile ihren Ursprung haben und deshalb »illegitim« sind.
Für Menschen, die diese Überzeugung hegen, hat Politik den Beigeschmack des Materialistischen, im Gegensatz zur persönlichen Autorität des Kaisers, die identisch mit dem nationalen Interesse ist. Das Bürgerliche Gesetzbuch (BGB), das um die Jahrhundertwende entstanden war, war das Werk hochgestellter

Beamter und Richter gewesen, die von dieser Idee eines über der Politik stehenden Rechts beseelt waren und sich als treue Vollstrecker des kaiserlichen Willens verstanden. Solange diese Beamten Gesetze im Namen des Kaisers und unter minimaler Mitwirkung des Parlaments formulierten, sahen die Richter im Recht einen Ausdruck ihrer eigenen sozialen und politischen Ansichten. In ihren Augen verfiel eine legitime und autoritative Gesetzgebung in dem Maße, in dem Parteien und organisierte Interessengruppen sich in den Gesetzgebungsprozeß einschalteten.[7]

Die Vorstellung von parlamentarischer Politik in diesem verächtlichen Sinne hatte schon lange vor dem Ersten Weltkrieg an Einfluß gewonnen, und die Verurteilung der Parlamentspolitik durch den Richterstand war einmütig. In der 1908 gegründeten »Deutschen Richterzeitung«, dem Organ des Deutschen Richterbundes, meinten verschiedene Richter, daß die logische Deduktion in Parlamenten vergeblich sei, daß der schreckliche Unsinn von prinzipiellen Widersprüchen die Gesetzgeber nicht störe oder daß die Demokratie die schlimmste aller politischen Ordnungen sei. Ein Richter schrieb, Politik verderbe die Justiz. Ein anderer führte aus, Politik sei Machtstreben um jeden Preis, während das Recht solchem Machtstreben insoweit Einhalt gebiete, als es klar gezogene Grenzen überschreite.[8]

Solche Ansichten mag man teilweise auf die Statusunsicherheit deutscher und insbesondere preußischer Richter zurückführen. Indem er den auswärtigen Beziehungen den Vorrang gab, vernachlässigte der ganze wilhelminische Staat die Aufgaben sozialer Integration im Inneren, bestand aber unentwegt auf »Ruhe und Ordnung«. Obwohl man sich in bezug auf die Aufrechterhaltung dieser Ordnung stark auf den Richterstand stützte, waren die Richter nicht sehr angesehen. Sie wurden schlecht bezahlt. Im Gegensatz zu Offizieren und Verwaltungsbeamten wurden sie auch nicht bei Hofe empfangen. Und obwohl der preußische Hof mit der Verleihung von Orden und sonstigen Auszeichnungen nicht kleinlich war, wurde den Richtern wenig Anerkennung dieser Art zuteil. Zu alldem kommt noch hinzu, daß man den Juden, denen die militärische und die Verwaltungslaufbahn

verschlossen waren, den Zugang zu Richterämtern (wenngleich unwillig) geöffnet hatte.
In der Weimarer Republik erschien die einstige, »über der Politik stehende« Monarchie nun, da Koalitionsregierungen sich in rascher Folge ablösten und Gesetze häufig mit nur knapper parlamentarischer Mehrheit verabschiedet wurden, in einem noch günstigeren Licht. Wie der Präsident des Deutschen Richterbundes, Leeb, es formulierte: »Jede Majestät ist gestürzt, auch die Majestät des Rechts.« Forderungen wurden laut, den Ermessensspielraum des Richters zu erweitern. Schon 1920 appellierte Leeb an die Richter, sie sollten in Konfliktsfällen der Justiz unmittelbar dienen und nach Maßgabe ihres eigenen Urteils, nicht nach dem Wortlaut des Gesetzes entscheiden (»Richterrecht« gegen »Gesetzesrecht«). Der Richter wurde aufgerufen, den Inhalt eines neu beschlossenen Gesetzes daraufhin zu prüfen, ob er »den Namen und die Geltung eines Gesetzes« beanspruchen dürfe oder nicht. Er wurde ermahnt, seine Urteilsmaßstäbe »dem eigenen Gewissen«, in dem sich das Sittengesetz offenbare, seiner ethischen Einstellung oder seinem natürlichen Rechtsempfinden zu entnehmen.[9]
Der Ausgangspunkt für diese Tendenz der Richter, die Gültigkeit und bindende Kraft des Gesetzes in Frage zu stellen, war ihre kritische Einstellung gegenüber der neuen Verfassung von Weimar. Ein Autor meint sogar, daß die meisten deutschen Richter gegen Artikel I der Weimarer Verfassung verstoßen hätten, in dem es hieß: »Das Deutsche Reich ist eine Republik. Die Staatsgewalt geht vom Volke aus.« Um die Ablehnung dieses fundamentalen Grundsatzes mit ihrem eigenen Amtseid in Einklang zu bringen, unterschieden prominente Richter zwischen der Form und dem Wesen des Staates. Staatsformen sind der Veränderung unterworfen, während Richter nur dazu verpflichtet sind, dem Wesen des Staates zu gehorchen.[10]
Viele Richter hingen der Idee des unpolitischen Richters an, der sich völlig aus den Kontroversen für oder gegen den demokratischen Staat heraushält. Jeder Aspekt der Weimarer Republik, der im Widerspruch zu ihren eigenen sozialen und politischen Ansichten stand, galt als bloße Form der politischen Ordnung

und damit als unerheblich für den Prozeß der Rechtsfindung. Sie wollten eine Richter- und eine Beamtenschaft, die dem gesellschaftlichen Kräftespiel entzogen waren und im Einklang mit dem »Wesen des Staates«, jenseits allen Parteienhaders und parlamentarischen Gezänks, ihrer Arbeit nachgehen konnten. Ohne es ausdrücklich zu sagen, fühlten die Richter sich über die Interessenkonflikte erhaben und nahmen die Stellung des Nichtbetroffenen ein, die sie oder ihre Vorgänger einst dem Kaiser zugeschrieben hatten.[11]

Diese Einstellungen machen deutlich, daß der Richterstand mit Leuten durchsetzt war, die praktisch die neue demokratische Ordnung desavouierten. Mein Vater verlangte mit gutem Grund, die deutsche Rechtspraxis zu ändern und den richterlichen Entscheidungsprozeß Leuten zu übertragen, die der Weimarer Republik wohlgesinnt waren. Da so wenige Richter seine Einstellung teilten, vertrat er die Ansicht, daß die ganze Behandlung der öffentlichen Dinge von einem neuen Geist durchdrungen sein müsse. Ein Weg zu diesem Ziel war die Reorganisation der Verwaltung auf allen Ebenen. Ein anderer Weg bestand darin, sämtlichen Schichten der Bevölkerung gewisse Möglichkeiten der Beeinflussung der öffentlichen Angelegenheiten, insbesondere auf rechtlichem Gebiete, einzuräumen. Immer wieder machte sich in der Tagespolitik eine autoritäre Tendenz bemerkbar. Mein Vater appellierte daher an die Regierung, dieser Tendenz entgegenzuwirken, indem sie den Grundsätzen der konstitutionellen Demokratie in allen Bereichen des öffentlichen Lebens Geltung verschaffte. Unter der Weimarer Verfassung war es notwendig, allen diesen Dingen ausdrücklich Beachtung zu schenken, da die sozialen und psychologischen Voraussetzungen des richterlichen Entscheidungsprozesses und des gesamten Verwaltungshandelns von Grund auf verändert werden mußten.

Wie, so fragte mein Vater, kann ein Richter aus der wilhelminischen Zeit sich mit dem antiautoritären Geist der Weimarer Republik identifizieren?[12] Unter der Monarchie hatte die richterliche Unabhängigkeit dazu beigetragen, den Status quo aufrechtzuerhalten, weil die Richterschaft streng monarchistisch und konservativ gesinnt war. Jetzt aber, da auch die Weimarer

Republik die gesetzliche Garantie der richterlichen Unabhängigkeit übernommen hatte, war das politische Ergebnis ein völlig anderes. Mein Vater sah, wie hochgestellte Verwaltungsbeamte sich zum Richter auf Lebenszeit ernennen ließen, weil sie die politische Bedeutung dieser Richterämter erkannt hatten und zugleich ihre eigene Stellung absichern wollten.[13]

Ein rechtspolitisches Programm

Ein Umbau des öffentlichen Dienstes war der Hauptpunkt des rechtspolitischen Programms meines Vaters. Im Gegensatz zu der vorwiegenden juristischen Meinung war seiner Ansicht nach jede richterliche Deutung Ausdruck vorausgegangener Entscheidungen im sozialen und politischen Bereich und leitete sich letztlich aus der Weltanschauung des betreffenden Richters her. Seiner Ansicht nach ergaben sich daraus wenig Probleme, solange eine Gesellschaftsordnung verhältnismäßig stabil ist, also auf einem allgemeinen Konsens beruht. Bei großen historischen Umwälzungen werden dagegen gesellschaftliche und politische Urteile zu Quellen des Konflikts, weil die führenden Persönlichkeiten die neuen Gegebenheiten im Licht des alten Schemas beurteilen und dadurch die Tendenz haben, die neue Verfassung von innen her auszuhöhlen. Die Repräsentanten des kaiserlichen Deutschlands in der Weimarer Republik in ihren Ämtern zu belassen, schien ihm vom Standpunkt einer demokratischen Ordnung selbstmörderisch zu sein. Allerdings wollte er nur, daß die alten, monarchistischen Beamten und Richter in den Ruhestand versetzt würden; keinesfalls sollten ihre wohlerworbenen Rechte angetastet werden.[14] Mein Vater appellierte an die Redlichkeit und Bereitwilligkeit der traditionellen deutschen Richterschaft, von ihren Ämtern zurückzutreten und damit dem Beispiel des Kaisers zu folgen, der 1918 dem Thron entsagt hatte.

Als Fortsetzung dieses Aufrufs folgte kurz danach die Formulierung eines rechtspolitischen Programms, das die Notwendigkeit staatlicher Eingriffe zur Durchsetzung einer Reform der Rechtspflege befürwortete. Mein Vater forderte, daß die Anonymität der Rechtsprechung, Verwaltung und Gesetzgebung durch allgemeine Bekanntgabe der verantwortlichen Persönlichkeiten zu beseitigen sei; daß die Mehrdeutigkeit von Tatsachen und Rechtssätzen in den Universitäten gelehrt werden solle; daß das neue Staatsideal der Volkssouveränität in möglichst vielen Bereichen des öffentlichen Lebens zur Geltung zu bringen sei; daß öffentliche Verstöße gegen diese neuen Grundsätze in genau derselben Weise zu bekämpfen seien, wie der monarchische Staat gegen diejenigen vorgegangen war, die seine Autorität antasteten; und daß äußerstenfalls neu zu schaffende Gesetze dafür Sorge tragen sollten, daß Beamte, die *fortgesetzt* gegen die geistigen Grundlagen des neuen Staates verstießen, aus ihren Ämtern entfernt bzw. in den Ruhestand versetzt werden können.[15] Es würde nicht leicht sein, einen neuen öffentlichen Geist zu schaffen – aber in revolutionären Zeiten war diese Aufgabe unvermeidlich.[16] Eine demokratische Regierung ist zur Umerziehung der Richterschaft in der Lage, und mein Vater war überzeugt, daß dies ohne Beeinträchtigung der richterlichen Unabhängigkeit geschehen könne.

Seiner Ansicht nach kann die Regierung ihren Einfluß insbesondere in Strafprozessen und in Disziplinarverfahren, die zu einem Schuldspruch führen, geltend machen. Die Vorgesetzten von Staatsanwälten, deren Aufgabe es ist, im Prozeß den Staat zu vertreten, sollten diesbezügliche Weisungen erhalten. Mein Vater wollte klargestellt wissen, daß die »Staatsräson«, auf die die Richter sich bei ihren Entscheidungen so häufig beriefen, nach der Revolution nicht dieselbe sein könne wie vorher. Nach seiner Ansicht sollte die Regierung offiziell erklären, daß sie die Rechtsgrundsätze des kaiserlichen Deutschlands verwerfe, weil sie für die Weimarer Republik schädlich seien.[17]

Sein Hauptaugenmerk galt den Gesetzesentwürfen, die notwendig waren, um diese politischen Maßnahmen durchzusetzen. Seiner Meinung nach sollten Richter aus triftigen Gründen absetzbar sein, ihre Unabhängigkeit sollte eingeschränkt werden. In seinem Aufsatz »Die Rechtsbeugung im künftigen deutschen Strafrecht« kam er zu dem Ergebnis, daß die vorgelegten Entwürfe zur Reform des deutschen Strafrechts den früheren

Strafgesetzbuch-Paragraphen gegen Rechtsbeugung unverändert übernommen hatten.[18] Nach dem StGB von 1871 hat ein Richter eine strafbare Handlung begangen, wenn er sich nachweislich eines bewußten Verstoßes gegen Tatsachen und Rechtsnormen, die als unbestritten gelten, schuldig gemacht hat. Das StGB faßt also die Rechtsdurchsetzung als eine rein logische Tätigkeit auf, die von allen ethischen und politischen Kontroversen frei ist. Nach Auffassung meines Vaters ist diese »Neutralität« der richterlichen Urteilstätigkeit jedoch eine Fiktion, und Gesetze, die auf dieser Fiktion basieren, stützen absichtlich oder unabsichtlich die obrigkeitliche Gesinnung der Richter.[19]

Die vornehmste Aufgabe des Richterstandes

Um diesen Tendenzen entgegenzuwirken, ist es notwendig, die *demokratischen Ziele der Verfassung* zur vornehmsten Berufsaufgabe der Richterschaft zu machen. Die ethische und politische Orientierung des Richters soll für seinen Richterspruch unmittelbar ausschlaggebend sein, und das Gesetz soll die Rechtsbeugung verhindern, bei der jene Orientierung und der Richterspruch verfassungsfeindlich sind. Mangelnde Verfassungstreue wird damit zum Kriterium eines schuldhaften Verstoßes gegen die richterlichen Pflichten.[20] Einem Richter sollte es verwehrt sein, aufgrund seiner beruflichen Unabhängigkeit staatsfeindliche Umtriebe fortzusetzen.[21] Aus diesem Grunde verlangte mein Vater disziplinarische Maßnahmen gegen eine »politische Perversion der Justiz«, wie er es nannte. Künftig sollten Richter in jedem Falle sich strafbar machen, wenn sie sich bei der Entscheidung von Rechtsangelegenheiten von amtsfremden oder staatsfeindlichen Überlegungen leiten ließen.[22] Die Verurteilten würden keinen zusätzlichen Belastungen ausgesetzt sein, da sie ihren Pensionsanspruch nicht verloren.

Mit Gesetz vom 9. Juli 1921 war ein Staatsgerichtshof geschaffen worden. Mein Vater meinte, daß dieses Gericht für Disziplinarverfahren gegen Beamte zuständig sein solle, denen man Verstöße gegen die Verfassung vorwarf.[23] Er hatte schon 1918 die Schaffung eines solchen Gerichts vorgeschlagen, das parlamentarischer Kontrolle unterstehen solle.[24] Er wußte nur zu gut, daß die Richter sich aus beruflicher Solidarität gegen Gesetze wenden würden, die nachteilige Folgen für die Richterschaft hatten. Aber gerade aus diesem Grunde mußten die Volksvertreter im Parlament die oberste Autorität für die Richterschaft sein. Im gleichen Sinne hatte mein Vater das Amt eines Sonderanklägers vorgeschlagen, das der Überwachung durch einen Parlamentsausschuß unterliegen sollte.[25] Kein Beamter, der vor dem Staatsgerichtshof als Zeuge in einem Fall von Rechtsbeugung auftritt, sollte sich auf die Vertraulichkeit von Handlungen berufen können, die in rechts-beratender Eigenschaft begangen worden waren. Solche Maßnahmen waren notwendig, um den angestrebten Austausch der im Rechtsprechungssystem tätigen Personen zu erreichen.[26]

Mein Vater trat auch für eine vermehrte Beteiligung des Volkes an der Erledigung von Rechtsangelegenheiten ein, damit richterliche Entscheidungen den Geist und nicht nur den Buchstaben der Verfassung widerspiegelten. Das Gesetzbuch würde seine trügerische Eindeutigkeit verlieren, wenn das Rechtsgeschehen insgesamt von vielen verschiedenen Standpunkten beeinflußt würde. Diese größere Biegsamkeit würde der Verwirklichung demokratischer Ziele zugute kommen. Die Forderung nach Umgestaltung des Armenrechts ist ein einschlägiges Beispiel. In der Praxis wurde dieses Recht so gehandhabt, daß öffentliche Unterstützung häufig zu einer entwürdigenden Erfahrung für den Empfänger wurde. Die Einrichtung einer Rechtsschutzversicherung, die wie die Krankenversicherung auf Beiträgen basierte, konnte dazu beitragen, solche Mißbräuche zu verhindern.[27]

Die Erfahrung zeigte ferner, daß nicht nur Beamte, sondern viele vom Volke gewählte, parlamentarische Vertreter die Revolution von 1918 bekämpft hatten und die Verfassung von Weimar nur bedingt unterstützten. Sie waren – ebenso wie ihre Wähler – dem Vermächtnis des kaiserlichen Deutschlands verbunden, und mein Vater kritisierte diese Verbundenheit genauso wie die entsprechende Gesinnung der Beamten. »Es ist wirklich Zeit,« schrieb er 1926, »daß der Reichstag nunmehr im Geiste der jüngeren

Vergangenheit und der Zukunft den dringenden Forderungen des vereinten Volkes Rechnung trägt.«[28] In diesem Falle machte ihn seine Befürwortung der Verfassung zum Politiker, was er sonst vermied, denn nunmehr kritisierte er einen Teil des souveränen Volkes und seiner Vertreter, die nach der Verfassung die ausschlaggebende Macht besaßen. Aber er hätte in diesem Zusammenhang kaum eine Widersprüchlichkeit zugegeben, weil er die Gewaltenteilung als eine veraltete Doktrin betrachtete. Angestellte Beamte wie gewählte Vertreter des Volkes waren in seinem Sinne politisch engagiert, und er verlangte von ihnen allen, daß sie die Grundlagen der Weimarer Verfassung akzeptierten.

Die neuen Rechte

Zugleich verteidigte mein Vater neu geschaffene Rechte, die bisher benachteiligten Gruppen zugute kommen sollten. So befürwortete er beispielsweise das Streikrecht für Beamte, und zwar im Interesse ihrer Gleichstellung mit allen anderen Staatsbürgern. (In Deutschland zählen bekanntlich nicht nur Staatsdiener, sondern auch Eisenbahner, Lehrer und Geistliche zu den Beamten.) Vor 1918 war es Staatsdienern nicht erlaubt gewesen, zu streiken, und zwar mit Rücksicht auf ihre höhere Verpflichtung gegenüber dem Monarchen und dem Staat. Danach hatten der Rat der Volksbeauftragten und die Revolutionsregierung formell das Streikrecht für Beamte anerkannt. Dieses Recht war auch in der Verfassung verschiedener deutscher Länder ausdrücklich verankert.[29] Nach 1918 wurden jedoch Versuche unternommen, dieses Recht in Frage zu stellen; der Kampf gegen den berühmten Eisenbahnerstreik vom Februar 1922 ist ein einschlägiges Beispiel hierfür. Dieser Widerstand unterstützte bedingungslos den Staat gegen seine Bediensteten, wobei man das besondere Verhältnis der Unterordnung des Beamten unter die Regierungsgewalt betonte.[30] Mein Vater bekämpfte diesen Standpunkt, indem er sich auf die Idee der Volkssouveränität berief. Ein besonderes Unterordnungsverhältnis der Staatsbeamten konnte weder aus ihrer Anstellung auf Lebenszeit noch aus der

Eigenart ihrer Amtspflichten noch gar aus der Arbeitgeberfunktion der Regierung abgeleitet werden.[31] Vielmehr sollten die Arbeitsbedingungen von Beamten genauso beschaffen sein wie Arbeitsbedingungen in Handel und Industrie, zumal das Gefühl der Verpflichtung gegenüber dem Allgemeinwohl bei Beamten und privaten Arbeitnehmern dasselbe sein sollte.[32] Auch hier lehnte mein Vater die rein formaljuristische Behandlung eines Problems ab.

Für ihn war jede Betonung einer nur juristischen Lösung von politisch belasteten Problemen immer ein Zeichen dafür, daß die Verfechter einer solchen Lösung einen eigenen politischen Zweck verfolgten, den sie unter dem Schein der Legalität zu verstecken suchten. Sein Zweck war es, solche politischen Voraussetzungen ans Licht des Tages zu bringen. Doch richtete sich seine Kritik gegen die Mängel der Rechtsordnung, nicht gegen die ihr zugrunde liegenden Annahmen. Diese Überlegungen tragen dazu bei, sein leidenschaftliches Engagement für die Reform und Sicherung der Rechtseinrichtungen der Weimarer Republik zu erklären. Unter Wilhelm II. hatte er einen loyalen Beitrag zu den rechtlichen Fundamenten des deutschen Reiches geleistet, besonders im Hinblick auf dessen koloniale und internationale Interessen. Doch nach der Revolution von 1918 hatte er das neue Regime ebenso loyal unterstützt, und zwar mit erheblich größerem Engagement für die liberalen Einrichtungen, die in der Weimarer Verfassung festgelegt waren.

Kapitel VII

Kritiker und Vermittler
(1924-1932)

Das Ziel der Rechtsreform in den Jahren der Weimarer Republik kam gut in der Zeitschrift *Die Justiz* zum Ausdruck, die der Reform der deutschen Rechtsordnung gewidmet war. Mein Vater publizierte häufig in diesem offiziellen Organ des Republikanischen Richterbundes. Im Leitartikel der Herausgeber zur ersten Nummer wurde der verbreitete Verlust des Vertrauens in Rechtseinrichtungen hervorgehoben und zu einer Erneuerung dieses Vertrauens aufgerufen. Alles Recht ist seiner Natur nach formal, aber die rechtlichen Institutionen hängen auch von dem Geist ab, in dem die rechtlichen Formen angewendet werden.

Es ist kein Zweifel, daß ein großer Teil der Angriffe auf die Rechtspflege zurückgeht, auf den Widerspruch zwischen dem neugewordenen Staat und einer Rechtspflege, welche die Einstellung für den Staat von gestern vielfach noch nicht überwinden konnte oder wollte. Eine Rechtsordnung muß von ihren obersten Grundsätzen bis herab zu ihren besonderen Anwendungen eines Geistes sein. In einem republikanischen und demokratischen Deutschland kann auch die Rechtspflege nur demokratischen und republikanischen Geistes sein. Sie verfällt sonst in einen Gegensatz zu dem obersten aller Auslegungsgrundsätze, daß nämlich in jeder Einzelfrage das Gesetz im Geiste der ganzen Rechtsordnung auszulegen ist. Es ist ein unerträglicher Zustand, daß sich oft richterliche Gesinnung bewußt oder unbewußt nach dem Geiste richtet, der nicht der Geist des heutigen Rechts ist; ein solcher Zustand führt zu den drückendsten Belastungen des Rechtsempfindens, indem durch gewandte Technik die Worte des Rechts dazu gebraucht werden, um in der Form des Rechts dem Unrecht zu huldigen.[1]

Zu der Zeit, da dieser Leitartikel 1925 erschien, war mein Vater bereits ein Veteran in der Bewegung zur Rechtsreform. In dem gleichen Jahr trat er dem neu gegründeten Republikanischen Richterbund bei und veröffentlichte einige seiner Arbeiten in den

Spalten der *Justiz*. Ich gebe zunächst einen kurzen Überblick über seine wichtigsten Schriften und beschreibe sodann seine Erfahrungen als richterlicher Vermittler an einem Arbeitsgericht. Beides bezeichnet Höhepunkte seiner juristischen Karriere und seiner Identifikation mit der deutschen Gesellschaft.

Gerichtsentscheidungen und ihr Kritiker

Als seine wichtigsten Beiträge zur kritischen Analyse des deutschen Rechtssystems betrachtete mein Vater die Einsicht in die »Mehrdeutigkeit von Tatsachen und Rechtssätzen« sowie die Betonung von »irrationalen Kräften« in der richterlichen Urteilstätigkeit. Bis in die Mitte der zwanziger Jahre hatte er diese Themen im Rahmen des Völker- und des Verfassungsrechts, in gelegentlichen kritischen Essays sowie in einer großen Zahl von Aufsätzen zu speziellen Rechtsfragen abgehandelt. Als Rechtsanwalt stand er außerhalb des akademischen Kreises der Juristen, für die die Veröffentlichung juristischer Bücher ein Teil ihres Berufes war. Trotzdem sah sich mein Vater aber veranlaßt, der Aufforderung eines Kritikers nachzukommen, die Richtigkeit seiner Position in systematischer Form unter Beweis zu stellen. Dabei war er nicht darauf aus, das typische Professorenbuch mit seinen gelehrten Zitaten und langwierigen Erörterungen nachzuahmen. Statt dessen wählte er aufs Geratewohl zwei Bände der *Deutschen Reichsgerichtsentscheidungen*, einen mit Zivilprozeß-, den anderen mit Strafprozeßentscheidungen, und machte sich daran, jedes einzelne der Urteile zu analysieren. Diese, in zwei Bänden veröffentlichten Analysen hatten symbolische Bedeutung. Das Reichsgericht war das höchste Gericht in Deutschland, und seine Entscheidungen repräsentierten die endgültige Autorität des deutschen Rechts. Außerdem wurden diese Entscheidungen von der Rechtswissenschaft und ihrer positivistischen Ideologie gestützt. Da das Rechtssystem als lückenlos angesehen wurde, gibt es für jeden Streitfall eine einzige, unzweideutige Entscheidung gemäß dem Wortlaut und der Absicht des entsprechenden Gesetzes. Nach der offiziellen Lesart repräsentierte diese unzwei-

deutige Entscheidung die Gerechtigkeit. Diesen Glauben wollte mein Vater widerlegen.
Eines seiner Angriffsziele war der Anspruch des Richterstandes auf Unparteilichkeit. Statt dessen offenbarten die Entscheidungen des Reichsgerichts eine in der Regel aus dem Mittelstand stammende Richterschaft, die sich entschieden mit den herrschenden Schichten identifizierte.[2] Die Richter klammerten sich an den Rechtspositivismus, der ihre richterliche Autorität in einer Zeit stützte, in der Parteikoalitionen nur kurzfristig regierten und das Parlament mit vielen Stimmen sprach. Die kritische Analyse ihrer Entscheidungen offenbarte eine Reihe ganz bestimmter, aber ungeprüfter Einstellungen. Von rangniederen Beamten hielten die Richter wenig. Von Unternehmern, Monopolen und überhaupt von Angehörigen der herrschenden Gruppen hatten sie eine günstige Meinung. Und schließlich schienen sie nicht gut zu sprechen zu sein auf die Eisenbahnen, auf Versicherungsgesellschaften, kommerzielle Interessen sowie – last but not least – auf Rechtsanwälte. Für die Armen und Schwachen zeigten sie aber väterliche Sorge.[3] Natürlich wurden diese Einstellungen nicht ausdrücklich so formuliert, aber eine genaue Lektüre der Entscheidungen konnte diese Stellungnahmen belegen. Unausgesprochene Einstellungen bewußt zu machen, wäre ein erster Schritt zur Justizreform.
Zu diesem Zweck unternahm mein Vater nun eine Darstellung des Tatbestandes in jedem einzelnen Streitfall sowie der Gründe, auf denen die jeweilige Entscheidung beruhte. Sodann analysierte er diese Überlegungen, wobei er auch legitime Gründe für rechtlich mögliche Urteilsalternativen berücksichtigte, die das Reichsgericht, bewußt oder unbewußt, übergangen hatte.[4] Auf eine Kausal- oder eine Motivationsanalyse der richterlichen Urteilstätigkeit ließ er sich nicht ein. Sein Ziel war es, die verschiedenen rechtlich *möglichen* Entscheidungen vorzuführen, um zu zeigen, aus welchem Universum von legitimen Begründungen das Reichsgericht ausgewählt hätte, wenn es sich seines Tuns völlig bewußt gewesen wäre. Diese Demonstration war ein erster Schritt zu einer größeren Ehrlichkeit, die die abstrakten Formen des Rechts von ihrem unberechtigten Anspruch auf

wissenschaftliche Objektivität befreien und die jeder richterlichen Entscheidung innewohnende politische Einstellung aufdecken würde. Auf diese Weise würde die Kluft zwischen der Formalität des Rechtsverfahrens und den brennenden menschlichen Anliegen, mit denen ein Richter sich auseinanderzusetzen berufen ist, geringer werden. Wenn Richter die ihren Entscheidungen zugrunde liegenden Grundsätze einschließlich ihrer persönlichen Überzeugungen kritisch prüfen würden, wäre die Rechtsordnung nach wie vor gewährleistet, aber ihre Auswirkung könnte menschlicher werden.

Bei der Demonstration eines solchen kritischen Herangehens an richterliche Entscheidungen griff mein Vater stets auf seine eigene juristische Erfahrung zurück und war darauf aus, praktische Ergebnisse zu erzielen. Doch zugleich entfaltete er eine theoretische Position, die er in der Einleitung zu dem Band über Zivilprozeßfälle zusammenfassend darstellte. Bei allen Auseinandersetzungen über richterliche Entscheidungen geht es um juristische Argumentation, ethische Grundsätze und politische Ziele. Solange eine Rechtsordnung auf einem allgemeinen Konsens beruht, wie schon früher ausgeführt, befinden sich diese Dimensionen mehr oder weniger in Übereinstimmung. In Zeiten des Übergangs streben jedoch ethische Überzeugungen und politische Ziele so stark auseinander, daß ein juristisches Argumentieren, wie es zur Entscheidung von Streitfällen unumgänglich ist, die Grundkonflikte nicht mehr zu lösen vermag.

In der Tat können Rechtsstreitigkeiten in ihrer Weise zu gesellschaftlichen Auseinandersetzungen beitragen, unabhängig davon, wie sie entschieden werden. Alle Parteien eines Streitfalles sind in der Regel der Meinung, daß ihr eigener Standpunkt mit Wahrheit und Gerechtigkeit vereinbar sei. Jedermann tritt als Vorkämpfer einer idealen Ordnung auf, überzeugt davon, daß es ihm einzig und allein um die Wahrheit zu tun ist, die – rein zufällig – auch seinen eigenen Interessen dient. Bei der Rechtfertigung seiner persönlichen und politischen Ideale gleicht er einem Schlafwandler, der nur so lange unfehlbar weiterschreitet, wie er von den Gefahren, die jeden seiner Schritte begleiten, nichts weiß.[5] In dieser Weise lebt jeder in seiner eigenen Welt, zusammengesetzt aus einem System von Überzeugungen und deren unterbewußten Voraussetzungen, mit denen sich der betreffende Mensch ganz aufrichtig identifiziert.

Diese Überlegungen gelten für das Rechtssystem als Ganzes. Vor allem stehen die Gerichte unter mehr oder weniger unvereinbaren Imperativen. Der eine Imperativ besteht in den formalen Anforderungen der Rechtsordnung, die von beträchtlicher Kontinuität und einer bestimmten logischen Strenge sind. Der andere besteht in den sich stets ändernden Umständen des sozialen Lebens, unter denen Streitfälle entschieden werden müssen. Im Idealfall sollte die richterliche Entscheidung sowohl mit dem formalen Rahmen des Gesetzes als auch mit dem öffentlichen Gerechtigkeitsgefühl vereinbar sein. Aber in manchen Fällen laufen Entscheidungen, die von Rechts wegen geboten sind, den tiefsten Überzeugungen der Gerichte zuwider. In anderen Fällen erkennen die Gerichte zwar gewisse Forderungen als berechtigt an, können aber keine gesetzliche Grundlage für sie finden. Bemühungen, solche Dilemmata zu lösen, führen entweder zu weit hergeholten Konstruktionen, um eine Entscheidung, die dem Gerechtigkeitsempfinden Genüge tut, herbeizuführen, oder die Billigkeit bleibt im Interesse der formalen Geschlossenheit des Rechts auf der Strecke. Wo grundsätzliche Konflikte zwischen formalen Regeln und Billigkeit auftreten, ist es schwierig, sie aus dem Wege zu räumen, ohne der Idee einer legitimen Rechtsordnung selbst Abbruch zu tun.

Diese universellen Rechtsprobleme waren in der Weimarer Republik in Anbetracht der ideologischen Konflikte besonders schwer zu bewältigen. Die Richterschaft identifizierte ihre Tradition, ihren Status und ihre Bildung, die Unparteilichkeit ihrer Entscheidungen sowie ihr unerschütterliches Eintreten für »das Recht« mit den staatlichen Gewalten.[6] Die Richter neigten dazu, für die politischen Folgeerscheinungen ihrer formalen Position blind zu sein. Mit der Analyse der zwei Bände deutscher Reichsgerichtsentscheidungen glaubte mein Vater, die Bedeutung von unausgesprochenen Voraussetzungen in der Tätigkeit des höchsten Gerichts demonstriert zu haben. In seinen Antworten auf kritische Besprechungen in den großen juristischen Fachzeitschriften beschränkte er sich darauf, seinen Standpunkt noch einmal zu betonen und die ablehnende Reaktion auf seine Ansichten zur Kenntnis zu nehmen. Er hatte nicht die Absicht, seinen Kritikern zu antworten, da beide Seiten von unvereinbaren Voraussetzungen ausgingen, was eine fruchtbare Diskussion ausschließe. Außerdem betonte er, daß seine Analyse eine mögliche, nicht aber die einzige Art des Herangehens an die richterliche Urteilstätigkeit sei.[7] Hier räumten sogar seine Kritiker ein, daß er die Aufmerksamkeit auf häufig vernachlässigte Aspekte der richterlichen Urteilstätigkeit gelenkt habe. Es war eine große Leistung, den herrschenden Rechtspositivismus in Frage gestellt zu haben, indem er den wahrscheinlichen Einfluß von stillschweigenden Voraussetzungen nachgewiesen hatte, wo selbst das höchste Gericht wissenschaftliche Strenge und Objektivität für sich in Anspruch nahm.

Gleichwohl habe ich diese alte Kontroverse mit einem gewissen Gefühl des Unbehagens gelesen – ohne Zweifel die halb apologetische, halb kritische Reaktion eines Sohnes bei der Betrachtung des Hauptwerkes seines Vaters. Denn dies *war* sein Hauptwerk. Es war schwierig gewesen, das Buch Ende der zwanziger Jahre herauszubringen. Dies lag nicht allein an widrigen wirtschaftlichen Umständen, sondern an dem mangelnden Interesse der Juristen für diese Problematisierung der Grundlagen des Rechts, die behauptete, daß auf dem Gebiete des Rechts, wie überall sonst, Politik und Wissenschaft eng miteinander verflochten seien. Mein Vater wußte damals noch nicht, daß eine selbstkritische Überprüfung der richterlichen Urteilstätigkeit und die Betonung ihrer möglichen politischen Dimension im angelsächsischen Recht verbreiteter ist, wo die Rechtswissenschaftler nicht, wie in Deutschland, das Recht als ein lückenloses System von Regeln auffassen. Gleichwohl bin ich skeptisch, was die Selbsteinschätzung meines Vaters betrifft, der trotzig davon überzeugt war, daß seinen Ideen die Zukunft gehörte. Zugegeben, politische und psychologische Bewußtheit sind wichtige Eigenschaften des idealen Richters, ebenso seine Gewissenhaftigkeit bei Einhaltung des Rechts und der Verfassung. In der Weimarer Republik gab es sicher viel Mangel an Verantwortungsgefühl gegenüber dem

Staat, und es war eine würdige Sache, gegen diesen Mangel zu kämpfen. Aber sind Analysen und immer wiederkehrende Ermahnungen eine vielversprechende Grundlage für eine Rechtsreform? Jüngere und sympathisierende Kollegen meines Vaters stellten seine kritische Einstellung gegenüber der Richterschaft aus politischen Überlegungen in Frage.

Jedenfalls muß es für einen so tätigen Menschen frustrierend gewesen sein, sich auf schriftliche Kritiken an der Rechtspraxis zu beschränken, vor allem, solange diese Kritiken weder im akademischen noch im institutionellen Rahmen des Rechtssystems Aufnahme fanden. Ich bezweifle, daß selbst die Analyse von Reichsgerichtsentscheidungen seine drängende Ungeduld und den Wunsch, einen konstruktiven Beitrag zu leisten, befriedigte. So war es ein zweiter Höhepunkt seiner beruflichen Laufbahn, als er im Juli 1927 zum nebenamtlichen Vorsitzenden beim Arbeitsgericht Berlin ernannt wurde.[8]

Richter beim Arbeitsgericht

Herkömmlicherweise ging man bei der Schlichtung von arbeitsrechtlichen Streitfällen von der Voraussetzung aus, daß es sich um einen Dienstleistungsvertrag zwischen einem einzelnen Arbeitgeber und einem einzelnen Arbeitnehmer handele. Diese Annahme einer formalen Gleichheit zwischen den beiden Parteien begünstigte den Arbeitgeber als die wirtschaftlich stärkere Partei, so daß die Arbeiter in zunehmendem Maße um das Recht kämpften, sich zu organisieren und kollektive Tarifverträge abzuschließen. 1912 gab es bereits für rund ein Sechstel der deutschen Arbeiterschaft Tarifverträge, und nach der Revolution von 1918 wurden weitere Fortschritte sowohl auf dem Gebiete der Tarifverträge als auch auf dem Gebiete eines eigenen Arbeitsgerichtsrechts erzielt. Als am 1. Juli 1927 ein neues Gesetz über Arbeitsgerichte in Kraft trat, sollte damit den Arbeitnehmern ein zusätzlicher Schutz gewährt werden. Gewiß konnten weder das Gesetz noch die Gerichte die Ungleichheit zwischen Arbeitgebern und Arbeitnehmern beseitigen. Aber die Arbeitsgerichte konnten die Folgen

Ludwig Bendix, 1927/28

dieser Ungleichheit mildern, vorausgesetzt, die betreffenden Richter zeigten sich für die Benachteiligungen des einzelnen Arbeiters aufgeschlossen.

In seiner Erörterung der seinerzeitigen Arbeitsgerichtsbarkeit betonte mein Vater, daß angesichts der modernen Verhältnisse, besonders auf dem Gebiete des Arbeitsrechts, die drei Funktionen Gesetzgebung, Rechtsprechung und Verwaltung entgegen der Lehre von der Gewaltenteilung nicht voneinander zu trennen seien.

Bei der zunehmenden Kompliziertheit des modernen Lebens und der verfassungsmäßigen Überwindung des militaristisch-imperialistischen Systems muß die Gesetzgebung in immer weiterem Umfange dem Richter die Regelung überlassen, zu der sie schlechterdings außerstande ist. Das Gebiet der unbestimmten Rechtssätze wird immer größer, der Spielraum des richterlichen Ermessens immer weiter ... Heute und morgen oder übermorgen wird die richterliche Tätigkeit schwieriger und verantwortlicher, weil sie sich nach Fortfall jener überlebten Fiktion [der Gewaltentrennung] nicht mehr auf das Obrigkeitsgesetz zur Rechtfertigung ihrer Brutalitäten zurückziehen kann, sondern für die Lebensgestaltungen ihrer Sprüche selbst eintreten muß, weil das Gesetz in einem Volksstaate nur erfüllt und ausgefüllt werden kann durch die Vertrauensperson des Volkes, den Richter.[9]

Vor der Ernennung meines Vaters zum Arbeitsrichter verfaßt, schreiben diese Ausführungen den Richtern eine bedeutsame Rolle bei der Gestaltung der politischen Willensbildung zu. Obwohl er sich außerordentlich kritisch über Richter geäußert hatte, die in der Weimarer Republik ihren Ermessensspielraum im obrigkeitsstaatlichen Sinne mißbrauchten, trat er jetzt enthusiastisch dafür ein, diesen richterlichen Ermessensspielraum im Interesse einer demokratischen Gesellschaftsordnung zu nutzen. Mein Vater widmete sich seiner neuen richterlichen Aufgabe mit aller Energie, wobei er oft die Interessen seiner Anwaltskanzlei vernachlässigte. Diese konstruktive Teilnahme am Rechtsleben war für ihn eine Quelle tiefster, persönlicher Befriedigung, weil sie ihm Gelegenheit gab, seine Vorstellungen in die Praxis umzusetzen. Seine Schilderung der Streitschlichtung durch Vergleich demonstriert das richterliche Ideal, das ihm vorschwebte und persönlich am meisten zusagte.
Zwei Klauseln im Arbeitsgerichtsgesetz (§ 54, Abschnitt 1 und 2) machten es dem Richter zur Pflicht, die gesamte strittige Materie mit den beiden Parteien zu erörtern, wobei alle zur Sache gehörenden Umstände ausführlich und freimütig zur Sprache zu bringen waren. Die Diskussion konnte sich ungehindert entfal-

ten. Das Ziel des ganzen Verfahrens war eine gütliche Erledigung des Streitfalles. Diese Bestimmungen des Arbeitsgerichtsgesetzes standen in deutlichem Gegensatz zu der herkömmlichen Auffassung des Richters als eines Vertreters des Rechtsstaates; die Ausstattung des Gerichtssaales und die Strenge der prozessualen Verfahrensweisen unterstrichen die Ferne und Fremdheit der richterlichen Tätigkeit, die davon ausgeht, daß jede Partei in der Lage ist, ihre eigenen Rechte wahrzunehmen. Andererseits sucht die Vermittlung die wirtschaftliche Ungleichheit zwischen den streitenden Parteien auszugleichen, indem sie der schwächeren Partei hilft, ihren Standpunkt zu formulieren. In den Augen meines Vaters hatte das Arbeitsgerichtsgesetz diese abweichende, friedliche Schlichtung zugelassen, jedenfalls in der Anfangsphase eines Schlichtungsprozesses, und er brannte darauf, diesen Ansatz in der Zukunft noch auszubauen.

Seine Ernennung zum nebenamtlichen Vorsitzenden beim Arbeitsgericht Berlin gab ihm Gelegenheit, diese neue Methode der Streitschlichtung in die Praxis umzusetzen, und seine Schilderung ist eine treffende Wiedergabe der Art und Weise, wie er vorzugehen wünschte. Die mündlichen Verhandlungen vor dem Richter werden zu dem Zweck eröffnet, eine gütliche Einigung zwischen den streitenden Parteien zu erreichen. In der Regel erfordert dies ein beiderseitiges Nachgeben, damit man sich irgendwo in der Mitte treffen kann. Das Gesetz kann dieses Ziel nur während der Anfangsphase der Verhandlungen verfolgen, in der die Standpunkte beider Parteien ihr Für und Wider haben, so daß es ungewiß bleiben muß, wie eine richterliche Entscheidung ausfallen würde. Von diesem Vermittlungsverfahren sind Rechtsanwälte ausgeschlossen, und eine Vereidigung findet nicht statt. Um Regelungen zu vermeiden, die eine Partei gegenüber der anderen begünstigen würden, ist der Richter gehalten, gemeinsam mit den Parteien die ganze strittige Materie durch eine umfassende Erörterung aller zur Sache gehörenden Gesichtspunkte zu prüfen. Jeder Partei muß eröffnet werden, auf welche Schwierigkeiten sie möglicherweise stößt und welche juristischen Überlegungen für die andere Seite sprechen. Der Richter hat die Aufgabe, Brücken der Verständigung oder des Zweifels nach beiden Seiten zu bauen. Er soll den streitenden Parteien deutlich machen, was geschieht, falls eine Einigung nicht zustande kommt. In diesem Falle kommt es zur eigentlichen richterlichen Untersuchung des Tatbestandes, und beide Parteien müssen vereidigt werden, weil der Fall nunmehr ein förmliches Gerichtsverfahren ist, bei dem einmal gemachte Aussagen nicht mehr rückgängig gemacht werden können. Und schließlich ist die richterliche Entscheidung der nächsthöheren Instanz mit Zweifeln und Ungewißheiten belastet. Die Hoffnung meines Vaters war es, daß die vor den Arbeitsgerichten erscheinenden Parteien bei solcher Sachkenntnis für gütliche Vereinbarungen eine größere Bereitschaft als in der Vergangenheit an den Tag legen würden.

Eine Partei wird um so eher geneigt sein, sich zu vergleichen, je mehr sie sich über für sie ungünstige Tatsachen und juristische Bedenken klar wird, und diese kann ein Richter mit größerer persönlicher Autorität und in einer begütigenderen Weise vorbringen als ein Anwalt. Denn der Richter hat Erfahrung mit der richterlichen Urteilstätigkeit und kann darauf hinweisen, daß seine persönliche Meinung möglicherweise von seinen Richterkollegen oder von einer Berufungsinstanz verworfen wird. In seiner Eigenschaft als Vermittler kann der vorsitzende Richter zum juristischen Freund beider Seiten werden, da er immer betonen muß, daß seine persönlichen Ansichten nicht ausschlaggebend sind und daß ein Richter mit seinen Beisitzern oder eine Berufungsinstanz zu einem anderen Ergebnis kommen können, falls die Parteien nicht zu einer Einigung gelangen.

Diese Auffassung vom Richter als Vermittler veranlaßte meinen Vater zu einer Veränderung der äußeren Gestalt des Gerichtssaals mit seiner typischen Scheidung zwischen dem Gericht, das auf einer erhöhten Plattform hinter einer Schranke thronte [»hohes Gericht«! – A. d. Ü.], und den streitenden Parteien zu Füßen der Richter in der Stellung von Klägern und Beklagten. Statt dessen ließ er Plattform und Schranke beseitigen und versammelte die streitenden Parteien zwanglos um einen großen Tisch, so daß niemand (auch nicht der Richter) gegenüber dem anderen herausgehoben war und die Diskussion im Geiste der Verhandlung und des Kompromisses vor sich gehen konnte.[10] Mein Vater war in seinem Element, und eine Reihe von Beobachtern bescheinigten ihm seine Geschicklichkeit als Vermittler. Er war zu großer Einfühlung fähig. Sich auf die Seite beider Parteien zu stellen, entsprach seiner Überzeugung, daß eine Tatsache viele Aspekte hat und sich so manches für die »Wahrheit« des jeweiligen Beschauers vorbringen läßt. Mit dieser Einfühlungsgabe verbanden sich bei ihm seine juristischen Fähigkeiten, die es ihm erlaubten, beiden Parteien die Einwände zum Tatbestand und zur Rechtslage vor Augen zu führen, die möglicherweise erhoben werden konnten und damit die Begrenztheit des jeweiligen Parteistandpunkts demonstrieren würden. Für ihn war dieses ganze Vermittlungsbemühen *keine* unpersönliche Angelegenheit. Er war zutiefst von den Unberechenbarkeiten der wirklichen Rechtssprechung überzeugt, und er besaß die Erfahrung, die notwendig war, um diese Unberechenbarkeiten in einer nichttechnischen Sprache deutlich zu machen. Die Art seiner Verhandlungsführung übte eine starke persönliche Anziehungskraft aus. Er fürchtete den persönlichen Schaden, den die Strenge des Gesetzes oft anrichtete, und hatte Sympathie für die Benachteiligten. Seine zwanglose Art war ihm zur zweiten Natur geworden (auch wenn manche dies im Gerichtssaal für unangebracht hielten), und er verband damit eine echte Leidenschaft für eine gerechte Beilegung von Streitigkeiten. In dieser Rolle war er augenscheinlich in der Lage, diejenigen Eigenschaften richterlichen Verhaltens zu demonstrieren, die er im normalen Gerichtssaal so häufig vermißte.

Mein Vater veröffentlichte einen Überblick über die ersten beiden Jahre richterlicher Praxis nach dem neuen Arbeitsgerichtsgesetz. An seinen 52 Kammern hatte das Berliner Arbeitsgericht 1928 rund 51 800 Klagen (!) verhandelt. Die überwältigende Mehrzahl der Fälle hatte eine außergerichtliche Erledigung gefunden (durch Vergleich, Annahme des Vermittlungsvorschlags, Zurückziehung der Klage u. ä.); nur eine ganz geringe Zahl von Klagen (136) wurde durch richterlichen Urteilsspruch entschieden. Bei der großen Zahl der durch Vermittlung geregelten Fälle handelte es sich in erster Linie um persönliche Dienstleistungsverhältnisse aller Art (einschl. der Landwirtschaft), während es bei der kleinen Zahl von Fällen, die auf dem Prozeßwege entschieden wurden, um die Beschäftigten großer Unternehmen ging, von denen viele gewerkschaftlich organisiert waren. In der Tat gab es Kammern, die auf die Beilegung von Streitigkeiten aus persönlichen Dienstleistungsverhältnissen spezialisiert waren und andere, die für die Erledigung von Streitigkeiten auf Unternehmensbasis zuständig waren.[11] Mein Vater erwähnt zwar diese Tatsache, verzichtet aber darauf, sie politisch zu würdigen – trotz seiner wiederholten Hervorhebung des politischen Kontextes des richterlichen Prozesses. Auf den ersten Blick betrachtet, war Vermittlung nicht geeignet, Streitfälle aus der Großindustrie zu bewältigen, weil massive Interessen auf dem Spiel standen, die sich einer gütlichen Einigung versagten. Trotzdem idealisierte mein Vater den Richter als Vermittler, wahrscheinlich deswegen, weil dies die Rolle war, in der er sich am wohlsten fühlte; und gewiß ist die durch Vermittlung zustande gekommene Regelung persönlicher Streitigkeiten von Bedeutung.

Volkssouveränität im Recht

Eine große historische Umwälzung war im Gange, und mein Vater war der Überzeugung, daß die richterliche Praxis den ethischen und politischen Gehalt der demokratischen Verfassung durchzusetzen habe, insbesondere das Ideal der Volkssouveränität. Sein Lebenswerk hatte ein Grundthema: die Verteidigung und Weiterbildung des Individuums. Er ging von drei untereinander zusammenhängenden Voraussetzungen aus. Die Situation eines jeden Menschen ist nur verständlich, wenn man sie von innen heraus interpretiert. Der elementare Respekt für andere Menschen verlangt, daß man versuchen muß, festzustellen, worin das Selbstverständnis eines jeden besteht. Und schließlich ist eine selbstkritische Prüfung der eigenen Voraussetzungen unabdingbar für das Verständnis anderer und das Zusammenleben mit ihnen. Diese Ziele führten zu unterschiedlichen Akzentsetzungen. Gegen eine obrigkeitliche Staatsauffassung, die nur an der nationalen Macht interessiert war, betonte er die praktischen Grenzen dieser Auffassung und forderte aus ethischen Gründen die Achtung vor dem Individuum, aber auch vor Völkern anderer Kulturen. Gegen die Revolutionäre von 1918 betonte er, daß vieles auf detaillierte institutionelle Regelungen ankommt, ohne welche nichts Dauerhaftes und Wertbeständiges geschaffen werden könne; revolutionäre Begeisterung ist kein Ersatz für juristische Sachkenntnis. Doch wird diese Sachkenntnis zur Gefahr, wenn sie zum Selbstzweck gerät und die Ziele aus den Augen verliert, um derentwillen Gesetze gemacht und angewendet werden. Zu seiner Zeit wurde der kritische Gehalt dieser Stellungnahme meines Vaters oft anerkannt, mochten seine Interpretationen einzelner Entscheidungen, wie etwa in den beiden Bänden über Reichsgerichtsentscheidungen, auch umstritten sein.

Was veranlaßte ihn eigentlich, die Motivation von Richtern des Reichsgerichts anzuzweifeln? Ja, wie konnte er oder irgendein anderer diese Motivation allein aus der Lektüre eines schriftlich vorliegenden Urteils einschätzen? Auf diese Fragen hatte mein Vater eine gute Antwort parat. Er stützte sich auf die Verfassung, die ihm das Recht gab, zu fragen, ob ergangene Entscheidungen im Einklang mit dem Geist der Verfassung standen oder nicht. Er beanspruchte nur, die *möglichen* Interpretationen von Tatsachen und Gesetzen zu beschreiben, unter denen die Richter zu wählen hatten, und verlangte von ihnen, daß sie deutlich machten, warum sie Urteilsalternativen verworfen und zu ihrer eigenen Entscheidung gekommen waren. Er trat für eine Transparenz der richterlichen Urteilsfindung ein, die im Einklang mit der Volkssouveränität und der öffentlichen Verantwortlichkeit des Richters stand.

Was die Weimarer Republik betraf, so war es wahrscheinlich in vielen Fällen richtig, die in richterlichen Entscheidungen zum Ausdruck kommenden vorgefaßten Meinungen auf eine weitverbreitete obrigkeitliche Tradition zurückzuführen. Doch blieb es immer problematisch, diese Voreingenommenheit in spezifischen Entscheidungen nachzuweisen, weil Gerichtsurteile in jedem denkbaren Regierungssystem autoritativ sein müssen und deshalb darauf angelegt sind, den Gedanken der Ordnung vorzuziehen.

Mein Vater stellte diese Präferenz auch nicht in Frage, obgleich er von einem tiefen Mißtrauen gegen den Rechtsformalismus in Anbetracht der obrigkeitlichen Tradition in Deutschland beseelt war. Immerhin wollte er, als ein Mensch, der dem Rechtssystem verpflichtet war, dieses Mißtrauen nicht auf die Spitze treiben. Man denke an seine Auseinandersetzung mit Führern der Berliner Rätebewegung, die genaueren Aufschluß darüber verlangte, was mit einer am Beruf orientierten politischen Beteiligung des Volkes gemeint sei. Er mißtraute den revolutionären Hitzköpfen, die sich Massenstimmungen zunutze machten, ebensosehr, wie er Richtern mißtraute, die ihr hohes Amt für ihre politischen Zwecke ausnutzten. Man hätte ihm vorwerfen können, daß er sich zwischen sämtliche Stühle setzte, aber er wollte es – in diesen Fragen – nicht anders; er steuerte einen mittleren Kurs und lehnte den Obrigkeitsglauben deutscher Richter ebenso entschieden ab wie das Obrigkeitsdenken der bolschewistischen Führer in Rußland und ihrer angeblichen deutschen Gefolgsleute. Wenn ich mir diese Punkte nach so langer Zeit vergegenwärtige, bin ich stolz darauf, daß mein Vater die Gefahren auf beiden Extremen des politischen Spektrums so früh erkannt hat, auch wenn es zutrifft, daß sein Standpunkt eigentümlich und politisch wirkungslos war.

Diese Besonderheit und die theoretischen Impulse, die hinter seinem Werk standen, entstammten zwei einander widerstreitenden Tendenzen im Denken des späteren 19. Jahrhunderts. Man hielt damals Lügen und Illusionen für unentbehrlich, wenn das Leben weitergehen solle, während gleichzeitig das Aufdecken von Lügen und Illusionen als Mittel zur Befreiung des Menschen und der Gesellschaft galt. In *Die Wildente* von Hendrik Ibsen werden Illusionen als Vorbedingung des menschlichen Glücks bezeichnet, und Nietzsche war der Ansicht, daß Unwahrheiten lebenssteigernd wirken. Auf der anderen Seite schwebte Marx eine Gesellschaft vor, in der die menschliche Erkenntnis sich endlich in Übereinstimmung mit dem menschlichen Dasein befände, während Freud die Selbsterkenntnis für ein Mittel hielt, um den Menschen aus dem blinden Wirken biologischer Triebe zu befreien. Auch hier bezog mein Vater einen Standort zwischen den verschiedenen Lagern. Seine Analyse richterlicher Entscheidungen befaßte sich mit den im Unbewußten verankerten vorgefaßten Meinungen von Richtern. Im großen und ganzen vermied er es, den Richtern absichtliche Unwahrhaftigkeit zu unterstellen. Statt dessen verwies er auf die verzerrende oder verblendende Wirkung von »irrationalen Kräften« wie beispielsweise antirepublikanischen Gesinnungen und obrigkeitsstaatlichen Traditionen, von denen sich freizumachen vielen Richtern schwerfiel, ob sie sich dessen bewußt waren oder nicht. Gleichzeitig wurde mein Vater nicht müde, für die richterliche Selbsterforschung einzutreten, und in dieser seiner eigensinnigen Lieblingsidee steckte ein Funken Hoffnung. Sein Bemühen wäre zwecklos gewesen, wenn er nicht fest daran geglaubt hätte, daß es den Richtern durch gewissenhafte Reflexion und anschließendes Aussprechen dieser Reflexion endlich gelingen könne, ihre tiefsitzende Neigung zu Täuschung und Illusionen zu überwinden. Und so hielt mein Vater, wie Marx und Freud, aber gegen Ibsen oder Nietzsche, unerschütterlich an der Tradition der Aufklärung fest. So weit verbreitet Vorurteile bei Richtern auch sein mochten, Menschen guten Willens waren nach seiner Ansicht dennoch imstande, mit ihnen fertig zu werden. Wahrheiten, nicht Lügen waren lebensfördernd.

Letztlich war mein Vater ein Optimist, und seine Tätigkeit als Richter an einem Arbeitsgericht zeigte diesen Optimismus in der Praxis. Seine vielen widerstrebenden Impulse waren ihm sogar eine Hilfe bei der Schlichtung arbeitsrechtlicher Streitfälle, weil er abwechselnd mit beiden Parteien voll sympathisierte. Die Tatsache, daß Rechtsverfahren eine potentielle Gefahr für die Interessen jedes einzelnen darstellten, stand im Einklang mit seiner eigenen Betonung von »irrationalen Kräften« in der richterlichen Urteilstätigkeit. Selbst wenn ein Kompromiß nicht erzielt werden konnte und es zum Prozeß kam, bestand mein Vater auf der Einsichtigkeit der richterlichen Entscheidungen, so daß auch die unterliegende Partei das Gefühl haben konnte, daß der Richter alles in seiner Macht Stehende getan habe, das Interesse des Unterlegenen zu berücksichtigen.

Aber weder ein Vergleich noch eine rücksichtsvolle Entscheidung bedeuteten, daß Gerechtigkeit für meinen Vater gleichbedeutend gewesen wäre mit dem Abstecken irgendeiner mittleren Position, indem man von jeder der streitenden Parteien ein wenig wegnahm. Nein, bei einem Streitfall ist jede Seite überzeugt, im Besitz der ganzen Wahrheit zu sein, und die meisten Streitigkeiten entstehen daraus, daß *eine* Rechtsüberzeugung gegen eine andere steht. Wie Nietzsche behauptet hatte: »Wahrheiten sind Illusionen, von denen man vergessen hat, daß sie welche sind.«[12] Als Vermittler ging mein Vater nicht davon aus, daß er diese Illusionen beseitigen könne. Vielmehr hoffte er, jede Seite durch Überzeugung und durch Konfrontation mit der anderen Seite dazu bewegen zu können, daß sie etwas nachgab, sobald sie erkannt hatte, welche Konsequenzen aus ihren Illusionen erwachsen konnten. Ziel der Vermittlung war es, zu zeigen, daß eine Fortsetzung des Streites das Leben nicht erhöhen, sondern mindern würde. In seinem Eintreten für die Vermittlung und in seinem politischen Herangehen an die richterliche Urteilstätigkeit war er seiner Zeit weit voraus, wobei er sich klar darüber war, daß man seine Pionierleistung in Deutschland nicht zu würdigen wußte.[13]

Seine eigene Erfolglosigkeit in bezug auf eine Reform des Rechtssystems gehörte in den Rahmen des Scheiterns der Weimarer Republik überhaupt, und mein Vater begann in diesem Zusammenhang, an seinem eigenen Beitrag zu zweifeln. Als Rechtsanwalt und Familienvater hatte er die Rechtsordnung als legitim und notwendig anerkannt, und als Verteidiger der Interessen des einzelnen hatte er für diejenigen gekämpft, die unter den herrschenden Umständen benachteiligt waren. Vielleicht war es paradox, den einzelnen mit denselben juristischen Methoden zu verteidigen, die bei der Erhaltung der bestehenden Machtverteilung angewendet wurden, in der der einzelne häufig machtlos war. Nichtsdestoweniger hatte er sich eine positive Meinung vom deutschen Richter gebildet und angenommen, daß die im Rechtssystem tätigen Beamten im großen und ganzen bei der Erfüllung ihrer Pflichten guten Willens waren, trotzdem es immer wieder nötig war, ihre Rechtspraxis zu kritisieren. Als Kritiker des Rechtssystems gehörte er zur loyalen Opposition. Für ihn, meinte er, gab es nur eine Möglichkeit, diese Opposition mit einer positiven Einstellung zu verbinden, da er Illegalität zurückwies. Diese Möglichkeit bestand darin,

> die Gegensätzlichkeit der Aufgaben und selbst die ihr zugrundeliegende Todfeindschaft der Interessen als ewige *Formen* geschichtlichen Seins, als *typische, gegenseitig zu achtende Geisteshaltungen* hinzustellen. Auf dem bejahten Boden des herrschenden staatlichen Systems ließen sich diese unvereinbaren Interessengegensätze miteinander nur unter dem Gesichtspunkt vereinigen, daß sich die geschichtliche Entwicklung *in ihren dynamischen Spannungen* und ihren Reflexen, d. h. dem geistigen Ringen um die Vorherrschaft der einen oder anderen Geisteshaltung – genannt Auffassung oder Überzeugung oder Theorie! – vollzieht. Dieser von mir vertretene Standpunkt gipfelt in der Anerkennung eines für das bejahte staatliche System unentbehrlichen Beamten- und Richterstandes mit der besonderen Aufgabe und dem ihr entsprechenden Interesse, das Schiff des ihnen anvertrauten Staates durch den Kampf der streitenden Parteien und ihrer unvereinbaren, nur durch Kompromisse zu überbrückenden Forderungen möglichst unversehrt hindurchzusteuern.[14]

Dementsprechend interpretierte mein Vater entgegengesetzte Auffassungen, einschließlich derjenigen von Richtern und Anwälten, als etwas Dauerhaftes und auch Legitimes, das auf der Grundlage gegenseitiger Achtung versöhnt werden mußte. Rückblickend gab mein Vater zu, daß der von ihm bezogene Standpunkt ihm wenig dauerhafte Befriedigung gewährt habe, weil das Rechtssystem als ganzes sich seiner Aufgabe der Streitschlichtung nicht gewachsen gezeigt hatte und vermehrter Konflikt die Folge hiervon gewesen war. Doch war dies eine Enttäuschung, mit der die Verfechter der Rechtsordnung und der Rechtsreform in Deutschland leben mußten, solange es die Weimarer Republik gab. Es war gewiß notwendig, Mißbräuche zu kritisieren und gegen faktische Rechtsverletzungen zu kämpfen. Trotzdem machte man in der Hoffnung weiter, daß scheinbar unversöhnliche Interessenkonflikte durch Kompromiß beseitigt werden könnten. Eine solche Hoffnung war unerläßlich, wenn man nicht vorhandenes Übelwollen durch Skepsis noch verstärken oder bestehende Konflikte durch Übertreibung noch verschärfen wollte. Loyale Kritiker der Rechtsordnung wie mein Vater mußten auf diese Weise verfahren, weil engagiertes Handeln nichts Provisorisches sein kann: es ist nur dann glaubwürdig, wenn es in der Hoffnung auf Erfolg auch das Scheitern riskiert. Trafen solche Kritiker auf Gegner, die die Rechtsordnung zerstören wollten, so machte sie dies nur unempfindlicher gegen Enttäuschung und Frustration.[15] Solche Menschen verbanden ihre kritische Einschätzung der Rechtssprechung mit einem fanatischen Glauben an Recht und Gerechtigkeit.

Kapitel VIII

Zerstörung einer Karriere

(1932-1935)

Die frühen dreißiger Jahre waren die Zeit der großen Depression, einer zunehmenden politischen Krise in der Weimarer Republik und der Machtergreifung Hitlers. Es waren zugleich die Jahre, in denen die Karriere meines Vaters zerstört wurde und meine ganze Familie in Gefahr geriet.

Bevor ich mich diesen Dingen zuwende, muß ich noch ein tragisches Element erwähnen, das sich in der Zeit zwischen 1930 und 1932 in die Arbeit meines Vaters eingeschlichen hatte, als die täglichen Schlagzeilen eine Zuspitzung der politischen Konflikte widerspiegelten. Mein Vater wußte, daß sein rechtspolitisches Programm keinen Erfolg haben konnte, wenn es nicht zu einer Neuorientierung der Richterschaft kam. Infolgedessen wurden seine Hoffnungen allen widrigen Zeichen der Zeit zum Trotz geweckt, als eine Reichsgerichtsentscheidung vom März 1932 – in den letzten Monaten der Regierung Brüning – die Fundierung der richterlichen Urteilstätigkeit in der Persönlichkeit des Richters anerkannte und damit anscheinend die Grundvorstellung meines Vaters von der Mehrdeutigkeit von Tatsachen und Rechtssätzen übernahm.[1] Mit der Klugheit der Spätergeborenen wissen wir heute, daß diese Entscheidung eine außerordentlich gefährliche Entwicklung einleitete. Denn praktisch legitimierte das Reichsgericht damit die größtmögliche Ausnutzung des richterlichen Ermessensspielraums. Der angebliche Grund hierfür war, daß das Parlament nicht mehr funktionsfähig sei. In Wirklichkeit unterstützten die Richter den immer autoritärer werdenden Geist der Notverordnungen und die antidemokratischen Gesinnungen der Rechten. Das war offenkundig nicht das, was mein Vater im Sinn gehabt hatte. Er hatte stets gefordert, daß die Richter bei Erfüllung ihrer Amtspflichten nicht nur ohne Ansehen der

Person handeln, sondern daß ihre Entscheidungen auch vom politischen Engagement für den Geist der Weimarer Verfassung getragen sein müßten. Nun jedoch erleichterten die Richter das Eindringen autoritärer Elemente in die Rechtspraxis. Die Nazis waren neue Feinde der Demokratie, die das Recht relativierten, um es für ihre eigenen, antidemokratischen Zwecke umzugestalten. Im Kampf gegen diese neuen Feinde hielten es manche Rechtsanwälte für geratener, am Buchstaben des Gesetzes festzuhalten und sich an eben jenen formalrechtlichen Ansatz zu klammern, den mein Vater zuvor mit gutem Grunde auf seine verborgenen konservativen Voraussetzungen untersucht hatte. Auf jeden Fall waren diese neuen Feinde bereits in der Mehrheit, als mein Vater noch glaubte, daß der Republik Gefahr von Vertretern des alten, monarchischen Regimes drohe. Allein diese Fehleinschätzung kann den Umstand erklären, daß er in der erwähnten Reichsgerichtsentscheidung von 1932 eine Bestätigung seiner eigenen Ansichten erblickte. Mein Vater war weder der erste, noch wird er der letzte Gelehrte oder Praktiker gewesen sein, dessen wichtigster Beitrag zu unserem Verständnis von Mensch und Gesellschaft zu Zwecken mißbraucht wurde, die seinen grundlegenden Wertvorstellungen hohnsprachen.[2]

Die Krise der Weimarer Republik

Im März 1930 lag die Zahl der registrierten Arbeitslosen bei annähernd 3 Millionen. Im Dezember desselben Jahres war sie auf 4,3 Millionen angestiegen, und ein Jahr später, im Dezember 1931, lag sie bei 5,6 Millionen, was einem Zehntel der Gesamtbevölkerung Deutschlands entsprach. Im Februar 1932 hatte sich die Zahl der Arbeitsuchenden auf 6,1 Millionen erhöht. Auf dem Höhepunkt der Wirtschaftskrise war ein Drittel der deutschen Werktätigen arbeitslos.

Das deutsche Volk reagierte auf diese Verhältnisse mit zunehmender Radikalisierung. Im März 1930 war Heinrich Brüning zum Reichskanzler ernannt worden; im Juli hatte er den Reichstag aufgelöst und für September Neuwahlen ausgeschrieben. Die

Befürchtungen jener, die vor diesem Kurs warnten, sollten sich bewahrheiten. Mehr Menschen als je zuvor seit 1918 gingen 1930 an die Wahlurnen: 35 Millionen Wähler bzw. 82 Prozent der Wahlberechtigten. Von den fast drei Dutzend Parteien, die sich zur Wahl stellten, mußten diejenigen in oder nahe der Mitte des politischen Spektrums insgesamt schwere Verluste hinnehmen, auch wenn die katholische Zentrumspartei sich leicht verbesserte (sie kam auf 68 Reichstagssitze) und die SPD ihre frühere Fraktionsstärke annähernd halten konnte (143 Sitze). Entscheidende Gewinne erzielten die Parteien auf der extremen Linken bzw. Rechten. 4,6 Millionen Deutsche stimmten für die KPD (77 Sitze), und 6,4 Millionen gaben ihre Stimme der NSDAP Adolf Hitlers (107 Sitze). (Bei den vorangegangenen Wahlen im Jahre 1928 hatten die Nazis nur 12 Sitze erreicht.) Von 35 Millionen Deutschen hatten also 11 Millionen entweder kommunistisch oder nationalsozialistisch gewählt.
Das Zutagetreten eines wachsenden Extremismus veranlaßte die Armee, wie schon 1918, zum Eingreifen. Damals hatte General Groener der Regierung Ebert seine Mitarbeit angeboten, falls bestimmte Bedingungen erfüllt würden. Jetzt, im Jahr 1930, war derselbe General Groener Verteidigungsminister, und zusammen mit General von Schleicher faßte er den Gedanken, daß ein neues Kabinett mit der Bewältigung des nationalen Notstandes am ehesten fertig werden würde, wenn die Kabinettsmitglieder von jeglichem Parteieinfluß frei wären und ihre Autorität unmittelbar auf die Notverordnungsvollmachten des Reichspräsidenten gründen könnten. In Heinrich Brüning fanden sie den Mann, der trotz seiner unbestreitbaren Fähigkeiten in ihre Pläne paßte. Als Brüning die Kanzlerschaft übernahm, forderte und erhielt er die Zusicherung, daß der von ihm vorgeschlagene unabhängige Kurs durch die Notverordnungsvollmachten des Reichspräsidenten gedeckt werden würde. Formell bewegte diese Zusicherung sich im Rahmen der Weimarer Verfassung; jede demokratische Verfassung trifft irgendeine vorsorgliche Regelung für Notfälle. Doch wird jede politische Struktur durch den häufigen oder gar regelmäßigen Rückgriff auf solche Vollmachten unterminiert. Im vorliegenden Falle erschien ein solcher Rückgriff geradezu als

natürlich, da sich die Armeeführung, der Reichspräsident und der neue Reichskanzler in der grundsätzlichen Abneigung gegen Politik einig waren. Alle drei waren, wenn auch in unterschiedlicher Weise, davon überzeugt, daß Parteipolitik die Quelle allen Übels sei und daß alle Probleme, vor allem aber der gegenwärtige Notstand, am besten durch Notverordnungen, nicht aber durch Parlamentsmehrheiten zu bewältigen seien. Brünings Auflösung des Reichstages im Juli 1930 und seine Ausschreibung von Neuwahlen für September war die erste von vielen Notverordnungen, durch die er, wie er sagte, »eine sinnlose Form des Parlamentarismus« durch »eine gesunde, maßvolle Demokratie« zu ersetzen suchte. Doch als seine Maßnahmen sich als Fehlschlag erwiesen, wurde er, trotz der Zusicherungen, die man ihm gegeben hatte, abgesetzt. Am Ende des von ihm eingeschlagenen Weges lag die Zerstörung der Weimarer Republik und die im Januar 1933 vom Reichspräsidenten Hindenburg vorgenommene Ernennung Hitlers zum Reichskanzler. Die Konservativen behaupteten zwar noch immer eine Mehrheit der Kabinettssitze, doch Hitler überwand rasch auch dieses letzte, formelle Hindernis, das seiner diktatorischen Herrschaft im Wege lag.
Der Charakter der Nazi-Herrschaft wurde schon vor Hitlers formeller Ernennung 1933 offenbar. Als Reichskanzler Brüning im April 1932 von Franz von Papen abgelöst wurde, war die Bedingung, die das neue Kabinett stellte und die Schleicher ausgehandelt hatte, daß Neuwahlen ins Auge gefaßt und das Demonstrationsverbot für nationalsozialistische Sturmtruppen aufgehoben würden. In den ersten fünf Wochen nach Aufhebung dieses Verbots kam es allein in Preußen zu rund 500 Straßenschlachten, bei denen 99 Personen getötet und über tausend Menschen verletzt wurden. Kaum war Hitler im Amt, als die Herrschaft durch organisierte Gewalt an der Tagesordnung war. Unter Leitung des neuen preußischen Innenministers Hermann Göring wurden sofort die Polizeikräfte von politisch »unzuverlässigen« Elementen gesäubert, und Mitte Februar 1933 wurde die »Zusammenarbeit« der regulären Polizei mit den paramilitärischen Einheiten der Nazi-Partei (Sturmabteilung, SA, und Schutzstaffel, SS) angeordnet. Diese Kräfte wurden durch poli-

zeiliche Hilfskräfte verstärkt, die man aus patriotischen Verbänden rekrutierte, so daß die Sprengung politischer Versammlungen und die Unterdrückung von Zeitungen mit beängstigender Geschwindigkeit um sich griffen. Der Brand des Reichstagsgebäudes am 27. Februar 1933 führte (schon im Morgengrauen des 28. Februars) zur Verhaftung von rund 4000 Personen – keineswegs nur Funktionäre der KPD, sondern auch Intellektuelle und Freischaffende, die sich den Zorn der Nazi-Partei zugezogen hatten. Schon am Vormittag dieses Tages hatte Hitler den alternden Reichspräsidenten Hindenburg dazu überredet, eine weitere Notverordnung zu unterzeichnen, die alle bürgerlichen Grundrechte suspendierte, der Reichsregierung sämtliche Vollmachten übertrug, wo immer dies zur Aufrechterhaltung der Ordnung notwendig erschien, und eine Reihe von Verbrechen – zum größten Teil wirklicher oder angeblicher Widerstand gegen die Reichsregierung – mit Tod oder Gefängnis bedrohte.[3] Am folgenschwersten war aber wohl, daß die Verordnung vom 28. Februar die Polizei ermächtigte, Personen zu verhaften, ohne daß diese sofort einem Richter vorgeführt werden mußten, einen Anwalt konsultieren durften oder ein Einspruchsrecht hatten; es handelte sich hierbei um die berüchtigte »Schutzhaft«, die während der ganzen Hitlerzeit zum Hauptinstrument für die Beseitigung mißliebiger Personen wurde.[a] Die letzten demokratischen Wahlen, am 5. März 1933, wurden unter dem Schatten organisierter Masseneinschüchterung in allen Teilen des Landes abgehalten. Die formelle Amtseinführung Hitlers durch Hindenburg am 21. März 1933 in Potsdam und das Ermächtigungsgesetz, mit dem der Reichstag am 23. März Hitlers diktatorische

a) Die makabre Ironie in einem Begriff wie »Schutzhaft« lag darin, daß einzelne Personen und Personengruppen, die als »Volksfeinde« etikettiert wurden, *nicht* unter der Anschuldigung eines strafbaren Vergehens oder Verbrechens verhaftet wurden, sondern unter dem Vorwand, man müsse sie im Interesse ihrer eigenen Sicherheit vor der rechtmäßigen Wut des entrüsteten Volkes schützen. Das Etikett »Volksfeind«, die Anordnung der Schutzhaft und nötigenfalls auch der Ausbruch des Volkszornes gingen von oben aus. Goebbels bezeichnete diese tödliche Farce als »organisierte Spontaneität«.

Vollmachten bestätigte, waren lediglich Zeremonien, die nur noch bekräftigten, was bereits »erreicht« worden war.[4]
Die Auswirkungen des neuen Regimes auf den Anwaltsberuf ließen nicht lange auf sich warten. Damals wurde das Wort »Gleichschaltung« in den politischen Sprachgebrauch eingeführt. Schon bevor Hitler formell die Herrschaft übernahm, hatte die NSDAP entweder vorhandene Berufsverbände unterwandert oder Verbände in eigener Regie gegründet, die dann bald nach dem Januar 1933 die Übernahme der existierenden Verbände in die Wege leiteten. In der Regel ging die Gleichschaltung so vor sich, daß man zuverlässige Parteiaktivisten in die Schlüsselpositionen einer Organisation einschleuste. Diese Parteigenossen pflegten öffentliche Versammlungen zu veranstalten, auf denen eine nazistische Verbandspolitik per Akklamation unterstützt wurde und jeder Nonkonformist leicht als solcher zu erkennen war. Bloßstellung, Einschüchterung oder stärkere Maßnahmen waren für gewöhnlich ausreichend, um auch diese Leute »gleichzuschalten«. Ende März/Anfang April 1933 hatte das preußische Justizministerium die Genehmigung erteilt, »nicht-arischen« Anwälten die Vertretung von Mandanten und das Betreten von Gerichtsgebäuden zu untersagen.
Dann verfügte ein Gesetz vom 7. April, daß die Zulassung »nichtarischer« Anwälte zur Anwaltskammer widerrufen werden konnte, falls diese Personen nicht vor dem 1. August 1914 zugelassen worden waren oder als Frontkämpfer im Weltkrieg gedient hatten. Dieses Gesetz berührte also meinen Vater nicht, da er schon 1907 zur Rechtsanwaltskammer zugelassen worden war; doch weitere Verbote folgten. Am 23. Mai gab die Berliner Anwaltskammer eine Reihe von Bekanntmachungen heraus, in denen erklärt wurde, daß es künftig für jedermann unzulässig sei, mit Rechtskundigen beruflich zu verkehren, deren Zulassung zur Anwaltskammer widerrufen worden war oder aufgrund ihrer »nicht-arischen« Abstammung als zweifelhaft erschien. Ende Mai 1933 wurde mein Vater aus der Berliner Anwaltskammer ausgeschlossen und seiner Funktion als Notar entkleidet. Mitte Juni verlangte der Anwaltsverband von all seinen Mitgliedern einen »Arier«-Nachweis.[5]

Gut eine Woche vor dieser Entfernung aller Juden aus der Berliner Anwaltschaft wurde mein Vater verhaftet, weil er Jahre zuvor einen Kommunisten anwaltlich vertreten hatte.[b] Im Nazi-Regime wurde die rechtmäßige Verteidigung eines Kommunisten selbst als Beweis kommunistischer Tätigkeit behandelt. Da das Recht auf anwaltliche Vertretung abgeschafft worden war, war es nur logisch, alle Rechtsanwälte als parteiliche Fürsprecher ihrer Mandanten zu behandeln. Der Grundsatz der Kollektivschuld war in Deutschland Gesetz geworden, ebenso die rückwirkende Anwendung aller neuen Gesetze.

Die Axt fällt

Am 2. Juni 1933 wurde mein Vater verhaftet. Um fünf Uhr morgens standen zwei Polizisten an der Tür und weckten das ganze Haus auf. Es war ein Tag wie jeder andere. Mein Vater wollte ins Büro gehen. Ich wollte in die Schule gehen. Meine Schwester hatte eine Bürotätigkeit in der Stadt. Meine Mutter wollte sich um die häuslichen Angelegenheiten kümmern. Mein

b) In seiner Eigenschaft als Anwalt hatte mein Vater ein Mitglied der Kommunistischen Partei Deutschlands (KPD) verteidigt, einen Mann, der Funktionär, vielleicht sogar Vorsitzender des Freidenkerischen Bestattungsvereins war. In den Augen der Nazibehörden machte dieser Schritt meinen Vater abwechselnd zum Kommunisten, Atheisten, Atheistenführer oder einer Kombination davon. Die Tatsache, daß mein Vater schon 1919 antikommunistische Broschüren verfaßt hatte, war den Behörden unbekannt und hätte an ihrer Einstellung auch nichts geändert. Er hatte seine diesbezüglichen Ansichten übrigens nicht geändert, und ein Erholungsurlaub in der Sowjetunion 1929 hatte ihn in seinem Antikommunismus nur noch bestärkt, da er und meine Mutter während des zweiwöchigen Aufenthalts ständig überwacht wurden. Doch was meinen Vater betraf, so stand er auf dem Standpunkt, daß das Berufsethos von einem Anwalt fordere, jeden in Not befindlichen Mandanten zu nehmen, es sei denn, er habe Grund zu der Vermutung, daß der Mandant ihn nur gewählt habe, um seinen Namen und seinen Ruf für politische Zwecke zu mißbrauchen.

Vater war vorher nicht verständigt worden, vor allem ließ man ihm keine Zeit. Binnen zwanzig Minuten mußte er fertig sein. Unterdessen bewachten die beiden Polizisten den Vorder- und Hinterausgang der Wohnung. Für sie war es ein Routineauftrag, und natürlich wußten sie nicht, worum es ging. Glücklicherweise habe ich dank der verstrichenen Zeit und des wohltätigen Nachlassens meiner Erinnerung die Hysterie dieses Tages aus dem Gedächtnis verloren. Wahrscheinlich wurden kostbare Minuten mit dem Versuch verschwendet, von den teilnahmslos dabeistehenden Polizisten etwas Näheres zu erfahren. Weitere Minuten vergingen mit der enervierenden Auswahl einiger Kleidungsstücke und Toilettenartikel, die mein Vater mitnehmen durfte. Die zwanzig Minuten vergingen schnell. Als mein Vater und seine Bewacher fort waren, versuchten meine Mutter, meine Schwester und ich, so gut es ging, unseren Alltagsgeschäften nachzugehen. Erst später erfuhren wir, daß man ihn in das Gefängnis Spandau gebracht hatte – ironischerweise dieselbe Zitadelle im Norden Berlins, in der er während des Weltkrieges Dienst getan hatte.

Diese Zerstörung unseres gewohnten Lebens war besonders traumatisch für meinen Vater, der sich in seiner ganzen Arbeit der Reform des nunmehr in Trümmern liegenden Rechtssystems gewidmet hatte. In einem gewissen Sinne konnte er gar nicht glauben, was geschehen war. Seine Verhaftung und das Verhör fanden im Gefängnis statt. Wie in allen solchen Fällen im neuen Nazi-Regime machte man gar nicht erst den Versuch, den Schein eines ordnungsgemäßen Verfahrens oder gar einer formellen Untersuchung zu wahren. Offensichtlich hatte das Schutzhafturteil schon vor der Verhaftung festgestanden. Die Haft selbst war schlimm genug. Aber nach einem Leben für die Rechtsordnung plötzlich auf solche Weise entwurzelt zu werden und diesem neuen Nazi-Regime ausgeliefert zu sein, das aus der Legalität des Verfahrens eine Farce machte und jeden mit Hohn und Spott übergoß, der sich auf sie berief – dies alles machte die Lage meines Vaters noch schlimmer.

Hinzu kam die persönliche Entwürdigung, die er schmerzlich spürte. Viele Bewacher in Spandau waren keine altgedienten

Gefängnisbeamten, die ihre Arbeit schon seit Jahren verrichteten. Es waren junge Leute aus den Reihen der Arbeitslosen; manche gehörten der SA oder SS oder einer »vaterländischen« Organisation an. Der Gefängnisdienst war eine erste Belohnung für ihre Treue zum neuen Regime. Es war das reine Martyrium, ihnen wehrlos ausgeliefert zu sein – mit 56 Jahren, als Jude, als Intellektueller, als ein Mensch mit einer gewissen Achtung vor den bürgerlichen Anstandsregeln und nach einem am Schreibtisch und mit Büchern zugebrachten Leben. Die Wächter ließen ihren ganzen sozialen Neid an den Häftlingen aus, die im Vergleich zu ihnen wohlhabend und gebildet, aber nun offiziell entehrt waren und nach Lust und Laune gedemütigt werden durften. Dazu kam noch, daß die Wächter in der Gunst ihrer eigenen Vorgesetzten – für gewöhnlich führende SA- oder SS-Offiziere – steigen konnten, wenn sie sich betont forsch und schneidig gaben, und je lauter und kasernenhofmäßiger, desto besser.

Es gab auch viel physische Unbequemlichkeiten, doch waren die Verhältnisse in Spandau nicht allzu schlimm. Manche Wächter gehörten noch zur alten Garde. In jeder Zelle waren nur zwei Mann untergebracht, es wurde dafür Sorge getragen, daß die Häftlinge täglich Sport trieben, und für gewöhnlich durften sie auch lesen und schreiben. Mein Vater ließ sich schnell eine Überstrapazierung dieser Regeln zuschulden kommen. Seine Handschrift war schwer leserlich, seine umfangreichen Stöße von Briefen, Eingaben und Memoranden erschöpften bald die Geduld des Zensors, und dies alles sowie die dringlichen Bitten, die von meiner Mutter kamen, stempelten diesen Häftling in den Augen der Wächter schnell zum Störenfried.

Etwas später wurde mein Vater von Spandau in ein neu errichtetes Konzentrationslager in der alten Garnison Brandenburg, rund 60 Kilometer westlich von Berlin, verlegt. Hier waren die Häftlinge nicht in Einzelzellen untergebracht, sondern in großen Sälen, die jeweils 40 bis 50 Mann faßten. Jeder Häftling schlief auf einer mit Stroh gefüllten Matratze, um die herum er seine paar Habseligkeiten aufbaute, soweit der angrenzende freie Raum nicht schon dem Nachbarn »gehörte« – außer jenen Glücklichen, die ein Lager an der Wand erwischt hatten. Auch mußten die

Häftlinge in Brandenburg schwere körperliche Arbeit auf großen landwirtschaftlichen Flächen tun, die an die alte Garnison angrenzten. In der übrigen Zeit spielten die Insassen Karten oder Schach oder unterhielten sich. Selbstverständlich hatte jeder Häftling zu leiden, und doch war die Pein für meinen Vater von besonderer Art.

Infolge seiner starken Kurzsichtigkeit, seines Übergewichts und eines Lebens ohne nennenswerte körperliche Betätigung war er außerstande, den physischen Anforderungen, die man an ihn stellte, gerecht zu werden. Selbst bei den einfachsten Aufgaben war er durch Ungeschicklichkeit auf die Mithilfe des einen oder anderen wohlmeinenden Mithäftlings angewiesen. Gleichzeitig gehörte er aber zu den größten unter den Häftlingen und zog unweigerlich die Aufmerksamkeit der Wächter auf sich. Außerdem war er etwas schwerhörig und zugleich zerstreut, so daß er häufig die an ihn gerichteten Befehle überhörte. Ununterbrochen brütete er über der Ungerechtigkeit seiner Verhaftung. Was er erlebte, war für ihn wahrscheinlich qualvoller als für viele seiner Leidensgenossen, weil er unentwegt an das Recht glaubte.

In jenen Anfangstagen der Nazi-Diktatur waren Konzentrationslager noch nicht jene grauenvollen Todesfabriken, als die sie später ihre tragische Berühmtheit erlangten. Gewiß wurden KZ-Häftlinge von Anfang an zu schwerer körperlicher Arbeit gezwungen; sie wurden das Opfer von Schikanen und Torturen, sadistischen Bestrafungen und regelrechten Morden. Aber sie wurden mitunter auch freigelassen, weil sie »ihre Lektion gelernt hatten« oder weil Verwandte ein Ausreisevisum für sie besorgt hatten. Diese Periode, die dem systematischen Massenmord voranging – eine Periode der Milde kann man sie kaum nennen –, dauerte ungefähr von 1933 bis 1940.

Im Jahre 1933 und noch einige Jahre danach war das System der Konzentrationslager noch im organisatorischen Aufbau begriffen, und trotz des militaristischen Anstriches des Ganzen gab es noch viele Improvisationen und manchen Kompetenzenwirrwarr. Das war die Situation beim ersten Aufenthalt meines Vaters im Konzentrationslager Brandenburg. Die Haft setzte ihm sehr zu, aber die lebenslange Praxis hatte ihn kämpferisch gemacht. Er würde nach seinen Überzeugungen handeln, mochte er auch der unbeholfenste und vielleicht der schwächste Häftling im Lager sein. Falls eine Gesetzwidrigkeit vorlag, wollte er wissen, wer für sie verantwortlich war. Das Konzentrationslager und die Zerstörung der Rechtsordnung wirkten nicht abschreckend auf ihn. Ein Beispiel mag genügen.

Zusammen mit einigen hundert anderen Häftlingen wurde mein Vater Anfang Oktober 1933 aus dem Konzentrationslager Brandenburg entlassen. Die Beamten, die ihn abfertigten, ließen durchblicken, daß man ihm eine Lehre hatte erteilen wollen; jetzt wisse er, woran er sei, und werde sich hoffentlich danach richten. Jeder Häftling mußte bei seiner Entlassung eine Erklärung unterschreiben, in der er auf alle Entschädigungsansprüche verzichtete und für die Zukunft Wohlverhalten versprach. Im juristischen Sinne bedeutete dieses Versprechen das Eingeständnis eines Fehlverhaltens in der Vergangenheit, das nunmehr durch die Haft gesühnt worden war. Allerdings hatte es kein Gerichtsverfahren gegeben. Wenn der Anspruch erhoben wurde, daß die Verhängung von Schutzhaft ohne Gerichtsverfahren legitim sei, wozu bedurfte es dann noch eines formellen Verzichts auf alle Entschädigungsansprüche? Ein kurioser Fall von pervertiertem Rechtsdenken in einem KZ! In seinen Erinnerungen schreibt mein Vater, daß alles in ihm sich gegen diese offizielle Erpressung sträubte, so erpicht er auch auf seine Freilassung war. Als die Reihe an ihn kam, fragte er den Beamten zur Verblüffung aller Anwesenden: »Was geschieht, wenn ich die Unterschrift verweigere?« Er fragte es in scherzendem Ton, aber nicht aus Spaß, und der Beamte antwortete in derselben Weise: »Dann führen wir Sie wieder in den Saal zurück.«

> Darauf unterschrieb ich in der Rechtsüberzeugung, daß nunmehr eine klare Rechtslage geschaffen sei, weil ich meine Unterschrift unter dem Zwange der angedrohten weiteren Freiheitsentziehung leistete.[6]

Er hatte 30 Pfund abgenommen, aber sein Lebensmut war ungebrochen.

Er kehrte aus der Haft mit dem Vorsatz zurück, in Deutschland zu bleiben. Er wußte natürlich, daß die Maßnahmen gegen Juden schlimmer werden und damit auch ihre äußeren Folgen haben konnten, aber das würde ihn nicht persönlich berühren – so glaubte er wenigstens. Er hatte niemals geleugnet, Jude zu sein, aber er hatte nichts mit jüdischer Kultur, mit jüdischen Überlieferungen, Schriften oder Überzeugungen zu tun gehabt. Vielmehr war es die deutsche Kultur, in der er groß geworden war, Deutschland war seine Heimat, und er wäre sich als Verräter vorgekommen, wenn er nun das Land verlassen hätte. Gewiß, das neue Regime stufte die Juden als eine verachtete Minderheit ein; aber schließlich werden in jeder Gesellschaft irgendwelche Minderheiten schäbig behandelt. Die Angehörigen solcher Gruppen müssen ihre Treue zu ihrem Lande gerade dann beweisen, wenn sie ungerecht oder gar rechtswidrig behandelt werden. In seinen Briefen aus der Haft richtete mein Vater diese Argumente insbesondere an uns Kinder, um seinen Entschluß zu erklären, in Deutschland zu bleiben.[7]

Einverständnis mit der Gestapo?

Nach der Entlassung aus der Haft machte mein Vater sich sofort daran, eine neue Grundlage für seinen Lebensunterhalt zu finden. Schon einer seiner ersten Gänge nach der Heimkehr führte ihn in das Hauptquartier der Gestapo (Geheime Staatspolizei), wo er mit dem für seine Sache zuständigen Beamten sprechen wollte. Über jeden, der in Haft gewesen war, wurde eine Akte angelegt; in dieser Hinsicht setzte das Nazi-Regime nur eine alte bürokratische Praxis fort. Er wollte genau wissen, wo er stand, und es gab keine formalen Einwände gegen seinen Plan, nunmehr, da er aus der Anwaltskammer ausgeschlossen worden war, als Rechtsberater tätig zu werden.[c] Der Gestapo-Beamte teilte meinem Vater

c) Personen mit juristischer Ausbildung, aber ohne Abschlußprüfung/Staatsexamen, formelle Zulassung bei einem Gericht und Mitgliedschaft in der Anwaltskammer durften auf Gebührenbasis rechtsberaterisch tätig sein. Sie konnten aber nicht vor Gericht erscheinen, und von ihnen vorbereitete Dokumente hatten keine juristische Wirksamkeit. Immerhin

angelegentlich mit, daß einer seiner Kollegen, ein Mithäftling in Spandau und Brandenburg, ohne Schwierigkeiten die Erlaubnis zur sofortigen Auswanderung nach Palästina erhalten habe. Erfahren, wie mein Vater im Umgang mit der Bürokratie war, überhörte er den unausgesprochenen Hinweis, weil er ihn nicht hören wollte. Er wollte versuchen, sich an die neue Situation, so gut er konnte, anzupassen. In seinen Erinnerungen erläutert er:

Trotz aller Mißerfolge und Verschüchterungen ließ ich mich nicht unterkriegen. Ich weiß sehr wohl, daß manche meiner Freunde und Kollegen mein geschildertes Verhalten als unwürdig mißbilligen, und vielleicht etwas freundlicher als einen rührenden Beweis meines Wolkenkuckucksheimertums ansehen. Wer so urteilt, hat bereits dem Gegner den Platz geräumt und seine alte Heimat aufgegeben. Man mag es noch so töricht nennen, ich stand auf einem anderen Standpunkt. Ich kämpfte um jeden Zoll Bodens und hielt mit allen Fasern meines Wesens an ihm fest. Ich wollte mich nicht entwurzeln lassen. (. . .) Mein unverwüstliches Streben nach Wiedergewinnung meines, mir entzogenen Lebensraumes führte innerlich notwendig dahin, trotz aller Differenzierungen und Diskriminationen eine Gemeinsamkeit mit den Machthabern über Land und Volk zu bejahen und es ihnen in persönlichen Auseinandersetzungen zu überlassen, in den einzelnen Fällen die Schranke zu ziehen. Zur Aufrechterhaltung der Würde meiner Persönlichkeit hielt ich es geradezu für meine Pflicht gegen mich selbst, die durch die geltenden Gesetze gegebenen Möglichkeiten bis zum Letzten in Anspruch zu nehmen. Ich hatte jedenfalls wiederholt den Eindruck gewonnen, daß diese Haltung der bedingungslosen Zusammengehörigkeit ihre starke Wirkung nicht verfehlte. (. . .) So kam es denn, daß ich, bildlich gesprochen, tausend Wege ging, von denen ich wußte, daß sie in die Wüste führen. Aber dieses Wissen konnte mich nicht abhalten, die Wege zu gehen. Ich wollte die Ergebnislosigkeit, vielfach schwarz auf weiß, bei meinen Akten haben.
(. . .)
Die ungünstige Prognose, die ich keineswegs verkannte, schreckte mich nicht ab, denn es gehörte zu meinen Grundanschauungen, daß ich im öffentlichen wie im privaten Leben klargestellt wissen wollte, für welche

konnten sie hilfsweise Dienstleistungen sowohl für Mandanten erbringen, die sich einen regulären Anwalt nicht leisten konnten, als auch für Rechtsanwälte, die nicht die nötige Zeit für den ganzen juristischen Papierkrieg hatten.

Deutung die letzte entscheidende Stelle eintrat und die Verantwortung übernahm. Der Gedanke erschien mir unerträglich, daß gesagt werden könnte: ›Warum hast Du den Kampf vor der Zeit aufgegeben? Die letzte und höchste Stelle hätte zu Deinen Gunsten entscheiden können.‹[8]

In Anbetracht dieser Einstellung war es wohl unvermeidlich, daß seine Bemühungen nunmehr unter Umständen einen etwas grotesken Charakter annahmen.

Nachdem er die formelle Genehmigung der Gestapo eingeholt hatte, bereitete mein Vater ein Rundschreiben vor, in dem er seine Dienste als Rechtsberater anbot. Es war insofern ein einzigartiges Dokument, als es seinen früheren Positionen und Titeln als Rechtsanwalt die verschiedenen Rechtsgebiete gegenüberstellte, auf denen er nunmehr als Rechtsberater tätig werden wollte. Dieser Schritt war unter den damaligen Umständen ziemlich gewagt, und mein Vater traf, wie er glaubte, sorgfältige Vorkehrungen, indem er andere Anwälte wegen des Wortlauts des Dokuments um Rat fragte. Schließlich wurde das Blatt an alle seine früheren Klienten und überhaupt an jeden verschickt, der meinem Vater in den Sinn kam.

Die Folge war, daß eine große Zahl von Menschen von seiner schwierigen Situation erfuhr. Einige seiner einstigen Klienten glaubten, seine Lage durch Erpressung ausnutzen zu können, um von ihm eine Rückzahlung entrichteter Anwaltsgebühren zu erzwingen. Unbeeindruckt versuchte er, seine Tätigkeit durch Kontaktaufnahme mit Menschen in gehobenen Positionen zu fördern, die vielleicht in der Lage waren, ihm zu helfen. Auch Bemühungen, seinen Namen von dem Makel der Inhaftierung zu reinigen, gehörten zu seinem Versuch, sich als Rechtsberater zu etablieren. Er war überzeugt davon, daß er in seinem neuen Beruf nur Erfolg haben könne, wenn seine Reputation unbefleckt war. Daher erklärte er bei jeder nur möglichen Gelegenheit, daß seine Schutzhaft sich auf falsche Voraussetzungen gegründet habe. Er hatte stets den Kommunismus bekämpft und konnte dies durch seine Veröffentlichungen beweisen. Jeder anständige Rechtsanwalt war verpflichtet, Personen zu verteidigen, deren Überzeugungen er nicht teilte, so wie er auch einen Dieb oder einen Mörder verteidigen würde, obwohl er sich selbst nichts hatte

Dr. jur. Ludwig Bendix

Sprechst.: 4–6 nachm.
außer Sonnabends

Berlin W. 30, Datum des Poststempels
Landshuter Straße 3, III. (Fahrstuhl)
Fernspr.: B 6 (Cornelius) 33 32

früher:

Fachanwalt für Arbeitsrecht
Rechtsanwalt und Notar
nebenamtlicher Vorsitzender
beim Arbeitsgericht Berlin

jetzt:

Rechtsberater
besonders
auf den Gebieten
Arbeits-, Straf-, Disziplinar-,
Versicherungsvertrags-,
Grundbesitz-, Hauszinssteuer-
und
Öffentliches (Beamten-) Recht

An meine Klientel,

meine Tätigkeit als Anwalt und Notar habe ich aufgeben müssen. – Ich fühle mich aber durch eine lebenslange praktische und theoretische Beschäftigung mit dem deutschen Recht so eng verbunden, daß ich schon aus diesem inneren, ideellen Grunde meine Tätigkeit in dem Rahmen fortsetzen muß, der mir nach den jetzt geltenden Gesetzen geblieben ist.

Meine Klientel kennt meine frühere, der Sache und dem Recht hingegebene Anwaltstätigkeit. Wenn ich sie jetzt in dem mir verbliebenen Rahmen überwiegend *außer*gerichtlicher *Rechtsberatung* fortsetze, so rechne ich darauf, daß Sie mir, wie bisher, *Ihr Vertrauen* schenken und mir die *Treue* halten, die Sie *bei mir* immer gefunden haben.

In gleicher Weise bin ich schon *immer* früher bei den *Arbeitsgerichten erster Instanz* tätig gewesen, bei denen ein *Auftreten* von Anwälten überhaupt unzulässig ist. – Als ehemaliger Vorsitzender beim Arbeitsgericht Berlin bin ich mit der gütlichen Erledigung von Streitigkeiten vertraut und kann äußerstenfalls bei ihrer schiedsrichterlichen Entscheidung mitwirken.

Durch meine, in 26jähriger Tätigkeit gewonnenen Sach- und Personalkenntnisse glaube ich auch,

bei der Auswahl eines geeigneten Prozeßvertreters

wertvolle Dienste leisten zu können.

Endlich möchte ich noch darauf hinweisen, daß ich mich ganz besonders neuerdings den

Grundsteuer- und Hauszinssteuer-Vorschriften

zugewandt habe. –

Wegen der *Honorierung* wird sich ein jeden Teil befriedigender Weg finden lassen. – *Meine Rücksichtnahme auf die Vermögensverhältnisse meiner Klienten ist allgemein bekannt.*

Ihr ganz ergebener
Dr. jur. Ludwig Bendix

zuschulden kommen lassen. Doch beschränkte mein Vater sich nicht auf solche Selbstrechtfertigungen.
Er ging dazu über, Honorare von Zeitschriften zu fordern, die Aufsätze von ihm akzeptiert hatten, welche sie nun unter den veränderten Umständen nicht mehr abdrucken wollten. Mein Vater stellte sich auf den Standpunkt, daß die Annahme der Aufsätze nach deutschen Gepflogenheiten eine Verpflichtung zu Honorarzahlung nach sich ziehe, ob der Aufsatz veröffentlicht wurde oder nicht. Dann stellte sich heraus, daß die Polizei im Magazin seines Verlegers die noch vorhandenen Exemplare seiner Bücher beschlagnahmt hatte, wogegen er förmlichen Protest einlegte. Er schrieb auch neue Aufsätze und schickte sie zum Abdruck an Zeitschriften. Einer dieser Aufsätze ist wirklich noch erschienen.[9] Er enthält in vorsichtiger Form eine Kritik an einem früheren Artikel des damaligen preußischen Justizministers Roland Freisler, der erst später durch seine Todesurteile berüchtigt wurde. Nach einigem Zögern entschloß mein Vater sich sogar, ein Belegexemplar dieses Aufsatzes mit der höflichen Bitte um eine gelegentliche Unterhaltung über dessen Inhalt an Freisler abzusenden. Heute mögen solche Bemühungen als harmlos erscheinen, aber damals waren sie Ausdruck der Entschlossenheit meines Vaters, seine alte Tätigkeit in den ihm vom Gesetz gezogenen Grenzen fortzusetzen. Den Nazis bewiesen sie, daß dieser Mann seine »Lektion« noch immer nicht gelernt hatte.
Doch anders zu handeln, hätte für meinen Vater bedeutet, sich freiwillig von seinem Lebenswerk loszusagen. Um in seinem einsamen Kampf nicht nachzulassen, um sich zu beweisen, daß er recht hatte, klammerte er sich an jeden Strohhalm, d. h. an jede Ausnahme von der allgemeinen Entwicklung. Ein Polizist in Zivil erschien bei ihm und äußerte geradezu furchtsam die Bitte, er möge ihn vertreten; ja, er wisse, daß mein Vater Jude sei, trotzdem hoffte er, als Klient angenommen zu werden – obwohl er selbst im Rahmen seines Dienstes an der ersten Verhaftung meines Vaters beteiligt gewesen war. In einem anderen Falle trieb mein Vater alte Schulden bei einem früheren Klienten ein, einem mittleren Beamten, der sich unerwartet freundlich zeigte und zugab, daß es ihm und seinen Freunden verboten sei, jüdische

Ärzte und jüdische Geschäfte aufzusuchen, daß sie sich aber über diese Instruktionen hinwegsetzten, wenn sie nicht in Uniform waren. Neben großen Enttäuschungen in fast jeder anderen Hinsicht gab es reine Reihe derartiger Vorkommnisse, und mein Vater klammerte sich an sie.

Seine Tätigkeit als Rechtsberater erregte Aufmerksamkeit. Es dauerte nicht lange, bis er vor ein Polizeirevier im Norden Berlins zitiert wurde, wo man ihm das Rundschreiben vorlegte, das er verschickt hatte. Die Berliner Anwaltskammer hatte beim Kriminalgericht Berlin gegen meinen Vater als Rechtsberater eine Klage wegen unlauteren Wettbewerbs angestrengt. Er wurde schließlich freigesprochen, und so könnte man versucht sein, der Angelegenheit wenig Bedeutung beizumessen. Aber seine Reaktion auf diese Anschuldigung, seine geradezu verzweifelten Bemühungen, sich auf das Verfahren vorzubereiten, und schließlich der Prozeß selbst verdienen Beachtung. Auf seiten der Kläger stellte die ganze Angelegenheit eine bewußt geplante, öffentliche Erniedrigung meines Vaters dar. Auf seiten meines Vaters zeigte seine Haltung – an die er noch nach über zwei Jahren lebhaft zurückdachte –, wieviel die Zugehörigkeit zur Anwaltszunft für ihn persönlich bedeutet hatte.[10]

Ein Prozeß

Seine erste Reaktion auf die Vorladung war ungläubiges Staunen. Dies waren also seine früheren Kollegen, die anscheinend darauf aus waren, ihn persönlich einzuschüchtern und seine Existenz zu vernichten. Obgleich aus der Kammer ausgeschlossen, war er noch immer der alte Rechtsanwalt und mochte nicht glauben, daß seine früheren Kollegen zu einem solchen Tiefschlag fähig seien. Er wollte und mußte selbst feststellen, wie diese Kollegen persönlich auf ihn reagierten, zumal er eine Reihe von ihnen kannte und mit ihnen früher recht freundschaftliche Beziehungen unterhalten hatte. Dieses unmittelbare Herantreten an die führenden Funktionäre der Anwaltskammer fiel ihm nicht leicht. Doch hätte mein Vater alles getan, um sich selbst und seiner Familie

einen Auftritt vor dem Kriminalgericht zu ersparen. Trotz des unverkennbaren politischen Hintergrundes der Klage empfand er es als persönliche Schande, möglicherweise als Angeklagter auf der Anklagebank zu sitzen. Niemals hatte ihm jemand irgend etwas Unehrenhaftes unterstellt, und jetzt hielten ihn sogar Angehörige seines eigenen, »früheren« Berufsstandes einer kriminellen Handlung für fähig! Es mochte eine primitive Reaktion seinerseits sein, schrieb mein Vater, aber er fürchtete eine öffentliche Anklage und Verhandlung nicht aus juristischen Gründen, sondern als einen persönlichen Makel.[d]
Schweren Herzens trat er an drei führende Persönlichkeiten der Anwaltskammer heran, die er persönlich kannte. Sie wußten die äußere Form auf verschiedene Weise zu wahren, blieben aber hartnäckig bei ihrer Weigerung, sich für meinen Vater zu verwenden. Mein Vater fand es abstoßend und verwerflich, daß diese Leute bereit waren, unter einem fadenscheinigen Vorwand

d) Anfang 1934 war diese persönliche Empfindung durch eine Vorladung zu einem Prozeß gegen Unbekannt vor einem Ehrengericht unterstrichen worden. Einem ungenannten Anwalt wurde vorgeworfen, gegen den Ehrenkodex seines Berufsstandes verstoßen zu haben, indem er Mandanten übernahm, die ihm mein Vater zugeführt hatte, und dann mit diesem die Gebühren teilte. »Das hätte ich unter meinem Eide ohne weiteres verneinen können; es war ausdrücklich meine eidliche Vernehmung beantragt worden ›zur Herbeiführung einer wahrheitsgemäßen Aussage‹. Diese mißtrauische Stellungnahme meiner früheren Kollegen und die Behauptung selbst, die auf mich doch auch einen Schatten warf – mir erschien es immer noch häßlich und verwerflich, den alten Kollegen in den Rücken zu fallen; ich mied es ängstlich, derartige Möglichkeiten, die sich bei der Not der Anwälte reichlich boten, auch nur in Erwägung zu ziehen –, entrüsteten mich bis aufs Blut und reizten mich zu äußerstem Widerstand: Ich verweigerte meine Aussage mit der Begründung, die ich auch heute noch für richtig halte, daß eine Vernehmung nur in einem Strafverfahren gegen eine bestimmte Person zulässig wäre, nicht aber zu ihrer Ermittlung, der betreffende Anwalt müsse mir namhaft gemacht, und ich könnte nur befragt werden, ob ich mit ihm Beziehungen unterhielte, die nach den anwaltlichen Standesauffassungen ihm verboten wären. Dem Richter schien das ganz plausibel . . .«[11]

gegen einen ehemaligen Kollegen vorzugehen; früher hatten sie eine gute Meinung von ihm gehabt. Für ihr Verhalten schien es nur eine einzige Erklärung zu geben. Man hatte sie unter Druck gesetzt, so daß sie nichts mit einem Juden zu tun haben wollten, selbst wenn er ihrer Ansicht nach im Recht war.

Diese Einsicht kam meinem Vater nicht erst nachträglich, und es wäre falsch, ihn für naiv zu halten. Er verstand die Situation sehr gut, zumal die Gerichte den neuen Rechtsstandpunkt unzweideutig formuliert hatten: »Es gehört zu den weltanschaulichen Grundsätzen der staatstragenden nationalsozialistischen Bewegung und damit auch zu den Grundsätzen des Staates selbst, daß im deutschen Staat nur Mitglieder der deutschen Volksgemeinschaft an der Rechtssprechung beteiligt sein können. Zu dieser Volksgemeinschaft gehören die Juden nicht.«[12] Solche Erklärungen konnten aber meinen Vater nicht in seiner Entschlossenheit beirren, sich seiner Haut zu wehren. Wenn es schon keine Möglichkeit gab, die Klage der Berliner Anwaltskammer abzuwenden, wollte er es dieser wenigstens so schwer wie möglich machen, den Prozeß zu gewinnen. Immerhin bezweckte die Klage nicht weniger als seine gesellschaftliche Erniedrigung und seine Verdrängung aus der Position des Rechtsberaters. Er zog das ganze Korpus der Rechtswissenschaft heran, um zu beweisen, daß die Anklage sowie die von ihm verlangte eidliche Aussage kein rechtliches Fundament hatten. Selbst die schmale Existenzgrundlage, welche ihm verblieben war, befand sich jetzt in Gefahr. Im Innersten seines Herzens fühlte mein Vater sich noch immer als dem Anwaltsstand zugehörig – trotz seines formellen Ausschlusses aus der Anwaltskammer. Aber es war klar, daß die Zunft ihn nunmehr als ihren Feind betrachtete, als ob er niemals auch nur das Geringste mit dem Recht zu tun gehabt hätte.[13]

Mein Vater brauchte einen Anwalt, der ihn vor Gericht verteidigen würde. Aus langer Erfahrung wußte er, daß auch der geschickteste Anwalt im Nachteil ist, wenn er in eigener Sache plädieren soll, insbesondere dann, wenn es wie in diesem Fall um Fragen des persönlichen Verhaltens und der persönlichen Ehre ging. Niemand kann überzeugend wirken, vor allem nicht vor einem feindselig gesinnten Gericht, wenn er nicht nur in eigener

Sache sprechen, sondern auch seine früheren Leistungen und seinen Ruf als unbescholtener Mensch ins rechte Licht rücken soll. Unter den gegebenen Umständen kam nur ein jüdischer Anwalt in Betracht; doch diejenigen, an welche mein Vater sich wandte, waren nicht eben entzückt, ihn zu sehen. Sie konnten nicht nein sagen, wollten aber auch nicht ja sagen. Der eine hatte im Vorstand der Anwaltskammer gesessen und wollte nicht den Eindruck erwecken, seinen eigenen Nachfolgern in den Rücken zu fallen. Ein anderer prüfte die Akten und erklärte, der Fall sei ganz klar und mein Vater selbst der dafür bei weitem geeignetste Mann. Schließlich blieb meinem Vater nichts anderes übrig, als sich an »arische« Anwälte zu wenden. Von ihnen erklärten drei, daß sie nicht als Verteidiger gegen ihre eigene Anwaltskammer auftreten würden. Ein einziger erklärte sich dazu bereit, da er meinen Vater schon im Zusammenhang mit dessen Ausschluß aus der Anwaltskammer verteidigt hatte; aber dieser Mann war unglücklicherweise gerade krank. Schließlich ging mein Vater alle Kollegen durch, mit denen er in früheren Zeiten auf freundschaftlichem Fuße gestanden hatte: würden sie sich diesem schweren Konflikt zwischen dem alten kollegialen Verhaltenskodex und der neuen nazistischen Ausrichtung der Anwaltskammer aussetzen? Die einfache Antwort lautete: nein. Mein Vater wurde wieder von seiner alten Lieblingsidee verfolgt, daß Richter – wenn das mögliche wäre – einen Prozeß gegen sich selbst miterleben müßten, um einfühlsamer gegenüber denen zu werden, die im Gerichtssaal vor ihnen stehen. Jetzt kam ihm der Gedanke, daß vielleicht auch werdende Anwälte derselben Prozedur unterworfen werden sollten: zwei Tage vor dem festgesetzten Gerichtstermin hatte er noch immer keinen Anwalt gefunden, der seinen Fall übernommen hätte.

Zuletzt blieb ihm nichts anderes übrig, als die Liste aller Berliner Rechtsanwälte durchzugehen, um so vielleicht durch Zufall auf einen Namen zu stoßen, der ihm in letzter Minute die nötige Hilfe gewährte. Er war wieder auf die jüdischen Anwälte zurückgekommen und war schließlich auf einen Mann von unübertroffener Reputation gestoßen, der ganz in seiner Nähe wohnte. Er suchte diesen Justizrat Aronsohn auf, machte sich aber nur geringe Hoffnungen. Er berichtete ihm von seiner erfolglosen Suche und sagte abschließend, daß wahrscheinlich Aronsohn selbst Bedenken habe, zumal nur ein geringes Honorar in Aussicht stehe. Doch Aronsohn erwies sich als der eine Mann, der anders war als die anderen. Seine umfangreiche Anwaltspraxis war zu einem Nichts zusammengeschrumpft; zugleich war er wohlhabend und finanziell unabhängig. Am Anwaltsberuf hatte er kein Interesse mehr, und er zögerte nicht, als Verteidiger zu fungieren; dazu kam, daß er für seine Bemühungen kein Honorar nehmen wollte. Für Aronsohn war mein Vater ein Kollege (sein Ausschluß aus der Anwaltskammer existierte für ihn nicht), und das alte Berufsethos verbot es, unter Kollegen Honorare zu nehmen. Mein Vater versuchte, ihm klarzumachen, daß er im Rahmen seiner beschränkten Möglichkeiten ein Honorar zu zahlen *wünsche*. Doch Aronsohn blieb eisern und besaß sogar die Anständigkeit, meinem Vater zu erläutern, warum er bisher keine Strafsachen übernommen habe. Er stehe gerne zu Diensten, sobald er (binnen 24 Stunden) den Fall studiert habe, vorausgesetzt, daß mein Vater ihm nach wie vor sein Vertrauen schenke.

Mit tiefem Dankgefühl ging ich nach Hause, ganz besonders beeindruckt durch das anwaltliche Pflichtgefühl der alten Schule, nach dem es geradezu ein Berufsverbrechen ist, – ähnlich wie beim Arzt – dem in Not Befindlichen den Beistand zu versagen. Und nun gar aus persönlichen Gründen des eigenen Nachteils![14]

Es kam der Tag der Verhandlung. Im Gerichtsgebäude angekommen, teilten die beiden Männer das Schicksal anderer Angeklagter, Zeugen und Verteidiger: sie mußten auf dem Korridor warten, bis ihr Fall aufgerufen wurde. Viele frühere Kollegen meines Vaters kamen auf dem Wege in die einzelnen Säle an ihnen vorbei. Meinem Vater fiel auf, daß nun er darauf wartete, von ihnen gegrüßt zu werden; er fühlte sich nicht mehr unbefangen genug, um von sich aus zu grüßen. Einige blieben stehen, um ein Wort mit ihm zu wechseln und ihn zu fragen, auf welchen Fall er warte – anscheinend hatten sie noch nichts von seinem Schicksal gehört. Andere wußten mehr. Die »arischen« Anwälte blieben auf Distanz, so gut er auch früher mit ihnen bekannt gewesen sein mochte. Jüdische Anwälte sprachen freimütig mit ihm und gratulierten ihm dazu, daß er nun nicht länger von den Standesrücksichten der Anwaltschaft eingeengt werde. Bei meinem Vater rief die ganze Szene die melancholische Überlegung hervor, daß diese anderen weiter ihren gewohnten Geschäften nachgehen würden, während er zu den armen Teufeln gehörte, die auf ihr Urteil warteten. Der Fall wurde aufgerufen.

Aronsohn war mit seinen Akten und Büchern vorausgegangen, um am Tisch des Verteidigers Platz zu nehmen. Mein Vater folgte ihm mit wachsamer Gespanntheit, aber äußerlich gelassen in den Gerichtssaal. Aronsohns Auftritt rief Erstaunen hervor, sein Name stand nicht auf dem Terminkalender des Gerichts. Die erste Frage war, ob der Beklagte auf der Anklagebank Platz nehmen müsse; mein Vater hatte sich schon auf diese neue Demütigung gefaßt gemacht, aber es stellte sich heraus, daß diese Maßregel in seinem Falle keine Anwendung fand. Er bemerkte eine ungewöhnliche Bewegung bei den Gerichtsreportern und bei verschiedenen Anwälten, die in den Saal gekommen waren, nachdem sie erfahren hatten, daß sein Fall aufgerufen worden war. Diese Leute musterten ihn und seinen Rechtsbeistand mit einer kaum verhohlenen Neugierde, die er geradezu körperlich spürte, wie Ungeziefer, das man ertragen muß, ohne es abschütteln zu können. Die Szene wurde noch bitterer, als ein jüdischer Anwalt in den Saal trat, der ein guter Bekannter meines Vaters gewesen war (seine Tochter ging mit meiner Schwester in eine Klasse), der aber nun meinen Vater nur mit einem kaum wahrnehmbaren Kopfnicken begrüßte. Hier war ein Mann, der wie mein Vater Sozialdemokrat und Mitglied des Republikanischen Richterbundes gewesen war und zu dem bei anderen Gelegenheiten sehr herzliche Beziehungen bestanden hatten. Diesmal war es anders. In seinen Erinnerungen bemerkt mein Vater, daß in seiner Zeit der größten Not ein Mann wie dieser nicht hätte auf Distanz gehen, sondern seine Solidarität beweisen sollen. Doch konnte man andererseits wirklich erwarten, daß ein jüdischer Anwalt, der noch seine Praxis ausüben durfte, seine Position ohne Not gefährdete? Denn 1935 war die Position von jüdischen Anwälten in der Tat bemitleidenswert geworden. Alle

»arischen« Anwälte, die vor Gericht auftraten, grüßten nach allen Seiten mit dem Nazigruß und einem markigen »Heil Hitler«. Die jüdischen Anwälte fielen sofort auf, weil ihnen nur erlaubt war, den rechten Arm zu heben. Der gesprochene Gruß bewirkte Zusammengehörigkeitsgefühl, Diskriminierung und gesellschaftliche Ausgeschlossenheit in einem.

Als der Richter in den Gerichtssaal trat, wurde der Hitlergruß mit seiner gezielten Diskriminierung wiederholt. Nach den üblichen Formalitäten fragte der vorsitzende Richter meinen Vater, ob er seinen Einspruch gegen die Anklage zurückziehen wolle. Als er eine verneinende Antwort erhielt, betonte er, daß mein Vater im Falle der Verurteilung eine höhere Strafe zu gewärtigen habe. Dieser Punkt wurde in unterschiedlicher Form mehrmals wiederholt, was darauf schließen ließ, daß entweder für den Richter das Urteil schon feststand oder daß er es für angezeigt hielt, sich öffentlich für den vom Nazi-Regime bevorzugten Ausgang des Verfahrens zu erklären. Nach all diesen Vorbereitungen erwies die Verhandlung selbst sich insofern als enttäuschend, als sie größtenteils aus einer minuziösen juristischen Prüfung jenes Rundschreibens bestand, das mein Vater verschickt hatte, um seine neue Tätigkeit als Rechtsberater bekannt zu machen. Er hatte auf den Wortlaut dieses Schriftstücks große Sorgfalt verwendet, und es gelang dem Gericht nicht, in ihm irgendeine unrichtige Aussage zu finden, was die Vorbedingung dafür war, daß ein strafbares Vergehen des »unlauteren Wettbewerbs« vorlag. Kein einziger der Vorwürfe gegen ihn konnte erhärtet werden. In Ermangelung handfester Vorwürfe erging das Gericht sich in einer Orgie der persönlichen Diffamierung, einer Technik, die meinem Vater aus früheren Rechtsstreitigkeiten vertraut genug war, der er aber nun zum ersten Male selbst zum Opfer fiel. Der vorsitzende Richter stand eindeutig auf seiten der Anwaltskammer. Er schien zu einem unsichtbaren Publikum »draußen« zu sprechen und verbreitete sich unentwegt über die Notwendigkeit, den Berufsstand der Rechtsanwälte vor der Konkurrenz der aus der Kammer Ausgeschlossenen zu schützen. Obwohl das Gericht die Integrität meines Vaters in Zweifel gezogen hatte, sprach es ihn von der Anklage des unlauteren

Wettbewerbs frei, und in der Urteilsbegründung war nichts von dieser persönlichen Diffamierung mehr enthalten.

Wohl ging ich als Sieger aus dem Verhandlungssaal nach Hause. Aber ich war geschlagen worden und fühlte mich von den erlittenen moralischen Schlägen ganz elend.[15]

In der Urteilsbegründung bestätigte das Gericht praktisch den Standpunkt meines Vaters, wie um ihn durch die schriftliche Entscheidung (die höchstwahrscheinlich kein Mensch jemals lesen würde) für die persönliche Verleumdung zu entschädigen, die er öffentlich über sich hatte ergehen lassen müssen. In den Zeitungen des nächsten Tages wurde der Fall mit keiner Silbe erwähnt.

Der Prozeß hatte deutlich gemacht, daß die persönliche Identifizierung meines Vaters mit dem Anwaltsberuf eine recht einseitige Zuneigung geworden war. Die Anwaltskammer sah in ihm auch als Rechtsberater ihren Feind, wie immer das Gericht entschieden haben mochte. Doch gab ihm der Freispruch die formelle Möglichkeit, seine Tätigkeit als Rechtsberater fortzusetzen. Bisher waren noch keine Maßnahmen gegen die wirtschaftliche Betätigung von Juden ergriffen worden, und als Rechtsberater brauchte mein Vater auf die im Anwaltsberuf üblichen Beschränkungen keine Rücksicht zu nehmen. Er hätte verschiedene Gelegenheiten nutzen können, die sich ihm boten. Anscheinend betrachtete man weder seinen Ausschluß aus der Anwaltskammer noch seine kurze Inhaftierung als Hindernis; sein Ruf und seine in früheren Jahren gewonnene Erfahrung hätten sich mit wirtschaftlichem Vorteil verwerten lassen können. Aber mein Vater war noch immer von der Standesauffassung erfüllt, daß der Rechtsanwalt besondere Verpflichtungen gegenüber der Gesellschaft habe, denen er sich entziehen würde, wenn er auf den Markt ginge.

... mir fehlte der spekulative, kaufmännische Geist, ich war schon irgendwie durch die lebenslange Anwaltstätigkeit verbeamtet. Der Mut fehlte mir, größere Inseratenkosten aufzuwenden und die allgemeine Aufmerksamkeit immer wieder auf mich hinzulenken, ein Mangel, wie er für den nach Sicherheit strebenden Beamten typisch ist. Es gab nun einmal gewisse unüberwindliche Hemmungen für mich, die durch die anwaltlichen Standesauffassungen hervorgerufen waren, aber mit dem Wegfall der Standesdisziplin keinesfalls verschwunden waren. Sie waren Charaktereigenschaften geworden. Das war der tiefere Grund, weswegen mich die Behauptungen des Vorstandes der Anwaltskammer schon so tief treffen und kränken konnten. Darauf ist es auch zurückzuführen, daß ich es immer als eine innere Genugtuung und Bestätigung meines Wesens empfand, wenn meine alten und neuen Klienten mit ganz seltenen Ausnahmen in mir den Anwalt sahen und dementsprechend die gewohnte Distanz hielten und Achtung bekundeten, obgleich ich peinlich darauf hielt, daß sie, die über meinen Ausschluß aus der Anwaltschaft genau im Bilde waren und von mir über die Einzelheiten ins Bild gesetzt wurden – mein Mitteilungsdrang auf diesem Gebiete kam nicht zur Ruhe und fand seine Befriedigung in der allgemeinen Anerkennung des gegen mich begangenen Unrechts und der Teilnahme an meinem schuldlosen Mißgeschick – mich nicht mehr, wie sie es gerne zu tun pflegten, mit dem Anwaltstitel anredeten. Wie früher mit ›Herr Rechtsanwalt‹ angeredet zu werden, verursachte mir ein ästhetisches Unbehagen, wie es einen aufrichtigen Menschen überkommt, wenn man ihn als etwas bezeichnet, was er nicht ist. Ein merkwürdiges Gemisch von Philosophie der sauren Trauben und Ärger gegen diejenigen, die es zu verantworten haben, daß man sie nicht mehr besitzt. Aber was ich da empfand, war kein gewöhnlicher Ärger im Sinne von Verdruß, sondern im Sinne eines moralischen Vorwurfs und eines sittlichen Unwerturteils, wie es ein zu Unrecht verurteilter Angeklagter gegen seine Richter empfindet.[16]

1935, in dem Jahr des Prozesses gegen meinen Vater, war ich neunzehn Jahre alt. In den Jahren zuvor hatte er meine persönliche und geistige Entwicklung stark beeinflußt. Seinen Kampf um das Überleben als deutscher Rechtsanwalt unter den Nazis zu verfolgen, war eine wesentliche, prägende Erfahrung meiner Jugend. Ich wurde von seinen Handlungen unmittelbar mitbetroffen und war alles andere als neutral. Es muß in meinem Vater das Gefühl der völligen Isoliertheit aufs schmerzlichste verstärkt haben, daß seine eigenen Kinder mit ihrem auf Selbstschutz zielenden Pessimismus recht behielten, als die Berliner Anwaltskammer gegen ihn die Klage wegen »unlauteren Wettbewerbs« einreichte. Für meine Schwester Dorothea und mich war die Anklage lediglich ein weiterer Beweis für die Perfidie des Nazi-Regimes. Da wir vom Recht nicht viel verstanden und an ihm auch kein besonderes Interesse hatten, konnten wir in keiner Weise begreifen, wie vollkommen vernichtet mein Vater sich angesichts dieser Zerstörung seiner Welt fühlen mußte. Die Hartnäckigkeit, mit der er bis zuletzt nach juristischen Abhilfen suchte, erschien uns als eine bewußte Verkennung der Naziwelt, in der wir gerade dabei waren, uns zur Geltung zu bringen. Wir suchten uns, soweit es ging, damit zu trösten, daß wir der uns umgebenden Brutalität unerschrocken ins Gesicht sahen; denn (um Francis Bacon zu paraphrasieren) es lag ein gewisser Trost darin, von den menschlichen Dingen eine möglichst ungünstige Meinung zu haben. Zu diesem Trost gehörte traurigerweise auch das Gefühl, realistischer, nüchterner zu sein als unser Vater mit seinem eigensinnigen Glauben an juristische Möglichkeiten, die ihm noch offen stünden.

In Anbetracht seiner Situation zeigte er sich sehr geduldig mit unserem »jugendlichen Realismus«, der nicht leicht einzuordnen ist. Er war sich unserer Liebe zu ihm bewußt, aber er hatte auch genug Nietzsche gelesen, um zu wissen, daß die »Wahrheit« seiner Kinder eine andere sein mußte als seine eigene.

Zweiter Teil

Krisen der Zugehörigkeit: Reinhard Bendix (geb. 1916) und Ludwig Bendix

Wir leben in einer Krise der Zugehörigkeiten
Hilde Domin, 1982

Kapitel IX

Erste Erinnerungen

Indem ich mich nun meiner eigenen Erfahrung zuwende, gehe ich von der Biographie meines Vaters zu einem autobiographischen Bericht über. Während der erste Teil mit der Klage der Berliner Anwaltskammer gegen meinen Vater im Jahre 1935 endet, fassen die folgenden beiden Kapitel meine eigenen Erlebnisse bis zu diesem Jahr zusammen. Danach wechsle ich zwischen der Fortsetzung der Biographie meines Vaters und meiner eigenen Autobiographie ab, insoweit diese mein Verhältnis zu ihm bis zu seinem Tode 1954 berührt.

Der Rückblick auf meine Kindheit und Jugend in den nächsten beiden Kapiteln und das folgende Hin- und Herwechseln zwischen der Geschichte meines Vaters und meiner eigenen sind notwendig, um das Verhältnis zwischen einem zunehmend einsamer werdenden Vater und seinem um Selbstverwirklichung ringenden Sohn zutreffend zu beschreiben. Der Zweck meiner Darstellung bleibt dabei derselbe wie bisher: die Kommunikation zwischen den Generationen zu beleuchten, die Erfahrung des Intellektuellen als einer Randpersönlichkeit zu schildern und die besonderen Probleme jüdischer Assimilation zu untersuchen. Im ersten Teil dieses Buches wurden diese Fragen vor dem Hintergrund der scheinbar geordneten Verhältnisse in Deutschland erörtert. Der zweite Teil wird dieselben Fragen vor dem Hintergrund der Auflösung der Verhältnisse behandeln, die Hitlers Machtergreifung mit sich brachte. –

Es fällt mir eigentümlich schwer, meine eigenen Jugenderlebnisse, besonders zu Beginn meines Lebens, zu schildern. Die Ereignisse, die die berufliche Laufbahn meines Vaters zerstörten, haben auch die Erinnerung an meine Jugend vernichtet. Natürlich nicht alle Erinnerungen, wie sogleich deutlich werden wird. Aber dieses Versagen meines Gedächtnisses ist so umfassend, daß ich manchmal glaube, nicht im Jahre 1916 geboren worden zu

Reinhard und Dorothea Bendix, 1920

sein, sondern im Jahre 1933, mit siebzehn Jahren. Einer der Gründe für dieses Versagen ist der, daß alle persönlichen Kontakte, die ich außerhalb der unmittelbaren Familie vor 1933 hatte, in diesem Jahre oder kurz darauf abbrachen. Ich habe alte Klassenfotos von mir studiert. Ich erkenne alle Gesichter wieder, aber ich erinnere mich nur an wenige Namen, und ich bin keinem dieser ehemaligen Schulkameraden im späteren Leben jemals wieder begegnet. Infolgedessen beziehen sich meine frühesten Erinnerungen lediglich auf vertraute Gegenstände sowie auf einige familiäre Situationen, wobei sich wahrscheinlich das, woran ich mich erinnere, mit dem vermengt, was meine Eltern mir erzählt haben.

Die deutlichste Erinnerung habe ich an die Umwelt meiner Jugend. Sie spricht für die bürgerliche Lebensweise unserer Familie in Berlin während der zwanziger Jahre. Wir wohnten im westlichen Teil Berlins, etwa anderthalb Kilometer vom Kurfürstendamm entfernt. Wie ich seither erfahren habe, wohnten damals viele Familien deutscher Juden in dieser Gegend. Meine

Eltern mieteten nach ihrer Heirat im Jahre 1910 eine geräumige Wohnung, in der meine Schwester und ich aufwuchsen. In dieser Wohnung haben wir bis zur Emigration meiner Eltern 1937 gelebt. Ein Vierteljahrhundert in derselben Wohnung zu leben, war ein äußeres Zeichen der Stabilität.

Einzelne Zimmer in dieser Wohnung sind mir noch lebhaft in Erinnerung. Das große Eßzimmer war ganz in Weiß gehalten, mit Ausnahme eines grünen Kachelofens, der an einer Wand stand und bis zur Decke reichte. Am anderen Ende waren große Doppelfenster, die auf die Straße hinaus sahen. An der Decke hing ein geschwungener Beleuchtungskörper, der so lang war wie der ganze Eßtisch und aus schwarz lackiertem Holz bestand. Ferner gab es ein weißes Klavier, weiße Stühle und zwei weiße Schränke (ein großes Büfett und ein Vertiko) für das Geschirr und die Tischwäsche. Neben dem Eßzimmer war das Zimmer meiner Mutter, das sogenannte Damenzimmer. In ihm standen ein schön gearbeiteter Schreibtisch, ein Sofa, ein kleiner runder Tisch mit zierlichen Stühlen und ein großer Schrank aus schwarz lackiertem Mahagoni; er enthielt dekorative Dresdner Porzellanfiguren, die man hinter einer Glastür sah, und eine Schublade mit Tafelsilber für 24 Personen. Von diesem Zimmer trat man auf einen Balkon, der auf die Straße hinaus ging. Der dritte Raum zur Straßenfront hin war das Arbeitszimmer meines Vaters, das sogenannte Herrenzimmer. An einem Fenster, in einer Ecke des Zimmers, stand ein riesiger Schreibtisch, der mit Papieren überladen war. In der Mitte stand ein wuchtiger runder Tisch, umgeben von einer Couch und Polstersesseln. Als Junge war ich fasziniert von dem runden Tisch mit seinen kleinen Schubladen, in denen sich messingne Aschenbecher und Glasuntersetzer befanden; mit ihnen ließ sich herrlich spielen, wenn ich mich einmal in dem Zimmer aufhalten durfte. Drei Wände waren mit Büchern bedeckt, an die ich mich wegen der herrlich gebundenen Ausgaben der deutschen Klassiker erinnere. Große Bücherschränke standen auch noch entlang des vorderen und hinteren Korridors. Selbst die Füllung einer großen Tür, die einmal in das Damenzimmer geführt hatte, war in ein Bücherregal verwandelt worden – fast überall waren Bücher.

Die gesammelten Werke von Lessing, Schiller und Goethe, von Hölderlin und Kleist, von Eduard Mörike und Otto Ludwig standen in der Bibliothek meines Vaters an bevorzugtem Platz. Die tägliche Konversation war in seiner Generation von wörtlichen Zitaten aus diesen Werken durchsetzt. Solche Zitate tauchten auch in gebildeten christlichen Familien auf, aber zugleich waren sie wichtige Symbole der deutsch-jüdischen Assimilation geworden. Anspielungen auf die Klassiker waren bei Tischreden üblich sowie bei feierlichen Anlässen: sie bildeten gewichtige rhetorische Schnörkel. Die Umgangssprache gab sich nicht leicht für den besonderen Fluß dichterischer oder dramatischer Diktion her, doch bei meinem Vater klang es ganz natürlich, wenn er ein berühmtes Zitat benutzte, um irgendeinen Punkt besonders hervorzuheben. Wahrheiten wurden irgendwie echter, wenn sie durch Zeilen aus den Klassikern zugleich klangvoll und gebieterisch wirkten.

Der Lebensstil meiner Familie war behaglich, ohne eigentlich wohlhabend zu sein. Mein Vater konnte sich zwar ein Sommerhaus auf dem Lande leisten, aber zu einem Automobil reichte es nicht, als solche Fahrzeuge in den zwanziger Jahren in großem Umfang angeboten wurden. Immerhin hatte meine Mutter stets eine Hausangestellte, und als wir Kinder klein waren, hatten wir auch eine Kinderfrau (Gouvernante). Ich besitze zwar noch verschiedene Bilder von dieser Frau, kann mich aber an sie nicht mehr erinnern – ein Zeichen dafür, daß sie nicht gerade zu meinen frohen Augenblicken beigetragen hat. Nachdem die Kinderfrau fort war, hatte meine Mutter eine Zeitlang zwei Hausangestellte – mein Vater mietete im Dachgeschoß unseres Wohnhauses zwei Zimmer für sie.

Es galt als selbstverständlich, daß die Familie oder wenigstens einzelne Familienmitglieder regelmäßig ins Theater gingen. Das Interesse meiner Mutter an der Schauspielkunst war ungebrochen. Sie übertrug dieses Interesse auf uns Kinder, und so hatten wir Jahresabonnements für die Produktionen von Max Reinhardt in Berlin. Das Interesse der Familie an musikalischer Unterhaltung war weniger ausgeprägt, doch bekam ich Klavierstunden und ging regelmäßig in Konzerte und in die Oper. Das gesellschaftliche Leben meiner Eltern habe ich nur schwach in Erinnerung. Von Verwandten abgesehen, hatten meine Eltern vorwiegend Kontakt zu Berufskollegen meines Vaters, von denen viele assimilierte Juden wie wir waren. Die Kontakte zu diesen Leuten waren einigermaßen förmlich; sie bestanden zumeist in Einladungen zum Abendessen und seltener in zwanglosen Besuchen; außerdem pflegten diese Abendeinladungen von meiner Mutter sorgfältig arrangiert zu werden. Ich bewahre auch noch eine gewisse Erinnerung an größere Gesellschaften, bei denen das Tafelsilber für alle 24 Personen aufgelegt wurde; die Menge der Gäste erfüllte den vorderen Teil des Hauses, und wir Kinder wurden nur kurz vorgeführt, um bald darauf zu Bett geschickt zu werden. Bei ein oder zwei Gelegenheiten veranstalteten meine Eltern auch einen Maskenball mit Musik und Tanz, doch solche Extravaganzen blieben die Ausnahme.

Die erste Erinnerung an meinen Vater ist eine Tracht Prügel, die er mir verabreichte, weil ich gelogen hatte. Ich muß damals noch sehr klein gewesen sein, und es ist auch die einzige Bestrafung, an die ich mich erinnern kann. Damals erschien mir mein Vater als gewaltige, aber nicht eigentlich als bedrohliche Gestalt, und es ist vielleicht kein Zufall, daß zu dieser Erinnerung an die Tracht Prügel sich eine ähnlich geartete gesellt. Ich war zu Bett gebracht worden; nach einer Weile kam meine Mutter noch einmal wieder, und ich tat so, als ob ich schliefe. Sie sagte: »Es steht dir an der Stirn geschrieben, daß du nicht schläfst!« »Mit Bleistift?« fragte ich zurück. Auf Wahrhaftigkeit wurde in unserer Familie großer Wert gelegt. Im übrigen erinnere ich mich vor allem daran, daß ich geliebt wurde. Meine Mutter war liebevoll und gab sich viel mit uns Kindern ab; über einen Mangel an Zuwendung brauchten wir uns gewiß nicht zu beklagen. Mein Vater bewies beträchtliche Toleranz gegenüber kindlichem Lärm und Geschrei, wenn ich einmal mehrere Eßzimmerstühle zusammenschob und lautstark Kutscher oder Straßenbahnschaffner spielte. Er überließ unsere Erziehung den Frauen des Hauses, und doch gelang es ihm, inmitten seiner beruflichen Inanspruchnahme in unser Leben einbezogen zu sein.

Für dieses Einbezogensein habe ich auch gewisse Anhaltspunkte im Zusammenhang mit meinen Großeltern. Die Eltern meines Vaters waren gestorben, bevor ich zur Welt kam, aber die Mutter meiner Mutter starb erst, als ich neun, und der Vater meiner Mutter, als ich dreizehn war. An meinen Großvater erinnere ich mich als an einen freundlichen alten Mann, mit dem ich auch einmal raufen durfte. 1926 feierten wir seinen 80. Geburtstag, und mein Vater verfaßte zu diesem Anlaß ein Gedicht, das ich als Zehnjähriger vortrug. Es drückt seinen freundlichen Spott über seinen ungestümen Sohn aus, und ich lese es noch heute mit einem Gefühl der Wärme.

Zum achtzigsten Geburtstag

Selig bin ich in Holzpantinen!
Selig, wenn ich mit ernsten Mienen,
Zwischen den Zähnen den Schokostummel,
Pfeif' auf den ganzen Menschenrummel! –
  Hast du auch gepfiffen vor siebzig Jahren?
  Opa, das möcht' ich zu gern' erfahren!

Herzlein klopft mir beim Spiele der Mühlen!
Atem stockt mir beim Kartenspielen!
Sattel am Barren, Wellen am Recke!
Fall' ich, ich mach' mir nichts aus dem Drecke!
  Hast du auch im Dreck gelegen vor siebzig Jahren?
  Opa, das möcht' ich zu gerne erfahren!

Auf meinem Rade von Stahl und Eisen
Will ich die ganze Welt durchreisen!
Hoch in den Bäumen schüttl' ich die Birnen!
Hosen bestehen aus Löchern und Zwirnen!
  Wie war's mit deinen Hosen vor siebzig Jahren?
  Opa, das möcht' ich zu gerne erfahren!

Und was aus *mir* wird nach siebzig Jahren?
Das möcht' ich jetzt gleich von dir erfahren!
Ob *ich* im Kreise von Kindern und Enkeln
Schaukle die kleinsten auf meinen Schenkeln?
  Wie *du* dann lächelst nach siebzig Jahren,
  Das möcht' ich, Großvater, das will ich erfahren!

Ich bin sicher, daß meine Onkel und Tanten bei dieser Rezitation zugegen waren. Ich erinnere mich an ihre Persönlichkeiten noch deutlich, insbesondere an eine jüngere Schwester meiner Mutter namens Annie, eine sehr herzliche Frau, und eine jüngere Schwester meines Vaters namens Tilla, eine gewichtige Frau mit einer sehr schönen Stimme. Heutzutage würde ein Zehnjähriger es vielleicht als Zumutung empfinden, wenn er vor versammelter Familie Gedichte aufsagen sollte; aber ich erinnere mich nicht, verlegen gewesen zu sein. Vor einem halben Jahrhundert waren Zehnjährige wahrscheinlich »jünger«, als sie es heute sind.

Über diese familiären Objekte und Verwandten hinaus kann ich mich an irgendwelche Kinder meines Alters nicht erinnern. Meine Erinnerung an diese frühen Jahre beschränkt sich auf einige einzelne Vorfälle oder Erlebnisse. Da war die Zeit, als meine Mutter mich zum Brotkaufen in eine nahegelegene Bäckerei schickte. Es muß das Jahr 1922 gewesen sein, als ich sechs war; denn ich brauchte einen ganzen Korb, um die vielen Geldscheine der Inflationswährung mitzubringen, die für den Kauf eines einzigen Laibes Brot erforderlich war. 1925, als ich neun war, kauften meine Eltern das erwähnte Sommerhaus in einem Dorf, das etwa achtzig Kilometer südöstlich von Berlin lag und bis auf den heutigen Tag mit öffentlichen Verkehrsmitteln kaum zu erreichen ist. Meine Erinnerung an die Zeit, die wir auf dem Lande verbrachten, ist etwas genauer, aber auch hier haben mir Gegenstände und Tätigkeiten einen lebhafteren Eindruck hinterlassen als Personen. Das Bauernhaus, das meine Eltern kauften, wurde völlig umgebaut, es entstand ein eigenes Nebengebäude für ein Hausmeisterehepaar und für Vorräte, und auch eine hölzerne Remise wurde errichtet. Die auffälligste Neuerung war ein Aussichtsturm, in dem nur ein einziger Raum war, das Arbeitszimmer meines Vaters. Dieser Turm war insofern etwas Ungewöhnliches, als sich auf fünf seiner sechs Seiten ein hohes Fenster befand, während auf der sechsten die Eingangstür war. Knapp fünf Meter hoch, hatte der Turm eine Aussichtsplattform mit einer steinernen Balustrade, die man von außen über eine rechtwinkelig abknickende Podesttreppe mit steinernem Geländer erreichen konnte. Zu Anfang hing an der Tür unter der

Treppe noch folgendes Schild: »Kinder, nicht stören!« Deutlich sehe ich noch den großen Garten vor mir, der unter der sorgfältigen Anleitung meiner Mutter angelegt wurde. Einige Landmarken, so ein alter Birnbaum an einem Ende und ein alter Walnußbaum am anderen, sind mir noch in Erinnerung, ebenso eine dekorative Zypresse, die meine Mutter zwischen dem Haus und dem Aussichtsturm anpflanzen ließ, die aber im märkischen Sand nicht recht gedeihen wollte. Die Gebäude, der Turm und ein Teil des Gartens befanden sich auf gleicher Höhe, während der Rest des Grundstückes in Terrassen abfiel. Von der am Grundstück vorbeiführenden Dorfstraße durch eine Stützmauer und einen Holzzaun getrennt, gab es noch einen Gemüsegarten und eine Unzahl von Obstbäumen und Sträuchern. Da ich sportlich veranlagt war, kauften meine Eltern mir einige Turngeräte. Aber ganz für mich allein Hochsprünge zu machen oder am Barren zu üben, machte mir nach einiger Zeit keinen besonderen Spaß mehr, und es ist bezeichnend, daß ich mich zwar an manche Bekannte meiner Eltern erinnere, die uns in Alt-Golm besuchten, aber kaum an eigene Freunde.
Trotzdem gefiel mir der Ort. Ein Grund hierfür waren unsere Nachbarn. Es war ein älteres Ehepaar; der Mann war Maurer und hatte uns viel beim Bau unserer Sommerfrische geholfen. Dieses Ehepaar hatte einen einzigen Sohn, der zwölf Jahre älter war als ich und mit mir Freundschaft schloß. Die Familie besaß einen großen Hof mit vielen Tieren und mehreren Morgen Ackerland an verschiedenen Orten. Sooft wir nach Alt-Golm fuhren, suchte ich diese Nachbarn auf, und sie ließen mich an ihrem Tagesablauf teilhaben. Der junge Mann nahm mich auf seine Streifzüge mit, brachte mir das Fahrradfahren bei und ließ mich auf einem Pferd reiten. Vielleicht war er allein und freute sich, einen Jüngeren um sich zu haben, mit dem er reden und dem er manches zeigen konnte. Für mich bedeutete es weit mehr: die Kameradschaft mit einem jungen Mann, die herzliche Aufnahme in der Familie und die Entdeckung des Landlebens, von dem ich als Großstadtjunge keine Ahnung hatte.
Die langen Zeiten des Alleinseins, als ich begann, ausgiebig zu lesen, machten mir unseren Zufluchtsort trotz mancher Stunde

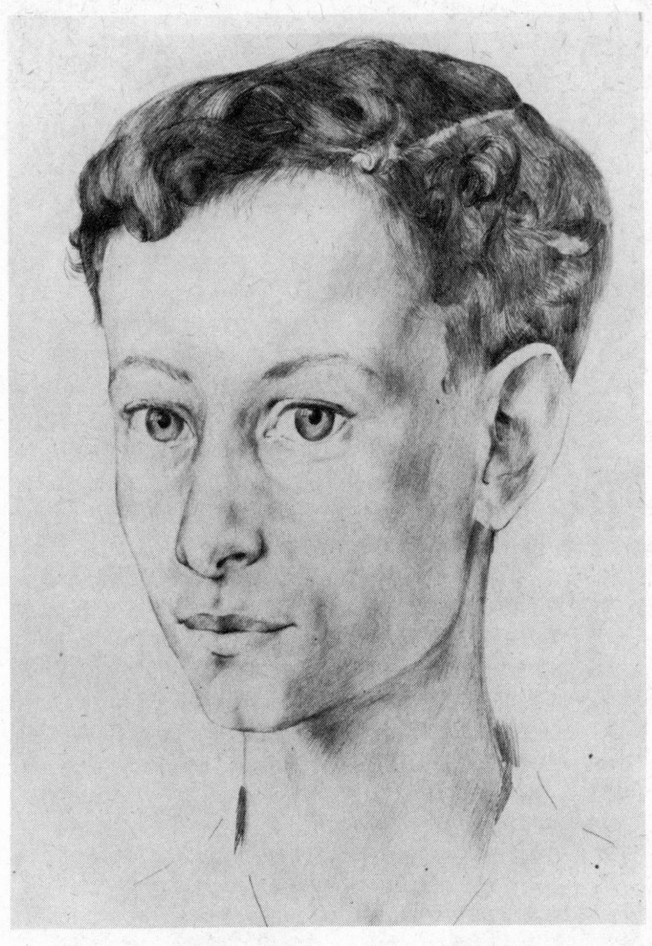

Reinhard Bendix. Bleistiftzeichnung von H. Häfner, ca. 1929

der Langeweile wahrscheinlich angenehm. Als Stadtmenschen blieben wir Fremde im Dorf – eine Fremdheit, die durch jenen weithin sichtbaren, aus dem Rahmen fallenden Turm versinnbildlicht wurde. Mit den Jungen im Dorf hatte ich nichts gemeinsam, obwohl ich auch einmal die dörfliche Schule besuchte, weil der

Dorothea, Ludwig, Reinhard und Else Bendix, 1926

»Arbeitsurlaub« meines Vaters etwas unglücklich lag und ich bei meiner Berliner Schule entschuldigt wurde. Daß mein Vater Rechtsanwalt war, wurde durch die polizeiliche Meldepflicht bekannt, die in Deutschland mit jedem Wohnsitzwechsel verbun-

Ludwig Bendix, Alt Solm 1930

den war (und ist). Wahrscheinlich wußte man im Dorf auch, daß wir Juden waren, obwohl mein Vater auf dem Meldeformular in die Spalte »Religionszugehörigkeit« stets schrieb »ohne Bekenntnis«.

Als kleiner Junge und auch als Halbwüchsiger war ich mir nicht bewußt, Jude zu sein. Ich wuchs mit Zitaten aus den deutschen Klassikern, nicht aus der Bibel oder dem Talmud auf. Was meine

Schwester und mich betraf, war jüdische Assimilation nicht einmal ein Problem, und ich war es kaum gewohnt, daß meine Eltern darüber sprachen. Sie glaubten, dieses Problem aus der Welt geschafft zu haben. Uns Kindern hatte man deutsche und nicht »jüdisch klingende« Namen gegeben, und man schärfte uns ein, alles zu unterlassen, was angeblich »jüdische Manieren« waren. Offenbar blieben sich meine Eltern (im Gegensatz zu uns) ihrer jüdischen Herkunft bewußt, auch wollten sie anscheinend ihre Kinder davor bewahren, mit dem identifiziert zu werden, was die Außenwelt als »typisch jüdisch« ansah.[a] Auf jeden Fall wuchsen wir in einem Berliner Milieu auf, in dem die unbestrittene Tatsache unserer jüdischen Abkunft mit dem Judentum selbst überhaupt nichts zu tun hatte.

Ein typisches Beispiel war mein Bar-Mitzwah – die jüdische Feier bei der Einführung des Jungen in die jüdische Glaubensgemeinschaft. Es ist mir noch immer ein Rätsel, warum dieser Ausdruck in meiner Familie gebraucht wurde; denn die Angelegenheit entbehrte jeden traditionellen Glaubensinhaltes. Es gab keinen Rabbiner, es wurde nicht Hebräisch gesprochen, und vielleicht mit Ausnahme meines Vaters hätte auch keiner der Anwesenden Hebräisch verstanden. Ich hatte bis dahin keinen Unterricht in dieser Sprache bekommen, und mein Vater hatte mich auch niemals in eine Synagoge mitgenommen. Ich bezweifle, daß er nach dem Umzug seiner Familie nach Berlin im Jahre 1892 überhaupt noch einmal in einer Synagoge war. Es ist gewiß merkwürdig, daß meine Eltern eine »Volljährigkeitsfeier« für mich veranstalteten, nachdem mein Vater selbst mit 20 Jahren dagegen protestiert hatte, zu einer Bar-Mitzwah gezwungen zu werden, obwohl ihm der persönliche Glaube fehlte. Vielleicht war es so, daß meine Eltern das vage Gefühl hatten, von dem

a) In dieser Hinsicht spielten die Stereotypen über das Aussehen von Juden eine wichtige Rolle, obwohl sie sich immer wieder als irreführend erwiesen. In seinen Erinnerungen erwähnt mein Vater, daß in der Nazizeit häufig ausländische Bürger aus Südeuropa von Nazis verprügelt wurden, weil man sie irrtümlicherweise für Juden hielt – Zwischenfälle, die zu zahlreichen diplomatischen Protesten führten.

Anlaß irgendwie Notiz nehmen zu müssen. So gab die Familie ein Fest, bei dem mein Vater und ein Onkel von mir eine kleine Ansprache an mich und die versammelten Familienmitglieder hielt. Da meine Mutter eine gute Köchin war, gab es reichlich gutes Essen. Für mich bedeutete die Feier wenig mehr als das vage Gefühl, kein Kind mehr zu sein. Der Gedanke, daß ich mit dieser Zeremonie nun verpflichtet sei, meinen Platz als Mitglied der jüdischen Gemeinde einzunehmen, stand überhaupt nicht zur Diskussion.

Der frühe Bruch meines Vaters mit dem Judentum und sein formeller Austritt aus der jüdischen Gemeinde hinterließen bei uns Kindern in religiöser Hinsicht eine unausgesprochene Leere. Unsere Familie hatte jedes Jahr einen Christbaum, aber nicht, weil er irgend etwas mit dem Christentum zu tun hatte, sondern weil Weihnachten ein festlicher Anlaß für Geschenke und gutes Essen war und weil wir Kinder und die christlichen Hausangestellten es nicht anders erwarteten und uns darüber freuten. Doch mit dieser religiösen Gleichgültigkeit war das jüdische Problem nicht aus der Welt geschafft, wie ich entdeckte, als ich 13 wurde. Die Weimarer Verfassung hatte versucht, das ungelöste Religionsproblem des kaiserlichen Deutschlands zu lösen. In einem vorwiegend lutherischen Land lagen Kirchenangelegenheiten in den Händen des Staates, und es galt als selbstverständlich, daß die Kinder in den Schulen Religionsunterricht erhielten. Welche Stellung sollten dann aber der katholische und der jüdische Religionsunterricht in den Schulen erhalten? Die Weimarer Verfassung und ein späteres Gesetz von 1921 bestimmten, daß die Eltern oder der Vormund des Kindes über seine Teilnahme am Religionsunterricht zu entscheiden hatten. Meine Eltern hatten auf meine religiöse Unterweisung bisher nicht geachtet, und so mußte ich sie mit 13 Jahren fragen, welchen Religionsunterricht ich besuchen solle. Mein Vater überzeugte mich davon, den Religionsunterricht aller drei Glaubensrichtungen zu besuchen, da in seinen Augen der Protestantismus, Katholizismus und das Judentum drei gleichermaßen mögliche religiöse Weltanschauungen waren. (Wenn es nach ihm gegangen wäre, hätte er noch andere Weltreligionen hinzugefügt. Wenn man in ihn drang, neigte er selbst einem Pantheismus zu.) Die Unterlagen aus meiner Schulzeit zeigen, daß dieses Herumprobieren nicht lange dauerte. Ich erinnere mich, daß ich den jüdischen Religionsunterricht am wenigsten mochte, weil er das Studium des Hebräischen erforderte, während die anderen Glaubensrichtungen weniger hohe Ansprüche stellten. Was mir im Endeffekt blieb, war eine Mischung aus unzusammenhängenden Vorstellungen und einer beträchtlichen religiösen Indifferenz.

Andere Einflüsse waren positiver. Die späteren zwanziger und frühen dreißiger Jahre im Weimarer Deutschland waren eine politisch sehr bewegte Zeit, die auch schon Halbwüchsige in ihren Bann zog. Meine Schwester war politisch interessierter als ich, und oft führten wir bei Tisch lebhafte Diskussionen über irgendwelche aktuellen Ereignisse. Mein Vater war in den zwanziger Jahren der Sozialdemokratischen Partei Deutschlands beigetreten und besuchte häufig die monatlichen Zahlabende seiner Ortsgruppe. Ich erinnere mich, daß er mich zu einem dieser Abende mitnahm, an dem Franz Neumann sprach, ein Anwaltskollege meines Vaters, der aktiver Gewerkschaftler war und später als Verfasser des *Behemoth*, einer Analyse des Naziregimes, sowie als Politikwissenschaftler in den USA hervortrat. Anscheinend wollte mein Vater mein politisches Interesse wekken; denn er nahm mich auch zu einer Versammlung der religiösen Sozialisten mit, einer kleinen Organisation von Liberalen und Sozialdemokraten, die dem in Deutschland herrschenden Materialismus und Säkularismus den Kampf angesagt hatten. Ich muß damals 15 oder 16 gewesen sein und kann mich an den Verlauf der Diskussionen nicht mehr erinnern. Doch entsinne ich mich noch jener drei Persönlichkeiten, die am Rednerpult standen und später eine bedeutsame Rolle in unserem Familienleben spielen sollten. Der eine war Eduard Heimann, ein Nationalökonom, der zum Christentum übergetreten war und mit großer Inbrunst sprach. Der zweite war Adolf Löwe, ebenfalls Nationalökonom, der sich von Heimann dadurch unterschied, daß er in gemessenen Sätzen und mit einer Klarheit sprach, die mich stark beeindruckte. Der dritte Redner des Abends war Paul Tillich, der Theologe, ein blendend aussehender Mann, der ebenfalls in

gemessenem Ton, aber in einer Weise sprach, die seine Zuhörer schier verzauberte. Erst später erfuhr ich, daß mein Vater mit Tillich schon seit einigen Jahren bekannt war, daß er auch die anderen Redner kannte und daß er sich offenbar zu dieser kleinen Gruppe hingezogen fühlte, obwohl er selbst kein religiöser Mensch war. Gewiß teilte er die Opposition der religiösen Sozialisten gegen die allgemeine Situation im Lande und gegen das Philistertum in der Sozialdemokratischen Partei.
Solche Versammlungen und überhaupt die bewegte Geschichte der Weimarer Republik boten genügend Gesprächsstoff am häuslichen Eßtisch. Die Frage, warum wir die Welt so ansehen, wie wir es tun, war in einer Gesellschaft akut, in der drei Dutzend Parteien um die Gunst des Wählers rangen und dabei immer ihre eigene Weltanschauung mitbrachten. Diese Verhältnisse ließen die marxistische Deutung der Geschichte als recht plausibel erscheinen. Der Marxismus war die offizielle Lehre der Sozialdemokratischen Partei, obwohl dieser theoretische Radikalismus in merkwürdigem Gegensatz stand zu der Reformpolitik, die die Partei in Wirklichkeit betrieb. Ich begriff allmählich, daß mein Vater, obgleich er damals Sozialdemokrat war, dem Marxismus und den Marxisten kritisch gegenüberstand. Mit der Hartnäckigkeit des Advokaten wollte er von meiner Schwester und schließlich auch von mir wissen, was wir mit Ausdrücken wie »Klassenbewußtsein« meinten, und häufig waren wir um eine Antwort verlegen, was allerdings unserer Streitlust keinen Abbruch tat. Jedenfalls traten meine Schwester und ich der *Arbeitsgemeinschaft sozialistischer Schüler* bei und fuhren fort, mit einiger Begeisterung das zu erforschen, was mein Vater verurteilt hatte. Unsere Hauptbeschäftigung in dieser Gruppe waren gemeinsame Studien und gelegentliche Ausflüge zum Zelten. So kam es, daß die Schriften von Marx die erste ernsthafte Literatur waren, der ich begegnet bin. Im Berlin vor 1933 bestätigte solche Lektüre den Halbwüchsigen in dem Gefühl seiner eigenen Bedeutsamkeit.
Das war die Situation, in der mein Vater mich eines Tages fragte, warum ich immer noch Tiergeschichten und Jugendromane läse. Das war bisher mein hauptsächlicher Lesestoff gewesen; Marx

kam erst spät hinzu und war selbst in kleinen Portionen schwer zu verdauen. Mein Vater hielt mich mit meinen 15 Jahren (1931) für alt genug, es mit etwas Schwierigerem zu versuchen, wofür ja auch meine Streifzüge durch Marx sprachen, und ich fragte ihn, was ich lesen solle. Wegen seiner Kurzsichtigkeit lag mein Vater gern in der Sonne und ließ sich Zeitschriftenaufsätze oder auch Bücher vorlesen. Das Buch, das er mir zum Vorlesen gab, war Karl Mannheims *Ideologie und Utopie*, das 1929 erschienen war. Mir kam es vor, als schreibe Mannheim in einer anderen Sprache, und wir machten keine großen Fortschritte. Doch besaß mein Vater die Geduld, mir all jene unbekannten Worte zu erklären; in jenen Jahren war er gleichsam meine Universität und gab mir den unauslöschlichen Eindruck mit, daß Ideen wichtig sind. Allzuviel kann ich von Mannheims Buch nicht verstanden haben, aber ich vermute, daß ich die Tendenz mitbekam. Mannheim wirft die Frage auf, warum wir die Welt so betrachten, wie wir es tun, und wie unsere Ansichten mit unserer sozialen Erfahrung zusammenhängen. Diese Fragestellung war vor dem Hintergrund jener Parteiagitation, die für die Weimarer Zeit so typisch war, sehr plausibel. Schließlich war das Zentrum die Partei der katholischen Kirche, die Sozialdemokratische Partei sowie die weiter links stehenden Parteien bezeichneten sich selbst als Parteien der Arbeiterklasse, und das gleiche galt für die Nationalsozialistische Deutsche Arbeiterpartei (NSDAP). Noch viele andere Parteien rangen um die Macht, wobei jede die Interessen einer bestimmten sozial und ökonomisch definierten Gruppe vertrat und diese jeweiligen Interessen in einem größeren ideologischen Kontext rechtfertigte. Mannheim hatte natürlich abstraktere erkenntnistheoretische Probleme im Sinn. Wie ist ein wahrheitsgemäßes Bild der Gesellschaft in diesem Aufruhr einander widerstreitender Parteien und Meinungen überhaupt möglich, die alle die »Wahrheit« für sich allein in Anspruch nehmen?

Ich schlug mich mit Mannheims schwieriger Gedankenführung herum, weil ich in ihr die jüngste Version eines theoretischen Marxismus sah, der zur Lieblingsbeschäftigung von jungen Leuten wie mir geworden war. Indem wir uns (wenngleich nur theoretisch) mit den Unterdrückten identifizierten, maßen wir den Ideen große politische Bedeutung bei. Damals schien es dringend geboten, eine richtige Theorie zu haben, weil man davon überzeugt war, daß ohne korrekte Theorie erfolgreiches Handeln nicht möglich sei. Diese gespannte geistige Atmosphäre war die prägende Erfahrung meiner Jugend und erklärt mein lebenslanges Interesse an Ideen. Die Tatsache, daß wir keinen Kontakt zu Arbeitern hatten, schien uns unwichtig zu sein; weitverbreitete Arbeitslosigkeit und Armut waren Beweis genug für Ungerechtigkeit und Unterdrückung. Wie abstrakt diese Vorstellungen waren, entdeckte ich, als ich mich aus Protest gegen den Aufstieg der Nazis im Jahre 1932 für kurze Zeit der Sozialistischen Arbeiterjugend anschloß. Hier machte ich tatsächlich die Bekanntschaft von Jugendlichen aus der Arbeiterklasse, und ich fühlte mich recht fehl am Platze. In diesen Jahren wurde ich im Gymnasium auch mehrere Male hintereinander zum Klassensprecher gewählt, doch spiegelte diese Erfahrung keinen engen sozialen Kontakt zu meinen Klassenkameraden wider, und mein Gesamteindruck bleibt der einer jugendlichen Isoliertheit, und zwar schon vor Hitlers Machtergreifung. Natürlich ist es schwer zu sagen, wieviel von dieser Isoliertheit auf meine eigene jugendliche Zurückgezogenheit und wieviel auf den Einfluß und die Lebensweise meiner Eltern zurückzuführen ist. Doch besteht kein Zweifel daran, daß ich in der Welt der Bücher brennend nach dem suchte, was ich durch menschliche Kontakte nicht zu finden vermochte.

Kapitel X

Die Jahre 1933 und 1934

1930, mit vierzehn Jahren, wußte ich kaum etwas von der sich zuspitzenden politischen Krise, die ich weiter oben beschrieben habe. Doch drei Jahre später, als ich siebzehn war, warf die zunehmende Dunkelheit, gegen die mein Vater ankämpfte, ihren Schatten auch auf mich. Bis dahin gab es in meiner Vergangenheit nicht viel, worauf ich hätte zurückblicken können, aber im Krisenjahr 1933 schien meine Zukunft nichts Gutes zu verheißen. Nachträglich betrachtet, mögen meine damaligen Reaktionen etwas wild anmuten. Die Selbstfindung eines Siebzehnjährigen ist auch unter günstigen Umständen eine schwierige Sache, aber im Jahr 1933 war dieser Prozeß sowohl für mich als auch für meine Familie geradezu traumatisch. Nach einer unbeschwerten Kindheit, in der mir mein Deutschsein ganz selbstverständlich war, erinnerten mich die Massenmedien nun tagtäglich daran, daß ich zum unerwünschten Menschen zweiter Klasse geworden war. Natürlich hatte es einen geifernden Antisemitismus schon vorher gegeben, und von Zeit zu Zeit fielen mir die üblen Schlagzeilen und Karikaturen der antisemitischen Hetzpresse an den Zeitungskiosken auf. Doch jetzt mußte ich zum ersten Male in meinem Leben über meine jüdische Herkunft nachdenken; denn was bis vor kurzem nur schlimme Sensationsmache war, wurde nun in wenigen Tagen und Wochen zur offiziellen Regierungspolitik. Meine eben erst erwachten geistigen Interessen gerieten jetzt sofort in Gefahr. Der Ausschluß meines Vaters aus der Anwaltskammer 1933 erschütterte die gewohnte Lebensweise der Familie, und seine unerwartete Verhaftung im Juni desselben Jahres stellte uns vor Situationen, wie wir sie nie zuvor erlebt hatten.

Aus der Schule entlassen

Ich ging im Grunewald-Gymnasium zur Schule und hatte jeden Tag Unterricht. Mit bangen Gefühlen trat ich an jenem Tag im Juni 1933, als die Polizisten meinen Vater abgeholt hatten, den Schulweg an. Ich begriff schnell, daß ich vor einem unmöglichen Dilemma stand. Schon einige Wochen lang mußten wir am Beginn jeder Stunde, sobald der Lehrer das Klassenzimmer betrat, den rechten Arm heben und »Heil Hitler« rufen. (Ich kann nicht sagen, ob das schon damals allgemeine Regel war; es kann wohl sein, daß unser Klassenlehrer sie auf eigene Faust eingeführt hatte.) Bis zu diesem Tag hatte ich mich um die Sache herumgemogelt, indem ich irgend etwas murmelte und dabei die Hand an die Stirn legte, als ob ich eine Mütze auf hätte. Unsere Klasse war groß, und mein Verhalten war nicht aufgefallen; vielleicht hatte der Lehrer es bewußt ignoriert. Jetzt aber, wo mein Vater im Gefängnis saß, erschien mir dieser harmlose Ausdruck von Konformität als unvertretbar. Ich hatte bis dahin ein gutes Verhältnis zu unserem Klassenlehrer gehabt und glaubte, mich ihm anvertrauen zu können. So erzählte ich ihm von den veränderten Umständen in unserer Familie, sagte, daß ich eine Teilzeitarbeit benötige und daß ich nun, da mein Vater im Gefängnis sei, zu Beginn der Schulstunden nicht mit dem Hitlergruß grüßen werde; die Beteiligung an dem Gruß bedeute in meinen Augen, daß ich die Verhaftung meines Vaters billige. Seine Antwort klang nach Anteilnahme, was sich aber als Täuschung erwies. Es gab in unserer Klasse noch einige andere jüdische Schüler, aber nicht viele, und ich erinnere mich nicht, mit ihnen gesprochen zu haben, weder über meine Situation noch über den Hitlergruß.

Nach einigen Tagen wurde ich aufgefordert, dem Unterricht fernzubleiben, bis über meinen Fall entschieden worden sei. Schließlich erhielt ich mit der Post mein Schulzeugnis. Weder meine Eltern noch ich hatten ein solches Zeugnis beantragt, da wir uns ja mitten im Schuljahr befanden. In Wirklichkeit bedeutete dieses Zeugnis die Schulentlassung, da es die Bemerkung enthielt, ich gehe von der Schule ab, um einen »praktischen

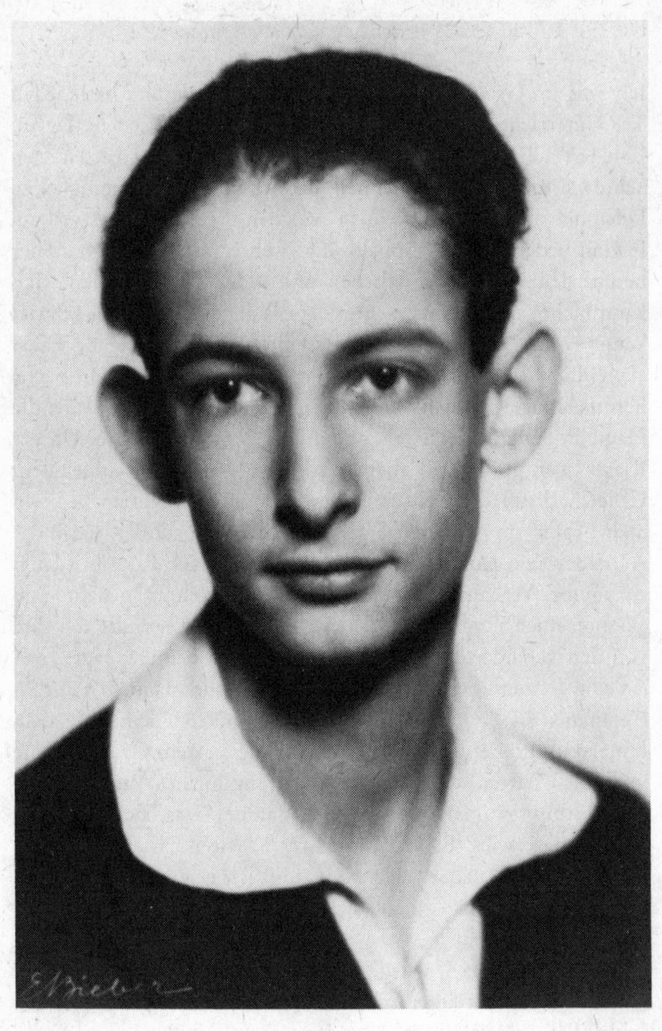

Reinhard Bendix, 1932

Beruf« zu ergreifen. Auf die Gefängnishaft meines Vaters und meine Verweigerung des Hitlergrußes wurde nicht Bezug genommen. Jahre später erfuhr ich, daß diese Kompromißformel gewählt worden war, damit es so aussähe, als ob ich von mir aus die Schule verlassen hätte, um einen Beruf zu ergreifen. Theoretisch sollte es mir auf diese Weise möglich gemacht werden, später, nach Besserung meiner familiären Situation, wieder an das Gymnasium zurückkehren zu können. Daß dies die Freilassung meines Vaters und meine Bereitschaft zum Hitlergruß voraussetzte, wurde nicht gesagt. Der offiziell angegebene Grund für meinen Schulabgang war das Ergebnis eines großen Kampfes, den einige Eltern zu meinen Gunsten im Elternbeirat inszeniert hatten. Anscheinend hatten mein Klassenleiter und der stellvertretende Direktor der Schule eine politische Aussage in meinem Zeugnis befürwortet, derzufolge meine Klassenkameraden nicht länger die Anwesenheit eines Juden in ihrer Mitte dulden wollten, dessen Vater ein Gegner des neuen Regimes war. Ich hatte um Rat gebeten, und statt dessen sah ich mich von der Schule gewiesen.[a]

Das war also das Zeremoniell der Demütigung, das mir bestimmt war und das der Anklage gegen meinen Vater wegen »unlauteren Wettbewerbs« um zwei Jahre vorausging. Zuerst begriff ich nicht ganz, was geschehen war. Ich wußte zwar, daß ich ohne Abitur keine Universität würde besuchen können. Doch die Aussicht, eine deutsche Universität zu beziehen, schien ohnehin in weiter Ferne zu liegen. Wenn ich weiter das Gymnasium besucht hätte, wären es noch zwei Jahre bis dahin gewesen, und die Chance, daß Juden im Hitlerdeutschland eine Universität besuchen dürften, war gering. Der Gedanke kam mir gar nicht, daß der Verlust des Abiturs in Deutschland auch den Zugang zu Universitäten in anderen Ländern verwehren könnte, obwohl meine Interessen, freilich in eher abstrakter Weise, bereits in die akademische

a) Meine Schwester Dorothea hatte Volkswirtschaft an der Universität Frankfurt/M. belegt, hatte aber 1933, als mein Vater aus der Berliner Anwaltskammer ausgeschlossen wurde, sofort ihr Studium abgebrochen, weil ihr klar war, daß sie Geld verdienen mußte, und war nach Berlin zurückgekehrt, wo sie eine Bürotätigkeit aufnahm. Diese plötzliche Beendigung ihrer Studienzeit war für sie ebenso traumatisch wie für mich die Relegation vom Gymnasium; nur waren die Reaktionen meiner Schwester nüchtern, während die meinen heftig und wild waren.

Klasse im Grunewaldgymnasium, 1930.

Richtung tendierten. Ich erkannte auch nicht sogleich, daß der Ausschluß von der Schule meine soziale Isolierung verschlimmern würde. Ich war zwar zuvor nicht gerade gesellig gewesen, aber selbst die gelegentlichen Kontakte zu meinen Klassenkameraden hörten von einem Tag zum andern auf. Auch war ich jetzt von meinen geliebten Leichtathletikveranstaltungen und vom Mannschaftssport ausgeschlossen. Doch in Wirklichkeit freute ich mich damals, nicht mehr zur Schule gehen zu müssen.
Wie ich von einem Klassenkameraden erfuhr, hatte unser Klassenlehrer meine Abwesenheit »erklärt«. Man habe es für das beste gehalten, wenn ich die Schule verließe, weil man der Klasse nicht zumuten könne, einen Mitschüler in ihrer Mitte zu dulden, dessen Vater aus unbekannten Gründen in Schutzhaft genommen worden sei. Unter den damaligen Umständen war dies eine versteckte Anspielung auf kommunistische Betätigung. Auf diese Weise konnte der Lehrer vor der Klasse jene Gründe zum Ausdruck bringen, die dank der Intervention der Eltern nicht in meinem Abgangszeugnis standen. Als ich ein letztes Mal in das Schulgebäude kam, um ein paar Sachen zu holen, die mir gehörten, machten einige meiner früheren Kameraden und andere, die ich nicht kannte, feindselige Bemerkungen und drohende Gebärden; ich merkte, daß sie mich verprügelt hätten, wenn ich länger geblieben wäre. Das wohl Traumatischste an dem ganzen Vorgang war für mich, daß ich mich vertraulich an den Lehrer gewandt hatte und dieser mein Vertrauen enttäuscht hatte. Es schien klar zu sein, daß er in der Zwischenzeit die Klasse gegen mich aufgehetzt hatte. Da er weiter an der Schule unterrichtete, blieb mir nichts weiter übrig, als die Schulentlassung zu akzeptieren, wenn ich dem Kontakt und möglichen Reibereien mit ihm aus dem Wege gehen wollte. Theoretisch hätte ich die Möglichkeit gehabt, entweder an eine andere Schule zu gehen oder mich zu entschuldigen, um Wiederaufnahme zu bitten und gegebenenfalls der Grußvorschrift Folge zu leisten. Aber ich war zu aufgebracht, um pragmatisch zu handeln, und im übrigen ist es zweifelhaft, ob diese Alternativen wirklich existierten. – Die Sache hatte ein Nachspiel, das mir eine gewisse ingrimmige Befriedigung verschaffte. Vor meiner Entlassung hatten wir noch

einen Deutschaufsatz schreiben müssen, dessen Thema lautete: »Was uns der Nationalsozialismus gebracht hat.« Ich erfuhr später, daß besagter Lehrer die Aufsätze nach den Sommerferien mit der trockenen Bemerkung zurückgegeben hatte, bedauerlicherweise habe Bendix den besten Aufsatz geschrieben. Soweit ich mich erinnere, hatte ich Punkt für Punkt den liberalen Individualismus und den Kollektivismus der Nazis einander gegenübergestellt.

Aber das war ein geringer Trost. Wenige Wochen nach der Verhaftung meines Vaters verspürte ich plötzlich eine innere Leere. In den vorangegangenen zwei Jahren hatte ich auf eigene Faust eine ausgedehnte Lektüre betrieben, und jetzt wußte ich nur, daß ich etwas Praktisches tun wollte oder mußte. Meine ziellose Unruhe zur damaligen Zeit schildere ich am besten, indem ich wiedergebe, wie mein Vater mich bei einem unserer Besuche im Spandauer Gefängnis erlebte.

Schon als ich hereintrat, bemerkte ich bei ihm [Reinhard] eine gewisse Gespanntheit und Geladenheit. Er hielt sich im Hintergrunde und ließ seine sachliche Schwester mit einer auffälligen Gleichgültigkeit und inneren Entferntheit geschäftliche Dinge erörtern ... Der Junge brach plötzlich vor und sprudelte leidenschaftlich heraus, er könne und wolle nicht weiter auf die Schule gehen, sein Klassenlehrer habe sich zu ihm so verhalten, daß ihm der weitere Schulbesuch der Unterprima unerträglich geworden wäre. Sein Klassenlehrer G., dem er sich anvertraut und den er um Rat gefragt habe, ob er mit Rücksicht auf die Schutzhaft seines Vaters das Grunewald-Gymnasium verlassen sollte, um einen praktischen Beruf zu ergreifen, habe ihn ganz brutal vor die Alternative gestellt, entweder freiwillig die Schule zu verlassen oder fortgeschickt zu werden. Sein Vater sei ein Kommunist, er sei ein Kommunist und würde von ihm nicht mehr unterrichtet werden. Diese mich als solche erschütternde Darstellung kam nicht geordnet heraus, sondern in sich überstürzenden Worten, wie ein Katarakt. Ich kam dabei nicht zu Worte und mußte mir den vollständigen Sinn aus Andeutungen zurechtlegen, die Reinhard mit einem ständigen inneren und äußeren Seitenblick auf den lauschenden Beamten machte.[1]

Es war in der Tat ein schwieriges Gespräch, da ich meinem Vater mitteilen wollte, wie empört ich war und daß ich fest vorhatte, mit der Schule aufzuhören, ohne vor dem Beamten zu enthüllen, daß ich den Hitlergruß verweigert und daß dieser Klassenlehrer sich als loyaler Nazi entpuppt hatte, der mein Vertrauen verraten hatte. Mein Vater war über diese Wende, die die Dinge genommen hatten, sichtlich erregt. Offenkundig machten die Lehrer in der Schule seinen Sohn zumindest teilweise für die Taten seines Vaters verantwortlich. Er erkannte auch deutlicher als ich, daß ich im Augenblick keinerlei Zukunftspläne hatte. Er drang in mich, wenigstens so lange an der Schule zu bleiben, solange über meinen Fall noch beraten wurde, und ich sträubte mich gegen diesen Gedanken mit der ganzen unbändigen Leidenschaft meiner siebzehn Jahre.

Probleme eines Siebzehnjährigen

Diese stürmische Begegnung anläßlich eines Gefängnisbesuches wiederholte sich noch viele Male in den Briefen, die ich 1933, während seiner Spandauer Zeit, mit meinem Vater wechselte. Ich besitze diese Briefe noch, ebenso die Reaktionen meines Vaters auf sie. Meine Briefe enthielten philosophische Erörterungen unterschiedlicher Art, aber zugleich waren sie bombastisch, ein Gemisch aus hochtrabenden Phrasen und aus Andeutungen, die unklar genug waren, um der Aufmerksamkeit des Zensors zu entgehen. Sie enthielten auch etwas von jenem verzweifelten Pessimismus, in dem ich anscheinend Trost fand, der aber nicht immer von einer gewissen Herablassung gegenüber dem Legalismus meines Vaters zu unterscheiden war. Heute fällt es selbst mir schwer, diese Briefe zu verstehen. Ihr Gefühlsüberschwang verrät jenen Kampf mit halb verstandenen Ideen, durch den ich mich gegen die Bedrohung abzuschirmen suchte, die meinen Vater bereits ereilt hatte. Derselbe Gefühlsüberschwang äußerte sich in ersten Versuchen, eine gewisse Unabhängigkeit zu erlangen und mich vom Einfluß meines Vaters, dessen ich mir nur allzu deutlich bewußt war, frei zu machen – und all das, während mein Vater im Gefängnis war und wir zu Hause versuchten, ohne ihn fertig zu werden.
In dem einsamen Bemühen, sich sein inneres Gleichgewicht zu

erhalten, freundete mein Vater sich mit einem Mithäftling an, einem katholischen Priester, und zeigte ihm einmal einen meiner Briefe. Die Erinnerungen meines Vaters berichten über die Diskussionen, die dieser Brief zwischen den beiden Männern auslöste. Der Priester verurteilte nicht nur in scharfen Worten den völligen Mangel an Respekt, den ich an den Tag legte, sondern bezeichnete meine Haltung auch als »typisch jüdisch«. Die beiden blieben zwar befreundet, aber mein Vater brach diese besondere Diskussion bald ab und notierte später die Überlegungen, die sie in ihm wachgerufen hatte. Mit der traditionellen Autoritätsfrömmigkeit des Priesters machte er kurzen Prozeß. Er selbst war schließlich sein Leben lang ein Kritiker der Autorität gewesen. Es gab eine Phase in der Entwicklung eines Sohnes, in der dieser seinen Vater imitierte, und ich hatte seine eigene Respektlosigkeit imitiert. Selbst im Gefängnis war mein Vater distanziert genug, um zu erkennen, daß er von mir nicht erwarten konnte, was er selbst nicht praktizierte. Mehr beschäftigte ihn die Reaktion des Priesters auf mein »typisch jüdisches« Wesen, doch kannte er nicht-jüdische Väter und Söhne, die eine ähnliche Respektlosigkeit gegeneinander und gegenüber Autoritätspersonen zeigten. Immerhin glaubte er, daß hier ein gewisses »jüdisches Element« im Spiele sei.

Die jahrhundertelange politische Diskriminierung der Juden hatte wahrscheinlich ihre kumulative psychologische Wirkung auf jüdische Intellektuelle nicht verfehlt. Die Analyse dieses Effekts durch meinen Vater dürfte von allgemeinem Interesse sein.

Die geschichtliche Entwicklung der in der ganzen Welt zerstreuten und jahrhundertelang politisch deklassierten Juden hat eine gewisse Inzucht unter ihnen mit sich gebracht, die auf ihre seelische Struktur in bestimmter Richtung einwirken mußte. Wird einem Menschen die Wirkungsmöglichkeit nach außen künstlich eingeschränkt und in vielen seiner menschlichen Natur entsprechenden Beziehungen ganz abgeschnitten, so müssen die gestauten Seelenkräfte sich einen anderen Weg suchen; ist der Weg nach außen verschlossen, so kann es nicht wundernehmen, wenn er sich nach innen ausweitet. Diese Hypertrophie des Innenlebens bringt es mit sich, daß in ihm die Zuflucht vor der feindlichen Außenwelt gesucht wird. Zuflucht kann und wird aber nur dort gefunden, wenn in ihm ein großer *Schatz* erlebt wird. Das führt notwendig zur Überschätzung des Innenlebens und seiner *geistigen* Werte. In geistigen Bereichen kann es aber ihrer Natur nach keine Autoritäten und Respektspersonen geben. Hier regiert der Richterstuhl des eigenen Geistes unumschränkt und rücksichtslos; wer auf ihm sitzt, macht vor nichts und niemand halt, kennt keinen Vater und keine Mutter, sondern nur gleichrangige Kameraden, die untereinander wetteifern und sich überflügeln wollen. Bei einer solchen, unter Juden weit verbreiteten Geistesverfassung geschieht es dann nicht selten und bei erwachenden, sich ihrer Kraft bewußt werdenden Geistern, also in den Pubertätsjahren recht häufig, daß der Geist sich überlegen fühlt, wo er es noch garnicht ist ... Die Überschätzung des Geistes und der Geistesrausch ist als psychischer Ausgleich gegen das Fehlen der Macht in weltlichen Bereichen Quelle der Überheblichkeit. Der übersteigerte Intellektualismus ist aber keine rassische Eigentümlichkeit, sondern eine geschichtliche Erscheinung.[2]

Diese Betrachtungen schrieb mein Vater zwar erst fünf Jahre später nieder, sie beziehen sich aber auf meine Situation im Jahre 1933. Nachträglich habe ich mich gefragt, ob sie – in etwas anderen Worten – nicht auch auf seine eigene Stellung zutrafen.

Doch 1933 hatte er es nicht mit diesen schwerwiegenden Problemen zu tun, sondern mit einem siebzehnjährigen Sohn, der schwer zu behandeln war, vor allem, wenn man in Haft saß. So schrieb mein Vater mir, wie der katholische Priester auf meinen Brief reagiert hatte und was er ihm geantwortet habe. Er wußte natürlich, daß ich trotz meiner großspurigen Pose sensibel und verletzlich war und mit der Entlassung von der Schule rechnen mußte, ohne irgendwelche Aussichten zu haben. In diesem Zusammenhang schickte er mir folgendes Gedicht samt Kommentar:

Meinem Sohn ins Stammbuch

(Aus der Schutzhaftzelle im tiefsten Dank für die Belehrung)
Herr, dunkel ist der Rede Sinn!
Ist einer drin, ist keiner drin?
Erleuchtung ist in mich gekommen
Und hat mich für Dich eingenommen:
Ich hab' die Jugend nicht vergessen,
Hab meine Ollen aufgefressen!

Ich war viel klüger als die Alten,
Die meine Weisheit Frechheit schalten!
Die Ärmsten! Höchstes Geisteswehen
War ihnen kindisches Geschehen!
Getaucht in eigner Jugend Bronnen
Erfüllt es mich mit tiefsten Wonnen:
Das Küken will den Hahn belehren
Und piepst und kräht in wilden Chören!
Sein »KIKRI« macht dem Hahn Vergnügen:
Es »kikrit«, und es meint zu fliegen.

Mein geliebter Junge! Nichts für ungut! Aber kannst du, was du wirklich Kluges zu sagen hast, nicht schlichter sagen? Du bringst dich um die Wirkung! In der Sache selbst hast du in dem meisten recht! Die vollendeten Tatsachen sind für den Gelehrtentypus als solche in der Tat das schwierigste Problem. Man kann sich nicht völlig auslöschen und nicht immer mit den sich ändernden Tatsachen umlernen. Wie weit die Wandlungsfähigkeit geht, und wo die Grenze liegt, das ist die große Frage und nach der Persönlichkeit verschieden. Schiller hat seine Weltanschauung bekanntlich vielmals gewechselt. Frauen sind gradliniger! Siehe deine Mutter und Dorothea! Sie müssen das auch sein, weil das Irrationale in den Frauen herrscht und vorherrschen muß, denn auf der Instinkthaftigkeit beruht der Fortgang des Lebens. Ach wir armen Männer!

Dein treuer Vater.

Die Ansichten meines Vaters über meine Mutter und über Frauen generell habe ich bereits an anderer Stelle kommentiert. Hier will ich nur dankbar anerkennen, daß er selbst unter den widrigsten Umständen fähig war, einen solchen Brief an mich zu schreiben. In meinem späteren Leben hat mir das viel bedeutet, wenn es auch damals nicht die düstere Situation aufzuhellen vermochte, in der ich mich befand.

Von den Briefen jenes schwierigen Jahres besitze ich noch einen – und es ist der einzige –, in dem ich einen etwas positiveren Ton anschlug. Irgendwann im Sommer 1933 war ich allein in unser Dorf gefahren, während meine Mutter und meine Schwester sich um meinen Vater in Spandau kümmerten. Bei diesem Besuch half ich unseren Nachbarn bei der Ernte, und die körperliche Anstrengung stimmte mich auf einmal froh, trotz allem, was geschehen war. Der Brief, den ich nach Hause schrieb, quoll über von Wortspielen, Berliner Jargonausdrücken und einer Lebenslust, wie ich sie in jenem Jahr nie wieder empfand. Zwar hatte es einige lichtere Augenblicke gegeben, wenn ich meiner Mutter und meiner Schwester wirklich einmal geholfen hatte, mit unseren schwierigen Problemen fertig zu werden. Aber im großen und ganzen war ich ihnen keine Hilfe, weil ich selber vor fast unüberwindlichen Schwierigkeiten stand. Mein Vater spürte das und appellierte an meine Schwester, diesen widerborstigen Jüngling irgendwie zu bändigen, solange er – mein Vater – nicht da sei. Aber sie schrieb ihm zurück, daß diese Aufgabe zu viel für sie sei. Die Zeit hat gnädigerweise jede Vorstellung davon, wie ich es fertigbrachte, derartig schwierig zu sein, aus meinem Gedächtnis getilgt; doch die Erinnerung an meine eigenen Schwierigkeiten ist lebhaft genug. Mit siebzehn suchte ich geradezu verzweifelt nach Selbstbestätigung; der heftige Ton meiner Briefe war nichts als Fassade. Mein Vater saß im Gefängnis. Ich war von der Schule gejagt worden. Die Nazipropaganda prangerte die Juden als Blutsauger und Ausbeuter an, die keiner ordentlichen Arbeit nachgingen, sondern mit Lug und Trug ihre ergaunerten Gewinne einheimsten. Wenn mein Vater unter diesen Umständen sagte, ich solle alles tun, um meine Schulbildung abzuschließen, bedeutete dies zweierlei. Erstens würde ich weiterhin nichts zum Unterhalt meiner Familie beitragen. Und außerdem würde ich Nazilehrer mit dem Hitlergruß grüßen und damit ein Regime nicht nur stillschweigend dulden, sondern ausdrücklich gutheißen müssen, das mich und jeden, der mir teuer war, in unzähligen öffentlichen Bekundungen und Reden anschwärzte und verunglimpfte.

Bleiben oder nicht bleiben

In den Briefen an meinen Vater im Spandauer Gefängnis versuchte ich, mein Entsetzen über diese Aussicht auszudrücken, aber natürlich konnte ich das nicht direkt tun. Jeder Brief an meinen Vater und von ihm ging durch die Zensur, und meine unklare, schwülstige Sprache rührte zweifellos auch davon her, daß ich versuchte, das, was ich wirklich meinte, zu verschleiern, in der Hoffnung, daß die Andeutung dem Zensor entgehen werde, meinem Vater aber nicht. Dem zeitgenössischen Leser, der die Bilder des Holocaust vor Augen hat, sei in Erinnerung gerufen, daß das System der planmäßigen Vernichtung in den ersten Jahren der Naziherrschaft noch nicht etabliert war. Die einschlägigen Maßnahmen hatten noch einen vorläufigen Charakter. So wurden unter den Umständen, die ich beschrieben habe, Briefe an Häftlinge ordnungsgemäß weitergeleitet, und es war durchaus zulässig, in ihnen Familienangelegenheiten oder persönliche Entscheidungen zu erörtern, die mit der antisemitischen Politik der Nazis zusammenhingen; wurde doch die Emigration der Juden damals noch offiziell propagiert. Ich beschwor meinen Vater, die Auswanderung ernsthaft in Erwägung zu ziehen, und sagte, daß ich selbst bereit sei, aus Deutschland fortzugehen, zumal meine Schulentlassung endgültig war. Ich brachte diese Ansicht in stürmischen Worten vor, die keinen Zweifel daran lassen sollten (wenn ich es auch nicht so sagte), daß ich mit einem Land unter faschistischer Herrschaft nichts zu tun haben wollte.

Offenbar wurde die Botschaft verstanden, trotz meiner dunklen Redeweise; denn die Antworten meines Vaters waren deutlich. Sein Standpunkt war, daß Minderheiten in allen Ländern diskriminiert werden, daß die Treue zu ihrem Land sich gerade in der Diskriminierung zu bewähren hat und daß die deutschen Juden deshalb die Zähne zusammenbeißen und auf bessere Zeiten hoffen müssen. Um seinen Standpunkt zu bekräftigen, berief er sich gern auf die affirmative Einstellung gegenüber den südafrikanischen Behörden, die Gandhi während des Burenkrieges an den Tag gelegt hatte. Mit all dem verteidigte er, selbst hinter Gefängnismauern, seine eigene assimilationsfreundliche Haltung. Er ließ die Hoffnung nicht sinken, daß man ihm nach seiner Freilassung erlauben werde, wieder als Rechtsberater tätig zu sein. Heute verstehe ich, worum es in unserem Briefwechsel im Grunde ging: er verteidigte und ich attackierte seine positive Einstellung gegenüber Deutschland. Ich war siebzehn, ich hatte nicht die Arbeitsleistung eines ganzen Lebens in das deutsche

Rechtssystem investiert, ich war mit einer politischen Situation konfrontiert, in der meine Aussichten gleich null waren. Wie konnte ich mich an eine Gesellschaft anpassen, in der ich nicht einmal unter zumutbaren Bedingungen zur Schule gehen konnte? Es wäre zu einfach, wollte man die (selbst im Gefängnis) positive Einstellung meines Vaters zu Deutschland mit meiner eigenen eilfertigen Ablehnung einer Gesellschaft vergleichen, die mich zurückstieß. Bis 1933 hatte ich mich damit zufriedengegeben, mich als Deutschen zu betrachten, doch mit dieser Selbstzufriedenheit war es nun vorbei. Ich hatte mir nicht die starke Identifikation meines Vaters mit Deutschland angeeignet: seine Einstellung hatte es mir leicht gemacht, mein Deutschsein als etwas Selbstverständliches hinzunehmen. Und in Ermangelung irgendeiner jüdischen Tradition konnte ich mich auch nicht gut mit dem Judentum identifizieren, gleichgültig, wie das Regime mich klassifizieren mochte. Das alles war verwirrend, und ich konnte es nicht zu Ende denken. Ich wußte nur, daß es keine Antwort war, mich in meinen Büchern zu vergraben, wie ich es in früheren Jahren getan hatte. Ich mußte handeln, um mein inneres Gleichgewicht wiederzugewinnen.

Hier erwies es sich als hilfreich, daß ich mich früher an einer Gruppe von sozialistischen Gymnasiasten beteiligt hatte. Erst viel später erfuhr ich, daß diese Gruppe das Nebenprodukt einer politischen Kaderorganisation namens *Neu Beginnen* gewesen war, die sich Anfang der dreißiger Jahre gebildet hatte. Dieser kleinen Untergrundorganisation gehörten Funktionäre der SPD und anderer Linksparteien einschließlich der KPD sowie verschiedene Gewerkschafter an. Diese Leute waren über den mörderischen Bruderkampf vieler Parteien und Splittergruppen der Linken verzweifelt und sahen schon früh den Aufstieg der Nazis voraus. So konstituierten sie sich als Geheimorganisation, nach dem leninistischen Modell von Berufsrevolutionären. Ihr Ziel war es, eine konstruktive Politik der existierenden Organisationen der Arbeiterklasse zu fördern, sich aber zugleich auf die Herankunft des Hitlerregimes durch die Vervollkommnung der Methoden einer Geheimorganisation vorzubereiten. Da sie voraussahen, daß die Nazis die deutsche Arbeiterbewegung zerschla-

gen würden, wollten sie, daß zumindest ein kleiner Kern von Menschen die kommende faschistische Periode überlebte, um eine politische Alternative anbieten zu können, sobald die Zeit für ein neues Beginnen gekommen war.
Meine Schwester hatte einige politische Kontakte im Zusammenhang mit dieser Schülerorganisation geknüpft, und diese Kontakte brachten sie in Berührung mit Angehörigen von *Neu Beginnen*. Durch sie erfuhr ich von Diskussionsgruppen, die von *Neu Beginnen* organisiert wurden, und trat 1933 einer dieser Gruppen bei. Ich war das bei weitem jüngste Mitglied, doch erfuhr ich später, daß die Schulung junger, sozialistischer Sympathisanten eine bewußt verfolgte Strategie war. Diese Diskussionsgruppen gehörten nicht zum Kern der Organisation, doch boten sie mir sehr nachhaltige Eindrücke. Hier hatte ich Kontakt zu einer Untergrundbewegung aus Hitlergegnern, die sich auf den bevorstehenden Kampf vorbereiteten, und wenn auch vieles im Unbestimmten blieb, taten wir doch wenigstens etwas. In meinem Fall war es eine aufmunternde Erfahrung, weil ich meine Isolierung überwand und eine Alternative zur Akkomodation meines Vaters an das Hitler-Regime kennenlernte. Auf diese Weise erfuhr ich etwas über die Geschichte der Arbeiterbewegung, eignete mir gewisse elementare Vorsichtsmaßregeln einer konspirativen Organisation an und entwickelte ein Gefühl der Loyalität sowohl zu den Leuten, die ich kennenlernte, als auch zu der Gesamtorganisation als einem Mittel zu einer besseren, menschenwürdigeren Zukunft.

Eine Unterschrift

Inzwischen, im August 1933, war mein Vater von Spandau in das bereits erwähnte neue Konzentrationslager Brandenburg verlegt worden. Meine Mutter, meine Schwester und ich waren in finanziellen Schwierigkeiten, und um diese wenigstens vorübergehend zu lindern, benötigten wir die Unterschrift meines Vaters, um einige Versicherungen beleihen zu können. Mir fiel die Aufgabe zu, die Unterschrift durch einen Besuch bei meinem Vater im KZ Brandenburg zu beschaffen, und ich mußte noch einen Notar dazu überreden, mich bei dieser Mission zu begleiten. Mein Besuch war nicht angekündigt und kam daher völlig überraschend für meinen Vater; ebensowenig wußten die Beamten, was sie mit einem solchen Ersuchen anfangen sollten. Infolgedessen war das Zusammentreffen mit meinem Vater von einer Förmlichkeit, bei der wir uns noch unwohler fühlten als sonst schon bei der üblichen Gezwungenheit eines Gefängnisbesuches. In Brandenburg hatte es mich viele bange Stunden gekostet, bevor ich einen Notar gefunden hatte, der bereit war, mich zu begleiten. Der notarielle Vorgang spielte sich in meiner Abwesenheit in einem Nebenzimmer ab, nachdem der Beamte und dann auch mein Vater von höherer Stelle die notwendige Erlaubnis bekommen hatten. Danach kam mein Vater noch einmal kurz zu mir zurück, und nach einem weiteren, gequälten Gespräch wurde er von dem Beamten wieder zu den Baracken gebracht. Ich hatte die benötigten Unterschriften bekommen, aber wir bedienten uns der Dokumente später doch nur selten, weil als Ort der notariellen Beglaubigung das Konzentrationslager angegeben war. Erst später erfuhr ich, daß mein Vater über diese unverhoffte Begegnung, die kein wirkliches Gespräch zwischen uns zuließ, noch unglücklicher war als ich und daß der Notar ein Jude gewesen war, der später Selbstmord beging. Vermutlich mehr als jedes andere Erlebnis des Jahres 1933 hinterließ dieser Besuch bei meinem Vater in einem neu errichteten Konzentrationslager in mir den lebhaften Eindruck von roher Gewalt und das Gefühl einer drohenden Gefahr und der Entfremdung von dem Land, in dem ich geboren war.

Was mich betraf, so sprachen meine Entlassung von der Schule, die Inhaftierung meines Vaters und dieser Besuch im KZ Brandenburg gegen Deutschland. Die Lektüre der deutschen Philosophie und Literatur und der Kontakt zu *Neu Beginnen* sprachen für Deutschland. Bereits 1933 war das Band, das mich an Deutschland fesselte, brüchig geworden, da es nur aus einigen abstrakten Ideen, für die ich mich zu interessieren begonnen hatte, und der prekären Situation einer kleinen illegalen Organisation bestand. Es ist schwer zu beurteilen, warum ich so wenig von der starken Identifizierung meines Vaters mit Deutschland übernommen hatte. Vielleicht war ich zu jung, vielleicht war ein Generationswechsel bei deutschen Juden im Gange. Mein Vater hatte eine starke Identifizierung mit Deutschland gebraucht, als er in den neunziger Jahren mit dem Judentum brach; für uns Kinder war dieser Bruch jedoch ein Teil unseres Lebens, von dem wir nichts wußten. Falls uns ein Bruch mit der Generation unserer Eltern bestimmt war, mußte er sich in unserem Protest gegen ihre deutsch-jüdische Assimilation ausdrücken, und in gewisser Weise war es bereits soweit, indem wir unsere Identifizierung mit der deutschen Kultur sehr viel leichter nahmen als unsere Eltern. Wenn mein Vater 1933 bereit gewesen wäre, mit seiner Familie auszuwandern, wäre ich selbstverständlich und ohne zu zögern mitgegangen. Aber nun war Hitler an die Macht gekommen, und trotzdem wollte mein Vater nicht emigrieren. Mir schien seine Bereitschaft, sich zu akkomodieren, moralisch falsch und politisch unrealistisch zu sein. Mein Protest gegen das Hitler-Regime drückte sich darin aus, daß ich den Diskussionsgruppen von *Neu Beginnen* beitrat. Aber auch hier gab es nur Bücher und Worte, keine Tat.

Ich wollte mich selbst bestätigen und erinnerte mich an die plötzliche Aufheiterung meiner Stimmung in der Erntezeit jenes Jahres (August 1933). Die Naziparolen, daß die Juden die Arbeit mit den Händen scheuten, brachten mich zusätzlich in Rage. Die Stubengelehrsamkeit meines Vaters und sein Mangel an körperlicher Betätigung schienen zu bestätigen, was ich nicht wahr haben wollte. Ich würde es ihnen zeigen! Durch irgendeinen Kontakt, der mir jetzt entfallen ist, ergab sich die Möglichkeit, eine Zeitlang nach England zu gehen und in einem landwirtschaftlichen Betrieb mitzuarbeiten – eine Chance, die mit einem Schlage das Vakuum, das vor mir lag, beseitigte. Ich muß diese Möglichkeit bei meinen Besuchen im Spandauer Gefängnis erwähnt haben, denn die Briefe von 1933 kommen häufig auf diesen Plan zu sprechen. Mein Vater gab seine vorsichtige Zustimmung. Er konnte sehen, wie aufgebracht ich war und daß diese Aussicht eine beruhigende Wirkung auf mich zu haben schien. Selbstbestätigung durch Landwirtschaft: ich wollte die Nazis einfach »widerlegen«, indem ich mit meinen Händen arbeitete, und mich daneben zugleich von der körperlichen Untüchtigkeit meines Vaters distanzieren! Trotzdem hatte ich auch den starken Wunsch, mich an einer Untergrundorganisation zu beteiligen. Wie konnte ich nach England auf einen Bauernhof gehen, wo ich vielleicht für diese politische Aufgabe in Deutschland gebraucht wurde?

Ich fuhr zwar nach England. Aber die Bedenken hatte ich nicht zerstreut, den möglichen Loyalitätskonflikt nicht gelöst.

Selbstfindung

Rückblickend betrachtet, muß ich erkennen, daß mein unbändiger Drang, fortzugehen, die Belastungen, die mein Vater zu tragen hatte, nur noch vermehrte. Er wurde Anfang Oktober 1933 aus dem Konzentrationslager Brandenburg entlassen. In jenen ersten Tagen des Hitler-Regimes betrachteten die Nazis die zeitweilige »Schutzhaft« als Element ihrer »Umerziehungskampagne«, und die Freilassung meines Vaters, die ebenso unerwartet erfolgte wie seine Verhaftung, war nichts Ungewöhnliches.

Mein Vater hatte unter der Schande und Ungerechtigkeit seiner Einkerkerung schwer gelitten. In seinen Augen war die Inhaftierung nur ein weiterer Schritt auf dem Wege seiner sozialen Entwürdigung, der mit dem Ausschluß aus der Berliner Anwaltskammer begonnen hatte. Doch seiner Entschlossenheit, in Deutschland zu bleiben, tat das keinen Abbruch. Er war in diesem Lande aufgewachsen und wäre sich als Fahnenflüchtiger vorgekommen, wenn er jetzt gegangen wäre. In seinen Erinnerungen behauptet er, die Familie habe in dieser Hinsicht genauso gedacht wie er, und zweifellos trifft das für meine Mutter auch zu. Mit meiner Schwester oder mir diskutierte er die Angelegenheit nicht, und keiner von uns beiden hätte seinem Engagement eine praktische Alternative entgegensetzen können. Wenn er später schrieb, daß ihm 1933 eine Emigration wie Fahnenflucht erschienen wäre, so bezog sich dies nicht allein auf die deutsche Kultur und die Heimat, sondern fast ebensosehr auf das deutsche Rechtssystem. Wie konnte sich ein Rechtssystem behaupten,

wenn selbst Leute wie er, die sich für seinen Fortbestand eingesetzt hatten, es im Ernstfall im Stich ließen?
Rückblickend wirkt diese Einstellung bewunderungswürdig und mutig, auch wenn sie unrealistisch war. Später kam mein Vater selbst zu der Überzeugung, daß er die Zerstörungswut des Nazi-Regimes kraß unterschätzt hatte. Bei seiner kämpferischen Natur konnte es nicht ausbleiben, daß er früher oder später erneut die Aufmerksamkeit der Behörden auf sich lenkte und in dem sich daraus entwickelnden Konflikt zu Schaden kam. Es ist nur ein geringer Trost, daß meine Schwester und ich diese Gefahr schon damals erkannten, obgleich wir sie vielleicht nicht in diesen Worten hätten ausdrücken können. Wir sahen das Problem vor allem unter persönlichen und politischen Aspekten. Wir kannten unseren Vater als eigensinnigen Mann, der die Dinge auch unter den ungünstigsten Umständen beim Namen nennen würde. Das gehörte zu seiner Lebensauffassung. Aber im Deutschland der Jahre 1933 und 1934 war sein Wahrheitsfanatismus zu einer Eigenbrötlerei geworden. Wir begriffen mehr oder weniger deutlich, daß die Menschen aus politischen und psychologischen Gründen die Wahrheit nicht hören mochten und sich über jene Leute ärgerten, die sie ihnen aufzwingen wollten.
Um sich von seinen Hafterlebnissen in Spandau und Brandenburg zu erholen, zog sich mein Vater in unser Dorf zurück, wo er sich täglich auf dem Bürgermeisteramt melden mußte. Infolgedessen wußte bald jedermann im Ort, daß er im Konzentrationslager gesessen hatte. Doch unterdessen war ich aus der Schule ausgeschlossen worden und hatte nichts zu tun. Ungeduldig erwartete ich den Abschluß aller Vorbereitungen, um auf einem Bauernhof in der Nähe von Welwyn Garden City in England arbeiten zu können, und mein Vater tat alles, um die Angelegenheit zu beschleunigen. Er muß gemerkt haben, daß ich entschlossen war, körperlich zu arbeiten, und daß es mir schwerfiel, mein Lektüreprogramm zu absolvieren, das bisher meine Hauptwaffe gegen die feindselige Welt um uns herum gewesen war. Nachdem ich erst kürzlich entdeckt hatte, daß das »Judesein« irgendwie wichtig für mich war, war mein hauptsächliches Bestreben nun, *mich selbst* zu beweisen. Immerhin hatte mein Vater Gelegenheit

gehabt, seine körperliche Ungeschicklichkeit zu bedauern, wie er uns nach seiner Freilassung erzählt hatte, und ich war entschlossen, es ihm in dieser Hinsicht *nicht* gleichzutun.
Mein Aufenthalt in Welwyn Garden City markierte den ersten Schritt auf dem Wege zur Unabhängigkeit von meinen Eltern: ich ging fort, während sie zu Hause blieben, und ich würde (jedenfalls mir selbst) beweisen, daß ich zu körperlicher Arbeit fähig sei, während mein Vater seine juristische Arbeit fortsetzen würde, so gut es ging. Das Thema der körperlichen Leistungsfähigkeit der Juden hatte schon um 1860 im Mittelpunkt deutsch-jüdischer Studentenverbände gestanden, die mit Körperertüchtigungsprogrammen gegen antisemitische Vorurteile ankämpften[3], und ist bis auf den heutigen Tag aktuell geblieben, wo Juden in aller Welt sich mit der Tüchtigkeit und dem Mut der israelischen Soldaten identifizieren. Mein Vater beschrieb die bei Juden verbreitete Tendenz zur Überschätzung des Geistigen als uralte Reaktion auf ihren Ausschluß von vielen praktischen Tätigkeiten. Er bemerkte vermutlich nicht, daß ich dabei war, eine andere, modernere Reaktion auf diesen Ausschluß zu demonstrieren, indem ich darauf bestand, mich durch körperliche Arbeit zu bewähren.

Welwyn Garden City

Das Experiment meiner Selbstfindung begann im Frühjahr 1934. Ich bekam eine Stelle in jenem landwirtschaftlichen Betrieb in England. Der Gedanke, Landwirtschaft zu studieren, erschien mir als praktischer Beitrag zur Situation unserer Familie in Zeiten der Not. Ich nahm Abschied von der Familie, wobei auf allen Seiten böse Ahnungen laut wurden. Mein Vater hatte gerade wieder mit seinen Bemühungen begonnen, sich als Rechtsberater zu etablieren, und es war ungewiß, ob ihm dies gelingen werde. Zugleich erschien mein Aufbruch nach England als der erste Schritt zu meiner Emigration. Niemand wußte so recht, wie dieses Abenteuer enden würde, doch 1934 verließ kein junger deutscher Jude das Land, ohne dabei an Auswanderung zu denken. Für die Einreise nach England muß ich ein Studentenvisum gehabt haben; wir konnten nicht wissen, wann wir einander wiedersehen würden.

Meine eigenen Ahnungen und Befürchtungen verschlimmerten sich, je näher der Tag der Abreise rückte. Ich hatte zwar seit einiger Zeit englische Bücher gelesen, war mir aber nicht sicher, wie ich mit dem gesprochenen Englisch zurechtkommen würde. Ich war noch nie von zu Hause fort gewesen und entdeckte jetzt, wie sehr ich mein Zuhause für etwas Selbstverständliches genommen hatte. Bei dem Gedanken, meine Familie zu verlassen, fühlte ich mich plötzlich einsam. Ebenso war es für mich selbstverständlich gewesen, daß ich Deutscher war; nun, da ich wirklich abreisen sollte, war mir plötzlich unwohl bei der Vorstellung, Deutschland zu verlassen – trotz der Nazis. Meine Kontakte zu *Neu Beginnen* gaben dieser Befürchtung noch eine besondere Spitze. Ich war dabei, Freunde im Stich zu lassen, die sich meine Achtung erworben hatten, weil sie entschlossen waren, für ein besseres Deutschland zu arbeiten. Sie würden in Gefahr sein, während ich in Sicherheit war.

In Welwyn Garden City, etwa 50 Kilometer nördlich von London, hatte sich eine ganze Reihe politischer Flüchtlinge aus Deutschland vorübergehend niedergelassen. Ich war der jüngste in einer sehr bunt gemischten Gruppe. Nur drei von etwa fünfzehn Leuten arbeiteten wirklich in dem landwirtschaftlichen Betrieb mit. Die übrigen benutzten den Ort als verhältnismäßig billige Unterkunft, während sie in London studierten oder sonstige Anstrengungen unternahmen, um eine neue Karriere in fremder Umgebung aufzubauen. Ich erinnere mich an den Rechtsanwalt Wolfgang Friedmann, der in England noch einmal ganz von vorne mit dem Studium begann, an den Pädagogen Fritz Borinski, an zwei ehemalige Gewerkschaftler und an einen Mann, der völlig fehl am Platze zu sein schien, da er ein viel germanischeres Aussehen und Gebaren hatte als alle anderen. Zwei Studenten, mit denen ich dann zusammenarbeitete, begannen später in England eine Schweinezucht; einer von ihnen war unpassenderweise zugleich ein talentierter Dichter. Was uns miteinander verband, war nur das gemeinsame Schicksal, Nazi-

Deutschland aus politischen oder »rassischen« Gründen verlassen zu haben und uns, so gut es ging, mit den sozialen Verhältnissen in England zu arrangieren. Wir drei »Bauern« machten gemeinsam auch die Erfahrung der ungewohnten Arbeit und des Kontaktes mit englischen Landarbeitern und hatten den einigermaßen bestürzenden Eindruck, daß das ganze Gehöft von Ratten nur so wimmelte. Ich hatte meine Höhen und Tiefen, mußte Gras mähen, die Felder jäten und beim Schafwaschen helfen, und meine frühere Begeisterung verflüchtigte sich. Die Arbeit war hart, aber ich war jung und eine Zeitlang ziemlich zufrieden. Wenn die Arbeitslast etwas nachließ, konnte ich mir ein Fahrrad leihen, und ich erinnere mich mit Vergnügen an einen Ausflug durch den Süden Englands.

Doch während der Sommer dahinging, drängten die Fragen in mir empor, die ich zurückgelassen zu haben glaubte. Wohin würde dies alles führen? Was würde ich in England tun? Konnte ich meine Familie einfach in Deutschland zurücklassen, nachdem mein Vater offensichtlich keine Anstalten traf, auszuwandern? Was würde aus meinen Freunden, deren gefährdete Situation ich gegen einen sicheren Ort eingetauscht hatte, der mir wenig Aussicht zu bieten schien? Ich hatte bewiesen, daß ich auf einem Bauernhof arbeiten konnte, aber war ich zum Bauern bestimmt? Die landwirtschaftliche Arbeit hatte ihre Reize, weil ich meine Ängste abarbeiten konnte, aber sie war für mich keine Lebensbeschäftigung. Außerdem erlaubte mir das Zusammenleben mit Flüchtlingen auf engstem Raum gewisse Einblicke in die Probleme der Auswanderung. Die alten politischen Differenzen kamen rasch wieder an die Oberfläche, Persönlichkeiten prallten aufeinander, und in unserer kleinen Flüchtlingsgemeinde wurden diese beiden Arten von Konflikt bald ununterscheidbar. Ich war erst achtzehn und nicht bereit, mich mit solchen Problemen herumzuschlagen, wenn ich nicht mußte. Gegen Ende des Sommers mußte ich mir eingestehen, daß mein erster Versuch, selbständig zu werden, fehlgeschlagen war.

Heimkehr

Die Rückkehr nach Berlin war kein Problem. Meine Familie war dort geblieben und war froh, mich wieder zurückzuhaben. Meine Heimkehr befreite mich als junges Mitglied von *Neu Beginnen* auch von dem schlechten Gewissen, mich von der einzigen konstruktiven politischen Betätigung zurückgezogen zu haben, von der ich wußte, mochten ihre Zukunftsaussichten auch noch so düster sein. Schließlich konnte ich auch mein Lektüreprogramm wieder aufnehmen, das ich mir nach der Entlassung von der Schule aufgestellt hatte. In dem halben Jahr meiner Abwesenheit hatte sich nichts verändert, außer daß mein Vater nicht mehr in seinem Büro in der Stadt arbeitete, wie er es früher getan hatte, sondern zu Hause. Seine Bemühungen, als Rechtsberater tätig zu werden, blieben oft ohne Erfolg, und seine Rastlosigkeit und Angst wirkten sich deprimierend auf die übrige Familie aus. Die zunehmende soziale Isolierung unserer Familie war spürbar geworden; jeder von uns schien durch den Ausschluß meines Vaters aus der Anwaltskammer und seine Inhaftierung gezeichnet zu sein. Für mich war das Schlimmste an meiner Heimkehr, daß ich nichts zu tun hatte. Einige Monate lang hatten alle meine Aktivitäten – Lesen, der gelegentliche Besuch heimlicher Zusammenkünfte, das Mithelfen in der Familie und dem Haushalt – nur den einen Sinn, mich zu beschäftigen. Da wir zu diesem Zeitpunkt bereits beschlossen hatten, daß ich nicht mehr versuchen sollte, wieder an meine Schule zurückzukehren, sah ich mich nun nach Arbeit um, nach irgendeiner Arbeit, mit der ich etwas Geld verdienen konnte.

Schließlich fand ich eine Stelle in einer jüdischen Exportfirma, in der ich von 1935 bis 1937 als kaufmännischer Lehrling beschäftigt war. Die Firma exportierte Textilien aller Art, vom Sackleinen bis zu regulären Stoffballen für Herrenanzüge, vom Matratzendrillich bis zu künstlichen Blumen. Meine Aufgabe bestand darin, durch die Praxis zu lernen. Offiziell war ich einem sentimentalen Mann von ungefähr fünfzig zugeteilt, einem eitlen und recht cholerischen Menschen, der sein Leben lang in der Bekleidungsindustrie tätig gewesen war. Er pflegte mir jede Arbeit anzuwei-

sen, die gerade anfiel, angefangen beim Schreiben von Rechnungen und dem Übersetzen von Briefen bis zum Entwurf der Korrespondenz oder der Vorbereitung der Inventur. Schließlich schuf ich mir eine Art eigener Nische, indem ich mich in die Arcana der nazistischen Exportbestimmungen einarbeitete. Jede einzelne Lieferung bedurfte gewisser Recherchen. Bei der Rechnungsstellung war zu unterscheiden zwischen Artikeln, die in harter (ausländischer) Währung, und solchen, die in Reichsmark bezahlt wurden. Die Kunden wurden ersucht, ihre Zahlungen in einer Mischung aus harter Währung und Reichsmark zu leisten, und mußten entsprechend beraten werden. Das Ausstellen von Rechnungen wurde also eine komplizierte Sache, und ich fand ein gewisses abstraktes Vergnügen daran, mich in dem immer verschlungener werdenden Labyrinth der nazistischen Exportbestimmungen zurechtzufinden, die dieses System unter Kontrolle bringen sollten. Nebenbei lernte ich einiges über die menschlichen Auswirkungen des gnadenlosen Wettbewerbs der Textilhändler – genug, um mich in meiner Abneigung gegen diesen Teil des Wirtschaftslebens zu bestärken. Aber ich lernte auch einiges über »human relations« in einem Großbüro, und dieser Teil meines Ausflugs in die Wirtschaft erwies sich als wertvoll.
Tagsüber meine Büroarbeit, die Erledigung unserer Familienangelegenheiten, hin und wieder der Besuch geheimer Zusammenkünfte, mein neu erwachtes Interesse an einer zionistischen Jugendorganisation und meine nächtlichen Studien ergaben einen dicht gedrängten Stundenplan. Doch die Erlebnisse meines Vaters während dieses Zeitraums (1935-37) waren viel traumatischer.

Kapitel XI

Zum zweiten Male im Konzentrationslager (1935-37)

Für meinen Vater war die Zeit zwischen dem Oktober 1933 (dem Monat seiner Freilassung aus dem Konzentrationslager Brandenburg) und der Jahresmitte 1935 verhältnismäßig ruhig. Zwar hatte ihm die Berliner Anwaltskammer einen Prozeß angehängt, doch war er freigesprochen worden und versuchte, als Rechtsberater sein Leben zu fristen. Juden lebten damals in einem Ghetto ohne Mauern: sie waren Gegenstand diskriminierender Gesetze und von jeglicher Teilnahme am öffentlichen und kulturellen Leben ausgeschlossen. Aber innerhalb dieser Schranken wurde man in jenen frühen Tagen des Nazi-Regimes nicht weiter behelligt. Es gab zwar viele neue Beschränkungen im wirtschaftlichen Bereich, aber im großen und ganzen war es Juden gestattet, ihren Interessen nachzugehen.

Im Sommer 1935 änderten sich diese Verhältnisse schlagartig. Im ganzen Lande kam es zu pogromartigen Ausschreitungen gegen Juden und jüdische Geschäfte. »Pogromartig« dürfte der richtige Ausdruck sein; denn diese Ausschreitungen waren mit Mißhandlungen und öffentlicher Verächtlichmachung von Juden sowie erheblichen Beschädigungen jüdischen Eigentums verbunden, aber nur vereinzelt mit regelrechtem Mord. Die Nürnberger Gesetze vom 15. September 1935 machten die deutsche Staatsbürgerschaft von »deutschem oder artverwandtem Blut« abhängig, so daß Juden und Personen halbjüdischer Abstammung ihres »Reichsbürgerrechts« verlustig gingen. Ein weiteres Gesetz vom selben Tage »zum Schutze des deutschen Blutes und der deutschen Ehre« schuf drei neue Straftatbestände: Eheschließungen zwischen Juden und »Staatsangehörigen deutschen oder artverwandten Blutes«, außerehelicher Verkehr zwischen Angehörigen dieser beiden Gruppen und die Beschäftigung deutscher Frauen unter 45 Jahren in jüdischen Haushalten.[a] Die Nazi-Partei hatte schon zuvor im ganzen Lande antijüdische Zwischenfälle organisiert, so daß die Bevölkerung auf derartige diskriminierende Gesetze psychologisch vorbereitet war. Auf diese Weise erweckte man den Anschein, als seien derartige Bestimmungen die Antwort des Gesetzgebers auf den »spontan« ausgebrochenen »Unmut des Volkes«. Die mildeste Form dieser Hetzkampagne waren bis zum September 1935 Aufkleber auf Tafeln, Namensschildern und Schaufenstern mit der Inschrift: *»Wer vom Juden kauft, ist ein Volksverräter.«* Diese Parole schlang sich um die widerliche Karikatur eines »jüdischen« Gesichts. Im Sommer 1935 war ganz Berlin von antisemitischen Umtrieben erfüllt. In unserem Stadtteil hing am Gebäude der örtlichen NSDAP-Geschäftsstelle ein meterhohes Transparent mit der Aufschrift: »Wir wollen die Juden nicht mehr!« Die Schaufenster eleganter Läden wurden zertrümmert und die Auslagen verwüstet, doch wurde verhältnismäßig wenig geplündert, um keinen Schatten auf diesen organisierten Ausbruch der »Volkswut« fallen zu lassen. Mein Vater erzählte, daß ihn jemand auf der Straße angeschrien hatte: »Judenkerl, mach, daß du aus Deutschland herauskommst! Sonst werden wir dafür sorgen!« Der Bursche war vielleicht 20, mein Vater war 58.

Bei diesem plötzlichen Aufruhr um uns herum sahen meine Schwester und ich unsere schlimmsten Befürchtungen bestätigt; nicht so mein Vater. Er war natürlich schockiert, aber zugleich suchte er fieberhaft nach Gegenbeweisen. Er mischte sich unter die Leute, die irgendeinen antisemitischen Zwischenfall beobach-

a) Im Jahre 1979 wurde ich zufällig daran erinnert, daß auch wir von diesem Gesetz betroffen waren, als ich einer über siebzigjährigen Frau begegnete, die von 1930 bis 1935 bei uns Hausangestellte gewesen war. Sie wußte noch, daß sie Lebensmittelpakete an meinen Vater in Spandau zurechtgemacht hatte; sie wußte auch noch, daß ich mit unserer anderen Hausangestellten angebändelt hatte, die daraufhin von meinen Eltern entlassen wurde. 1935 schied sie selbst aus unseren Diensten – nicht nur wegen der neuen Gesetze, sondern auch, weil wir uns eine Hausangestellte nicht mehr leisten konnten.

teten, und fühlte sich durch ihr Schweigen, ihre halblauten Bemerkungen oder ihre regelrechte Empörung in seiner Zuversicht bestätigt. Er notierte Fälle, in denen »jüdisch aussehende« Südeuropäer belästigt wurden und zurückschlugen. In unserer Nähe besaß ein jüdischer Jugendfreund meines Vaters ein großes Lampengeschäft, dessen herrliche Schaufensterfront, die voller Löcher war, innerhalb von 24 Stunden repariert wurde. Der Freund erzählte, er sei versichert gewesen. Die Versicherung habe schnellstens bezahlt, weil die Polizei ein Interesse daran hatte, das normale Erscheinungsbild in den Straßen wiederherzustellen. Er selbst habe es nicht so eilig gehabt, sagte er, weil dieser Akt des Vandalismus die beste Reklame sei, die er sich denken könne. In einem anderen Falle hatte ein prominenter Ladenbesitzer vom Kurfürstendamm seine Beziehungen zur Regierung spielen lassen, um gegen die antisemitischen Aufkleber an seinen Schaufenstern zu protestieren, und schließlich erschien die Feuerwehr, um sie zu entfernen. So sah das Nazi-Deutschland vor Auschwitz aus! Gleichwohl befanden sich die Juden Berlins in Panik, und auch mein Vater ließ eine gewisse Vorsicht walten. Er war sich der Gefahr bewußt, die seinem Lebenswerk drohte, und infolgedessen suchte er nach Beweisen dafür, daß es sich bei jenen Ausschreitungen nur um vorübergehende Exzesse handelte. Er schrieb später in seinen Erinnerungen: »Es war unglaubwürdig neu, daß verantwortliche Stellen im Staate bei pogromartigen Vorgängen beteiligt sein sollten, deren politischen Zusammenhang mit den vor der Tür stehenden, judenfeindlichen Gesetzen niemand außerhalb des ›Kreises‹ der Eingeweihten auch nur hatte ahnen können, geschweige denn geahnt hat. Gegen eine solche Möglichkeit, die immerhin so nahe lag, daß sie allgemein in Erwägung gezogen wurde, setzte ich mich mit allen inneren Widerstandskräften zur Wehr: Meine ganze Vergangenheit wäre in Frage gestellt worden, an meiner Verwurzelung im Boden meiner deutschen Heimat wäre mit rauhen Fäusten bis zur Lockerung und Niederbruch gerüttelt worden. Mein jetziges und künftiges Dasein stand in Gefahr! Das konnte, das durfte nicht sein! – – So dürstete ich nach Tatsachen, die mir bewiesen, daß mein verflossenes Leben nicht sinnlos gewesen war, und stellte mit Befriedigung jedes Anzeichen fest, aus dem ich entnehmen konnte, daß die staatlichen Behörden die Pogrom-Maßnahmen der Partei ... mißbilligten und bekämpften.«[1] Und so glaubte mein Vater oder wollte glauben, daß die staatlichen Einrichtungen einschließlich der örtlichen Polizei die von der Partei getragenen Aktionen mißbilligten. So beschloß er, wenngleich nicht ohne Zögern, dieser Überzeugung entsprechend zu handeln.

Das auslösende Moment für sein Tätigwerden war ein antisemitischer Aufkleber, den er eines Tages auf seinem eigenen Firmenschild an einem der beiden Torpfosten vor unserem Hause entdeckte. Er rief den Vorsteher des zuständigen Polizeireviers an, berief sich auf den »Präzedenzfall« vom Kurfürstendamm und bat ihn, einen seiner Leute zu schicken und den Aufkleber von seinem Namensschild entfernen zu lassen. Nach einigem Hin und Her erklärte sich der Reviervorsteher bereit, einen Polizisten zu schicken, in dessen Gegenwart mein Vater *selbst* den anstößigen Aufkleber entfernen könne. Aber mein Vater wollte sichergehen und rief noch einmal an. Ob er dem Reviervorsteher einen Brief schreiben dürfe, in dem er das eben geführte Telefongespräch bestätigte? Der Reviervorsteher hielt dies nicht für notwendig, doch mein Vater blieb hartnäckig. Schließlich wisse der Reviervorsteher doch, daß mein Vater in Schwierigkeiten gewesen sei und jedem nur möglichen Mißverständnis vorbeugen wolle. Dem Beamten war bei dem Gedanken an den Brief unbehaglich zumute, was meinen Vater nur um so hartnäckiger machte. Schließlich schlug der Reviervorsteher vor, daß mein Vater, wenn er ganz sicher gehen wolle, was er, der Reviervorsteher, nicht für notwendig halte, den Brief doch an die Gestapo senden solle. Diesmal kamen meinem Vater Bedenken, und er sagte, angesichts seiner zurückliegenden Erfahrungen habe er nicht den Wunsch, an die Gestapo zu schreiben; er wolle an den Reviervorsteher schreiben. Endlich gab dieser widerstrebend nach. Als der Polizist kam, bat mein Vater einen seiner treuen Klienten, der zufällig anwesend war, mit dem Beamten nach unten zu gehen, den Aufkleber zu entfernen und ihm zu berichten. Dann übergab mein Vater dem Beamten ein Schreiben, das an den Vorsteher des zuständigen Polizeireviers adressiert war; dieses von bitterer Ironie geprägte Schriftstück hat folgenden Wortlaut:

Dr. jur. Ludwig Bendix
Rechtsberater

Berlin W 30, den 14. 7. 35
Landshuterstr. 3
Telefon: B 6 3332

An den Vorsteher des Polizeireviers 174
Berlin W 30

Gestatten Sie, meinen Dank dafür auszusprechen, daß Sie mir einen Polizeibeamten zur Verfügung gestellt haben, in dessen Beisein ich von meinem Firmenschild am Hauseingang den Zettel mit der Judenfratze und der Umschrift: »Wer vom Juden kauft, ist ein Volksverräter« habe entfernen lassen.
Diese Gelegenheit möchte ich benutzen, Ihre Aufmerksamkeit und Ihren polizeilichen Schutz noch für eine andere Angelegenheit in Anspruch zu nehmen. An Ihrem alten Dienstgebäude, dem jetzigen Parteilokal, befindet sich ein großer weißer Tuchstreifen über die ganze Front des Hauses mit der Aufschrift »Wir wollen die Juden nicht mehr«. Vor dem Hause am Zaun ist ein Stürmerkasten mit seinen aufreizenden Illustrationen angebracht. Der Tuchstreifen und der Stürmerkasten bedeuten eine Provokation für jeden einzelnen Juden, wie viel mehr für solche Juden, die wie wir seit Generationen in Deutschland leben, für Deutschland geblutet haben und es als ihre Heimat lieben.
Schließlich erlaube ich mir auf S. [folgt die Zahl] der *Justiz* hinzuweisen; dort ist von maßgebender Seite der Grundsatz ausgesprochen worden, daß es höchstes Gebot und Ehre eines jeden Deutschen sei, Fremden Hilfe zu leisten. Die Beseitigung des Tuchstreifens liegt auch im allgemeinen Interesse, weil in unserem Viertel viele Ausländer wohnen und das Ansehen des Reiches beeinträchtigt wird, wenn und weil sie in ihre Heimat berichten.

Dr. Ludwig Bendix

Es folgte ein besorgter Familienrat, und mein Vater entschloß sich, zum Polizeirevier zu gehen und mit dem Reviervorsteher darüber zu sprechen, ob es vielleicht ratsamer sei, das Schreiben zurückzuziehen. Aber der Reviervorsteher war nicht da, der Brief war in einer Schublade verschlossen, und man hatte Anweisung gegeben, ihn an die Gestapo weiterzuleiten. Es war nichts mehr zu machen. Immerhin war dies ein politischer Akt gewesen, und trotz seiner bösen Vorahnungen kam mein Vater zu dem Schluß, daß er nichts Ungesetzliches getan habe. Auch hielt ihn ein gewisser Stolz davon ab, hinter seinem eigenen Brief herzulaufen. Als Rechtsanwalt, der die einschlägigen Publikationen verfolgte, wußte er, daß das Beschwerderecht von seiten der Behörden ausdrücklich bestätigt worden war. Bei aller Besorgnis spielte er doch mit dem Gedanken, ein wenig zur Wiederherstellung von Recht und Ordnung beigetragen zu haben.

Zwei Wochen vergingen, ohne daß irgend etwas geschah, dann wurde er verhaftet. Das plötzliche Klingeln an der Haustür zwischen 5 und 6 Uhr morgens, die beiden Polizisten, die nur ihren Befehl ausführten, die kurze Zeit, in der mein Vater sich fertigmachen mußte, das hektische Hin- und Hergelaufe, das flaue Gefühl in der Magengrube: es war alles genau so wie zwei Jahre zuvor. Die zweite »Schutzhaft« meines Vaters hatte begonnen. Natürlich vermuteten wir alle, daß diesmal der Brief an den Reviervorsteher der Grund für die Verhaftung gewesen war. Erst sehr viel später erkannte mein Vater, daß das gelegentliche Gegeneinander von Staat und Partei, das ihn teilweise zu seinem Protest ermutigt hatte, eine von der Naziführung bewußt verfolgte Strategie war, um sowohl die organisierte »Volkswut« als auch zugleich die offizielle Aufrechterhaltung von Ruhe und Ordnung unter Beweis zu stellen. Das Nazi-Regime hatte ein Interesse daran, beides als »Tatsache« zu demonstrieren.

Man könnte sagen, daß mein Vater naiv bis zur Torheit gewesen sei; aber damit wird man ihm nicht gerecht. Er war eine lyrische Natur, womit er den inneren Zwang meinte, alle persönlichen Erfahrungen in einen geistigen Zusammenhang zu stellen, ja sogar solche Erfahrungen zu suchen, um dies tun zu können. Zugleich betrachtete er die gesellschaftliche Erfahrung in ihrer Gesamtheit als angemessenen Stoff, aus dem die bestmöglichen Arten von menschlichen Beziehungen zu bilden seien.[2] Beide Neigungen verbanden sich zu seinem Rechtsfanatimus. Er hatte das Gefühl, daß im öffentlichen wie im privaten Leben die Verantwortlichkeit jedes einzelnen Menschen genau bestimmt sein müsse. Er wurde bei dem Gedanken unruhig, daß es um die

Dinge besser bestellt sein könnte, wenn nur die geeigneten Vorkehrungen getroffen worden wären; er wollte klarstellen, wer für was verantwortlich ist.[3]

Diese Tendenzen wurden auf eine harte Probe gestellt, als mein Vater nach seiner neuerlichen Verhaftung zum ersten Male verhört wurde. Mein Vater sah in diesem »Gespräch« die letzte Chance, wieder auf freien Fuß zu gelangen, und hoffte, es mit einem überzeugten Nationalsozialisten zu tun zu bekommen, der ihm Gelegenheit gab, sein Verhalten zu erläutern, und ihm seinerseits darlegte, wodurch er aus nationalsozialistischer Sicht gegen das Gesetz verstoßen hatte. Er war bereit, sich einer behördlichen Regelung zu unterwerfen, selbst wenn er von ihrer Korrektheit nicht überzeugt sein sollte, solange sie nur ausdiskutiert und erläutert wurde. Eine solche Diskussion war ein wesentlicher Grundsatz der liberalen Demokratie, sie setzte Verhandlungsbereitschaft sowie die Möglichkeit voraus, mildernde Umstände gelten zu lassen, falls unbeabsichtigt gegen ein Gesetz verstoßen worden war.

Aber so sollte es nicht kommen. Statt dessen sah mein Vater sich einem blonden Hünen gegenüber, der kaum halb so alt war wie er und ihm keinen Stuhl anbot, so daß er stehen mußte.

Und dann schrie er mich mit überlauter Stimme, wild gestikulierend, wie man es bei den Juden verachtet, an, daß die ziemlich dicken Wände dröhnten und widerhallten, und die sich überstürzenden Worte kaum verständlich waren: ›Was fällt Ihnen überhaupt ein? Was denken Sie sich eigentlich? Meinen Sie etwa, daß Sie heute noch so mitquasseln können, wie früher? Die Zeiten sind jetzt ein für alle mal vorbei! Merken Sie sich das, verstanden? Wenn Ihnen das nicht paßt, wandern Sie doch aus! Wir brauchen und wollen die Juden nicht mehr – ich mußte an den Tuchstreifen denken, dessen Wegnahme ich von dem Reviervorsteher gefordert hatte –! Wir – ich horchte auf: immer per Wir?! – haben nun genug von Ihnen – es war wohl auch ihm selbst nicht klar, ob er mich oder die Juden im allgemeinen meinte –! Ihre – wieder diese fatale Doppeldeutigkeit! – Rolle ist ausgespielt: wir verstehen überhaupt nicht, warum Sie noch hier in Deutschland sind! Für Leute wie Sie ist doch die Auswanderung das einzig richtige! Sie wollen aber nicht? . . . Sie kommen in Schutzhaft! Ich werde schon dafür sorgen, daß Sie so bald nicht wieder herauskommen! Machen Sie, daß Sie fortkommen! Raus! Raus!‹[4]

Das war sein Verhör. Er hatte gebeten und gebettelt, er hatte sich erniedrigt, er hatte die Auswanderung versprochen. Aber er war kaum angehört worden, und während er in einem Sturm widerstreitender Gefühle in seine Zelle zurückkehrte, versuchte er, seine Gedanken zu ordnen und sich zu überlegen, was dieser junge Beamte hätte sagen sollen, um seinen Standpunkt überzeugender zu machen. Mein Vater entschloß sich zu einer schriftlichen Erklärung, daß er zur Auswanderung bereit sei, aber dafür war es zu spät und vielleicht, wie er sich eingestand, mit Recht. Denn wenn er darüber nachdachte, so hatte man seine Auswanderungswilligkeit von ihm erzwungen; er war nicht wirklich überzeugt. Nachträglich räumte er sogar ein, daß es dieser zweiten »Schutzhaft« bedurfte, um ihn die Auswanderung *wünschen* zu lassen.
Meine Mutter, meine Schwester und ich wußten, daß diese zweite Inhaftierung viel schwerwiegender war als die erste. Seit der ersten Verhaftung meines Vaters hatte das Nazi-Regime seine Kontroll- und Terrormethoden ausgebaut; wir wußten zwar nichts Genaues, aber wir konnten es uns aus Andeutungen in den Zeitungen, aus Gerüchten, aus dem Wortlaut und dem Tenor öffentlicher Verlautbarungen zusammenreimen. Mein Vater hatte die Behörden davon in Kenntnis gesetzt, daß er zu den Unbotmäßigen gehörte. Er beteuerte zwar immer wieder, daß er sich an die Spielregeln halten wolle, so restriktiv sie auch seien. Aber darum ging es gar nicht. Er konnte und wollte nicht begreifen, daß das Regime sich, wenn es darauf ankam, an keinerlei Spielregeln hielt, selbst an die eigenen nicht, und daß er ohnedies schon nicht mehr zum Kreis jener Staatsbürger gehörte, die berechtigt waren, sich auf Spielregeln zu berufen.
Unsere Besorgnisse wurden noch durch unsere Kenntnis meines Vaters verstärkt. Seine Schilderungen von der ersten »Schutzhaft« hatten uns gezeigt, daß die Anwendung willkürlicher Brutalität ermutigt wurde, um die erklärten und nicht erklärten Regimegegner einzuschüchtern. Unter diesem System mußte zwangsläufig jeder Häftling leiden, doch mein Vater besonders. In gewisser Hinsicht konnte ihm keine noch so lange frühere Erfahrung helfen, da er kurzsichtig und unbeholfen war und sich von seiner

Unfähigkeit bei allen manuellen Verrichtungen überzeugt hatte. Als der Polizist gekommen war, um bei der Entfernung des bewußten antisemitischen Aufklebers auf dem Firmenschild meines Vater zugegen zu sein, hatte mein Vater für diese Kleinigkeit einen anderen nach unten geschickt. Gewiß, er wollte nicht, daß ihn jemand bei dieser Tätigkeit beobachtete; aber er hätte auch gar nicht gewußt, wie er dabei hätte vorgehen sollen. Jahre später gestand er sich dieses Manko ein, aber auf seine Handlungsweise hatte die Einsicht wenig Einfluß.

Mir lag und liegt der Kleinkram der Einzelausführung nicht, mußte ich mir sagen und hinzufügen: ›Dadurch gefährdest und verhinderst Du unter Umständen, das Ziel zu erreichen.‹ Diese Flucht und Scheu vor der eigenen Beschäftigung mit den kleinen Ausführungshandlungen Deiner guten Ziele überläßt anderen, was Du selbst leisten müßtest, wenn Dir wirklich an ihrer Verwirklichung liegt. Im letzten Grunde begnügst Du Dich mit der Erkenntnis und Geste guter Taten, als deren Urheber Du angesehen und gelobt werden willst, und *drückst* Dich vor der Verantwortung ihrer Verwirklichung.[5]

Diese körperliche Untauglichkeit wurde durch seine Zerstreutheit noch verschlimmert; seine Gedanken waren immer woanders, sobald irgendeine kleine praktische Aufgabe zu erledigen war.

Das waren jedoch nur kleine Nachteile, verglichen mit seinem Eintreten für die Wahrheit, das unter Haftbedingungen zwangsläufig ein beträchtliches Risiko mit sich bringen mußte:

Tief in mir war die Vorstellung lebendig, daß die Ordnung dieser Welt auf Wahrheit aufgebaut werden müßte, auch dem Gegner, selbst dem Feinde gegenüber, daß ich jedenfalls mein Verhalten zu ihnen nicht anders einrichten könnte, mochten sie auch dagegen auftreten und mich deswegen schlecht behandeln. Es war mir innerlich einfach unmöglich, zu lügen oder mich, wie ein ertapptes Schulkind, herauszureden und Märchen zu erzählen.[6]

Dies war die andere Seite der Medaille. Er war unfähig, sich zu verstellen, so sehr ihm das auch zum Nachteil gereichen mochte. Wir konnten uns die Verhältnisse in einem Konzentrationslager zwar nicht im einzelnen vorstellen, aber es war nur plausibel, für meinen Vater, nun, da er zum zweiten Male in Schutzhaft war, das Schlimmste zu befürchten. Doch irgendwie überlebte er den Alptraum von achtzehn Monaten im Konzentrationslager Lichtenburg und vier Monaten im Konzentrationslager Dachau. Seine KZ-Haft dauerte vom 30. Juli 1935 bis zum 22. Mai 1937.

Was mein Vater später von seiner KZ-Erfahrung erzählte, bestätigte weitgehend unsere Befürchtungen. Zur Zeit seiner Verhaftung war Lichtenburg noch eine Zwischenstation auf dem Wege zur Hölle. Den Aufsehern war es verboten, die Häftlinge körperlich zu mißhandeln, während sie in Dachau dazu ermutigt wurden. Aber Lichtenburg war auch kein gewöhnliches Schutzhaftlager. Angestrengt bemüht, die körperliche Arbeit zu bewältigen, zu der er in Lichtenburg eingeteilt wurde, zog mein Vater sich einen schweren doppelten Leistenbruch zu. In Lichtenburg gab es den sogenannten »Strafsport«, mit dem die Häftlinge (auch mein Vater) über die Grenzen ihres körperlichen Leistungsvermögens hinaus schikaniert wurden; doch zog das Versagen meines Vaters selbst bei den einfachsten Übungen keine weiteren Strafen nach sich, solange er sich nur ehrlich bemühte.

In Dachau dagegen war es mit dem Bemühen nicht getan. Auf dem täglichen Marsch vom Lager zur jeweiligen Arbeitsstelle erhielt mein Vater Schläge und Tritte, weil er zu langsam ging. Er war nur einer von vielen, die dasselbe durchmachten wie er, aber er war langsamer als die meisten. Die Arbeit, die man den Häftlingen gab, war entweder reguläre Feldarbeit in Arbeitsgruppen von 50 bis 100 Mann, je nach dem Umfang der täglichen Aufgabe. Häufiger aber war es sinnlose Arbeit; die Häftlinge mußten z. B. Gräben ausheben und wieder zuschütten oder einen Teich trockenlegen und mit Erde von einer anderen Baustelle auffüllen, wo ein neuer Teich angelegt wurde. Erde schaufeln war eine häufige Beschäftigung, doch mußten die Häftlinge auch in Steinbrüchen arbeiten, Jauche ausfahren und überhaupt, in kleineren oder größeren Gruppen, alle Arten schwerster körperlicher Arbeit tun. Oft gab es für meinen Vater keine Arbeit, zu der er fähig war; dann stand er müßig herum und zog die Aufmerksamkeit auf sich. Die jugendlichen KZ-Aufseher hatten Langeweile, und ihr Sadismus erwachte. Während die anderen weiterarbeiteten, ging ein Wächter auf meinen Vater zu und trieb ihn zu größerer Eile an, bestrafte ihn mit einer noch härteren Arbeit für seine »Drückebergerei«, ließ ihm von anderen Häftlingen zeigen, was er zu tun habe. Aber es nützte alles nichts; es wurden Befehle gebrüllt, die mein Vater nicht verstand, und wenn er sie verstand, war er nicht fähig, sie auszuführen. Einmal verlor ein Aufseher die Geduld mit meinem Vater, und er ließ ihn so lange im Kreis herumlaufen, bis er erschöpft zusammenbrach – worauf er dieselbe Prozedur noch einmal durchmachen mußte. Die Demütigung von Häftlingen war an der Tagesordnung. Sie mußten sich auf den Boden legen und das Gesicht in eine Schlammpfütze stecken, zehn- oder zwanzigmal hintereinander. Oder sie mußten einander ins Gesicht schlagen, zur Belustigung der zuschauenden Aufseher. Es gab jene bizarre Szene, in der ein Aufseher meinem Vater, der wieder einmal durch seine Ungeschicklichkeit aufgefallen war, befahl, so laut er konnte zu brüllen: »Ich bin der größte Idiot dieses Jahrhunderts«. Bei den zur Zwangsarbeit eingeteilten Häftlingen war mein Vater ungern gesehen, weil seine Ungeschicklichkeit auffiel; viele gingen ihm bewußt aus dem Weg, doch gab es gelegentlich auch solche, die ihm halfen, wenn sie es ohne Gefahr tun konnten.

Er litt fast immer an Atemnot, die Arme versagten ihm den Dienst, die Beine wurden schwach, aber er simulierte keinen Zusammenbruch, solange er sich noch irgend rühren konnte. Er schämte sich, daß er seinen Anteil nicht leisten konnte, und er wußte, daß er für seine Mithäftlinge eine Last war. Aber trotz ausgedehnter Diskussionen und genauester Anweisungen durch Kameraden, die ihn gern weniger im Mittelpunkt der Aufmerksamkeit gesehen hätten, weigerte er sich, sich zu verstellen. Für das Talent zur Verstellung, das andere an den Tag legten, empfand er Neid, aber auch Verachtung, und er wußte, daß ihm nicht gelingen würde, was sie schafften. So plagte er sich weiter, von Tag zu Tag, bis zu seiner Entlassung 1937. Die Einzelheiten seines Martyriums gehören nicht hierher; sie beanspruchen in seinen unveröffentlichten Erinnerungen 200 eng beschriebene Seiten. Einmal wurde er zu Einzelhaft verurteilt und versuchte in seinen wachen Stunden, sich soviel wie möglich aus seinem Leben vor der Machtergreifung Hitlers 1933 ins Gedächtnis zurückzurufen. Er hatte einen Bleistiftstummel vor den Aufsehern versteckt, machte sich auf kleinen Papierfetzen Notizen in Kurzschrift und verstand es bei seiner Entlassung 1937, diese Aufzeichnungen aus dem Konzentrationslager herauszuschmuggeln. Seine Katharsis nach der Entlassung bestand vor allem darin, die Erinnerungen niederzuschreiben, die ihn während seiner Einzelhaft beschäftigt hatten. Sie beziehen sich auch auf brutale Auspeitschungen und regelrechte Morde, die mein Vater im KZ selbst miterlebte oder von denen er erfuhr; doch beschränkt sich meine Darstellung auf seine eigenen Erlebnisse. Selbst in Dachau schrieb man erst das Jahr 1937; die Perfektion des systematischen Massenmordes kam später.

Die sozialen Beziehungen zwischen den Häftlingen beleuchten die problematische Stellung eines Mannes, der selbst im Gefängnis ein Außenseiter blieb. Man kann sich vorstellen, daß viele Häftlinge über meinen Vater ungläubig den Kopf schüttelten: eingesponnen in seine eigene Welt, wurde er ob seiner Bildung beneidet, aber auch wegen seiner Ungeschicklichkeit verlacht. Die meisten KZ-Insassen waren jünger und in besserer physischer Verfassung als er, so daß seine Unbeholfenheit in ihren wie in den Augen der Aufseher nichts anderes als Drückebergerei war. Erst allmählich dämmerte es zumindest den aufmerksameren Mithäftlingen, daß dieses Unvermögen echt war, was nun ebensoviel Anlaß zu ungläubigem Staunen wie zur Anteilnahme gab. Viele Gefangene waren an körperliche Arbeit gewöhnt und hatten selten einen Menschen gesehen, der so ungeschickt war. Auch sein Wahrheitsfanatismus war in einer Situation, in der Täuschung Trumpf war, kaum zu glauben.

Natürlich war mein Vater nicht als einziger so ungeschickt, aber man konnte ihn nicht so leicht links liegenlassen wie die anderen. Von dem, was er hatte, gab er großzügig ab. Er war ein guter Zuhörer, der die Menschen aus ihrer Reserve zu locken verstand – eine Eigenschaft, die er in seiner langen Praxis als Rechtsvertreter erworben hatte. Als Rechtsanwalt konnte er auch Häftlingen behilflich sein, die in juristischen Schwierigkeiten waren. So war er für manche Mithäftlinge ein Mann von menschlicher Wärme und einfühlsamer Klugheit. Ich habe einen Anwalt in seinen Achtzigern kennengelernt, der zusammen mit meinem Vater in Lichtenburg war. Dieser Mann erzählte mir von einer Latrine für acht Personen, in welcher mein Vater zur Erheiterung der anderen seine humoristischen Verse vortrug, die er auf verschiedene Personen aus dem Lager verfaßt hatte. Beispiele für diese Gedichte besitze ich nicht, wohl aber den Text eines Spruches, der eine Zeitlang in dieser Latrine an der Wand hing:

> Du Mensch, zwar von Natur ein Schwein,
> Gehörst auch zum Kulturverein.
> Drum hüte Dich vor der Gemeinheit
> Und sorg' für Ordnung und für Reinheit.
> Tust Du es nicht aus eignem Wollen,
> Lernst Du's bei mir mit Donnergrollen.

So konnte er unter den unwahrscheinlichsten Umständen distanziert und humorvoll sein, was ihn auch für jene Häftlinge schätzenswert machte, die ihn als Belastung empfanden. Offenbar gewann er mit seiner Aufgeschlossenheit für andere das Vertrauen vieler Menschen, weil das Bedürfnis, über persönliche Dinge zu sprechen, groß war und seine Arglosigkeit und sein Wohlwollen sich wohltuend von der täglichen Lüge und Brutalität unterschieden. Außerdem blieb er seinem Glauben an die Wahrheit auch in den scheinbar aussichtslosesten Lagen treu. Es konnte vorkommen, daß er an die Menschlichkeit eines Aufsehers appellierte, der ihn schlug, oder daß er einem SS-Offizier, der gewillt schien, zuzuhören, seine Rechtstheorie entwickelte.
Nach Einbruch der Dunkelheit, wenn der tägliche Stundenplan abgearbeitet war, blieb noch etwas Zeit bis zur Nachtruhe. Die Häftlinge verstanden es dann, mit selbstgemachten Figuren Schach zu spielen oder sich auch nur zu unterhalten, obgleich jeden Augenblick ein Aufseher in diese »Idylle« einbrechen und irgendeinen Befehl brüllen konnte. Mein Vater achtete bewußt darauf, in diesen stillen Zwischenstunden gleichermaßen mit jüdischen wie nichtjüdischen Mithäftlingen in Kontakt zu kommen. Seine Abneigung gegen eine Unterscheidung zwischen Juden und Nichtjuden war im Gefängnis ebenso stark wie sonst

auch. Warum sollten Gefangene, die von den Nazis verfolgt wurden, diesen den Gefallen tun und sich die Diskriminierungspolitik der Regierung zu eigen machen? Als er jedoch einmal einer Gruppe zugeteilt wurde, die ausschließlich aus jüdischen Lagerinsassen bestand, bemerkte er bei ihnen ein natürliches gegenseitiges Verständnis, wie es in einer gemischten Gruppe nicht anzutreffen war. Nachträglich schienen ihm seine Kontakte zu nichtjüdischen Lagerinsassen als mißlich. Er war zu bemüht gewesen, sie herzustellen, und zu befriedigt über ihr Gelingen. Er sagte sich, daß er gegen seine ziemlich forcierten Bemühungen, unterschiedslos mit jedermann Umgang zu haben, hätte mißtrauisch sein müssen. Auf der Ebene der Alltagskontakte, sei es auch im Konzentrationslager, trug die allgemeine Hetzkampagne gegen die Juden selbst bei einem Menschen wie meinem Vater Früchte, der sich selbst der deutschen Gesellschaft verschrieben hatte.

Unter den Häftlingen waren es die Kommunisten, bei denen er dem entschlossensten Widerstand begegnete. Die meisten von ihnen waren direkt aus einem Gefängnis in das Konzentrationslager überführt worden. Die meisten saßen ihre Zeit in Gemeinschaftszellen oder Baracken ab, wo sie weiter Schulungskurse unter Leitung eines ihrer Leute veranstalteten. Alle diese Männer waren Mitglieder der Kommunistischen Partei, deren fanatisches Eintreten für die Parteilinie ihre Moral stärkte und selbst den Aufsehern Respekt abnötigte. Derselbe Fanatismus ließ sie im Lager das gleiche tun, was sie in der Freiheit getan hatten. Sie kämpften gegen ihre Gegner mit unerbittlichem Haß, während sie zu ihren loyalen Anhängern mit unerschütterlicher Treue standen. Ein führender Kommunist im Lager war Karl; sein Gesicht und der ganze Körper zeigten noch die Spuren brutaler Folterungen, die er standhaft ertragen hatte, ohne irgend etwas zu verraten. Er war insgeheim stolz auf das widerwillig ausgesprochene Kompliment von Gestapo-Offizieren, die ihm gesagt hatten, wenn es mehr Menschen seines Schlages gäbe, würden sie es viel schwerer haben. Die Launen des Lagerlebens führten Karl und meinen Vater zusammen, und sie entdeckten gemeinsame literarische Interessen, die sie leidenschaftlich und mit Vergnügen

diskutierten. Sie freundeten sich an und gaben einander Spitznamen, die sie gutmütig akzeptierten – bis es zur Diskussion des Marxismus kam. Mein Vater warf, wie er es gewohnt war, theoretische Fragen auf, auf die Karl und seine Freunde einfach keine Antwort wußten. Sie gaben bereitwillig zu, daß ihre Schulung sie auf solche akademischen Spitzfindigkeiten nicht vorbereitet habe. Das minderte jedoch nicht ihren Glauben an die wissenschaftliche Wahrheit des Marxismus. Statt dessen hatten sie eine politische Antwort parat. Sie betrachteten seinen Antimarxismus einfach als eine Gefahr, geeignet, Kommunisten irre zu machen, die in ihrer marxistischen Rechtgläubigkeit nicht so unerschütterlich sicher waren, wie sie selbst es von sich sagen konnten. Von einem Tag auf den anderen kannte Karl meinen Vater nicht mehr, reagierte nicht, wenn er angesprochen wurde, und brach alle Beziehungen zu ihm kommentarlos ab. Sämtliche Kommunisten im Lager wurden hiervon verständigt. Plötzlich trug mein Vater das Stigma des »Feindes«. Selbst im Konzentrationslager galt er bei diesen Häftlingen als Außenseiter – und Schlimmeres. Er war Luft.
Aber das Gefängnisleben ist unberechenbar. Einige Zeit später mußten mein Vater und Karl, zusammen mit drei oder vier anderen, eine enge Zelle in der Strafabteilung teilen. Zunächst schnitt Karl meinen Vater wie bisher, aber unter den neuen Umständen, auf engstem Raume, war das einigermaßen widersinnig, und so begannen sie, wieder miteinander zu reden. Es dauerte nicht lange, und Karl erzählte seine Lebensgeschichte, wobei er u. a. erklärte, daß es für ihn als Parteimitglied Ehrensache sei, im Gefängnis den anderen Kommunisten ein Vorbild zu sein. Er habe den Verkehr mit meinem Vater abgebrochen, weil dessen »propagandistische« Betätigung die übrigen Kommunisten im Lager in Verwirrung stürzen könne, was eine Gefahr für die KPD darstelle. Den wiederholten Versicherungen meines Vaters, er verfolge ein ausschließlich wissenschaftliches Interesse, schenkte Karl keinen Glauben. Er wollte auch nichts davon hören, wenn mein Vater die These vertrat, daß Karls parteilicher Fanatismus von dem der Nazis nicht zu unterscheiden sei. Sehr viel später begegneten die beiden einander in Dachau wieder, wo

derselbe Konflikt sich in kaum veränderter Form wiederholte. Es verdient jedoch erwähnt zu werden, daß Karl und mein Vater zwei jener Häftlinge waren, denen ein Lageraufseher in Dachau befahl, einander ins Gesicht zu schlagen. Mein Vater sagte zu Karl: »Fang' an«, doch Karl weigerte sich und sagte zu dem Aufseher: »Ich werde den alten Mann nicht schlagen. Er hat mir nichts getan.« Der Aufseher gab unerwarteterweise nach, aber das Risiko, das Karl eingegangen war, war beträchtlich. Man hätte ihn wegen Befehlsverweigerung auspeitschen können, von Schlimmerem nicht zu reden. Offensichtlich besaß Karl viel Zivilcourage, und in diesem Falle standen seine menschlichen Sympathien nicht im Konflikt mit seiner Loyalität zur KPD. Seine regelmäßigen Debatten mit meinem Vater zeigten aber, daß für ihn die Loyalität zur Partei an erster Stelle stand.

Der Gegensatz zwischen der Solidarität der Kommunisten untereinander und der der Juden untereinander hätte größer nicht sein können. Dort beruhte sie auf einer dogmatischen Parteidisziplin ohne Ansehen der Person, hier auf einer gefühlsmäßigen Affinität – ebenfalls ohne Ansehen der Person. Als mein Vater im November 1935 aus der Strafabteilung entlassen wurde, stellte er fest, daß inzwischen die jüdischen Lagerinsassen von den übrigen Häftlingen getrennt worden waren. Teilweise war die solidarische Vertraulichkeit der Juden untereinander eine Reaktion auf die antisemitischen Hetzkampagnen im ganzen Lande. Doch damit sah mein Vater seine eigene Reaktion nicht ausreichend erklärt. Es überraschte ihn, daß es ihm in dieser jüdischen Gesellschaft nichts ausmachte, wenn völlig Fremde ihn mit der größten Vertraulichkeit ansprachen, selbst wenn er dies als Zudringlichkeit empfand. Ob er die Leute mochte oder nicht, alle weckten in ihm ein Gefühl verwandtschaftlicher Zugehörigkeit, und zwar in höherem Maße als Nichtjuden. Diese Empfindungen schlugen sich ganz sichtbar in den persönlichen Hilfeleistungen nieder, auf die mein Vater angewiesen war. In dieser rein jüdischen Gesellschaft gab es einen jungen Menschen, der meinem Vater die Schuhe putzte und die Wäsche in Ordnung hielt, sein Bett machte und sein Geschirr abwusch – in der unausgesprochenen Hoffnung auf ein paar Lebensmittel oder etwas Geld. In jenen ersten

Jahren des Hitler-Regimes waren Konzentrationslager noch Straflager für politische Gegner und gewisse Arten von »unerwünschten Personen«. So stand es beispielsweise den Familien von KZ-Insassen frei, gelegentlich Pakete und kleine Geldbeträge zu senden. Der Grund für diese Regelung war, daß in den Konzentrationslagern der dreißiger Jahre aus sanitären Gründen kleine Bedarfsgegenstände des täglichen Lebens, wie Seife, Zahnpaste u. dgl., käuflich waren. Daher stand den Häftlingen ein sehr bescheidener Lagerkiosk zur Verfügung. Begreiflicherweise wurden die Bestände dieses Kiosks streng kontrolliert; gleichwohl wurde er zu einer wesentlichen Quelle der Korruption bei Aufsehern und Häftlingen, sowie im Verkehr zwischen Aufsehern und Häftlingen und der Häftlinge untereinander. Ich vermute, daß der privilegierte Zugang der Aufseher zu Waren außerhalb des Lagers beides vermehrte: sowohl die Zahl der für die Häftlinge zu Wucherpreisen erhältlichen Artikel als auch die Häufigkeit der Korruption. Gleichzeitig verstärkte das verfügbare Geld Rivalitäten zwischen Lagerinsassen sowie deren Ausbeutung durch die Aufseher.

Die Bedingungen jenes Tauschgeschäfts zwischen meinem Vater und dem jungen Mann brauchten, sozusagen unter Verwandten, gar nicht besprochen zu werden. In der Tat wurden sie geregelt, ohne daß viel Aufhebens von ihnen gemacht worden wäre, und mein Vater mußte zugeben, daß ähnliche Dienstleistungen eines Nichtjuden zu Bemerkungen oder Debatten Anlaß gegeben hätten. Auch bezüglich der Arbeitseinteilung war es eine Selbstverständlichkeit, daß die jüngeren Mitglieder des jüdischen Kontingents die schwerere Arbeit übernahmen, die mein Vater nicht verrichten konnte, und zwar nicht nur einmal oder zweimal, sondern fast immer. Bei nichtjüdischen Lagerinsassen war das anders gewesen: die meisten schenkten dem Alter oder der Behinderung meines Vaters keine Beachtung, ja sie fanden häufig noch Mittel und Wege, die schwerere Arbeit auf ihn abzuwälzen. Es gab auch Ausnahmen, aber nichts, was mit der jüdischen Gemeinschaft zu vergleichen war, in der ein paar Männer mit natürlicher Autorität eingriffen, sobald sie merkten, daß mein Vater benachteiligt zu werden drohte. Hier schien die traditio-

nelle Achtung vor dem Älteren und Gebildeten am Werk zu sein.
Weitgehend dieselbe Erfahrung wiederholte sich später in Dachau, wo mein Vater wiederum einem jüdischen Kontingent zugeteilt wurde. Wie in Lichtenburg, fand er sich hier in einer gemischten Gesellschaft aus Juden wieder, um die er im normalen Leben z.T. einen weiten Bogen gemacht hätte. Fragwürdige Gestalten hatte es in allen Gruppen gegeben, in die man ihn gesteckt hatte; doch hier fühlte er sich *allen* Mitjuden irgendwie verbunden. Wahrscheinlich hatte die lange Geschichte ihrer Verfolgung die Juden zusammengeschweißt, zumal unter bedrohlichen Umständen und ungeachtet irgendwelcher Differenzen und tiefsitzender persönlicher Antipathien. Hitlers Tiraden gegen das »internationale Judentum« verstärkten diesen Zusammenhalt nur noch. Im Konzentrationslager zeichnete das jüdische Kontingent sich mehr als jede andere Gruppe durch die persönliche Vertraulichkeit seiner Mitglieder und deren ausgeprägtes Gefühl der Solidarität gegen den gemeinsamen Unterdrücker aus. Vor Verrätern oder Renegaten brauchte man keine Sorge zu haben; es wäre überflüssig gewesen. Gegenseitige Hilfe war eine Selbstverständlichkeit, ebenso die Entschädigung im Rahmen dessen, was jedem möglich war. In anderen Häftlingsgruppen wäre es undenkbar gewesen, daß für die Ärmsten der Armen Lebensmittel gesammelt oder eine Kasse eingerichtet wurde, in die jeder einen Teil des von zu Hause erhaltenen Geldes einzahlte.[7]
Es liegt eine traurige Ironie über dieser Wiederentdeckung des jüdischen Gemeinschaftsgeistes in einem deutschen Konzentrationslager – nach einem Leben der Assimilation an alles Deutsche. Bisher hatte mein Vater diese Erfahrung erst einmal gemacht – 1916 in Litauen, wie in Kapitel V beschrieben wurde. Eine Ironie liegt auch über der abschließenden Betrachtung seiner Erinnerungen; hier wird Goethes Ideal der Persönlichkeit verwoben mit der jüdischen Tendenz, nicht in einem größeren Ganzen aufgehen zu wollen, nicht vorschnell zu urteilen und das eigene Ich durch unablässigen Zweifel zu bewahren. Die jüdische Erfahrung der Verfolgung, so schreibt mein Vater auf der letzten Seite, festigt die

Solidarität und die Entschlossenheit, allen Verfolgten in der Welt beizustehen, nicht allein den Juden.
In den beiden Jahren seiner Haft war unser familiäres Leben von nervöser Gespanntheit gekennzeichnet. Wir versuchten alles Erdenkliche, um meinen Vater freizubekommen, indem wir mit Leuten in Kontakt traten, die uns wohlgesinnt waren und vielleicht einen gewissen Einfluß hatten. Auch meine Mutter half mit, diese Kontakte zu pflegen, obwohl ihr bisheriges Leben so zurückgezogen und abgeschirmt gewesen war. Eine scheinbar endlose Zeit blieben unsere Bemühungen fruchtlos, aber endlich hatten wir Glück. Meine Schwester trat an Adolf Leschnitzer heran, einen ihrer früheren Lehrer, und ihm gelang es, für meinen Vater eine britische Einwanderungserlaubnis für Palästina zu bekommen. Sie und meine Mutter gewannen auch einen Anwalt, der es schon früher verstanden hatte, für Häftlinge, die irgendwie Visen oder Einwanderungszertifikate ergattert hatten, die nötigen Verhandlungen mit der Gestapo zu führen. Die Schwierigkeit der Visa-Beschaffung für Konzentrationslagerinsassen bestand darin, daß sie zu diesem Zwecke gewöhnlich einen persönlichen Antrag stellen mußten, dazu aber von Lichtenburg oder Dachau aus nicht in der Lage waren. Zur damaligen Zeit verfolgten die Engländer als palästinensische Mandatsmacht eine antizionistische Politik; die Zahl der Einwanderungszertifikate war 1937 auf etwas über 10 000 pro Jahr zusammengeschrumpft. Die Verteilung der verfügbaren Zertifikate hatte England der Jewish Agency überlassen, und innerhalb der jüdischen Gemeinde war diese Verteilung ein hochpolitisches Problem, nicht zuletzt im Zusammenhang mit den Aufbauarbeiten des zukünftigen Staates Israel. Persönliche Fühlungnahme mit den entscheidenden Gremien war unter den Umständen unerläßlich und Dr. Leschnitzers Intervention im Interesse unserer Familie sicher ausschlaggebend. Uns wurde damals zu verstehen gegeben, daß eine gewisse Anzahl von Zertifikaten für jüdische Konzentrationslagerinsassen bereitgestellt wurde, und zwar unabhängig von der Einstellung der Betroffenen gegenüber dem Zionismus oder dem Judentum. Nur durch Einfluß und diese elementare Solidaritätsbezeugung läßt sich erklären, daß mein Vater und meine Mutter

Ludwig Bendix, 1937

in den Besitz eines Einwanderungszertifikates gelangten, wobei die Prominenz meines Vaters als bekannter, wenn auch umstrittener Jurist wohl auch eine Rolle gespielt hat.
Im Mai 1937 wurde mein Vater unter der Bedingung aus Dachau entlassen, binnen zwei Wochen aus Deutschland fortzugehen, und zwar in das nichteuropäische Ausland. Da er nicht hatte fortgehen wollen und jetzt nur unter Zwang ging, war er ein Verbannter, kein Auswanderer.

Als er nach seiner Entlassung in Berlin ankam, war er nur noch ein Schatten seiner selbst. Aber schon eine Woche nach seiner Heimkehr, kurz bevor er und meine Mutter Deutschland für immer verlassen sollten, fand ich, aus dem Büro nach Hause kommend, meinen Vater damit beschäftigt, einen juristischen Schriftsatz gegen den Lagerkommandanten von Dachau vorzubereiten! Meine Schwester und ich waren entsetzt über die Risiken, die damit verbunden waren. Abwechselnd standen wir Wache, um dieses oder etwaige weitere Schriftstücke abzufangen, bis meine Eltern sicher außer Landes waren.

Kapitel XII

Während Vater in Haft war …

Die Eigenart meiner Erzählung zwingt mich von Zeit zu Zeit zu einer Art Rückblende. Im vorigen Kapitel wurde über die Inhaftierung meines Vaters von 1935 bis zu seiner Entlassung 1937 berichtet. In diesem Kapitel möchte ich auf meine eigene Entwicklung während dieser Zeit und davor eingehen.

Der Glaube ans Recht

Der Kampf meines Vaters um Gerechtigkeit, das Scheitern seiner Assimilationsbemühungen und seine Haltung in all diesen Jahren der Demütigung und schließlich der Verbannung übten einen entscheidenden Einfluß auf meine Entwicklung aus. Bei seiner ersten Verhaftung 1933 war ich siebzehn gewesen; 1937, als meine Eltern nach Palästina gingen, war ich einundzwanzig. In diesen Jahren war ich ungehalten über meinen Vater, trotz des großen Einflusses, den er auf mich ausübte. Das hatte sich schon 1933 gezeigt, als ich aus der Schule entlassen worden war und unbedingt auf dem Bauernhof in England arbeiten wollte, während mein Vater mich zum Hitlergruß zu überreden versuchte, wenn mein Abitur und später der Universitätsbesuch nun einmal davon abhingen.

Diese Einstellung entsprach seiner Sorge um mich und seinem bekannten Eintreten für das Prinzip der Volkssouveränität. Sie ähnelte seinem Standpunkt von 1918, als er monarchistische Richter aufgefordert hatte, entweder loyal zur neuen Republik zu stehen oder den Staatsdienst zu quittieren. Doch für diese Art von Konsequenz konnte ich kein Verständnis aufbringen. Ich konnte mich nicht mit dem bißchen »Lebensraum« abfinden, den das Hitler-Regime mir überließ – im Gegensatz zu meinem Vater, der hierzu bereit war. Er verhielt sich so, wie Konvertiten es oft

tun. Zweimal war seine Identifizierung mit Deutschland sehr problematisch geworden: einmal 1897, als er, zwanzigjährig, mit dem Judentum gebrochen hatte, und dann wieder 1933, als das Ideal der jüdischen Emanzipation und Assimilation in die Brüche ging. Da es für mich selbstverständlich war, Deutscher zu sein, kam es mir erniedrigend vor, auf dieser Identifizierung um jeden Preis zu beharren. Er pflegte darauf zu verweisen, daß unsere Familie seit Jahrhunderten in Deutschland ansässig gewesen war. 1933 standen mir solche Reden dem »Blut-und-Boden«-Geschwätz der Nazipropaganda zu nahe, als daß sie mir hätten Trost bieten können, so anders die Beweggründe meines Vaters auch sein mochten. Selbstverständlich konnte ich damals nicht wie mein Vater das Gefühl haben, zum Ausgestoßenen in dem Lande gemacht worden zu sein, in dessen Dienst ich die Arbeit eines ganzen Lebens gestellt hatte. Heute sehe ich das; damals sah ich es nicht. Junge Menschen sind oft ungerecht im Urteil über ihre Eltern, und ich bildete keine Ausnahme.
Noch ungeduldiger waren meine Schwester Dorothea und ich, was die Einstellung meines Vaters zum nationalsozialistischen Recht betraf, und hier bewegten wir uns vermutlich auf weniger glattem Parkett. In unseren Augen war er von allen guten Geistern verlassen, als er jenen Protestbrief an den Vorsteher des örtlichen Polizeireviers schickte. Die Vorstellung schien absurd, daß die Polizei unter Hitler den Ausschreitungen der Nazi-Sturmtruppen Einhalt gebieten würde, zumal nachdem die führenden Beamten des Staates der direkten Kontrolle der Partei unterstellt worden waren. Während der Zeit seiner Inhaftierung (1935-37) mußte mein Vater – was wir damals nicht wissen konnten – wiederholt von Mithäftlingen daran gehindert werden, Eingaben zu verfassen oder persönlich Protest einzulegen.
Selbst nach seiner Entlassung aus nahezu zweijähriger Haft in Lichtenburg und Dachau blieb sein ursprünglicher Impuls derselbe: die ihm »offenstehenden« rechtlichen Möglichkeiten auszuschöpfen, um die Verantwortlichen festzustellen, selbst wenn dies nicht zu einer eigentlichen gerichtlichen Klärung des Falles führte. Da war der Schriftsatz, den er meiner Tante nach seiner Entlassung aus Dachau diktierte. Er wollte aktenkundig machen,

daß sein Lagerkommandant den Tod eines herzkranken jüdischen Häftlings verschuldet hatte, indem er ihn gezwungen hatte, Turnübungen zu machen, bis er zusammenbrach und an Herzversagen starb.[a] Dieser Kommandant hatte nicht nur der Bestattung des Häftlings beigewohnt; er hatte auch den anwesenden Verwandten scheinheilig sein Beileid ausgesprochen, so als ob er mit diesem »Tod aus natürlichen Ursachen« nicht das geringste zu tun gehabt hätte. Meine Schwester und ich empfanden begreiflicherweise die gleiche Empörung über das Verbrechen dieses Mannes und seine Heuchelei. Aber wir vermochten nicht zu begreifen, wie mein Vater nach fast zwei Jahren in deutschen Konzentrationslagern es noch immer für unbedenklich halten konnte, derartige Beschwerden schriftlich einzureichen – selbst wenn er damit nur die Absicht verfolgte, seine alptraumhaften Erinnerungen loszuwerden. Wir wußten, daß für ihn die Festlegung der Verantwortlichkeit ein Glaubensartikel war. Womöglich hätte er es – nach reiflicher Überlegung und ungeachtet seiner unvermeidlichen Befürchtungen – zuletzt doch noch fertiggebracht, den ominösen Schriftsatz an die »zuständigen Stellen« abzuschicken. Dann würde er jedenfalls nicht mit dem Gedanken leben müssen, seine Pflicht vor dem Gesetz versäumt zu haben. Während meine Eltern die Vorbereitungen zu ihrer Abreise trafen, bereiteten diese Eventualitäten meiner Schwester und mir zwei bange Wochen. Zweifellos schärften diese Befürchtungen auch unseren politischen Realitätssinn, im Gegensatz zu dem anscheinend unausrottbaren Glauben meines Vaters an das Recht. Unmittelbar nach seiner Entlassung aus Dachau war er in schlechter gesundheitlicher Verfassung und einer düsteren Gemütsstimmung. Er war keineswegs entzückt darüber, daß seine Kinder sich in Dinge einzumischen begannen, von denen sie nichts verstanden. Schließlich erlaubte er uns, den Schriftsatz zu vernichten, aber es mußte noch ein weiteres Jahr vergehen, ehe er einräumte, daß wir in diesem Falle vielleicht recht gehabt haben könnten.

a) Derselbe Kommandant, der in Lichtenburg Dienst getan hatte, wurde 1937 nach Dachau versetzt.

Während der zweiten KZ-Haft meines Vaters erlebte unsere Familie eine fast völlige soziale Isolierung. Jeder, der bisher freundnachbarlich mit uns umgegangen war, zog sich nun unter dem einen oder anderen Vorwand zurück; denn seit mein Vater im Konzentrationslager saß, ging von uns eine politische Ansteckungsgefahr aus.

Unter diesen Umständen wurden die illegalen Diskussionsgruppen von *Neu Beginnen* für mich zu einer bedeutsamen Quelle der persönlichen Bestätigung. Die Treffen waren geheim. Dorothea und ich besuchten niemals dieselbe Gruppe, damit wir im Falle einer Verhaftung nicht beide in Gefahr gerieten. Psychologisch war diese Geheimhaltung von wesentlicher Bedeutung für uns; erschien sie doch als angemessene Reaktion auf unsere soziale Isolierung. Wenn die Inhaftierung meines Vaters den offenen Kontakt mit uns in den Augen der anderen gefährlich machte, mußte ein sinnvoller Kontakt notwendigerweise geheim sein. Als ich 1935, nach meiner Rückkehr aus England, den Kontakt zu *Neu Beginnen* wieder aufnahm, war ich 19. Meine erste »politische Betätigung« – was normalerweise gleichbedeutend ist mit öffentlicher Betätigung – mußte sich unter sorgfältigen Sicherheitsvorkehrungen abspielen. Man vergleiche damit das Bemühen meines Vaters, den Spielraum auszunutzen, den das Gesetz ihm noch ließ, mochte dieser Spielraum auch immer enger werden. Die Heimlichkeit unserer Zusammenkünfte verlangte als elementare Vorsichtsmaßregel, daß sowenig wie möglich schriftlich fixiert wurde. Damals hatten einige führende Vertreter der deutschen Sozialdemokratie, die mit *Neu Beginnen* sympathisierten, ihr Quartier in Prag aufgeschlagen. So wurde in erheblichem Umfang Propagandamaterial für *Neu Beginnen* in der Tschechoslowakei gedruckt und nach Deutschland geschmuggelt. Demgegenüber bestand die Lieblingsstrategie meines Vaters darin, politische Vorgänge schriftlich zu fixieren, so daß Beamte und andere Leute gegebenenfalls mit dem konfrontiert werden konnten, was sie selbst gesagt und getan hatten.

Ein größerer Gegensatz läßt sich wohl kaum denken. Mein Vater fuhr auch 1934 und 1935 fort, zu tun, als ob sich nichts geändert hätte, obgleich er sich offensichtlich im klaren darüber war, daß diese Annahme falsch war. Er konnte nicht umhin, das Vorhandensein des Nazi-Regimes zur Kenntnis zu nehmen, er wußte, daß öffentliche Verlautbarungen nicht für bare Münze genommen werden konnten, aber als Vertreter des Rechtssystems fühlte er sich verpflichtet, für *dieses* System auch unter den widrigsten Umständen einzutreten. Dorothea und ich hielten diese Position für unrealistisch, verfügten aber nicht über das analytische Vermögen, um unsere Überzeugung zu verteidigen. In dieser Situation verdankte ich manches Richard Löwenthal, der nach seiner späteren Emigration Auslandskorrespondent des Londoner *Observer* wurde und nach dem Kriege Politologe an der Freien Universität Berlin war. Zu der Zeit, als ich ihn in Berlin kennenlernte, zwischen 1933 und 1935, leitete er eine der kleinen Diskussionsgruppen, die ich besuchte. Er arbeitete damals gerade an einer Folge von Aufsätzen, die später im Ausland in der *Zeitschrift für Sozialismus* erschienen sind.[1]

Nach Löwenthal waren es zwei Bewegungen gewesen, die dem deutschen Faschismus den Weg gebahnt hatten. Die eine Bewegung bestand darin, daß die großen Interessengruppen wie Monopolunternehmen, Gewerkschaften und andere ihre Konflikte nicht mehr auf dem Markt austrugen, sondern im Rahmen des Staates. Die Gründe hierfür waren organisatorischer Art; nur der Staat besaß die Mittel, den Ansprüchen der Interessengruppen auf wirtschaftliche Sicherheit und Expansion zu genügen. Die andere Bewegung bestand darin, daß auch all jene diese Veränderung förderten, die in der deutschen Gesellschaft irgendwie benachteiligt waren: Arbeitslose, ungelernte Arbeiter, unrentable Betriebe sowie die Beamten. Sie alle hatten einen wirtschaftlichen Grund: nur der Staat verfügte über die Mittel, ihren Ansprüchen auf öffentliche Arbeit oder Unterstützung zu genügen. (Ich entsinne mich noch des Ausdrucks »ökonomische Totgewichte«, der den Ruf der verschiedenartigsten Gruppen nach staatlicher Unterstützung bezeichnete.) Das faschistische Regime konnte die hochgespannten Erwartungen beider gesellschaftlicher Lager befriedigen, indem es die Eigentumsverhältnisse unangetastet ließ *und* wieder für einen hohen Beschäftigungsgrad sorgte. Allerdings war dies nur unter der Bedingung zu erreichen, daß sowohl die Industriekapitäne als auch die Masse der Bevölkerung die diktatorische Herrschaft der Nazis akzeptierten. Die grundsätzliche Schwäche dieser »Lösung« lag nach Löwenthal darin, daß die expansionistischen Bedürfnisse einer faschistischen Herrschaft früher oder später zum Kriege und somit schließlich zum Untergang des Regimes selbst führen mußten. – Diese Analyse beeindruckt noch heute; sie wurde seinerzeit durch lange Diskussionen über die besondere Schwäche demokratischer Einrichtungen in Deutschland untermauert. Auf jeden Fall lieferte sie mir intellektuelle Gründe dafür, über den Legalismus meines Vaters ungehalten zu sein.

Das Jahr 1935 war ein Wendepunkt für *Neu Beginnen*. Wegen taktischer Fragen kam es in der Gruppe zu einer Spaltung. Gleichzeitig gefährdete eine Reihe von Verhaftungen durch die Gestapo die gesamte Organisation.[b] Mehrere aktive Mitglieder mußten aus Deutschland fliehen. Selbst den jungen Teilnehmern an Diskussionsgruppen wie mir wurde eingeschärft, zusätzliche Sicherheitsvorkehrungen zu treffen. Aber welche zusätzlichen Maßregeln konnte ich treffen? Da der auffälligste Hinweis auf meine illegalen Kontakte meine mehr oder weniger häufige Abwesenheit von zu Hause am Spätnachmittag oder Abend war,

b) Die Spaltung, die zu diesen Verhaftungen geführt hatte, wurde von mir nicht bemerkt, doch erfuhr ich später auf indirektem Wege über sie. Geheimhaltungsmethoden und geeignete Vorsichtsmaßregeln wurden unter den obwaltenden Umständen häufig diskutiert, und Mitglieder der KPD (frühere und jetzige) neigten dazu, bei diesen Auseinandersetzungen eine harte Linie zu verfolgen. Nach ihrer Ansicht hätte eine übertriebene Geheimhaltungssorge nur die Organisation lahmgelegt. Sie fanden sich damit ab, daß soundso viele ihrer Genossen verhaftet und getötet wurden. Wie es einer von ihnen ausdrückte: es ist wie bei einer bestimmten südamerikanischen Ameisenart; wenn Millionen von ihnen ein Rinnsal überqueren müssen, ertrinken Hunderte und Tausende, auf deren Rücken die übrigen sicher ans andere Ufer kommen. Das Problem war nur, daß der deutsche Untergrund nicht mit solchen stolzen Zahlen rechnen konnte.

schien es am sinnvollsten, einer anderen, *legalen* Organisation beizutreten. Daher begrüßte ich dankbar den Vorschlag eines Freundes, ich solle mich wie er dem Hashomer Hatzair anschließen, einer linksgerichteten zionistischen Jugendorganisation, deren Mitglieder sich auf die Auswanderung nach Palästina vorbereiteten. Nicht zuletzt erwartete ich mir von dieser Gruppe, wieder Anschluß an Gleichaltrige zu finden, nachdem ich nunmehr fast zwei Jahre von meinen früheren Schulkameraden getrennt war.

Zionismus

Ich wußte damals wenig über den Zionismus, war aber begierig, mehr darüber zu erfahren, zumal die Auswanderung für uns im Bereich des Möglichen lag, falls es uns doch gelingen sollte, meinen Vater aus dem Konzentrationslager freizubekommen. Hier hatte ich die Möglichkeit, mit einer großen Zahl junger Leute zusammenzukommen, von denen viele noch einige Jahre jünger waren als ich. Oft waren ihre Eltern gläubige Juden, während sich die Jungen von der älteren Generation entfernten, indem sie sich von deren religiösen Gebräuchen lossagten. Wahrscheinlich erleichterte mir das die ersten Kontakte zu der Gruppe, da ich selbst ja absolut nichts über jüdisches Leben wußte. Außerdem war es, wie mir eines der Mitglieder später erzählt hat, einer linksgerichteten zionistischen Gruppe sogar gleichgültig, ob ich überhaupt Jude war oder nicht, solange ich nur antifaschistisch und geistig aufgeschlossen war. Schon bald fand ich mich als Gruppenführer wieder, der Exkursionen und Diskussionsgruppen organisierte.
Der Hashomer Hatzair war eine völlig neue Erfahrung für mich. Dabei spielte einmal mehr die Ungeduld mit meinen Eltern eine Rolle. Ich habe bereits geschildert, daß ich mir kaum bewußt war, Jude zu sein, bevor Hitler an die Macht kam. Und mochten die Nazis auch viel von den Juden hermachen, mir war es gleich. Das bedeutete weder für mich noch für meine Eltern, daß wir leugneten, Juden zu sein, oder den Umgang mit anderen assimi-

lierten Juden ablehnten. Für meinen Vater war es eine Sache des geistigen Anstandes gewesen, zu seiner jüdischen Abstammung zu stehen, sobald einmal, was selten genug geschah, die Sprache darauf kam, so wie es eine Sache des geistigen Anstandes war, nicht mit dem Gedanken an eine Konversion zum Christentum zu spielen, nachdem ihn Religion nicht interessierte. Die Konversion um irgendeines materiellen Vorteils willen war undenkbar. Das alles setzte freilich die weltoffene Atmosphäre Berlins voraus, in der es möglich war, den Antisemitismus zu ignorieren und den Kontakt zu judenfeindlichen Gruppen zu vermeiden. Aber in meinen ersten Jugendjahren bedeutete mir diese Art des »Judesein« recht wenig, weil das Etikett »Jude« sich auf nichts bezog, womit ich mich positiv hätte identifizieren können. Im Gegenteil, meine Eltern selbst waren nicht frei von Vorurteilen gegen Juden, und zwar osteuropäische Juden – eine ethnische und soziale Unterscheidung, die in der Mittelschicht Berlins ziemlich verbreitet war.[c] Vorurteile hingen mit Unwissenheit zusammen, und letztere färbte gewiß auf mich ab.

Trotz meines fast völligen Erinnerungsverlustes in bezug auf meine schulischen Kontakte vor 1933 gibt es einen Schüler, an den ich mich deutlich erinnere: es war ein chassidischer Jude, der für kurze Zeit in meiner Klasse war und mit dem ich gelegentlich nach der Schule zusammen nach Hause ging, weil er in unserer Nähe wohnte. Er stach natürlich wegen seines traditionellen Gewandes und seiner strengen Frömmigkeit hervor. Es ist

c) Diese Vorurteile assimilierter deutscher Juden gegen die Ostjuden hatten – wie andere Vorurteile gegen ethnische Minderheiten auch – einen substantiellen Kern. Zwischen 1868 und 1880 zogen nur rund 50000 Juden aufgrund von Epidemien und Hungersnöten in Rußland nach Westen. Nach den Pogromen von 1881 nahm diese Zahl erheblich zu. Im Jahre 1900 betrug die Zahl der nach Westen auswandernden russischen und polnischen Juden bereits 100000 pro Jahr; 1914 waren bereits mehr als zweieinhalb Millionen russischer Juden nach Westen emigriert, wozu man noch eine weitere halbe Million österreichisch-ungarischer und rumänischer Juden zu rechnen hat. Diese Flüchtlinge zogen in viele westliche Länder, aber das bevorzugte Ziel war doch Deutschland mit seinen 500000 deutschen Juden.

merkwürdig, daß ich mich ausgerechnet dieses Klassenkameraden entsinne, aber vielleicht auch wieder nicht so merkwürdig, da er mir bereitwillig von seinem Glauben erzählte. Ich spüre noch heute meine Mischung aus Staunen und Verlegenheit darüber, daß ich zwar auch Jude war, jedoch über die elementarsten Aspekte der jüdischen Religionsausübung gänzlich unwissend und belehrungsbedürftig.

Jahre später gab mein Vater bereitwillig zu, daß es falsch von ihm und meiner Mutter gewesen war, nichts für unsere religiöse Unterweisung getan zu haben. Aber alles, was ich während meiner Kinder- und Jugendzeit über mein Judesein zu hören bekam, war die Ermahnung, mir ordentlich die Haare zu kämmen und beim Sprechen nicht mit den Händen zu gestikulieren. Diese Ermahnungen gesellten sich zu allen anderen hinzu, die die bürgerliche Mittelschicht ihren Kindern mit auf den Lebensweg gab, und fielen als solche nicht besonders auf. Als aber 1933 die Nazis an die Macht kamen, machten diese Hinweise und Ermahnungen mich rasend, weil sie zu bedeuten schienen, daß ich selbst in meiner eigenen Familie nicht sicher war vor den täglichen Schmähungen, denen die Juden dank Goebbels' unheimlich geschickter Manipulation der deutschen Massenmedien ausgesetzt waren. So bedeutete der Kontakt zum Hashomer Hatzair für mich einen weiteren Schritt zur Selbständigkeit. Die meisten Mitglieder waren Kinder osteuropäischer Juden und für mich der erste nähere Kontakt zu Juden außerhalb des Rahmens der Assimilation, in dem meine Eltern mich erzogen hatten.

Mein echtes Interesse an Informationen über den Zionismus verband sich mit dem starken Bedürfnis, in Kontakt mit verwandten Seelen zu treten. Mein täglicher Arbeitsplan und unsere soziale Isoliertheit hatten bei mir eine akute Einsamkeit erzeugt, gegen die auch die Diskussionen in *Neu Beginnen* kein ausreichendes Gegenmittel waren. Diese heimlichen Zusammenkünfte fanden zu sporadisch statt, und außerdem waren die Leute dort älter als ich. Im Hashomer Hatzair begegnete ich einer jüdischen Gruppe, die sich zwar für die Auswanderung nach Palästina interessierte, zugleich aber die nationalistischen Untertöne des Zionismus zugunsten einer vage empfundenen Solidarität mit den

bereits im Lande lebenden Arabern herunterspielte. Einzelne Mitglieder lernten außer Hebräisch und irgendeinem Gewerbe auch noch Arabisch; ich bewunderte ihren hingebungsvollen Eifer. Außerdem milderte der Schwung der Jugendbewegung meine anfängliche Verlegenheit, die von meinem völlig anderen soziokulturellen Hintergrund herrührte. Zwei oder drei Jahre lang hatte ich für mich allein meine Studien betrieben, und nun bot sich mir plötzlich die Gelegenheit, diese Studien fruchtbar zu machen. Die Mitglieder meiner Gruppe schienen begierig, über alles zu diskutieren, was irgend interessant war, und halfen mir so, meine Berufung zum Lehrer zu entdecken.
Manche unserer Diskussionen standen im Zeichen der Probleme des Marxismus. *Ein* Thema bot sich wie von selbst an. Die deutsche Sozialdemokratie blickte auf eine lange Tradition marxistischer Ideologie zurück, so reformistisch sie in der Praxis auch sein mochte. Auch der Hashomer Hatzair war marxistisch orientiert; einige seiner Autoren spekulierten über die Möglichkeit einer gemeinsamen Front von jüdischen und arabischen Werktätigen in Eretz Israel. Aber was bedeutete das: jüdischer Arbeiter zu sein? War es ein Arbeiter, der in erster Linie die Interessen der anderen Werktätigen teilte und erst in zweiter Linie Jude war? Wie reagierten nichtjüdische Arbeiter auf ihn? Oder war er in erster Linie Jude, der gemeinsame Sache mit anderen Juden machte und dessen Arbeiterinteressen erst an zweiter Stelle kamen? Wir wußten, daß in der deutschen Arbeiterbewegung viele Juden an prominenter Stelle gestanden hatten, aber das waren meistens Intellektuelle, keine Arbeiter. Bei diesen Fragen ging es im Grunde immer um den Begriff der sozialen Klasse und ihren Bezug auf die ethnische Zugehörigkeit. Mit unseren Antworten kamen wir kaum besonders weit, aber wir verbrachten angeregte Stunden. – Während der Nazizeit waren das heikle Gesprächsthemen. Für jedes Treffen mußte ich irgendein unverfängliches Thema, beispielsweise über die Geographie Palästinas, vorbereiten, und zwar für den Fall, daß jemand, der nahe an der Tür saß, mir das Eintreten des Gestapomannes signalisierte, der unsere Diskussionen verfolgte. Doch bereitete diese Vorsichtsmaßnahme keine große Mühe, da unsere Thematik

sehr weitgespannt war und außer literarischen und historischen Problemen auch unsere persönlichen Beziehungen zueinander umfaßte.

Geistige Interessen

Trotzdem nahmen die Diskussionen der *Neu-Beginnen*-Gruppe und diese regelmäßigen Zusammenkünfte des Hashomer Hatzair während der Inhaftierung meines Vaters nur einen Bruchteil meines Lebens in Berlin ein. Meine Beteiligung an diesen beiden Organisationen bot mir Entlastung von einem allzu dicht gedrängten Zeitplan, der aus einer Ganztagsstelle, den vielen Sorgen und Kümmernissen der Familie und den erwähnten nächtlichen Bemühungen um meine Selbsterhaltung durch Bücherstudium bestand. Das Paradoxe ist, daß ich erst in diesen Jahren der Abwesenheit meines Vaters von zuhause seinen geistigen Einfluß auf mich so recht schätzen lernte. Früher mußte ich ihm vorlesen, und er hatte mir weitergeholfen. Nun, da er fort war, mußte ich mich allein mit Problemen herumschlagen, für die ich in keiner Weise gerüstet war; aber seine früheren Anregungen waren mir auch in seiner Abwesenheit hilfreich. Meine Schilderung der damaligen Zeit würde ohne die Berücksichtigung dieser meiner ersten geistigen Bemühungen unvollständig bleiben, auch vermag ich heute den Einfluß meines Vaters zutreffender zu rekonstruieren, als ich es damals gekonnt hätte.
Als angehender Student hatte mein Vater sein Interesse an kritischer Selbstbeobachtung bekundet und die Überzeugung geäußert, »daß jeder Mensch interessant sein kann und daß jeder der Aufmerksamkeit wert ist«. Diese Überlegungen waren ein Vermächtnis des deutschen Bildungsideals, dem zufolge jeder Mensch die in ihm schlummernden Fähigkeiten zu voller Entfaltung bringen soll. Dieses Ideal kann auch verfälscht werden, wie Thomas Mann in seinem *Felix Krull* gezeigt hat, einem Roman, der mit gespieltem Ernst die Entwicklungsgeschichte eines Hochstaplers erzählt, als ob es sich um eine Persönlichkeit von dem Format oder der Tragik eines Wilhelm Meister oder auch eines

Doktor Faustus handele. Die Einstellung meines Vaters zum Bildungsideal war hingegen weder distanziert noch ironisch. Sein Liberalismus und sein Populismus waren mit einer elementaren Achtung vor dem anderen Menschen, wo immer er im Leben stehen mochte, und einem aufrichtigen Interesse für die Lebensgeschichte jedes einzelnen verbunden. Diese Eigenschaft hatte meinen Vater zu einem gesuchten Anwalt gemacht; selbst im Konzentrationslager bat man ihn um seinen Rat, ungeachtet der Tatsache, daß er in allen praktischen Belangen für seine Mithäftlinge nur eine Last war. Diese persönliche Eigenschaft war es, die seine Auffassung vom Anwaltsberuf von anderen unterschied. Seine Bemühungen waren stets darauf gerichtet, die Auswirkungen des Rechts in menschlicher Hinsicht erträglicher zu gestalten. Heute erkenne ich den Wert eines solchen Ansatzes in einem funktionierenden Rechtssystem; doch im Deutschland der dreißiger Jahre wurde das vorhandene Rechtssystem zu politischen Zwecken kraß manipuliert und bald zerschlagen. Damals schien das Recht schwerlich jene tragende Säule des Ganzen zu sein, die mein Vater in ihm erblickte. Zwar identifizierte ich mich bereitwillig mit den Zielen meines Vaters, aber ich sah nicht, wie sie mit legalen Mitteln zu erreichen sein sollten.

Es war schon in den letzten Jahren der Weimarer Republik schwierig, im Meinungskampf von 35 Parteien das Individuum zu verteidigen; im Nazi-Regime war es unmöglich. Diese Verteidigung des Einzelnen würde erst wieder möglich sein, wenn das Regime gestürzt war. In der Zwischenzeit mußte man sich an die Disziplin einer politischen Arbeit im Untergrund gewöhnen und auf eine menschlichere Zukunft hoffen. Es war eine Situation, in der mir weder das Vertrauen auf das Recht noch der Entschluß zu einem juristischen Beruf als besonders verheißungsvoll erschienen. Wie ich bereits erwähnte, ging der Ansatz meines Vaters auf Marx und Nietzsche zurück, die auch auf meine eigenen späteren Anschauungen einen bleibenden Einfluß ausübten. Marx hatte besonders die Rolle hervorgehoben, die die Macht in jedem Rechtssystem spielt, während Nietzsche das Wissen als Mittel der Machtausübung beschrieben hatte; beide Theorien besagten, daß die Gründe, die für beliebige Handlungen einschließlich richterlicher Entscheidungen und des Strebens nach Erkenntnis angegeben werden, in Wirklichkeit Rationalisierungen sind. Die Skepsis, die aus dieser Ansicht spricht, spiegelt sich auch in einem Vers wider, den mein Vater verfaßt hatte und häufig zitierte, um die Rolle der Täuschung im Alltagsleben, nicht nur die von Richtern als Begründung für ihre Entscheidungen vorgebrachten Argumente, zu kennzeichnen.

> Gründe sind Entschuldigungen.
> Gründe sind Verheimlichungen.
> Gründe sind Täuschungen.
> Gründe sind Selbstbetrug.
> Gründe für Fug,
> Gründe für Un-fug
> gibt es genug
> und übergenug.
> Geltung hat, was ohne Grund und Gründe
> Aufsteigt aus dem Grund aller Gründe.

Die Bedeutung dieser Zeilen war mir aufgegangen, als ich zwischen 15 und 17 war (1931-33), also gerade während der Auflösung der Weimarer Republik. Unter den damaligen Umständen verstärkten sie meinen »defensiven Pessimismus«, den ich weiter oben besprochen habe.

Für meinen Vater hatten sie jedoch eine andere Bedeutung. Er sah seine besondere Aufgabe darin, solche Irrationalitäten aufzudekken, um ihre schädlichen Auswirkungen durch bewußte Prüfung eindämmen zu können. In einer prosaischeren Version desselben Gedankens begründete er diese Aufgabe:

> Freilich liegt allen meinen Ausführungen eine wissenschaftliche Voraussetzung zugrunde, die man geradezu einen wissenschaftlichen Glaubenssatz nennen kann, daß nämlich die Rationalisierung des Irrationalen uns in seiner Beherrschung weiterhilft, daß diese Rationalisierung nicht bloß theoretische Fruchtbarkeit besitzt, sondern auch für die praktische Rechtsanwendung Anregungen gibt und nützlich werden kann und soll. Die Beschreitung dieses Weges der Rationalisierung des Irrationalen beruht aber nicht bloß auf einem Glaubenssatze, sie ist gleichzeitig auch ein Wagnis und ein Einsatz, und ohne Wagnis und Einsatz sind wir Knechte des Lebens, aber nicht seine Herren.[3]

Eine ganze Generation von Gelehrten und Schriftstellern teilte mit meinem Vater diese Überzeugung, daß man das Irrationale, indem man es begriff, wirksamer unter Kontrolle bringen könne. Man braucht nur an Männer wie Durkheim, Freud und Weber oder seinen eigenen Lehrer Wilhelm Dilthey zu erinnern. Wie diese Autoren stand auch mein Vater vor dem grundsätzlichen Dilemma, einerseits das Irrationale in seinen mannigfachen Erscheinungsformen anzuerkennen, andererseits aber diese Erkenntnis zu konstruktiven Zwecken nutzen zu wollen. Möglicherweise gefährdeten diese Autoren ihren Ansatz gerade dadurch, *daß* sie die Aufmerksamkeit auf das Irrationale lenkten und dadurch seinen Einfluß begünstigten. Es ist keineswegs ausgemacht, daß irrationale Kräfte eher durch Analyse unter Kontrolle zu bringen sind als durch Verdrängung oder Vermeidung. Jedenfalls war mein Vater aber davon überzeugt, daß dieses Rätsel auf praktischem Wege gelöst werden könne. Als Anwalt konnte er zur Rechtsordnung dadurch beitragen, daß er sich in seiner kraftvollen persönlichen Art für die Anerkennung und Kontrolle des Irrationalen einsetzte. Dieser tätige Einsatz überhob ihn des erkenntnistheoretischen Paradoxons, welches dem Gelehrten zu schaffen macht, der auf seine eigenen vorgefaßten Meinungen reflektieren muß, während er die vorgefaßten Meinungen anderer untersucht. Mein Vater war in diesem Sinne kein Gelehrter; er *konnte* sich auf die Irrationalität von Richtern konzentrieren, ohne sich um die Irrationalität von Rechtsanwälten zu kümmern. Seine Aufgabe war die juristische Verteidigung des Einzelnen, und zu dieser Verteidigung gehörte auch das Sezieren von richterlichen Entscheidungen.
Als Rechtsanwalt konnte mein Vater seine analytischen Fähigkeiten in den Dienst seiner Klienten stellen. Indem er die Irrationalitäten des Rechtssystems untersuchte, verband er wie selbstverständlich Theorie und praktisches Handeln. Doch mir stand dieser Weg nicht offen. Weder war ich ein Anwalt, noch begünstigten die Verhältnisse in Deutschland das Interesse an der Jurisprudenz. Als ich 1935 durch die zweite Verhaftung meines Vaters meinen eigenen Plänen überlassen blieb, suchte ich meinen Seelenfrieden im Studium von Büchern. Wie I. B. Singer geschrie-

ben hat: »Wo sollte man in diesem Chaos denn Zuflucht suchen, wenn nicht im Bereich der ›adäquaten Erkenntnis‹? Daran, daß die Summe der Winkel eines ebenen Dreiecks 180 ° ist, sei nicht zu rütteln.«[4] Auch ein Hitler vermochte daran nichts zu ändern.

Die Fragen, die mich bei dieser privaten Lektüre zu beschäftigen begannen, lassen eine gewisse Ungeduld mit den Ideen meines Vaters erkennen, so sehr ich von ihnen auch beeinflußt sein mochte. Bei der Herausarbeitung der menschlichen Irrationalität bediente er sich einer Alltagspsychologie, die für seine Zwecke wahrscheinlich ausreichend war. Aber schon wenige Seiten Freud machten mir klar, daß einfache Begriffe wie »Neid«, »Haß« oder »Bosheit« lediglich alltagssprachliche Ausdrücke waren, hinter denen sich ein kompliziertes Geflecht von Gefühlen verbarg. Die Rede von »irrationalen Kräften« trug auch nicht gerade zur Klärung des Sachverhalts bei, sie schien theoretisch unzulänglich zu sein. Überhaupt schienen in der mich umgebenden Gesellschaft Hitler-Deutschlands massivere Kräfte am Werk zu sein, als in einer von Rechtsstreitigkeiten oder der Psychotherapie ausgehenden Untersuchung erfaßt werden konnten. Das führte mich wieder zu Marx und Mannheim und der Skepsis meines Vaters bezüglich der Klassengebundenheit von Ideen. Diese Skepsis hatte mich stutzig gemacht. Ich wollte zuerst verstehen, was mit »Ideen« oder »Vorurteilen« gemeint war, bevor ich versuchte, sie mit der Stellung eines Menschen in der Gesellschaft in Verbindung zu bringen. So kam es, daß ich mich mit Kants *Kritik der reinen Vernunft* abplagte, von der ich mir Aufschluß darüber erhoffte, was Ideen sind. Ich war auf diese Aufgabe nicht vorbereitet, blieb aber etwa ein Jahr lang bei der Sache. In der Auseinandersetzung mit einem solchen Text gewöhnte ich mir eiserne Disziplin an, aber letztlich vermochten mich »bloße« Kategorien des Denkens doch nicht zu befriedigen. Schließlich hatte ich ja etwas über Interessen und Leidenschaften erfahren wollen – jene Triebkräfte, auf die sich Ausdrücke wie »Klasseninteresse«, »Ideologie« oder »irrationale Kräfte« zu beziehen schienen.

Mein nächster Schritt war, dem Zusammenhang zwischen Ideen

und Interessen oder Ideen und emotionalen Triebkräften nachzuspüren. Das brachte mich auf die Lektüre sozialpsychologischer Schriften, und so setzte ich John Dewey, Charlotte Bühler und andere auf meine Liste. In diesem Zusammenhang wurde ich, durch ein Buch von Karl Bühler, auf die Theorie der Sprache aufmerksam. Die Struktur der Sprache schien deshalb von besonderer Bedeutung zu sein, weil die Sprache das Medium ist, durch welches die Lebensbedingungen möglicherweise einen prägenden Einfluß auf den einzelnen ausüben. Aus demselben Grunde las ich Bücher über Kinderpsychologie und Psychoanalyse, die ebenfalls Hinweise auf die Konditionierung von Ideen enthielten, also auf das, was wir heute »Sozialisation« nennen. Ich fühle noch heute die Erleichterung, mit der ich den philosophischen Abstraktionen den Rücken kehrte und mich diesen psychologischen Untersuchungen zuwandte. Meine Lektüre vermittelte mir das Gefühl, daß eine empirische Untersuchung der Persönlichkeit und das Interesse am Unterrichten Hand in Hand gehen konnten.

Heute wirkt die Atmosphäre meiner Berliner Zeit zwischen 1935 und 1937 in der Tat sehr weltabgeschieden. Der Rückblick und die geordnete Darstellung wirken einebnend auf die Höhen und Tiefen meiner Neigungen und Erlebnisse. Was mich damals umtrieb, verdankte ich einem bildungsbürgerlichen Heim und bereits in jungen Jahren der Faszination von emotional aufgeladenen Ideen. Ich konnte nicht, wie mein Vater, sagen, daß »bloße« Theorie mich kalt ließ. Er mußte sein juristisches Wissen auf spezifische Streitfälle anwenden, bevor er sich sagen konnte, zum »Vorteil und Nutzen des Lebens« beigetragen zu haben, wie Bacon das Ideal der modernen Wissenschaft formulierte. Mir dagegen gab den Anstoß zum Lernen die marxistische Überzeugung, daß ein genaues Verständnis der gesellschaftlichen Kräfte helfen könne, erwünschte Veränderungen herbeizuführen; dies war zwar nur ein Faktor unter vielen und wahrscheinlich nicht einmal der wesentlichste, aber immerhin ein Faktor. In den dreißiger Jahren ging von der marxistischen Tradition, so wie sie sich mir mitteilte, nurmehr eine geringe moralische Stoßkraft aus. Aber wenn ich meinen Vater ansah, war leicht zu erkennen, daß die Ideen der Menschen und ihre Leidenschaften aufs engste zusammenhängen. In der Tat erhielten seine Ideen ihr moralisches Gewicht durch die Leidenschaft für die Gerechtigkeit, während ich dazu neigte, dieses Gewicht aus der inneren Kraft abzuleiten, mit der man Ideen ausgestattet sieht, wenn Ideen das einzige sind, was einem geblieben ist. Ich wußte, daß ein Abgrund klaffte zwischen dem, was auf Deutschlands Straßen vorging, und dem, womit ich mich in meinen selbst auferlegten Studien herumschlug. Diese Erkenntnis war der Hauptgrund für meine eifrige Beteiligung an *Neu Beginnen*, wo der Faschismus diskutiert und analysiert wurde. Da nur ältere, erfahrenere Mitglieder Zugang zu dem hatten, was von den einstigen Arbeiterorganisationen übriggeblieben war, behielt ich die Überzeugung, daß eine korrekte Analyse des Faschismus irgendwie entscheidend für die Niederwerfung dieses politischen Monstrums sei. Damals glaubte ich das, weil ich es glauben wollte. Auf jeden Fall hatte ich, von meinem Vater beeinflußt, ein bleibendes Interesse an Ideen entwickelt, an dem sich auch dadurch nichts änderte, daß seine Art mich ungeduldig machte. Und meine Kontakte zu *Neu Beginnen* und zum Hashomer Hatzair gaben mir zum ersten Male Gelegenheit, Ideen in der Diskussion zu erproben. Ich erinnere mich, daß einmal der Punkt kam, wo ich der nervösen Erschöpfung nahe war und einen kurzen Ausflug ins Rheinland unternahm, aber es kam wohl auch hinzu, daß mein Wachstum sich in raschen Sprüngen vollzog.

Kapitel XIII

Auswanderung, Einwanderung (1937-1938)

Im Mai 1937 wurde mein Vater aus Dachau entlassen, und Anfang Juni überquerten meine Eltern die Grenze zur Schweiz, von wo der Weg sie nach Palästina führte. Wir alle hatten Angst gehabt, mein Vater könne unter diesem oder jenem Vorwand noch im letzten Augenblick wieder verhaftet werden. Die Gestapo hatte ihn unter der Bedingung freigelassen, daß er in ein nichteuropäisches Land auswandere. Das einzige Land, das unter diesen Umständen für meine Eltern in Betracht kam, war Palästina; die Auswanderung in irgendeinen anderen Staat vorzubereiten, war unmöglich, da der Ausreisewillige *persönlich* im Konsulat des betreffenden Landes vorstellig werden mußte. (Mein Vater konnte also kein amerikanisches Visum beantragen, während er im Konzentrationslager saß.) Selbst das Einwanderungszertifikat nach Palästina war ein Ergebnis jüdischer Solidarität und sozialer Kontakte und bedarf einer kurzen Erklärung.

Als Mandatsmacht des Völkerbundes kontrollierte die englische Regierung durch Einwanderungszertifikate die Einwanderung nach Palästina. Wahrend der ersten Jahre der Hitlerregierung waren die Zertifikate (in runden Zahlen) von 9 500 im Jahre 1932 auf 30 300, 42 300 und 61 800 in den folgenden Jahren angestiegen. Die Zahl fiel aber 1936 auf 29 600 und 1937, dem Jahr der Auswanderung meiner Eltern, auf 10 500 zurück. Während dieser Jahre mehrten sich die Anzeichen eines herannahenden Krieges, und dementsprechend verfolgte die englische Regierung eine Politik der Annäherung an die arabischen Länder, die sich in diesen sinkenden Zahlen für jüdische Einwanderer widerspiegelte. Doch von dieser hochpolitischen Frage der Einwandererzahl abgesehen, überließ die englische Mandatsmacht das Problem der Verteilung der jährlichen Quote von Zertifikaten den jüdischen Selbstverwaltungsorganen, die die verfügbaren Einwanderungsgenehmigungen unter »Kapitalisten« (mit einem Mindestvermö-

Reinhard Bendix, 1937

gen von £ 1000), Studenten, Arbeitern und Familienangehörigen aufteilten. Innerhalb der zionistischen Bewegung entstanden schwierige Fragen aus diesem Verteilungsproblem, und es war ganz natürlich, daß dabei Zionisten und Juden, die in ihren Gemeinden tätig waren, sowie Menschen, deren berufliche Qualifikationen für den Aufbau des neuen Staates geeignet waren, gegenüber älteren Menschen wie meinen Eltern vorgezogen wurden; denn solche Menschen würden über kurz oder lang unterstützungsbedürftig sein, selbst wenn sie etwas Geld mitbrachten. Tatsächlich wurde das Einwanderungszertifikat meinen Eltern schließlich durch die Vermittlung Adolf Leschnitzers erteilt, eines früheren Gymnasiallehrers meiner Schwester, und uns wurde damals gesagt, daß die Gremien der jüdischen Verwaltung eine Anzahl von Zertifikaten für jüdische Konzentrationslagerinsassen bereitgestellt hätten unabhängig davon, ob sie Beziehungen zur jüdischen Gemeinde oder der zionistischen Bewegung gepflegt hatten oder nicht. Nachdem meine Eltern Deutschland verlassen hatten, blieben meine Schwester und ich in Berlin zurück. Unsere erste Aufgabe war, den Haushalt aufzulösen und den Familienbesitz so günstig wie möglich zu veräußern. Für uns zwei war die Wohnung zu groß und zu teuer. Auch unsere sommerliche Bleibe auf dem Lande mußten wir verkaufen. Bald darauf wohnten wir bei verschiedenen Bekannten zur Untermiete und gingen weiter unserer Beschäftigung nach.

Amerika oder Palästina?

Doch nun beanspruchte ein neues Projekt unsere ganze Aufmerksamkeit: wir beantragten Visen für die Auswanderung nach USA, obwohl dies ohne ein amerikanisches Affidavit (Bürgschaftserklärung für Einwanderer) wenig Aussicht auf Erfolg hatte. Für meine Eltern war Palästina die einzige Zufluchtsmöglichkeit gewesen, obwohl sie nie Zionisten waren. Aus diesem Grunde hatten wir uns in der Familie darauf verständigt, daß Dorothea und ich dorthin auswandern würden, wo es die besten Chancen für uns gab, und nicht unbedingt meinen Eltern nach

Palästina folgen sollten. So begann mein Vater schon bald nach seiner Ankunft in Haifa eine umfangreiche Korrespondenz mit alten Bekannten, die möglicherweise mir und Dorothea bei der Auswanderung behilflich sein konnten, indem sie Bürgschaftserklärungen für uns besorgten und Studienmöglichkeiten ausfindig machten. Seine Hilferufe richtete er sowohl an frühere Lehrer meiner Schwester (Eduard Heimann, Adolf Löwe) als auch an alte Kollegen und politische Kampfgefährten (Franz Neumann, Otto Nathan). Die meisten dieser Leute waren assimilierte Juden wie mein Vater selbst, die gewisse Beziehungen zu Universitätskreisen besaßen und ihr Glück in den USA versucht hatten. Auf diese Weise war Professor Eduard Heimann von der New School for Social Research in New York bei der Besorgung eines Affidavits für mich behilflich. (Später trug Paul Tillich entscheidend dazu bei, die Einwanderung meiner Schwester zu ermöglichen.)

Das waren die äußeren Bedingungen, unter denen meine Auswanderung sich abspielte. Aber es reicht nicht aus, zu sagen, daß wir alle uns einig waren, daß meine Eltern nach Palästina auswanderten und meine Schwester und ich nach Amerika. Meine Eltern hatten sich Palästina als Auswanderungsland nicht ausgesucht, und aus welchen Überlegungen heraus ich selbst mich 1938 zur Auswanderung in die USA statt nach Palästina »entschloß«, möchte ich im folgenden rekonstruieren. Nachdem meine Eltern, wenn auch unfreiwillig, bereits nach Palästina gegangen waren, hätte es nahegelegen, daß meine Schwester und ich ihnen folgten. Allerdings waren auch wir beide keine Zionisten.

Gewiß war die Auswanderung aus Deutschland für mich leichter als für meinen Vater. Ich wollte aus einem Land fort, in dem ich nicht erwünscht war. Zwar gehörte ich einer Untergrundorganisation an, die langfristig auf eine politische Veränderung hinarbeitete, und dies war mit einer bestimmten Anteilnahme am Schicksal des Landes verbunden – ich erinnere mich nicht, *generell* deutschlandfeindlich empfunden zu haben, auch wenn ich meine Angst und meinen Abscheu vor dem Hitler-Regime sehr im Zaume halten mußte –, aber diese politische Anteilnahme war himmelweit verschieden von der kulturellen und gefühlsmäßigen Identifizierung meines Vaters mit Deutschland. Als er 1937, 60 Jahre alt, das Land verlassen mußte, ließ er sein Lebenswerk in Deutschland zurück; als ich ein Jahr später auswanderte, 22 Jahre alt, war ich froh, fortgehen zu können, weil das Leben noch vor mir lag. In unseren Briefen gingen wir auf diesen Unterschied nicht ein – wahrscheinlich deshalb nicht, weil durch ihn unser altes Zusammengehörigkeitsgefühl in der Familie unvermeidlich der Vergangenheit zugeordnet wurde. Keiner von uns hätte die Trennung in diese Worte gefaßt, weil keiner sie wahrhaben wollte.

Aber sie war bereits wahr geworden. Deutschland hatte einen politischen Kurs eingeschlagen, der zur Katastrophe führen mußte, und als Jude war ich mit meinen 22 Jahren ein Gebrandmarkter, der nichts tun konnte, das Unheil abzuwenden. Was die politische Arbeit von *Neu Beginnen* betraf, wurden Juden denn auch nach 1935 zu einem Sicherheitsrisiko für die Organisation, und die Zusammenkünfte, die ich während der Haft meines Vaters besuchen konnte, hatten nur noch sporadisch und in beschränktem Umfang stattgefunden. – 1938 gehörte das alles zwar der Vergangenheit an; im Jahr zuvor waren meine Eltern nach Palästina gegangen, und das war, zusammen mit den Idealen des Zionismus, ein Anreiz für mich, ebenfalls nach Palästina auszuwandern. Aber es gab auf der anderen Seite zu viele Argumente, die dagegen sprachen. Ich besaß im kulturellen Sinne keinen jüdischen Hintergrund, und meine Beteiligung am Hashomer Hatzair hatte daran nichts geändert. In dieser Gruppe drehten sich die Gespräche um Fragen von allgemeinem Interesse, doch sobald es um die sozialen oder politischen Probleme des weltlichen Zionismus ging, wurde ich zum interessierten Zuschauer, der noch viel zu lernen hatte. Ich wollte wirklich lernen, weil ich so wenig wußte, aber das nationalistische Element im Zionismus mißfiel mir. Damals wußte ich noch nicht, daß die Diskussion um die rassistischen Elemente im Zionismus in der deutsch-jüdischen Welt schon seit Jahrzehnten im Gange war.[a]

a) In den Worten einer neueren Untersuchung: »Der zionistischen Kritik an der liberalen Assimilationsbewegung lag die Überzeugung zugrunde,

Alles, was ich wußte, war, daß der Widerstand gegen den Fremdenhaß und den Nationalismus der Nazis auf schwachen Füßen stand, wenn er mit Appellen an den jüdischen Nationalismus einherging. Mußte der Stolz auf das Judesein sich im Sinne von Vererbung und Blut artikulieren – nicht anders als die nationalen und rassischen Beschwörungen, die die geistige Grundlage des nazistischen Antisemitismus waren? Im Hintergrund lauerte auch die schwerwiegende Frage, ob die Ansiedlung von Juden in Palästina nicht in irgendeiner Weise eine Vertreibung der einheimischen arabischen Bevölkerung mit sich bringen mußte.

Ein letzter Punkt: niemand von uns wußte wirklich etwas über Amerika. Mein Vater hatte nur Fragen bezüglich dessen, was uns in der Neuen Welt erwarten würde; aber sie beruhten auf seiner eigenen, jüngsten Erfahrung. Auch hier schlug der Generationsunterschied erheblich zu Buche. Er stand vor den Trümmern seines Lebenswerkes. Und obwohl er mithalf, unsere Auswande-

daß die Juden eine besondere, einzigartige Rasse darstellten ... Die liberale Auffassung der Juden als einer rein ethnischen Gruppe wurde von vornherein abgelehnt ... Sie waren ein Volk, verstanden als Rasse und Nation. Und sie waren eine *reine* Rasse. Nur die Juden und die Japaner waren der Bastardierung entgangen, indem sie Mischehen mit Erfolg unterbunden hatten. Daß derartige Ehen zu einem schwerwiegenden Problem für die Juden werden konnten, bewiesen zionistische Führer der Berliner jüdischen Gemeinde, indem sie einen Bericht autorisierten, demzufolge Mischehen eine Gefahr für die ›rassische Artreinheit‹ darstellten. Die Erhaltung dieser ›Rassenreinheit‹ war für den deutschen Zionismus von grundlegender Bedeutung; erblickte er doch die entscheidenden Vorbedingungen für eine jüdische Volkheit in der ›Blutsverwandtschaft des Fleisches und der Solidarität der Seele‹ sowie in dem ›Willen, eine geschlossene Bruderschaft gegenüber allen anderen Gemeinschaften auf Erden zu bilden‹. --- Die zionistische Überzeugung, daß rassische Andersartigkeit die deutsch-jüdische Unverträglichkeit prädeterminierte, bildete die Grundlage dessen, was man nur als eine jüdische Spielart völkischer Ideologie bezeichnen kann, verbunden mit dem Anspruch, daß rassische und historische Einflüsse zusammengewirkt hatten, um einen unverwechselbar jüdischen Charakter und typisch jüdisches Verhalten hervorzubringen.«[1]

rung nach Amerika zu bewerkstelligen, konnte er nicht anders als besorgt sein über das »Juden-Schicksal« seiner Kinder. In einem Gedicht, das er schrieb, nachdem wir Europa verlassen hatten, äußert er sich zuversichtlich über unsere persönlichen Qualitäten. Aber sein diesbezüglicher Optimismus wurde angesichts dessen, was ihm widerfahren war, stark eingeschränkt:

> Was mir die Seele schwer macht, ist die Not,
> In die die fremde Welt den Juden bringt.
> Wenn Euch die Frucht des ganzen Lebens winkt,
> Spei'n Haß und Neid so lange, bis sie tot.
> Und doch kein and'rer Weg! Ihr lebt im Zwang!
> Dies Juden-Schicksal macht mich stark und bang'.

Mit anderen Worten: wir hatten keine andere Wahl, als zu emigrieren, aber selbst wenn wir erfolgreich sein würden, würde nicht eine neue Welle des Antisemitismus zerstören, was wir erreicht hatten? Ich war mir dieser Sorge bewußt und natürlich traurig über das schlimme Schicksal meines Vaters, aber es drückte mich nicht nieder. Wir hatten für unsere Eltern getan, was wir konnten, und nun war Amerika ein Abenteuer für mich und zugleich eine Erlösung von der Verfolgung. Meine Sehnsucht, aus Deutschland fortzukommen, überschattete alle anderen Überlegungen. Ich war mir durchaus bewußt, daß es auch in anderen Teilen der Welt Antisemitismus gab; aber ich erkannte, daß in Deutschland die Vernichtung der Juden bevorstand, während es in Amerika nichts gab, was mit dieser Bedrohung auch nur von ferne zu vergleichen gewesen wäre. Unter diesen Umständen übersahen meine Schwester und ich, wie mir scheint, die Tatsache, daß wir durch die Auswanderung nach Amerika erneut mit den Problemen der Assimilation konfrontiert sein würden, wenn auch unter völlig neuen Bedingungen.

Judentum – für und wider

Nach der Ausreise meiner Eltern aus Deutschland im Mai 1937 schrieben meine Schwester und ich von Berlin aus zweimal wöchentlich Briefe an sie, zuerst nach Haifa und einige Zeit später nach Tel Aviv. Ich werde auf diese Korrespondenz in Kapitel XVI zurückkommen, wo ich den Aufenthalt meiner Eltern in Palästina schildern will. Nach der obigen Diskussion über die Alternative »Amerika oder Palästina«, die meine Auswanderung betraf, möchte ich nun zunächst auf die Diskussion über das Judentum eingehen, die sich in jener Zeit in unserem Briefwechsel entspann. Die Situation in Deutschland hatte meine Eltern zur Auswanderung nach Palästina gezwungen, obwohl sie stets unerschütterliche Verfechter der Assimilation gewesen waren. Nicht nur, daß man sie aus dem Lande vertrieben hatte, mit dem sie sich vorbehaltlos identifizierten; es hatte diese Befürworter der Assimilation auch ausgerechnet in jenes Land verschlagen, das auf dem besten Wege war, zum ersten jüdischen Staat nach einer zweitausend Jahre währenden Diaspora zu werden.

Nach der Ankunft in Palästina hatten sie viele assimilierte deutsche Juden getroffen, die sie von früher her kannten und die sich ebenso entwurzelt und fehl am Platze fühlten wie sie. Nicht viele von ihnen waren so wie mein Vater seit jeher gewöhnt, ihre Erfahrungen zu bewältigen, indem sie sie niederschrieben. Er war damit beschäftigt, eine schriftliche Darstellung dessen zu geben, was ihm vom Zeitpunkt seiner ersten Verhaftung 1933 bis zu seiner Vertreibung aus Deutschland 1937 widerfahren war. Dieses Manuskript entstand in den Jahren 1937 und 1938. Es enthielt viele Einzelheiten über seine KZ-Erlebnisse, die mir neu waren, aber betroffen machte es mich erst, als ich las, daß er für sich selbst zum Judentum zurückgefunden hatte.

Damit war keine Rückkehr zu religiösen Gebräuchen gemeint; mein Vater war kein religiöser Mensch; es handelte sich auch nicht um eine Hinwendung zum Zionismus, obwohl er, angesichts der offenkundigen Hartnäckigkeit des jüdischen Problems, allmählich mit diesem Versuch, eine jüdische Nation aufzubauen, zu sympathisieren begann. Vielmehr vergleicht mein Vater in seinen Erinnerungen seinen eigenen Glauben an die Gerechtigkeit mit der langen Leidensgeschichte der Juden, die diese dazu geführt hat, den Bedrängten zu Hilfe zu kommen. Ja, er stellt sein Lebenswerk unter den uralten Gedanken, daß die Juden von Gott auserwählt sind, durch das Einhalten des Gesetzes für ihre

Sünden zu büßen, und daß der Abfall vom Gesetz die schwerste aller Sünden ist. Gegen Ende seiner Erinnerungen spricht er von der Weltmission des jüdischen Volkes,

für eine gerechte Ordnung der menschlichen Gemeinschaften, nicht zuletzt derjenigen, in die sie versprengt sind oder waren, einzutreten und Opfer zu bringen.
Die irdische Gerechtigkeit aber ... ist nur ein anderer Ausdruck für Gottessehnsucht und Gottesgnade und vielleicht nur in der Welt des Strahlenlichts und der Strahlensprache des Bergesgipfels im Perezschen Nirgendland zu finden. Wer nach ihrer Verwirklichung auf Erden strebt, sucht das Gottesreich, und sein Streben ist die irdische Ausströmung des religiösen Gefühls. Aber nur wer durch Leiden geht, hat jenes tiefe Mitgefühl für fremdes Leiden, das die Antriebskraft gibt für den nie ermüdenden Kampf um die gerechte Ordnung dieser Welt. Die Kämpfer zu stellen, ist das jüdische Volk berufen und auserwählt, weil seine Angehörigen von dem Schicksal bestimmt sind, gehetzt zu werden und in der Verfolgung das Leid der Menschheit auf sich zu nehmen als Gegenstand und Opfer des in Machtstreben und Gewaltanwendung gelegenen Grundbösen, das noch immer die Welt beherrscht und die von ihm geopferten Gerechtigkeitsfanatiker zum ewigen Kampfe herausfordert und immer wieder zu Märtyrern des von ihnen vertretenen und gelebten Prinzips der Gerechtigkeit macht. Sollte nur der Machtlose für die Gerechtigkeit als Prinzip eintreten können? Und ist das jüdische Volk für diese große Menschheitsaufgabe berufen und vom Schicksal auserwählt, weil es ohne Macht ist und sich selbst nicht regieren kann?[2]

Bedeutete diese feierliche Feststellung am Schluß seiner Erinnerungen die Rückkehr in die alte jüdische Gemeinschaft?
In unserem Briefwechsel taucht der erste Hinweis auf das Judentum in einem Brief meines Vaters vom April 1938 auf, in dem er den Besuch in einer Synagoge schildert.

Hier herrscht heute Chamsin, kaum zu ertragen! Trotzdem bin ich morgens in der Synagoge gewesen, um den Rabbiner Dr. Rosenberg, von dem ich Euch schrieb, predigen zu hören, und um Jugenderinnerungen – es sind jetzt 48 Jahre her!!! – aufzufrischen. Es ist mir ganz merkwürdig gegangen: das Hervorholen der Bundeslade und ihr feierliches Herumtragen hat auf mich mit allem Drum und Dran einen ganz starken Eindruck gemacht. Ich habe es als eine ganz große Sache empfunden, daß die Juden – merkwürdig, es sind immer die anderen, aber doch Menschen, denen ich mich irgendwie zugehörig, verbunden fühle! – seit Hunderten und Tausenden von Jahren die Hl. Schrift als ihr Nationaldokument verehren, und dadurch untereinander vereinigt werden. Das ist ein geschichtlicher Vorgang, einzig in seiner Art, dem die Koranverehrung der Mohamedaner an die Seite zu setzen ist. Hier liegen Gefühls- und Traditionswerte, die nicht aufgegeben werden dürfen. Vieles andere dagegen hat mich völlig fremdartig berührt, keinerlei Echo trotz dunkler Erinnerungen an die Kindheit geweckt und erschien mir untergangsreif, wenngleich dieser eigentümliche Singsang der Gebete den meisten Anwesenden geläufig von den Lippen kam. Freilich fragte ich mich, was die armen Gläubigen nur machen würden, wenn plötzlich alle Gebetbücher vernichtet würden; ihre an die gedruckte Schrift gebundene Frömmigkeit wäre ihres Handwerkszeugs beraubt und könnte sich nicht mehr betätigen! Was könnte, was würde geschehen?? Die Frömmigkeit müßte wieder schöpferisch werden!! Dieser Zustand ist es, den ich herbeisehne!! Denn ich empfinde es als bedauerlich und als Verarmung, daß wir – Ihr und Mu und ich und viele viele Gleichgesinnte – von der Gemeinde ausgeschlossen sind und sich vereinsamt fühlen, mögt Ihr reden, was Ihr wollt. Wieder Teil eines Chors, der Gemeinde zu werden, das ist doch – auch in der Ableugnung!! – unsere geheime Sehnsucht!! Und unser stärkstes Bedürfnis, im Unterbewußtsein bohrend und Erfüllung heischend!! Denkt nicht, das ist eine Alterserscheinung! Nein, hier sind in jedem irrationale Kräfte am Werke! Das religiöse Bedürfnis ist ein den Menschen eingeborenes Bedürfnis, wie jedes andere! Man soll und braucht dabei nicht an einen alten Herrn im Himmel mit einem langen Bart oder überhaupt an ein anthropomorphistisch erdachtes Wesen zu denken. Aber die Vorstellung, der innere Zwang, in dem menschlichen Geschehen und Schicksal, in dem unsrigen und dem eurigen einen Sinn zu suchen, in dem unverwüstlichen Bedürfnis nach einem sinnvollen Zusammenhang alles geschichtlichen Geschehens steckt das religiöse Glaubenselement als ein urewiger Bestandteil – eine Struktur – des menschlichen Geistes überhaupt. Diesen Zusammenhang uns menschlich nahe zu bringen, zu deuten, ist die Aufgabe eines bestimmten Berufsstandes, der ›Geistlichen‹, der Priester ... Das Göttliche steckt m. E. in diesem überindividuellen Zusammenhang, in unserem eingewurzelten (strukturellen) Bedürfnis nach dem Sinn des Lebens, des individuellen, wie des überindividuellen. Schreibt mal ausführlicher, was Ihr über diese wichtigen, m. E. der Menschheit zur Zeit wieder auf ›den Nägeln‹ brennenden Fragen denkt!![13]

Das war nun freilich leichter gesagt als getan. Die persönlichen religiösen Erfahrungen meines Vaters gingen auf eine Zeit vor einem halben Jahrhundert zurück, als er zehn Jahre alt war und seine Hebräischstunden erhielt, während meine Schwester und ich überhaupt keine persönlichen religiösen Erfahrungen hatten. So drückt die Antwort meiner Schwester auf die Bitte meines Vaters, zu diesen Fragen ausführlicher Stellung zu nehmen, ein Vakuum aus und entsprach damit weitgehend meinen eigenen Empfindungen.

Zur Frage des Religiösen, lieber Oller, bin ich doch anderer Ansicht. Ich habe bisher weder in Palästina noch z. B. hier, wenn ich mal bei Freitagsabendfeiern dabei war, irgendein Gefühl der Zugehörigkeit oder des Wunsches zur Zugehörigkeit gehabt. Im Gegenteil, ich habe das immer als vollkommen fremd empfunden. Ich glaube auch nicht, daß mir irgendeine Form von jüdischer oder anderer Religiosität irgendetwas bedeuten könnte. Natürlich hat man, und auch ich, den Wunsch nach einer Gemeinschaft, die aber irgendwie ganz anders aussehen müßte. Was mir am Religiösen, abgesehen von den vielen Formen und Formeln ohne Inhalt, so fremd und entgegengesetzt ist, liegt in der vielfach, oder eigentlich immer, jedenfalls dem Weltgeschehen und dem in größeren Maßstäben gedachten Zusammenleben der Menschen gegenüber vorhandenen Passivität. Nur eine aktive Haltung kann für mich einen ›Sinn‹ der Welt erkennen und sie gleichzeitig zu verändern suchen. Ich nehme an, Du siehst, worum es mir geht ... Vielleicht kannst Du das mit Reinhard, dessen Ansicht ich allerdings nicht kenne, die aber doch vermutlich mehr mit meiner übereinstimmt als mit Deiner, mündlich besprechen ... Im übrigen verstehe ich sehr gut, wie nahe Dir die von Dir geschilderte Haltung diesen Dingen gegenüber liegen muß, und Du wirst mir darin sicher bei kühler Selbstbetrachtung Recht geben. Du willst und mußt Dich heute irgendwie in das dortige Leben einordnen, in jedem Sinne, eben nicht nur im Wirtschaftlichen und Beruflichen. Diese geistige Einordnung kann für Dich nicht nur im Nationalen liegen; da sind z. T. die Hemmungen von früher her noch zu stark, und andererseits sind Dir eben doch gewisse Typen östlicher Juden vollkommen fremd, und zwar so abgrundtief, daß eine Überbrückung unmöglich scheint. Also suchst Du, z. T. unbewußt, nach anderen Bindemitteln. Daß die in einer bestimmten hochstehenden Form der Religiosität liegen können, ist klar. Ich nehme übrigens an, daß Mu viel weniger Neigungen und Tendenzen dahin hat.[4]

In seiner Antwort auf diese Herausforderung bemerkte mein Vater, daß es Dorothea anscheinend leichter fiel, sich über diese

Gegenstände schriftlich zu äußern als mündlich. Offenbar war ihm entgangen, daß dieselbe Beobachtung auch auf ihn zutraf. Was das Religiöse anging, so gab er in seinem Brief zu, daß meine Mutter und ihn in dieser Hinsicht »eine nicht wieder gutzumachende Unterlassungssünde« treffe.

Ihr Gören habt keinerlei Kindheitserinnerungen wie ich. Dort liegen Anknüpfungspunkte, die nicht zu unterschätzen sind. Und doch geht es uns nicht viel anders, wenn auch vielleicht etwas anders, wie Dir.
Was Du von der Aktivität andeutest, ist m. E. auch ein Stück Religion und ohne religiösen Elan und tiefinnerliche Religiosität nicht in die Tat umzusetzen. Das übergreifende Überindividuelle ist im tiefsten Antrieb religiös. Deine Psychologie meiner irrationalen Religionskräfte hat mir viel Freude gemacht! Was unbewußt in mir wirkt, können wir freilich beide nicht wissen! Da sind wir beide schließlich auf Erklärungsversuche angewiesen. Ich glaube, der Deinige, so interessant er sein mag, ist doch nicht oder nicht im wesentlichen zutreffend. Nicht *meine* Einordnung ist die entscheidende Triebkraft, sondern die Feststellung der starken religiösen Bewegung in weiten Kreisen der jüdischen Bevölkerung. Mich haben immer die Gestaltungsaufgaben des sozialen Lebens einer Gemeinschaft stark bewegt, in der ich lebe. Dieser tief eingewurzelte Drang zur Mitarbeit am Aufbau – verbunden mit meinen geschilderten persönlichen Bedürfnissen – ist es wohl, der mich vor die Frage stellt, wie die religiösen Ströme des Landes in das künftige Leben einzuordnen sind.[5]

Gleichwohl war dieses Bekenntnis meines Vaters doch mehr ein Widerhall seiner früheren Bestrebungen, als daß es einen Sinneswandel in bezug auf das Religiöse ausdrückte. Mein Vater schloß seinen Brief mit der Mitteilung, daß er mit den frommen Leuten, deren Umgang er eben erst noch gesucht hatte, nichts mehr zu tun haben wolle: »Ich habe übrigens einen so schlechten Eindruck von Dr. R.s Bemühungen bekommen, daß ich diesem Kreise fern bleiben werde.«
Es gab noch einen weiteren Brief in diesem seltenen Gedankenaustausch über Religion, der zeigt, daß mein Vater zwar ein echtes religiöses Empfinden besaß, aber keinerlei förmlich organisierten Kult und keinen in Dogmen gefaßten Glauben akzeptieren konnte. Er hatte bei den örtlichen Rabbinern kein Verständnis für die ihm vorschwebende »schöpferische Frömmigkeit« gefunden, aber er wußte auch, wo der Fehler lag:

Was die religiöse Frage anlangt, so habe ich bereits angefangen, mich von dem Kreis der hiesigen religiösen Rabbiner loszulösen. Bei den Leuten kommt für mich nichts heraus! Sprich mit G., ob er nicht *einen* von der Sippe kennt, der geeignet wäre, aus diesem Sumpf herauszuführen. Er muß bestimmte Eigenschaften haben: Beherrschung der modernen Wissenschaft und Erneuerung und Vertiefung der Gottesvorstellung (Überwindung der Alte-Herren-Vorstellung und Ersatz durch die Wiedererweckung des ehrfurchtgebietenden Schicksalsgedankens). In uns allen – auch in meiner großen Tochter! – steckt der Horror pleni, d. h. die elementare Ablehnung der Annahme einer Sinnlosigkeit alles Geschehens und das unstillbare Verlangen nach dem Sinn des Lebens. Der Kausalitätsgedanke ist nur die eine Seite der Sache, die andere Seite ist der religiöse Antrieb in dem unbeweisbaren Glauben an die Möglichkeit einer Hingebung überhaupt. Wer das zu einer Einheit mit den Überlieferungen oder auch ohne sie verbinden kann, der ist mein Mann! Er ist unser Erlöser![6]

So endete der Ausflug meines Vaters in eine Welt, der er lange Zeit den Rücken gekehrt hatte, offenkundig wieder dort, wo er einst begonnen hatte, nämlich außerhalb des konventionellen Judentums. Da er sich außerstande sah, die traditionellen Formen des jüdischen Kultus zu akzeptieren, mußte er sich mit einer halb-formulierten Sinnsuche eigener Konstruktion behelfen, und es bleibt unklar, ob die abschließende Rede von einem »Erlöser« nicht vielleicht ein fernes, unbewußtes Echo jener protestantischen Vorstellungen war, die ihm in seiner Jugend sein Freund Bernhard Schmeidler vermittelt hatte. Er hatte wahrscheinlich eine neue oder erneuerte Identifizierung mit den Juden gefunden, aber er war nicht zum jüdischen Glauben zurückgekehrt.

Allerdings ist dies nur meine Interpretation; sie entspricht nicht seinem damaligen Selbstverständnis. Denn in einem Brief vom 26. August 1938 an die jüdische Gemeinde in Berlin erklärte mein Vater, er sei nunmehr zu der Auffassung gelangt, daß sein früherer Austritt aus dieser Gemeinde nicht mehr zu rechtfertigen sei. Wenn er nicht zur Auswanderung gezwungen worden wäre, würde er den Austritt aus der jüdischen Gemeinde, den er am 25. Januar 1919 erklärt hatte, förmlich widerrufen. Er teilte dies auch meiner Schwester mit, die damals noch in Berlin war und die ihm daraufhin schrieb, diese Geste sei doch wohl etwas zwecklos. Aber mein Vater verwahrte sich hiergegen und sagte, wenn er noch in Berlin leben würde, würde er mit Sicherheit der jüdischen Gemeinde wieder beitreten. »Der isolierte Mensch – wir waren es viel zu sehr in unserem Individualismus! Du offenbar noch! – ist heute verraten und verkauft! Merk dir das!!« Dieser ganze Briefwechsel enthielt einen Gedankenaustausch über das Thema Religion, wie er bei früheren Gesprächen im Familienkreis *niemals* stattgefunden hatte. Mein Vater muß gezögert haben, sich uns anzuvertrauen, weil er früher nichts getan hatte, um unser Verständnis für religiöse Fragen zu wecken, und deshalb ein schlechtes Gewissen hatte. Tatsache bleibt, daß er die Folgen seiner früheren Handlungen (bzw. Unterlassungen) nicht mehr rückgängig machen konnte.

Unterwegs

Eine dieser Folgen war, daß ich bei der Wahl zwischen Amerika und Palästina keinen Augenblick zögerte. Nach Erhalt meines amerikanischen Visums verließ ich Deutschland am 23. Mai 1938 – einen Tag nach dem letzten Brief meines Vaters über religiöse Fragen an meine Schwester in Berlin. Auf meinem Weg in die Vereinigten Staaten machte ich einen Abstecher zu meinen Eltern in Palästina, wo ich mich rund acht Wochen aufhielt. Ich werde die Stationen meiner Reise und die Gedanken, die mir bei meiner ersten »Weltreise« durch den Sinn gingen, im Verlauf dieses Kapitels schildern, aber nicht, ohne zuvor noch einen letzten Blick auf die Menschen zu werfen, die ich in Deutschland zurückließ. Wenn ich heute, nach über vierzig Jahren, die Briefe wieder lese, die zwei Tanten von mir an meine Eltern in Palästina schrieben, während ich auf dem Wege dorthin war, erkenne ich, was ich damals nicht erkannte: wie mein Fortgehen die Isolation und die stumme Verzweiflung jener Verwandten vergrößerte, die ich zurückließ. Sie wären ebenso gerne aus Deutschland fortgegangen wie ich, aber sie hatten jene Kontakte nicht, über die mein Vater durch seine beruflichen und politischen Verbindungen verfügte. Ohne solche Kontakte erwies sich die Auswanderung oft als unmöglich. Mein Vater versuchte vergeblich, diesen Verwandten zu helfen, aber sie mußten zurückbleiben und kamen schließlich ums Leben. Wie kann der Mensch, der angesichts einer drohenden Katastrophe die Aussicht auf Rettung hat, sich zu einem anderen verhalten, der in der tödlichen Falle sitzt? Für mich war diese Frage 1938 ebenso unbeantwortbar, wie sie es heute noch ist.

Als ich im Mai 1938 Berlin verließ, konnte ich nach den geltenden Auswanderungsbestimmungen der Nazis zwar alle Reisekosten in deutscher Währung bezahlen, durfte aber nur vier Dollar in bar bei mir haben. Beziehungen waren unabdingbar. Unterwegs machte ich in Frankfurt halt, um den früheren Direktor meines Gymnasiums zu besuchen, mit dem ich nach meiner Entlassung von der Schule korrespondiert hatte. Er hatte sich in seinen Briefen freundlich gezeigt und wertvolle Kritik an einer philosophischen Arbeit geübt, die ich ihm geschickt hatte; nun nahm er mich betont gastfreundlich auf und war mir bei der Ausreise aus Deutschland behilflich. Es war ein bewegender Besuch, für den ich bis auf den heutigen Tag dankbar bin. Als nächstes überquerte ich in Basel die Schweizer Grenze und nahm den Zug nach Mailand und Florenz. Zwischendurch machte ich eine Schiffsrundfahrt auf dem Vierwaldstätter See, und die Bergluft erfüllte mich mit einem Gefühl der Erleichterung und Befreiung, wie ich es seither nie wieder so stark empfunden habe. Im März jenes Jahres war Hitler in Österreich einmarschiert, und jetzt, im Mai, erreichten mich die Nachrichten von der tschechischen Mobilmachung. Der Kontrast zwischen der schweizerischen Landschaft und der drohenden Kriegsgefahr hätte krasser nicht sein können. Nachträglich merkte ich, unter welchem Druck ich die letzten fünf Jahre gelebt hatte. Meine nächste Station war Florenz, wo ich bei einer Freundin meiner Schwester wohnte, obwohl ich sie kaum kannte. Ihr Mann war Kunsthistoriker, und unter seiner sachkundigen Leitung entdeckte ich zwei wundervolle Wochen lang die Kunstschätze der Stadt. Auch halfen mir beide bei der nächsten Etappe meiner Reise, die mich über Brindisi auf dem Schiff nach Haifa führte. Ich machte einen Abstecher nach Palästina, um meine Eltern zu besuchen.

Während meines achtwöchigen Aufenthaltes bei ihnen erörterten wir Familienangelegenheiten, und endlich konnten mein Vater und ich die philosophischen Diskussionen wieder aufnehmen, die wir Jahre zuvor geführt hatten. Ich besuchte auch Verwandte und Freunde aus dem Hashomer Hatzair. Für mich verging die Zeit wie im Fluge. Mir fiel die enorme Bautätigkeit in Palästina auf, die neumodische Architektur, das trotz des subtropischen Klimas hohe Arbeitstempo; aber mir entgingen auch nicht die Sicherheitsvorkehrungen, wenn ich Freunde in einem Kibbuz besuchte. Doch stand mir nicht der Sinn danach, mein Wissen über das »jüdische Heimatland« (Jewish homeland) zu vertiefen. Für meine Eltern verging die Zeit noch schneller, weil sie schon vor dem Tage bangten, an dem ich abreisen würde. In unseren Briefen aus Berlin hatten Dorothea und ich versucht, ihnen die Gewißheit zu geben, daß die Familie wieder vereinigt werden würde, auch wenn wir nicht wußten, wann. Wir hatten sie aber auch gedrängt, möglichst bald die Erlaubnis zur Einwanderung in die USA zu beantragen, weil die Bearbeitung dieser Anträge Jahre dauerte und wir währenddessen die Zeit gewannen, um uns zurechtzufinden. Bei meinem Besuch wiederholte ich diese Versicherungen, aber das war nur der Ausdruck meiner eigenen Empfindungen. Auch ohne daß wir darüber gesprochen hätten, gab es zwischen meinen Eltern und uns bereits einen beträchtlichen Unterschied. Mein Vater war damit beschäftigt, sich seinen Lebensunterhalt in Palästina zu verdienen, aber seine Aussichten waren gering. Wir hatten ihm unsere Sympathie bekundet, aber es gab wenig, was wir aus der Ferne oder bei einem kurzen Aufenthalt für ihn tun konnten. Und jetzt, in Haifa, war ich im Geist nicht mit den Problemen meiner Eltern beschäftigt, sondern mit meinem eigenen, ungewissen Abenteuer in Amerika. Ich wußte kaum, wohin ich ging; es war genug, daß ich nicht dort sein wollte, woher ich gekommen war.

Meine Eltern konnten meine jugendliche Unbekümmertheit nicht nachvollziehen; es war ihnen ein Greuel, mich so weit fortziehen zu sehen, auch wenn sie die unbestimmten Möglichkeiten sahen, die Amerika bot. Doch wie ich später herausfand, waren die Abschiedsgedanken meines Vaters noch von etwas anderer Art.

Meine Abreise erinnerte ihn daran, daß sein eigener Vater ihm reichlich Geld zur Verfügung gestellt hatte, als er in seiner Jugend ins Ausland gegangen war, und daß er mir nun nichts geben konnte. Er bemerkte, daß mir das nichts auszumachen schien, und er hatte recht, obwohl es natürlich nichts geändert hätte, wenn ich angefangen hätte, mir Sorgen zu machen. Wir sprachen auch nicht über dieses Thema: wahrscheinlich wollte er mir irgendwelche Besorgnisse ersparen. Dazu kam die traurige Überlegung, daß er sich nicht so an meinem »Kampf« beteiligen konnte, wie er gerne gewollt hätte. Ein Gedicht, das er nach meiner Abreise schrieb, bringt seine damaligen Empfindungen zum Ausdruck:

> Mein Sohn, Du ziehst hinaus jetzt in die Welt
> Vieltausend Meilen weit, vieltausend Meilen.
> In Deinem Alter gab *mein* Vater Geld,
> Was ich nur braucht', im fernen Land zu weilen.
>
> Du mußt Dein Leben auf Dich selber bau'n
> Und machst Dir Sorge, wovon ich soll leben. –
> Die Tränen sich in meinem Auge stau'n:
> Ich möchte alles und kann nichts Dir geben.
>
> Was macht es Dir? Du hast es längst gewußt!
> Dein Auge blitzt! Dir spannen sich die Glieder,
> Und Zukunftswillen sprengt Dir fast die Brust! –
> Mir ist, als hört' ich Kampf- und Siegeslieder! –
>
> Ich bleib' zurück und denk' in meinem Sinn:
> Wie schade, daß ich nicht Dein Kampfgenosse bin!

Mein Vater muß mir nach meiner Abreise dieses Gedicht zugeschickt haben, doch hatte ich damals nur das Gefühl, es sei gut, daß der Schmerz dieser Empfindungen unausgesprochen blieb. Aber wie wir auch voneinander geschieden wären, wenn mein Vater sich unmittelbarer ausgedrückt hätte: ich habe lange gebraucht, um diese Abschiedsgedanken zu verstehen. Damals grübelte mein Vater offenbar darüber nach, wie seine Beziehung zu mir sich von seiner eigenen zu meinem Großvater Gustav Bendix unterschied; doch schwieg er sich über diesen Punkt aus, mit Ausnahme dieses Gedichts.

Er hätte sich jedoch keine Sorgen zu machen brauchen; denn es gab doch eine Neuigkeit, die uns den Abschied erleichterte. Während meines Aufenthaltes in Palästina erhielt mein Vater von Eduard Heimann in New York die Nachricht, daß die Universität Chicago mir ein Stipendium (tuition fellowship) gewährt habe. Mein Vater hatte immer gewollt, daß ich die Universität besuchte, meine eigenen Interessen gingen in diese Richtung, und nun war plötzlich diese Ungewißheit meiner unmittelbaren Zukunft beseitigt.

Paris

Am 28. Juli 1938 bestieg ich in Haifa das Schiff, das mich nach Marseille bringen sollte. In Paris erfuhr ich, daß ich nicht vor Mitte September in New York anzukommen brauchte. Das Herbstsemester an der Universität Chicago sollte erst im Oktober beginnen, und es würde schwierig werden, mich früher unterzubringen. So verbrachte ich einige Wochen in Paris bei einer Kusine und genoß diese herrliche Stadt, während ich mit abwechselnd frohen und bangen Gefühlen daran dachte, was mich in Amerika erwarten mochte. Es war eine Zeit der Vorahnungen und des Zurückdenkens. Die zweiwöchentliche Korrespondenz zwischen Berlin und Tel Aviv und mein jüngster Besuch bei meinen Eltern hatten viele Fragen aufgeworfen. Im Grunde war es das erste Mal seit 1934, daß ich etwas Zeit für mich hatte – frei von den täglichen Arbeitsbelastungen, fern der familiären Sorgen und ledig des Zwanges zu unablässiger Wachsamkeit.
Während ich so in Paris darauf wartete, daß die Zeit verging, trat das Schicksal meines Vaters allmählich in den Hintergrund. Ich hatte gesehen, daß er sich allmählich von seinen Erlebnissen erholte; nun war ich selbst damit beschäftigt, mich von fünf Jahren Hitler-Deutschland zu erholen. Im August schrieb ich von Paris aus an meinen Vater:

Naturgemäß habe ich hier sehr viele Bekannte aus früherer Zeit getroffen, die mich reichlich mit Lektüre und Unterhaltungen versehen. Das war dringend erforderlich, weil mein geistiger Horizont unter 5 Jahren Faschismus noch stärker, als ich dachte, gelitten hat. Es ist doch nicht unwichtig, unter welchem System man die eindrucksvollsten Jahre seiner geistigen Entwicklung durchmacht, besonders wenn man zu jung war, um eine geistige Überlieferung zu besitzen.[7]

Ich hatte zwar nicht, wie mein Vater, im Gefängnis gesessen. Aber Berlin und Deutschland waren mir wegen der vollständigen Manipulation aller Nachrichten und durch den Hauch des Todes, der jede persönliche Begegnung anwehte, letztlich doch wie ein Gefängnis erschienen. Von dieser Atmosphäre frei zu sein, bedeutete eine geradezu physische Erleichterung, auch wenn ich auf die Unterstützung von Freunden angewiesen blieb, um meinen Weg nach Amerika fortsetzen zu können. Ich war 22 und ganz auf mich selbst gestellt. Ich hatte eine Fahrkarte in die Vereinigten Staaten, und meine Kusine in Paris half mir, bis es Zeit zur Abreise war.
Vielleicht war es ganz gut, daß ich mich in einem Zustand gespannter Erregung befand. Andernfalls hätte ich mir zu viel Sorgen gemacht. Ich war jung und gehörte jetzt nirgendwohin. Als ich die Grenze zur Schweiz überquert hatte, schickte Hitler sich an, die Tschechoslowakei zu besetzen. Für meine Freunde in Paris stand der Zweite Weltkrieg unmittelbar vor der Tür, und ich hatte noch eine Schwester in Berlin, deren sich hinziehende Auswanderung mich mehr und mehr mit Sorge erfüllte. Anders als bei meinem ersten Auslandsaufenhalt 1934, als ich nach England gegangen war, hatte ich diesmal Deutschland endgültig verlassen, ohne innere Vorbehalte oder Bedenken. Jetzt gab es in absehbarer Zukunft keine Rückkehr nach Deutschland mehr. Zwar hatte ich noch meinen deutschen Paß und behielt das kulturelle und politische Interesse an den deutschen Angelegenheiten, aber künftig würde ich diese Interessen aus der Ferne verfolgen müssen. In Paris machte ich die Bekanntschaft mit Karl Frank, einem der Führer von *Neu Beginnen,* der sich jetzt Paul Hagen nannte. Es gelang ihm immer wieder, unerkannt die deutsche Grenze zu überschreiten und den Untergrund zusammenzuhalten. Er glaubte nicht an einen baldigen Sturz Hitlers und gab mir den Rat, alles zu tun, was in meinen Kräften stand,

um in Amerika für unsere Organisation Geld aufzutreiben. Im übrigen solle ich die akademische Laufbahn anstreben. Das war ein guter Rat, den ich später auch befolgt habe, aber er berührte nicht die subtileren Fragen, die mich beschäftigten.

Verlorenes Land, verlorene Sprache

Zwischen 1933 und 1938 in Hitler-Deutschland lebend, war ich darum gebracht worden, mir eine geistige Tradition anzueignen, mit der ich mich identifizieren konnte. Die deutsche Literatur und Gelehrsamkeit war schwerlich dazu angetan, die politische Barbarei wettzumachen, die das ganze Land erfaßt hatte, und den organisierten Massenmord, der später noch kommen sollte, konnte ich mir 1938 nicht vorstellen. Trotzdem hatte ich das Land in dem Bewußtsein verlassen, daß ein Volk als ganzes nicht in vordergründiger Weise für das böse Schicksal seiner politischen Institutionen verantwortlich ist. Das war für mich nicht einmal ein theoretisches Problem. Ich hatte von 1916 bis 1938 in Deutschland gelebt. Was hatte *ich* dazu beigetragen, die Hitler-Katastrophe herbeizuführen (was hatte ich allerdings auch dazu beigetragen, sie zu verhindern)? Die erzwungene Auswanderung hatte mich nicht zu einem Deutschlandfeind gemacht, aber sie hatte auch meine Identifikation mit Deutschland nicht gestärkt. Ich hatte ein Land verloren, ohne dafür ein anderes zu gewinnen.

1938 hätte ich das noch nicht in diesen Begriffen formulieren können, aber ich beschreibe meine damalige seelische Verfassung, soweit ich mich an sie erinnern kann. Ich war mir auch einer subtileren Entbehrung bewußt, der ich mich erst jetzt hatte entziehen können. Ich hatte unter dem Hitler-Regime gelebt, seit ich 17 war. Diese Jugendjahre waren zugleich Jahre gewesen, in denen ich keine persönliche Beziehung unterhalten konnte, die nicht durch den Druck von außen belastet war. Diese Erfahrung hatte mich gehemmt gemacht; ich hatte Angst davor, daß starke Gefühle, geschweige denn deren Ausdruck, mich in Bindungen treiben würde, aus denen es kein Zurück mehr gab, in Gefahren,

die ich nicht übersehen konnte. Zu der Zeit, als ich in Paris war, wußte ich, daß dieser Druck von mir genommen war; aber seine unbewußten Auswirkungen machten sich bei mir noch jahrelang geltend.
Indem ich viele Jahre später diesen Bericht niederschreibe, drängt sich mir eine andere Überlegung auf, für die ich damals noch zu jung war. Sein Land zu verlieren, ohne ein anderes dafür zu gewinnen, bedeutet auch, daß man seine Muttersprache verliert. Heute, wo ich darüber nachdenke, fällt mir auf, daß sich meine ganze Reise von Berlin über die Schweiz, Italien und Palästina nach Frankreich und Amerika auf Deutsch abspielte. Die wenigen Gespräche mit Einheimischen, die notwendig waren, wurden von den Freunden abgewickelt, die ich besuchte. Vier Jahre zuvor hatte ich bei meinem halbjährigen Englandaufenthalt englisch gelernt, so daß ich wegen meiner Ankunft in New York keine Angst hatte. Aber ich machte mir wenig Gedanken über meinen Akzent und hatte keine Vorstellung davon, was es heißen würde, mein Leben auf Englisch zu leben. Ich dachte auch nicht im entferntesten an die Möglichkeit, daß ich mit den Jahren meine Geläufigkeit in der Muttersprache, die Kenntnis aller ihrer Feinheiten und die Sicherheit des Stilempfindens verlieren könne. Ich machte mir nicht klar, daß ich vor der heiklen Aufgabe stand, zu lernen, mich in einer fremden Sprache heimisch zu fühlen. Ich weiß heute auch, daß vieles hiervon mit meinem Alter zur Zeit der Auswanderung zusammenhing. Wenn ich älter gewesen wäre, hätte ich mehr von meiner deutschen Identität mit ins Exil genommen. Damals war ich mir dessen nicht bewußt; statt dessen war ich aus Deutschland mit der bewußten Absicht fortgegangen, zurückzukehren, sobald das Hitler-Regime gestürzt wäre. In diesem Sinne war ich eher aus Deutschland geflohen, als daß ich in die Emigration gegangen wäre.
Diese politische Bedeutung meiner Auswanderung hängt auch mit der oben erwähnten Entscheidung für Amerika zusammen. Was mich betraf, spielte meine Identität als Jude bei dieser Entscheidung keine Rolle. Weder das Exil meiner Eltern noch die mangelnden Zukunftsaussichten für mich als Juden in Hitler-Deutschland noch die judenfeindliche Politik der Nazis hatten

eine starke Identifizierung mit dem Judentum bewirkt. Ich habe diese Frage zwar schon berührt, aber ihre Bedeutung für meine »assimilierte Identität« läßt eine weitere Rückbesinnung geraten erscheinen. Aus gewissen Gründen hatten meine Eltern es unterlassen, mich zum Bewußtsein meiner jüdischen Identität zu erziehen; sie hatten mich auch nicht ermutigt, mich mit dieser Frage zu beschäftigen. Dann hatte zwar das Heraufkommen des Hitler-Regimes meiner Gleichgültigkeit ein Ende gesetzt, aber meine Reaktion auf diese Herausforderung blieb matt. Den Beweis zu erbringen, daß ich zu körperlicher Arbeit fähig war; sagen zu können »ich bin Jude«, ohne mich von den negativen Stereotypen um mich her irritieren zu lassen: das waren für mich Formen der Selbstbestätigung. Mehr oder weniger blieben sie an der Oberfläche. Ich fühlte mich wie ein politischer Flüchtling, nicht wie ein Jude, der dasselbe Schicksal erlitten hatte wie andere Juden seit Menschengedenken. In meiner Jugend hatte ich den Kontakt zu den alten jüdischen Ritualen vermißt, der jedem Angehörigen dieses Stammes die lange Leidensgeschichte der Juden und die Unmittelbarkeit des göttlichen Zorns oder der göttlichen Gnade vor Augen führte und auf den mein Vater noch am Ende eines religionsfernen Lebens zurückgreifen konnte. Mehr noch: ich hatte die Teilhabe an jener Leidenschaft entbehrt, mit der gläubige Juden die Hand Gottes in allem Guten und Bösen sehen, das ihnen widerfährt. Nichts kann den gläubigen Juden von seiner unmittelbaren Verantwortung vor Gott entbinden, der ihn und sein Volk auserwählt hat, damit es Ihn preise und Seinen Ruhm verkünde. Wenn ich dieser Ideen und Empfindungen mächtig gewesen wäre, als ich im Sommer 1938 in Paris auf den Zeitpunkt meiner Abreise wartete, hätte ich die unverdiente Gnade Gottes gepriesen und Dankgebete für meine Errettung gesprochen.

Ich tat nichts dergleichen – weil ich es nicht konnte und weil ich es ehrlicherweise nicht fertigbrachte, die Zufälle, die zu meiner Emigration geführt hatten, in die hehre Sprache eines transzendentalen Willens zu kleiden. Trotzdem war ich nicht so bar jeden religiösen Empfindens, wie meine Schwester es von sich behauptete. In einem Brief aus Paris, den ich am 7. September 1938, drei Tage vor meiner Abreise aus Le Havre, an meine Eltern schrieb, finde ich die folgende Schilderung:

St. Chapelle ... ist eine kleine Kirche im Hof des Justizpalastes erbaut, woraus sich schon die Kleinheit ergibt (d. h. genauer, der Justizpalast ist drum herum gebaut worden). Diese Kirche hat mich zum ersten Mal verstehen gelehrt, daß ein Raum heilig sein kann. Bei allen anderen großen Kirchen und Kathedralen, die ich gesehen habe, hat mich immer das in ihnen zu Stein verkörperte, vieltausendstimmige Gebet bewegt, das in der großen Schlichtheit des Inneren der italienischen Kirchen oder in der himmelstürmenden Großartigkeit des Gesamtbaues der gotischen und romanischen Kirchen zum Ausdruck kommt. Rilke hat irgendwo in seinem Stundenbuch gesagt, daß die Kirchen Gott erschrecken, weil das Gebet ihrer Türme bis in die Wolken rage (oder so ähnlich), und er hat wohl damit ein ähnliches Gefühl zum Ausdruck bringen wollen. Ganz anders ist es bei St. Chapelle. Man tritt in den Hauptraum dieser Kirche mit dem Gefühl heiliger und irgendwie atemberaubender Innigkeit. Für die Kleinheit der Kirche ist dieser Raum, der sie fast ganz ausfüllt, riesenhaft, jedoch ohne irgendwelchen Säulenschmuck, ohne Seiten- oder Querschiff, gewissermaßen nur das Mittelschiff einer Kirche, nach vorn spitz zulaufend. Die Wände sind ausgeschmückt mit einem durchgängigen Vogelarabeskenmuster, durch kleine Ziersäulen unterbrochen; dieser Schmuck reicht bis zur Höhe von 2 m. Darüber aber ist die ganze Kirche ausgeschmückt durch Glasmalereien, die meiner Schätzung nach 4-5 Meter hoch sind. Kaum daß man sich versucht fühlt, nun die Einzelheiten dieses ungeheuren Schmuckes zu studieren, man ist so gefangen genommen von dem wirklich heiligen, zauberhaften Licht, das den ganzen Raum erfüllt, so daß wirklich alles andere, einzelne und auch die Aufmerksamkeit dafür verschwindet. Nur eines bleibt: das Gefühl für diesen Raum und dieses Licht. Und wenn man in der Notre-Dame glaubt, brausende Orgeltöne zu hören, – dann hört man dort stille, feierlich-frohe Musik.[8]

Wie meinen Vater bewegten auch mich religiöse Stimmungen mehr als die formale Religion.

Doch wenn ich über meine damalige Situation im Lichte späterer Ereignisse nachdenke, entdecke ich in den Umständen meines Überlebens noch einen anderen Aspekt. Zwei Tanten und ein Onkel von mir kamen in den Bombenangriffen des Zweiten Weltkriegs ums Leben. Ein Vetter emigrierte nach Holland, um seine spätere Auswanderung nach Palästina vorzubereiten, aber er wurde von den Nazis gefaßt und starb bei einem ihrer sogenannten medizinischen Versuche. Seine Eltern – eine Tante und ein Onkel, die ich sehr gern mochte – begingen in Polen Selbstmord, als sie in eines der nationalsozialistischen Vernichtungslager verschleppt werden sollten. Der Ehemann einer anderen Kusine (die beiden hatten mir in Paris ihre Gastfreundschaft gewährt) fiel in Frankreich den Nationalsozialisten in die Hände und ist seither spurlos verschollen. Diese Einzelschicksale waren nur ein Bruchteil der Vernichtung von 6 Millionen Juden, aber diese Verwandten kannte ich in ihrer Individualität. Vielleicht sind sie mir durch ihren Tod wichtiger geworden, als sie mir sonst im Leben geworden wären. Denn sie erinnern mich noch heute daran, daß ich nur durch einen glücklichen Zufall überlebt habe. Der Gedanke hat mich niemals verlassen, daß ich diesen Menschen eine besondere Verantwortung schuldig bin. Mein Leben ist ein Geschenk und eine Aufgabe geworden, die mir jede Stunde kostbar gemacht hat, und meine Arbeit seit jenen gespannten Tagen in Paris ist zum Rechtfertigungsbericht geworden, den sie vielleicht für ihrer wert gehalten hätten, wenn sie am Leben geblieben wären. Doch könnte es auch sein, daß ich durch die Ähnlichkeit meines Schicksals und durch die Tatsache, daß ich mich in einer fremden Welt zurechtfinden mußte, die mich mit jedem meiner Schritte auf die Probe stellte, unbewußt und auf irgendeine geheimnisvolle Weise für mich selbst etwas von der alten jüdischen Weisheit wiederentdeckte, für die jede menschliche Tat auf der unerbittlichen, unergründlichen Waage des göttlichen Urteils gewogen wird.

Amerika

Doch lagen mir religiöse Überlegungen fern, als ich mich zur Abreise aus der alten Welt in die neue bereit machte. Nach stürmischer Überfahrt ging ich am 19. September 1938 in New York an Land und hatte auch gleich meine erste Prüfung als Einwanderer zu bestehen, als ich an einen bulligen New Yorker Zollbeamten geriet. Auf Drängen meiner Mutter war ich nicht nur mit leichtem Handgepäck gereist. Ich hatte vielmehr möglichst viele Dinge aus unserem alten Haushalt mitschleppen müssen, teils, um mir mein Fortkommen in Amerika zu erleichtern (jedenfalls glaubte sie das), teils aber als Andenken an frühere Zeiten, die ihr mehr bedeuteten als mir. Ich hatte Leinzeug bei mir, Bettbezüge, selbstgestrickte Wollsachen, das halbe Tafelsilber, das meine Mutter einst als Mitgift in die Ehe gebracht hatte – kurzum, eine große Kiste voller Habseligkeiten. Ich hatte versucht, ihr diese unglückliche Idee auszureden, aber sie hatte eine Art, ihren Unwillen mimisch auszudrücken, wenn man sich ihren Wünschen widersetzte, die jede Diskussion ausschloß. Statt mich gegen den starken Willen meiner Mutter durchgesetzt zu haben, stand ich also nun im New Yorker Hafen vor diesem Zollbeamten, der den Frachtbrief studierte und mich fragte, was um alles in der Welt ich mit diesem Zeug anfangen wolle. Vermutlich wollte er feststellen, ob ich vorhatte, die Sachen zu verkaufen; in diesem Falle hätte ich sie verzollen müssen. Einen Augenblick lang erfaßte mich Panik, und ich war drauf und dran, die unselige Kiste im Hafen stehen zu lassen und einfach wegzugehen – ich hatte nur zwei Dollar in der Tasche. So gab ich zur Antwort, was mir gerade einfiel: »Man kann nie wissen – vielleicht möchte ich heiraten?« Der Beamte, ein Hüne von einem Iren, mußte lachen, fertigte mich ab und sagte: »Sie werden sich schon durchschlagen!« In dem Augenblick empfand ich nach dem momentanen Gefühl der Erleichterung ein gewisses Bedauern. Ich hatte halb und halb gehofft, er würde Zoll verlangen, den ich nicht hätte zahlen können, womit sich das Problem der Kiste für mich erledigt hätte. So erwartete mich Professor Heimann am Ausgang des Hafens mit einem Schild, auf dem mein Name stand, und nun war *er* es, der sich nicht nur mit mir abgeben mußte, sondern auch mit der Weiterbeförderung der ominösen Kiste zu meinem nächsten Ziel, das Chicago hieß. Obwohl das Wetter schon während der Überfahrt schlecht gewesen war, traf mich meine erste Begegnung mit amerikanischem Wetter völlig unvorbereitet. Ich war in New York zur Zeit des ersten herbstlichen Orkans eingetroffen, und die sintflutartigen Regenfälle, die ihn begleiteten, gaben mir doch zu denken – das war also das Land, in dem ich leben wollte? Aber während das Wetter grauenhaft war, war

ich bei Professor Heimann und den Leuten, die er für mich mobilisiert hatte, bestens aufgehoben.
Heimann hatte meine Zulassung zur Universität Chicago betrieben. Da ich kein Abiturzeugnis vorlegen konnte, prüfte man meine Unterlagen und kam zu dem Ergebnis, daß sie einem amerikanischen High-school-Abschluß gleichwertig seien. In Wirklichkeit hätte ich Probleme gehabt, wenn ich eine reguläre College-Aufnahmeprüfung hätte ablegen müssen. Seit meinem letzten Schulbesuch (1933) waren fünf Jahre vergangen, und vieles von dem, was ich beispielsweise in Physik und Chemie gelernt hatte, hatte ich wieder vergessen. Ich erfuhr ferner, daß ich Kost und Logis in dem Wohnhaus einer jüdischen Studentenverbindung – Phi Sigma Delta – erhalten und einen finanziellen Zuschuß vom Jewish Welfare Federation bekommen würde. Rückblickend gesehen, ist unverkennbar, daß *meine* Emigration sehr glimpflich verlief und durch die Beziehungen meines Vaters sowie die Großzügigkeit von Universitätsstellen erleichtert wurde, die Verständnis für die Notlage junger deutscher Flüchtlinge hatten. Alle diese für mich getroffenen Vorbereitungen ersparten mir die üblichen Kämpfe von Einwanderern, die einen großen Teil ihrer Energie für die allereinfachsten Dinge verwenden mußten. Damals wußte ich noch nicht, welches Glück ich hatte; nicht nur wurden mir meine ersten Schritte erleichtert, sondern ich war mit 22 auch alt genug, um in Europa einiges erlebt zu haben, und trotzdem jung genug, um mich einer neuen Umwelt anzupassen.
Dennoch ist keine Emigration einfach. In Berlin hatte ich nur den einen Gedanken gehabt, aus Deutschland hinaus zu kommen, in Paris wußte ich, daß es dieses Mal keine Rückkehr nach Deutschland geben würde, aber in Chicago waren meine Gedanken wieder in Europa. Ich hatte Freunde dort zurückgelassen. Wer in jenen Tagen glaubte, daß jeder Deutsche ein Nazi sei, übernahm schon bewußt oder unbewußt den nationalsozialistischen Rassenwahn, der einem ganzen Volk wie den »Ariern« oder den Juden gute oder schlechte Eigenschaften zuschrieb. Der Ausbruch des Krieges war nur noch eine Frage der Zeit. In den ersten Jahren war ich fest entschlossen, nach Deutschland

zurückzukehren. Während ich es genoß, studieren zu können, hielt ich auch Vorträge und sammelte Geld für *Neu Beginnen*, und zwar durch Vermittlung der American Friends for a Democratic Germany, die sich organisiert hatten, um Widerstandsgruppen zu unterstützen und der amerikanischen Öffentlichkeit Informationen aus dem deutschen Untergrund zu vermitteln. Gemeinsam mit einem amerikanischen Freund organisierte ich Zusammenkünfte mit Karl Frank, den ich zuletzt in Paris gesehen hatte.[b]

Doch nach und nach trat der Wunsch, nach Deutschland zurückzukehren, in den Hintergrund, während der Gedanke, mich für immer in Amerika niederzulassen, stärker wurde. Wieder einmal handelte es sich nicht so sehr um eine bewußte Entscheidung als vielmehr um eine allmähliche Veränderung meiner Stimmung und der Umstände. Bei mehreren Besuchen in New York hatte ich die gespannte Atmosphäre unter deutschen Emigranten kennengelernt und fühlte mich aufs äußerste von ihr abgestoßen, gleichgültig, ob es sich um ältere deutsche Beamte und Politiker handelte, die noch immer die alten Kämpfe ausfochten, oder um deutsche Juden, die für sich selbst ein »Deutschland in der Fremde« schufen. Sich damals in New York aufzuhalten, bedeutete – zumindest für mich –, daß man gefühlsmäßig in Europa geblieben war. In diese Position wollte ich mich nicht bringen, auch wenn ich noch immer daran dachte, nach Deutschland zurückzukehren. Schließlich befand ich mich auf einem neuen Kontinent, und in New York war es schwierig, etwas über Amerika zu erfahren. Chicago war vielleicht nicht Amerika, aber es schien mir typischer für das Land zu sein als New York, und die dort ansässigen deutschen Flüchtlinge bildeten keine eigene, vom amerikanischen Leben getrennte Gemeinschaft. Natürlich hatte ich noch viel zu lernen. Ich konnte zwar Englisch, aber seine Feinheiten blieben mir lange Zeit verborgen, und mit den ständig wechselnden Redensarten des

b) Er wurde vom FBI überwacht und erhielt später von den amerikanischen Behörden nicht die Erlaubnis, im Nachkriegs-Deutschland eine politische Aufgabe zu übernehmen.

Tages habe ich bis heute Schwierigkeiten. Es gab aber auch einen starken Anreiz für mich, die Sprache gut zu lernen. Als »altes« Erstsemester von 22 Jahren beanspruchten meine Universitätsstudien meine Aufmerksamkeit, und ich wollte in der Sprache zu Hause sein, in der ich vielleicht einmal arbeiten würde. In Berlin hatte ich meine nächtlichen Studien als Abwehr der feindlichen Außenwelt betrieben, so daß ich an die Universität Chicago mit dem aufgestauten Verlangen nach akademischer Arbeit als befreiender Erfahrung kam. Infolgedessen hatte ich kein Verständnis für das besessene Konkurrenzdenken und das hektische »Schein«-Studium mancher meiner Kommilitonen. Das akademische Arbeiten erschien mir als leicht und angenehm, während Seminarscheine und Noten an Bedeutung nicht mit den geistigen Fragen, um die es ging, zu vergleichen waren. Weil die Universität mir erlaubte, mich in diesem Sinne meinen Studien zu widmen, wurde die Universität in Amerika mein Zuhause. Doch während die akademische Welt es mir leicht machte, einzuwandern, stellte mich die amerikanische Kultur vor viel schwerere Anpassungsprobleme.

Beispielsweise das Leben in der Studentenverbindung (fraternity). In Chicago hatte meine jüdische Studentenverbindung die Hilfe für Flüchtlinge zum Bestandteil ihres Programms guter Werke gemacht. Ich wohnte im Heim der Verbindung, nahm meine Mahlzeiten dort ein, und alle waren wirklich »very nice«. Ich genoß die Kameradschaft, in die ich ohne weiteres mit einbezogen wurde. Wenn es mir zuviel wurde, konnte ich mich immer in die Bibliothek zurückziehen. Der Kommilitone, mit dem ich das Zimmer teilte, machte es sich zur Aufgabe, meine Aussprache zu verbessern, worüber ich froh war, da ich diese Hilfe dringend benötigte; wir wurden gute Freunde. Dennoch berührte es mich seltsam, daß meine Kommilitonen so guter Dinge sein konnten, während Hitler in Europa ein Land nach dem anderen besetzte und auf seine »Endlösung« der Judenfrage hinarbeitete. Es fiel mir schwer, so zu tun, als ob nichts wäre, während ich tief besorgt war, und die lärmende Fröhlichkeit fiel mir manchmal auf die Nerven.

Aber mein Leben in dem jüdischen Studentenheim hatte noch

eine andere Seite. Einige »Alte Herren« der Studentenverbindung sowie ein amerikanischer Jude, der sich für den deutschen Untergrund interessierte, verstanden mein Problem und gewährten mir ihre Gastfreundschaft. Mein Bericht wäre unvollständig ohne den Ausdruck der Dankbarkeit ihnen gegenüber. Sie nahmen mich mit der ganzen Herzlichkeit auf, von der die ungezwungene Geselligkeit der Amerikaner durchdrungen ist. Für einen jungen Fremden wie mich bedeutete diese offene Freundlichkeit sehr viel; kam ich doch aus einer Kultur, in der die formelle Seite persönlicher Beziehungen großgeschrieben wurde. Damals empfand ich diese Freundlichkeit als eine unerwartete und willkommene Befreiung. Vielleicht nicht minder wichtig war, daß ich durch diese älteren Freunde einen amerikanisch-jüdischen Lebensstil kennenlernte, der dem der assimilierten deutschen Juden ähnlich zu sein schien. Die Ähnlichkeit war am ausgeprägtesten auf religiösem Gebiet, weil jüdische Gepflogenheiten in ihrem Leben kaum eine Rolle zu spielen schienen. Erst später fand ich heraus, daß diese Ähnlichkeit zwischen amerikanischen und deutschen Juden recht oberflächlich war, wenn man die jeweilige nationale Identifikation betrachtete. Amerika war das Land der Freiheit, Deutschland war das Land der Kultur und Bildung gewesen.

Da im jüdischen Studentenheim an den Wochenenden die Küche kalt blieb, ging ich bald in ein Studentenwohnheim, wo Mahlzeiten verabreicht wurden; das Geld dafür bekam ich. Nur einige dieser Studenten wohnten in dem Heim, die meisten wohnten anderswo. Von genau hundert Studenten waren nicht weniger als 96 Jungen und nur vier Mädchen! Diese Studentengruppe unterschied sich sehr stark von meinen jüdischen Freunden aus der oberen Mittelschicht. Aus den verschiedensten Kreisen kommend, bildeten sie einen Querschnitt durch Chicagos Studentenschaft: sozial engagiert und politisch aufgeschlossen. Für eine gute Sache konnten sie sich in mitreißender Weise begeistern; viele opferten einen Teil ihrer Zeit dafür, bei der Organisation von Kampagnen der umkämpften Gewerkschaften zu helfen. Das große außenpolitische Thema des Tages war der Spanische Bürgerkrieg, über den heiß gestritten wurde. Viele Studenten des

Mittleren Westens waren politisch ahnungslos; die jüdischen Studenten aus New York waren da besser im Bilde. Eine Zeitlang war ich unter ihnen der einzige politische Flüchtling. Unter den gegebenen Umständen wurde ich damit zum Mittelpunkt vieler Diskussionen. Nach fünf Jahren der Isolation in Hitler-Deutschland konnte ich mich kaum als politischen Experten betrachten, auch wenn *Neu Beginnen* den Auswirkungen dieser Isolation nach Kräften und recht erfolgreich entgegengewirkt hatte. Es gab viele Fragen, auf die ich eine Antwort zumindest versuchen konnte. So besaß ich Informationen aus erster Hand über die Zustände in Deutschland, was von Interesse war, da mit dem Einmarsch Hitlers in Polen am 1. September 1939 der Zweite Weltkrieg begonnen hatte.

Da die USA erst im Dezember 1941 in den europäischen Krieg eintraten, war ich in dieser gespenstischen Zeit zwischen der Katastrophe draußen und der trügerischen Ruhe in meiner neuen amerikanischen Umwelt ganz mit meinen persönlichen Problemen beschäftigt. Die Studien an der Universität gingen ihren normalen Gang, außer daß ich sie beschleunigte, um die Zeit meiner finanziellen Abhängigkeit zu verkürzen. Was aber meine persönlichen Beziehungen zu anderen Menschen betraf, so fühlte ich mich – nach fünf Jahren unter Hitler und einer ohnehin schon einsamen Kindheit – geradezu ausgehungert. In jenen fünf Jahren in Hitler-Deutschland hatte ich zwei jüdische Freundinnen gehabt, die beide eigene Familienprobleme hatten und die Auswanderung planten. Mein Vater war in Haft, und meine eigenen Emigrationspläne mußten in der Schwebe bleiben, bis wir seine Freilassung erwirkt hatten. Diese Umstände hatten meine Beziehung zu beiden Mädchen stark belastet. Wir neigten dazu, uns den Problemen zu überlassen, die jeder von uns hatte, so daß weder sie noch ich uns frei auszusprechen oder Trost aneinander zu finden vermochten. Die Ungewißheit über die Zukunft und die allgegenwärtige Bedrohung durch Hitler machten aus jungen Juden, selbst wenn sie für den Augenblick noch ein »normales« Leben führten, nur allzu leicht psychologische Flüchtlinge. Noch heute schaudert mich, wenn ich an jene Jahre zurückdenke, obwohl die Zeit viele Einzelheiten verwischt hat. Wie ich schon angedeutet habe, war die Emigration für mich ein Auftauchen aus fünf Jahren des Auf-der-Hut-Seins und der emotionalen Abkapselung. Ohne darüber nachzudenken, hatte ich, angesichts des immer geringer werdenden Spielraums, den das Hitler-Regime den Juden ließ, Hemmungen, meinen Gefühlen freien Lauf zu lassen. Wenn ich angefangen hätte, mir auszumalen, was ich tun würde, wenn mein Vater nicht aus Dachau zurückkommen sollte, wäre ich mir verloren vorgekommen. Ich hatte mir angewöhnt, zu ignorieren, was ich nicht bewältigen konnte.

In Chicago lag das alles hinter mir, und ich sehnte mich nach einer Kameradschaft, die Dauer verhieß, auf gegenseitigem Vertrauen gründete und von der Bereitschaft getragen war, jede Erfahrung rückhaltlos mit dem anderen zu teilen. Meine Freunde von der jüdischen Studentenverbindung beschwatzten mich verschiedentlich, zu ihren Tanzvergnügen mitzukommen, indem sie mir eine Partnerin und einen ordentlichen Anzug besorgten und eine Mitfahrgelegenheit in ein Hotel in der Stadt organisierten. Aber die umständlichen Vorbereitungen, die Musik, die gezwungene Ballsaal-Atmosphäre, vor allem aber das Tanzen verursachten mir Unbehagen. In dem Alter, in dem die bürgerliche Jugend gewöhnlich tanzen lernt, war ich mit anderen Dingen beschäftigt gewesen. Die Gespräche wirkten gezwungen; der halbe Abend war vergangen, bevor man ein Gesprächsthema von beiderseitigem Interesse gefunden hatte, nur um festzustellen, daß die Partnerin sich bei dem Gedanken, »Konversation zu machen«, unwohl fühlte. Der Klatsch, das Flirten und die damals beliebte Weise des »having a good time« waren mir absolut fremd. Die Kontakte zu Mädchen, die ich zufällig in der Uni kennenlernte, waren auch nicht viel erfolgreicher, nicht zuletzt deshalb, weil viele der jungen Damen in reichlich hektischer Weise mit »dating« beschäftigt waren; ohne Auto und ohne Geld waren meine diesbezüglichen Aussichten gering.

So blieb das Studentenwohnheim mit seinen vier Mädchen und 96 Jungen, was von vornherein nicht besonders aussichtsreich aussah. Doch darin sollte ich mich täuschen. In späteren Jahren erfuhr ich zu meiner Überraschung, daß ich als auffallende, ja romantische Gestalt gegolten hatte. In den Augen vieler wirkte ich erfahrener und kenntnisreicher, als es meinem Alter entsprach; Ende der dreißiger Jahre konnten junge Amerikaner einen Flüchtling noch mit einer teils rührenden, teils peinlichen Mischung aus Neugier und Scheu betrachten. Hier war einer, der in einer fremden Sprache und Kultur zuhause war, der wegen seiner Überzeugungen hatte fliehen müssen und der allen möglichen Gefahren getrotzt hatte, die eine kinoselige Phantasie sich in schillerndsten Farben ausmalte. Wo ich solchen abenteuerlichen Vorstellungen begegnete, tat ich mein Bestes, sie zu korrigieren, aber Vernunftgründe wogen wenig, wo Wunschdenken am Werk war. Ich habe auch den Verdacht, daß ich nicht allzu nachdrücklich darauf bestand, als ich Jane Walstrum kennenlernte, eines der vier Mädchen, die wahrscheinlich selbst ein wenig in solchem Wunschdenken befangen war.

Nachdem wir uns einmal gefunden hatten, wurden wir unzertrennlich. Sie hatte am Chicago Art Institute studiert und war bereits ausübende Künstlerin, obwohl sie noch an der Universität Soziologie studierte, was wohl ihrem Interesse für soziales Handeln entsprach. Wir ergänzten einander vortrefflich. Ich hatte viel über Kunst von ihr zu lernen und lerne bis heute, mehr als vierzig Jahre später, gerne von ihr. Dafür hat sie nicht aufgehört, sich lebhaft für jenes humanistische Herangehen an Soziologie und politische Wissenschaft zu interessieren, für das ich im Laufe der Jahre bekannt wurde. (Immerhin gibt es eine Ungleichheit zwischen uns, die ich nicht verschweigen sollte: während ich ihre Arbeiten nur bewundern kann, hat sie an meinen Büchern durch Textredaktion, Landkartenzeichnen und Feinheiten des englischen Ausdrucks tätig mitgewirkt.) 1939/40 traten wir diese lange Reise unter Bedingungen an, die alles andere als verheißungsvoll waren. Finanziell waren wir beide auf unsere Stipendien angewiesen. Unsere getrennten Wohnsitze und der Widerstand von Janes Eltern legten uns Hindernisse in den Weg.

Viel größer waren freilich die psychologischen und kulturellen Hindernisse. Jane war ein Einzelkind, ihre Eltern wohnten in der Nähe und waren im großen und ganzen negativ eingestellt. Als linker deutscher Flüchtling und Jude mit den undefinierbaren Möglichkeiten eines »undergraduate« wirkte ich nicht gerade als

Jane Bendix, 1940

gute Partie. Kurze Zeit später sollte ich sogar zum feindlichen Ausländer werden. Indem sie mich heiratete, setzte sich Jane zweifellos über die Wünsche ihrer Eltern hinweg. Meine Eltern dagegen waren weit weg, und ich brauchte sie nicht um ihre Zustimmung zu bitten. Damals wußte ich nicht, wie meine Eltern über eine Mischehe dachten, aber ich wäre ebenfalls bereit gewesen, mich über ihre Wünsche hinwegzusetzen. Die Heirat

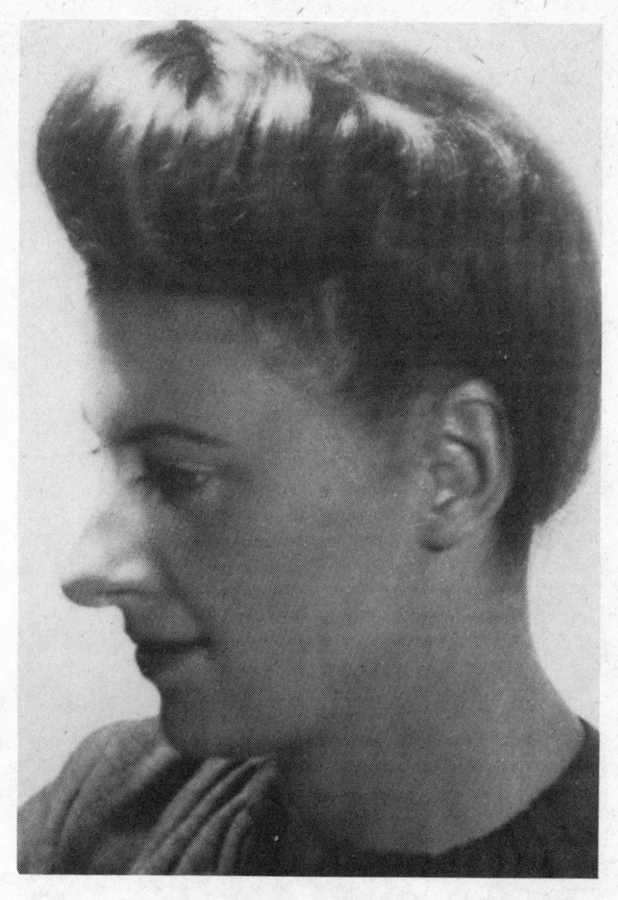

Jane Bendix, 1943

mit einem nichtjüdischen Mädchen stellte kein Problem dar, da keiner von uns religiöse Neigungen hatte. Von meiner Erziehung her war ich kaum darauf vorbereitet, diese Frage ernst zu nehmen; wenn überhaupt, hatten Hitlers Nürnberger Gesetze gegen Mischehen zwischen Juden und Deutschen einen gewissen Trotz in mir erzeugt.

Das einzige, was zählte, war, daß wir uns liebten. Jane brannte

Reinhard Bendix, 1943

darauf, von zu Hause wegzukommen, und nach zwei Jahren war auch ich des Lebens in einem Studentenheim überdrüssig. Im Juli 1940 heirateten wir. Aber ohne wirtschaftliche Basis für diese Ehe war ich im Zweifel, ob wir das Richtige taten. Ich benötigte die Hilfestellung eines guten Freundes, um Jane wirklich einen

Reinhard Bendix, 1943

Heiratsantrag zu machen. Sie zögerte keinen Augenblick. Unsere erste gemeinsame Wohnung war ein Raum in einem Souterrain, den uns ein Arzt umsonst zur Verfügung stellte, wenn wir dafür in seiner Abwesenheit die Anrufe entgegennahmen. Damals hatten wir beide eine Halbtagsarbeit, Jane als Kellnerin und ich als Pförtner. Meine europäische Erziehung hatte mich für eine Ehe, die auf so wackeligen wirtschaftlichen Füßen stand, nicht vorbereitet, aber ich begann, dazuzulernen. Kein Zweifel: ich war endgültig eingewandert.

Kapitel XIV

Beginn einer Karriere in Amerika (1938-1946)

Einleitung

Dieses und das folgende Kapitel, in denen ich meine Studien an der Universität Chicago und meine ersten Jahre als Dozent in Chicago, Colorado und Kalifornien beschreibe, stellen meine Einwanderung und meine ersten akademischen Erfahrungen in den Vordergrund. (Im Interesse des kontinuierlichen Fortgangs berichte ich zunächst meinen Teil der Geschichte und fasse dann in den Kapiteln XVI und XVII die Erlebnisse meiner Eltern zusammen.) Die Erörterung meiner Erlebnisse wird sich mit der akademischen Gemeinschaft beschäftigen, es ist eine Fallstudie über die »Initiation« eines einzelnen Gelehrten; doch sollten die besonderen Umstände meiner Karriere nicht die eigentlichen Fragen in den Schatten treten lassen. Auch wenn ich in diesem und dem nächsten Kapitel wenig über meine Eltern sage, blieb doch das Generationsproblem ein wichtiger Hintergrundfaktor. Und meine Universitätsstudien sowie die ersten Schritte meiner akademischen Laufbahn zeigen, wie ich auf meine Weise dazu kam, das Außenseitertum meines Vaters fortzusetzen.

Der Beginn meiner akademischen Laufbahn brachte eine Entfremdung von meinen Eltern mit sich, die tiefer reichte als unsere physische Trennung. Ich betone dies, weil es mir damals nicht bewußt wurde. Mein Vater hatte ja gewollt, daß ich studierte. Ich ging meinen Studien und Interessen in einer Weise nach, die seine Billigung fand, auch wenn er nicht persönlich gegenwärtig sein konnte. Meine Mutter war genauso erfreut, auch wenn sie Karriereprobleme und geistige Angelegenheiten lieber meinem Vater überließ. Der Briefwechsel mit meinen Eltern in Tel Aviv ging regelmäßig mit einem Brief pro Woche weiter (sogar in den

Kriegsjahren 1939-45), und in ihren Antwortschreiben unterstützten sie alles, was ich tat. Ich glaube, niemand von uns begriff, was das Exil für uns bedeutete, auch nicht, als die Jahre unserer Trennung sich vermehrten. Denn das, was ich tat, entfernte mich unmerklich, aber unerbittlich von der kulturellen Welt, an der wir gemeinsamen Anteil gehabt hatten, als ich groß wurde.
Dazu kam die Frage der Mischheirat. Meine Eltern hatten Jane, als wir 1940 heirateten, brieflich in der Familie willkommen geheißen. Es gingen gelegentliche, aber sehr herzliche Briefe zwischen Jane und meinen Eltern hin und her, die ich übersetzte. In meinen eigenen Briefen erzählte ich oft, was Jane tat. Meine Eltern wußten, daß sie keine Jüdin war, doch wurde diese Frage in unserer Korrespondenz niemals angeschnitten. Mein Vater hatte sich Sorgen über unser Fortkommen in der neuen Welt gemacht, doch spiegelte diese Sorge, wie ich schon früher angedeutet habe, die Vernichtung seiner eigenen Karriere in Deutschland wider. Am Ende seiner Erinnerungen erwog mein Vater die Ungewißheiten, die vor uns lagen, die Unsicherheit jüdischen Lebens in aller Welt, und fügte hinzu, daß Mischehen keine Lösung seien. Er dachte daran, daß die Nazis auch Juden diskriminiert hatten, die mit Nichtjuden verheiratet waren. Als seine Erinnerungen beendet waren, sandte er mir ein Exemplar davon. Sie enthielten vieles, was ich schon wußte, und ich überflog sie eilig. Mein gedrängter Stundenplan an der Universität ließ mir nicht viel Zeit für eine gründliche Lektüre. Da es in der vorliegenden Form nicht veröffentlicht werden konnte und auch nicht die Aussicht auf eine baldige Veröffentlichung bestand, schien es angemessen und befriedigend zu sein, daß das Manuskript in einem Wettbewerb der Harvard University, bei dem die besten, auf persönlicher Beobachtung beruhenden Beschreibungen der nationalsozialistischen Machtübernahme in Deutschland gesucht wurden, den zweiten Preis gewann. So kam es, daß ich die persönliche Bemerkung meines Vaters zum Thema Mischehe überlas, die auf der vorletzten von fünfhundert einzeilig beschriebenen Seiten, zwischen Gedankenstrichen in einem verschlungenen Satz stehend, auftaucht:

Selbst wenn sie Mischehen eingingen – merkwürdig, wenn ich mich ernstlich prüfe: ich wünsche es nicht! – und in ihrer neuen Heimat ihren Assimilationswillen mit solcher Entschlossenheit betätigten, wie ich es in meiner immer noch trotz allem und allem geliebten alten Heimat getan hatte, ich werde den furchtbaren Gedanken des ewigen Judenschicksals nicht los, daß sie in meinem Alter das gleiche Los treffen kann, wie mich, und daß es kein Mittel zu geben scheint, sie vor ihm zu bewahren.[1]

Er wünschte also nicht, daß ich ein nichtjüdisches Mädchen heiratete, aber er schrieb darüber nichts in seinen Briefen, in denen man die Frage ja hätte diskutieren können. Indem er die Angelegenheit in der Privatheit seiner Erinnerungen beließ, scheint mein Vater seinen Wunsch beziehungsweise seine Empfindung an einen ähnlichen Platz verbannt zu haben wie die poetische Verurteilung seiner Mutter. In beiden Fällen war der Ausdruck seines wahren Gefühls leicht zu übersehen, und ich entdeckte ihn erst nach seinem Tod.
Die folgende Diskussion befaßt sich mit dem Einfluß meiner akademischen Lehrer, dem Inhalt meiner ersten akademischen Studien und meinen Eindrücken von Kollegen, als ich am College der Universität Chicago meine Lehrtätigkeit aufnahm. Diese Darstellung meiner Erfahrungen dreht sich in erster Linie um das Problem der partiellen Gruppenzugehörigkeit. Ich möchte möglichst genau und knapp schildern, wie ich unter den Einfluß des amerikanischen Universitätslebens geriet, während ich mich zugleich in einer gewissen Distanz zu ihm hielt und versuchte, eine eigene geistige Perspektive zu entwickeln. Wie bereits erwähnt, war der Ausdruck »marginal man« (»Randpersönlichkeit«) von Robert Park geprägt worden, dem geistigen Vater der Chicagoer Schule in der Soziologie, und für Park und seine Schüler waren »marginal men« Untersuchungsobjekte. Doch als ich selbst in Chicago zu studieren begann und Soziologie als Hauptfach wählte, hatten mich Emigration und Immigration bereits zu einem Außenseiter gemacht, und im weiteren Verlauf meiner Studien zeigte sich dieses Außenseitertum auch in meiner Arbeit.

Meine akademische Karriere in Amerika begann, als ich mich im zweiten Studienjahr an der Universität Chicago für ein Hauptfach entscheiden mußte. Man hätte erwarten sollen, daß ich 1939, mit 23 Jahren, wußte, was ich wollte; aber ich wußte es nicht. Schulentlassung, vier Jahre Berufstätigkeit, Auswanderung und jetzt die Assimilation an eine neue Kultur hatten meine Aufmerksamkeit in Anspruch genommen. Ich hatte so viel zu lernen und einen solchen aufgestauten Wissensdrang, daß ich den naheliegenden praktischen Fragen nur wenig Beachtung schenkte, obwohl mich die immer schlimmer werdenden Katastrophen in Europa ständig an die wirkliche Welt erinnerten. Auch hatten Stipendien die unbeabsichtigte Wirkung, daß ich mir über so irdische Fragen wie Geld und berufliche Laufbahn keine Gedanken machte. Ich hatte genug zu essen, und einen Teil des Geldes, das Jane und ich verdienten (es war wenig genug), konnten wir sogar an meine Eltern schicken. Meine Eltern waren weit weg, und weder sie noch ich wußten genug, um realistisch über meine Pläne nachdenken zu können. Für einen eben erst eingewanderten Studenten in den Anfangssemestern war es ohnehin zu früh, solche Pläne zu entwerfen. Außerdem verlieh mir die Entlastung vom Druck der vorangegangenen Jahre ein recht illusorisches Gefühl von Freiheit. In Berlin hatte ich mich daran gewöhnt, von Tag zu Tag zu leben, aber jetzt – unter den günstigeren Umständen in Chicago – tat ich dasselbe noch immer. Jedenfalls »entschied« ich mich für die Soziologie als Hauptfach, z. T. deshalb, weil dieses Fach am meisten jener Art von Lektüre entsprach, die ich in Berlin betrieben hatte, und z. T. deshalb, weil die Soziologie unstrukturiert genug war, um mir von Anfang an Raum für eigene Interessen zu lassen.

Die Universität Chicago war eine sehr gute, selbstbewußte Hochschule, doch die Lehrer am Department of Sociology waren von unterschiedlicher Bedeutung. Ich erinnere mich an einen Professor, der sich mit dem Gedanken trug, seine Vorlesungen vom Band abspielen zu lassen, damit der große Mann Zeit für wichtigere Dinge bekam. Einige Studenten meinten im Scherz, sie

Louis Wirth, ca. 1948

würden ein zweites Bandgerät aufstellen, so daß die beiden Geräte sich miteinander unterhalten konnten. Allerdings waren die persönlichen Vorlesungen des Mannes auch nicht viel anregender; er war einer der langweiligsten Menschen, denen ich je zugehört habe. Auf einem ungefähr ähnlichen Gebiet war ein anderer Professor ein auffallender Kontrast. Er hielt fesselnde Vorlesungen über Methodenlehre und Statistik. Beides waren nicht meine Lieblingsfächer, aber dem Enthusiasmus dieses Lehrers konnte ich mich nicht entziehen. Dies war die erste Lektion, die ich lernte: ein Lehrer kann seine Schüler zum eifrigeren »Mitgehen« veranlassen, wenn sein eigenes Engagement für die Sache ihnen dies erleichtert. Später lernte ich, daß diese an sich positive Eigenschaft auch ihre Schattenseiten hat, sobald sie zur Ursache von akademischen Streitigkeiten wird. Im »Idealfall« besteht jede Fakultät aus Gruppen von lauter Enthusiasten, aber jede Gruppe liegt mit jeder anderen im Krieg, wenn sie um den Zulauf von Studenten wetteifert.

Mein eigentlicher Lehrer, Louis Wirth, war ein kleiner Mann von grenzenloser Energie und großem Wissen, begabt mit einem beträchtlichen Redetalent, aber mit nicht allzuviel Selbstdisziplin. Er war ursprünglich Sozialarbeiter gewesen, und diese Ausbildung wirkte noch in seinen Aktivitäten als Berater aller möglichen Bürgergruppen in Chicago nach. Die zeitlichen Ansprüche, die beide Tätigkeitsbereiche an ihn stellten, waren nicht immer miteinander zu vereinbaren. Er ließ sich in dem, was er gerade tat, oft durch die Bitte um Informationen oder Vorträge stören, die dann Vorrang hatten. Er tat so, als ob seine akademischen Forschungen abgeschlossen seien und nun die Zeit reif sei, sie anzuwenden. Er starb mit 54 Jahren mitten in einem Vortrag, den er wieder einmal vor irgendeiner Bürgergruppe hielt. Von seinem hektischen Arbeitstempo hätte er wahrscheinlich gesagt, daß es im Einklang mit seiner eigenen Theorie des Urbanismus und der Massenkommunikation stehe.[2] Die Folgen hiervon auf seine Lehrtätigkeit waren von unterschiedlicher Art. Er war imstande, eine zweistündige Vorlesung zu halten, ohne auch nur einmal ins Stocken zu geraten und ohne einen einzigen Notizzettel vor sich zu haben. Was er sagte, klang plausibel, aber es war nicht durchdacht. Meine Aufgabe als sein Assistent wurde es, seinen Studenten zu helfen, auf die wichtigen Dinge zu hören, die er zu sagen hatte, und den Rest zu vergessen. Das war meine zweite Lektion in bezug auf das Lehren. Umfangreiches Wissen und pausenloses Reden waren nicht genug; es bedurfte auch der Vorbereitung, gleichgültig, wie oft man ein Thema bereits behandelt hatte. Aber welche Mängel er als Lehrer auch gehabt haben mag, er war von einer tiefen Anteilnahme an anderen Menschen erfüllt, seien es Individuen oder Gruppen. Auch das ist eine wichtige Eigenschaft eines Lehrers.

Die Entscheidung für die Soziologie als Hauptfach erlaubte es mir, den Problemen weiter nachzugehen, auf die meine selbständige Lektüre in Berlin mich bereits gebracht hatte. Indem ich meine früheren Studien über Kinderpsychologie fortsetzte, wurde ich nun mit dem Werk George Herbert Meads bekannt, aber auch mit den Untersuchungen zur sozialen Interaktion, die von seiner philosophischen Psychologie beeinflußt waren. Tatsächlich setzte ich mit solcher Lektüre das stumme Zwiegespräch mit meinem abwesenden Vater fort. Angesichts all dessen, was uns geschehen war, konnte ich sein unbedingtes Engagement für das Recht nicht nachvollziehen. Die Welt der formalen Rechtssätze schien mir kalt und unwirklich; damals dachte ich wenig darüber nach, daß das Recht unter günstigen Umständen ein Bollwerk gegen den Mißbrauch von Macht sein kann. Ich verstand auch nicht ganz, wie mein Vater den Eindruck haben konnte, daß seine juristischen Schriften zur gesellschaftlichen Reform Deutschlands beigetragen hatten, wo seine eigene Analyse der richterlichen Urteilstätigkeit gegen diese Auffassung zu sprechen schien. Gewiß war ich beeindruckt von seiner Betonung der Rolle, die unbewußte Faktoren, persönliche Vorurteile und politische Präferenzen in dem scheinbar rationalen Prozeß der Schlichtung von Rechtsstreitigkeiten spielten. Eine ähnliche Kritik galt der scheinbaren Rationalität der formalen Organisation des Rechts. Aber was konnte diese Kritik bewirken? Für diejenigen, die die Macht hatten – mochten es nun Richter, Regierungsbeamte oder Unternehmer sein –, war eine soziale Analyse ihrer Rolle schwerlich überzeugend. Angenommen, die Analyse weist nach, daß das, was rationales Handeln zu sein scheint, in Wirklichkeit entweder defensiv oder eigennützig ist und trotz des gegenteiligen Anscheins persönliche Motive verbirgt. Für die betreffende Person würde das Eingeständnis solcher »irrationaler Kräfte« i. a. bedeuten, allem zu widersprechen, was sie als Person in den eigenen Augen und in den Augen anderer »repräsentiert«. Dazu kommt noch die unbeantwortete Frage: wer hat den Soziologen (oder den Juristen) dazu aufgefordert, eine so peinliche und unangenehme Analyse vorzulegen, selbst wenn sie wahr ist? Diese ganze Art des Herangehens an ein äußerlich sinnvolles Handeln, das nur vorgibt, für sich selbst zu sprechen, in Wirklichkeit aber ein Verdecken von Gefühlen und Meinungen ist, die das Licht des Tages scheuen, übersieht die gesellschaftlichen und politischen Kräfte, die auf Beamte, Richter und andere Personen in öffentlicher Position einwirken. Was ich damals nicht wußte, war, daß einige der jüngeren Kollegen meines Vaters wie Ernst Fraenkel oder Otto Kahn-Freund schon früher ziemlich dieselben Fragen aufgeworfen hatten.

In der Atmosphäre, die mich damals in Chicago umgab, mußte ich mich in irgendeiner Weise zu den Fragen stellen, die damals am Department diskutiert wurden. Der klassische Text der Chicagoer Schule war die *Introduction to the Science of Sociology* (1921) von Robert Park und Ernest Burgess. Sie vertraten den Gedanken einer Sozialwissenschaft, die Beobachtungen aus erster Hand mit Wissenschaftlichkeit verband, doch verlor dieser Ansatz Ende der dreißiger Jahre bereits an Einfluß. Einige Mitglieder der Fakultät sammelten noch immer »Lebensgeschichten« und widmeten der Art, wie Menschen in verschiedenen Berufen ihren Alltag erlebten, eine beharrliche Aufmerksamkeit. Andere wiederum hielten derartige Untersuchungen für zu vage und methodisch unbefriedigend und predigten den Gebrauch von statistischen Methoden etwa bei der Meinungsforschung. Beide Seiten erhoben den Anspruch, wissenschaftlich zu verfahren. Zwischen beiden Lagern gab es eine gewisse Spannung, während die Versöhnungsbereitschaft gering war. Die Studenten wurden von diesen Streitigkeiten in Mitleidenschaft gezogen, denn sie mußten zwar mit beiden Arten der soziologischen Forschung vertraut sein, sich aber im allgemeinen spätestens bei der Dissertation für die eine oder andere Methode entscheiden. Doch was hatte dieser ganze Streit mit der Haupterfahrung meines eigenen Lebens zu tun? Meine Familie wäre fast zerstört worden. Ich war aus der Gesellschaft entwurzelt worden, in der ich geboren war, und wollte die Gründe für die deutsche Katastrophe verstehen, die zu unserem persönlichen Unglück geführt hatte. Wie konnte ich dieses große Anliegen im Rahmen der amerikanischen Sozio-

logie, wie sie an der Universität Chicago vertreten wurde, »forschungsfähig« machen?
Man gestattete mir schließlich, eine Studie über deutsche Soziologie zu beginnen, obwohl dieses Thema nach den Vorstellungen, die damals in Chicago vorherrschten, kaum »forschungsfähig« war. Das spricht für die Großzügigkeit meiner Lehrer, besonders Louis Wirths, der mit meinen moralischen und politischen Anliegen sympathisierte, was natürlich auch andere taten. Aber es war nicht leicht, gegen den »Hauptstrom« der Chicagoer Fakultät anzuschwimmen, und mein eigener Hintergrund ließ mich ihre bevorzugten Themenstellungen sehr ernst nehmen. Alle meine soziologischen Lehrer waren sich zumindest vordergründig darin einig, daß wissenschaftliche Strenge unerläßlich sei. Ein verallgemeinertes Modell der Naturwissenschaften lieferte die maßgeblichen Richtlinien, und zunächst fühlte ich mich von diesem Ansatz angezogen. Es wirkte alles so plausibel. Jede Forschung sollte mit einer klaren Aussage darüber beginnen, von welcher Hypothese man ausging, was man herausfinden wollte, welche Art von Material man zu sammeln beabsichtigte und wie dieses Material die Anfangshypothese verifizieren oder falsifizieren konnte. Wenn man nicht wußte, wonach man suchte, würde man es wahrscheinlich auch nicht finden, und wenn man das zusammenzutragende Tatsachenmaterial nicht näher spezifizierte, würde man nicht wissen, ob das ganze Projekt machbar war und welche Auswirkungen die gesammelten Daten auf die Hypothese haben würden. In diesem Sinne waren alle meine Lehrer Parteigänger der Unparteilichkeit; ich fand das aufregend, weil ich genug extreme Parteilichkeit erlebt hatte, um nun für eine Weile darauf verzichten zu wollen. Man brachte uns bei, daß es unsere Aufgabe sei, zu verstehen und zu berichten, wie Menschen in der Gesellschaft »wirklich« fühlten und handelten, und ihnen nicht unsere eigenen Vorlieben oder Abneigungen aufzuzwingen oder zu unterstellen. Die Forderung, daß man jede Aussage, die man machte, empirisch verifizieren können mußte, war eine Sicherung gegen dieses unerwünschte Eindringen persönlicher Vorlieben und Abneigungen. In Deutschland hatte ich aus unmittelbarer Anschauung erlebt, wie Ideen zur Rassenfrage als wissenschaft-

lich ausgegeben wurden, die nichts weiter waren als ein Haufen Lügen. Diese Betonung des empirischen Ansatzes ist mir seither geblieben. Trotzdem hatte ich Vorbehalte.

Es war leicht gesagt, daß jede Forschung mit der Formulierung einer Hypothese beginnen müsse; wo keine klare Frage gestellt wird, ist in der Tat keine sinnvolle Antwort zu erwarten. Aber man mußte schon eine ganze Menge wissen, bevor man eine klare, geschweige denn eine interessante Frage stellen konnte. Es störte mich, daß diese ursprüngliche Besinnung – gelegentlich auch »Logik« der Entdeckung genannt – irgendwie als etwas Selbstverständliches angesehen wurde und nach Ansicht meiner akademischen Lehrer anscheinend nicht als legitimer Bestandteil wissenschaftlicher Betätigung galt. Meine Lehrer schienen mir Umfang und Zusammenhang wissenschaftlicher Untersuchung auf die Logik des Beweises zu beschränken. Indem sie zuwenig Nachdruck auf die sondierende Phase der Wissenschaft legten, erweckten sie oft den Eindruck, als seien unverifizierte und oft unverifizierbare Aussagen generell unzulässig. Diskussionen oder Bücher, in denen ausschließlich verifizierte Aussagen vorkämen, wären aber sehr langweilig. Es galt, die Forderung nach Verifizierung abzuwägen gegen das Interesse an dem, was wissenwert ist und mit welchem Grad der Genauigkeit. Natürlich war ich meiner Sache nicht sicher, aber ich erinnerte mich an die Skepsis meines Vaters gegenüber unangebrachten wissenschaftlichen Prätentionen. Schließlich entschloß ich mich zu einer Magisterarbeit, in der ich dieser Frage nach der gesellschaftlichen und wissenschaftlichen Geltung einer Sozialwissenschaft unter historischen Gesichtspunkten nachgehen wollte. Ich wählte die deutsche Soziologie, weil mir dies erlauben würde, meine Untersuchungen zum deutschen Problem fortzusetzen.

Der Titel dieser Magisterarbeit lautete *The Rise and Acceptance of German Sociology* (1943). Als ich mit der Arbeit an dieser Studie begann, entdeckte ich rasch, daß die Soziologie als akademisches Fach in Amerika älter war als in Deutschland. Das Department of Sociology der Universität Chicago gehörte zu den ersten derartigen Departments, die in den Vereinigten Staaten entstanden (1892). 1895 erschien erstmals das *American Journal of Sociology*, das unter den Auspizien dieses Departments herausgegeben wurde. Demgegenüber wurden die ersten Lehrstühle für Soziologie an deutschen Universitäten im Jahre 1919 errichtet.[a] In Amerika hatte sich das Gebiet aus der privaten und religiösen Sorge um die soziale Wohlfahrt entwickelt. Viele der ersten amerikanischen Soziologen hatten ihr Studium mit der Theologie begonnen und sich dann der Soziologie zugewendet, in der sie die eigentlich wissenschaftliche Weise des Herangehens an das Problem der Wohlfahrt erblickten. Die deutsche Soziologie hatte sich dagegen aus der Beschäftigung von Staatsbeamten mit Wohlfahrtspolitik entwickelt; das erste moderne System sozialer Sicherung hatte Bismarck in Deutschland eingeführt. In dieser deutschen Tradition war der Staat verantwortlich für die Wohlfahrt seiner Bürger, und so hing das Studium von Wohlfahrtsmaßnahmen aufs engste mit dem Studium des Rechts zusammen. So kam es, daß die deutsche Soziologie im Laufe ihrer akademischen Einbürgerung stark von staats- und gesellschaftstheoretischen Ideen beeinflußt wurde. Das Fach entwickelte sich auch mit philosophischen Überlegungen über den Gegensatz zwischen mittelalterlicher Gesellschaft und moderner Industriegesellschaft, und der Ausdruck »Soziologie« war schon lange in Gebrauch, bevor das Fach selbst akademische Anerkennung erwarb. Männer wie Ferdinand Tönnies, Max Weber und Georg Simmel, die heute als die Väter der deutschen Soziologie angesehen werden, veröffentlichten einen großen Teil ihres Werkes, *bevor* die Soziologie an den Universitäten gelehrt wurde.

In Wirklichkeit bin ich nie bis zu dem Thema gekommen, das ich eigentlich untersuchen wollte, nämlich die Anerkennung der Soziologie als akademische Disziplin. Material über diesen Punkt war nur in deutschen Archiven erhältlich, die im Kriege unzugänglich waren. Statt dessen vertiefte ich mich in die vorbereitenden Fragen zu dieser Untersuchung. Auf welche Weise war das

a) Und zwar in Frankfurt/M. und in Köln, wo diese Position mit der Nationalökonomie verbunden war. Die Errichtung reiner Soziologielehrstühle erfolgte in späteren Jahren. Für diese Information bin ich Professor Rainer Lepsius von der Universität Heidelberg zu Dank verbunden.

Studium der Gesellschaft in den Mittelpunkt des geistigen Interesses in Deutschland gerückt? Es mußte ein gewisses Einverständnis darüber bestehen, daß die Soziologie ein legitimes Forschungsfeld darstelle, bevor sie zur akademischen Disziplin werden konnte. Schon im wilhelminischen Deutschland hatten Regierungsbeamte, Kirchenmänner und Juristen oder Staatswissenschaftler einige gründliche und einige grob umrissene Studien zur deutschen Gesellschaft vorgelegt, und solche Untersuchungen wurden auch während der Weimarer Republik weiter geschrieben. Die Veröffentlichungen des *Vereins für Socialpolitik* bezeugen diese öffentliche Sorge um soziale Probleme; der Verein brachte rund 180 Bände Forschungsstudien heraus, bevor er 1933 von den Nazis aufgelöst wurde. Die Tatsache, daß diese Untersuchungen häufig auf Initiative der Regierung entstanden waren, trug wahrscheinlich zum Streit um den akademischen Status der Soziologie bei. Wozu bedurfte man ihrer, wenn Studien über die Gesellschaft ohnehin schon im Gange waren? Wo lag, abgesehen von der Staatswissenschaft, ihre akademische Begründung? Konservative Geister argwöhnten, daß die Verfechter der Soziologie mit solchen Fragestellungen und unter dem Deckmantel einer Modewissenschaft die Lehrpläne der Universitäten mit sozialistischem Gedankengut unterwandern wollten. So erhielten die Auseinandersetzungen um den akademischen Rang der Soziologie einen politischen Charakter. Letztlich wurden zwar Lehrstühle für Soziologie eingerichtet. Aber so manche Angehörige von Universitätsfakultäten sowie Beamte in Kultusministerien waren nicht überzeugt, auch wenn sie überstimmt worden waren.

Schon der Ausdruck *Gesellschaft* war in Deutschland weit umstrittener als in den Vereinigten Staaten, und dieser impressionistische Vergleich führte mich zu einer weitreichenden Untersuchung der Geschichte des deutschen sozialen Denkens. Ich war von der Frage ausgegangen, wie eine distanzierte Untersuchung der Gesellschaft in einem Lande möglich sei, das von ideologischen Gegensätzen und Parteikonflikten zerrissen wird. Doch diese Frage führte mich noch weiter ab, als ich entdeckte, daß allein schon die Worte, die benutzt wurden, um gesellschaftliche Verhältnisse oder den öffentlichen Bereich zu bezeichnen, mit gefühlsmäßigen Untertönen belastet waren, die einer Distanzierung entgegenwirkten. Im Deutschen sind Wörter wie »Gesellschaft« und »Staat« nicht einfach – wie etwa im Englischen – gleichbedeutend mit Ausdrücken wie »gesellschaftliche Gruppen« und »Regierungssystem«. Das Wort »Gesellschaft« wird oft benutzt, um die Raffgier und Selbstsucht des Marktes und die soziale Isolierung des einzelnen in der Großstadt zu kennzeichnen. Das Wort »Staat« meint nicht nur den Begriff »Herrschaft«, sondern auch die höheren sittlichen Werte, die man damals den Männern an verantwortlicher Stelle zuschrieb. Ich habe den moralisierenden Gebrauch dieser Ausdrücke schon bei der früheren Erörterung des deutschen Juristenstandes zur Sprache gebracht. Die gehässige Gegenüberstellung von sittlichem Staat und unsittlicher Gesellschaft war das Resultat zahlreicher Konfliktstoffe, die ich in meiner Magisterarbeit aufzuzeigen versuchte. Auf jeden Fall gab es prominente deutsche Gelehrte, die daran zweifelten, daß ein leidenschaftsloses Studium der Gesellschaft möglich sei, wenn man schon das Wort »Gesellschaft« nicht gebrauchen konnte, ohne leidenschaftlichen Widerspruch und sittliche Entrüstung hervorzurufen. Unausgesprochen verglich ich diese Ausgangssituation mit der relativ konfliktfreien Einführung der Soziologie in den amerikanischen Universitäten. Die ganze Problematik war bereits sehr weit von meinem früheren Interesse an Sozialisation entfernt. Ich hatte zumindest die Absicht und den guten Willen, mich an meine neue amerikanische Umgebung anzupassen, auch wenn es für meine Lehrer und meine Altersgenossen wahrscheinlich nicht so aussah.

Durch die Erforschung dieser Fragen lernte ich zwar eine ganze Menge über die deutsche Geistesgeschichte, mit der ich mich früher nicht befaßt hatte; zugleich wurde ich aber immer unzufriedener mit meiner Stubengelehrsamkeit. Amerika trat im Dezember 1941 in den europäischen Krieg ein, also zu einer Zeit, als ich gerade mit meiner weiterführenden akademischen Arbeit begann. Um weiterhin im Besitz eines gültigen Passes zu sein, mußte ich das Dokument in der deutschen Botschaft vorlegen, wo man es gemäß den neuesten Nazi-Richtlinien mit einem großen roten »J« (Jude) versah. Ich blieb deutscher Staatsbürger, obgleich ich um die amerikanische Staatsbürgerschaft nachgesucht hatte; daher war ich auch von Gesetzes wegen verpflichtet, mich als feindlicher Ausländer registrieren zu lassen, nachdem die Vereinigten Staaten in den Krieg gegen Deutschland eingetreten waren. Als Staatsbürger befand ich mich in einem Zwischenzustand: im einen Land verfemt und in dem anderen (noch) beargwöhnt.

Meine Gefühle waren noch in anderer Hinsicht gespalten. Während andere in den Krieg gegen Hitler oder die Japaner zogen, mußte ich untätig zusehen; zwar wußte ich, daß ich wahrscheinlich keinen guten Soldaten abgegeben hätte, aber der Gedanke an meine Nichtbeteiligung ließ mir keine Ruhe mehr. Ich wollte gegen Hitler kämpfen. Dann wurde ich 1943 zum selben Zeitpunkt naturalisiert, als ich meinen Magistergrad in Soziologie erwarb. Die Zurückstellung von Studenten bei der Erfassung zum Militär wurde aufgehoben. Ich erwartete, eingezogen zu werden, sah mich aber aus Gesundheitsgründen abgewiesen. Jane und ich hatten Chicago verlassen und waren nach New York gezogen. Als klar war, daß ich nicht eingezogen werden würde, bot man mir eine Stelle als *instructor* am College der Universität Chicago an. Außerdem begann ich mit meiner Doktorarbeit. Meine akademische Laufbahn in den Vereinigten Staaten hatte allen Ernstes begonnen.

Mein Problem blieb jedoch weiterhin, wie ich Fragen, die sich aus dem Gegensatz zwischen Deutschland und Amerika ergaben, im Sinne der Chicagoer Soziologie »forschungsfähig« machen konnte. Ich selbst war dem Holocaust entronnen, aber Millionen anderer waren zugrunde gegangen – Opfer nicht nur der Diktatur eines einzelnen Mannes, sondern eines ganzen, zum Zwecke der Vernichtung organisierten Systems. Vielleicht würde ich, wenn ich diesen Aspekt der deutschen Katastrophe untersuchte, einem Verständnis ihrer Ursachen näherkommen. Hunderttausende hatten die Befehle eines einzigen Mannes ausgeführt, Millionen waren ihm gefolgt, und im Laufes dieses Prozesses hatten sie im Herzen Europas eine Bastion der Barbarei errichtet. Wie kam es, daß sich Staatsbeamte in dieser Situation zu willigen Werkzeugen bei der Zerstörung der Zivilisation machen ließen? In dem

Deutschland, das ich, besonders durch meinen Vater, gekannt hatte, hatten die Bamten ihre Unparteilichkeit und Gesetzestreue in aller Öffentlichkeit zur Schau getragen. Trotzdem war die Bereitschaft, mit der sie unter Hitler den Diktaten eines verbrecherischen Regimes Folge leisteten, mehr gewesen als bloße Willfährigkeit. Im Gegensatz hierzu machten amerikanische Beamte auf Bundesebene wenig Aufhebens von sich und wurden in der Öffentlichkeit kaum beachtet. Doch trotz der Tradition des »Futterkrippensystems« (Spoils system) und der vielen Schlupflöcher im zivilen Staatsdienst schienen diese Beamten im großen und ganzen verantwortungsvoll und nach dem Gesetz zu handeln.

Aber wieder einmal war der Gegensatz zu verschwommen, als daß er in den empirischen Rahmen gepaßt hätte, den eine soziologische Habilitationsschrift (PhD Dissertation) erforderte. So versuchte ich, der Forderung nach empirischer Verifizierung wenigstens halbwegs zu genügen, während ich gleichzeitig meiner eigenen Neigung nachging, das Problem der Bürokratie in einem größeren Zusammenhang zu sehen. Unter »größerem Zusammenhang« verstehe ich jene Forschungsbemühung, die ein wenig Ähnlichkeit mit dem Kieselstein hat, den man in einen Teich wirft und der vom Punkt seines Auftreffens auf dem Wasser Wellen nach allen Seiten ausschickt.

So begann ich die Arbeit an meiner Habilitationsschrift, die einige Jahre später unter dem Titel *Higher Civil Servants in American Society* (1949) erschien.[3] Meine Absicht war, mich voll und ganz auf ein amerikanisches Problem zu konzentrieren. Aber wieder einmal stammte mein ursprünglicher Impuls aus meiner fortdauernden Sorge um Deutschland. In einer 1915 veröffentlichten Studie hatte ich entdeckt, daß über 50 Prozent der höheren Beamten Preußens selber Beamtensöhne waren. Man konnte sich vorstellen, daß bei ihrer Erziehung der blinde Gehorsam gegen Befehle von oben mit dem Ideal der Gesetzlichkeit gleichgesetzt wurde. Wenn die Hälfte der preußischen Beamten aus Beamtenfamilien stammte, hatte ein solches Milieu wahrscheinlich erhebliche Auswirkungen auf den Gang der Dinge gehabt. Die lebenslange Erfahrung meines Vaters mit deutschen Beamten und

ihrer Unterwanderung der Weimarer Republik trug dazu bei, diese Schlußfolgerungen zu stützen. Das deutsche Beispiel schien mir Rechtfertigung genug für eine Untersuchung der sozialen Herkunft und Laufbahn einer Stichprobe amerikanischer höherer Beamter zu sein. Diese Beamten unterschieden sich in der Tat sehr stark von ihren deutschen Kollegen. Sie kamen aus allen Schichten der Gesellschaft mit Ausnahme der untersten; nur die wenigsten waren Kinder von Beamten. Auch hatten sie breitgefächerte Bildungserfahrungen hinter sich, verglichen mit der Betonung der rein juristischen Ausbildung in Deutschland. Amerikanische Beamte auf Bundesebene hatten recht oft vom privaten Sektor in den öffentlichen und wieder zurück gewechselt. Ferner hatten innerhalb des zivilen Staatsdienstes viele schon einmal die Behörde gewechselt, anstatt die Stufenleiter in ein und derselben Behörde emporzuklettern. Diese äußeren Anzeichen verrieten eine ausgeprägte berufliche Mobilität und insoweit beträchtliche Unabhängigkeit innerhalb der Hierarchie der Regierung. In der mündlichen Prüfung über meine Dissertation nahmen mich meine Chicagoer Professoren unerbittlich zu den von mir ermittelten Tatsachen ins Gebet. Den mehr diskursiven, sondierenden Teilen meiner Arbeit schenkten sie keinerlei Beachtung. Gemessen an modernen Maßstäben, war meine Untersuchung in methodischer Hinsicht kaum bemerkenswert. Doch erinnere ich mich daran, daß ich die Schlußfolgerungen vorsichtig beurteilte, die aus den von mir zusammengetragenen Statistiken zu ziehen waren, sowie meines Argumentes, daß eingehendere und umfassendere Daten möglicherweise die Mühe nicht lohnten.
Ich hatte die Daten über Beamtenlaufbahnen durch eine allgemeinere Diskussion administrativen Verhaltens ergänzt. Aus dieser Erörterung ergaben sich zwei Schlußfolgerungen. Erstens: höhere Beamte stellten eine hochqualifizierte Gruppe mit akademischen Abschlüssen dieser oder jener Art dar. Diese Information, die ich durch Berufsbilder und Interviews abrundete, legte die Vermutung nahe, daß viele höhere Beamte ihr öffentliches Amt nicht als Lebensaufgabe betrachteten. Indem sie zwischen öffentlicher und privater Beschäftigung abwechselten und ihr berufliches Interesse beibehielten, zeigten sie ein gewisses Maß an

Unabhängigkeit, das möglicherweise zu einem Bollwerk der Verweigerung werden konnte, falls es jemals dazu kommen sollte. Mit ihrer Erfahrung im privaten Sektor hatten sie die Möglichkeit einer beruflichen Alternative, die deutsche Beamte in der Regel nicht hatten. Auch veranlaßte sie das Engagement in ihrem Beruf häufig dazu, die Leistungen der Regierung unter dem Aspekt ihrer Kompetenz zu beurteilen und sich nicht, wie ihre deutschen Kollegen das gerne taten, auf deren juristische Beurteilung zu beschränken.

Die andere Schlußfolgerung betraf die Einstellungen dieser amerikanischen höheren Beamten gegenüber der Öffentlichkeit. Aussagen von Kongreßausschüssen zeigten, daß in ihren Augen eine Regierungsbehörde der Öffentlichkeit unmittelbar diente und daher berechtigt war, Nachforschungen darüber anzustellen, was die Bevölkerung wünschte. Diese Beamten betrachteten sich selbst als Teil der Bevölkerung, der sie dienten, nicht aber als Träger eines höheren Status und einer höheren Autorität. Diese Interpretation, derzufolge Regierungsbehörden *Repräsentativ*-Einrichtungen waren, wurde von Kongreßabgeordneten, die diese repräsentative Rolle für sich selbst als gewählte Politiker (nicht als ernannte Beamte) beanspruchten, energisch bestritten. Das waren meine Beobachtungen zum »bürokratischen Kulturmuster« in den Vereinigten Staaten. Sie schienen mir mindestens ebensosehr der Aufmerksamkeit wert zu sein wie die statistischen Daten, die man über bürokratische Laufbahnmuster erheben konnte. Immerhin hingen die beiden Teile der Dissertation nur locker miteinander zusammen und spiegelten sowohl meine Anpassung an amerikanische Denkweisen als auch meine fortgesetzte Beschäftigung mit deutschen Angelegenheiten.

Lehrtätigkeit in Chicago

Als ich 1943 meine Stelle als *instructor* am College der Universität Chicago antrat, war ich gerade dabei, mit dieser Doktorarbeit zu beginnen. Obwohl ich noch gewisse Zuschüsse zu meiner Forschungstätigkeit bekam, war ich nun dabei, selbst meinen Lebensunterhalt zu verdienen.

Das Lehren und Lernen war mein Beruf geworden. Schon früh hatte ich entdeckt, daß das Unterrichten mir Spaß machen würde. Der Nachhilfeunterricht für einen zwölfjährigen Jungen, den ich 1932, mit etwa 16 Jahren, erteilt hatte, hatte mir weit mehr bedeutet als nur eine Aufbesserung meines Taschengeldes. Die Einzelheiten sind mir entfallen, aber ich erinnere mich noch, welche Freude ich über den Fortschritt meines Schülers und über das Vertrauen empfand, das er in mich setzte. Ich war zu einem Ferienaufenthalt in das Erzgebirge gefahren und hatte mir am Ende der Ferien Zeit dafür genommen, ihn und seine Familie an ihrem Urlaubsort zu besuchen. Ich wanderte stundenlang durch eine Mittelgebirgslandschaft; es war die Zeit der Schneeschmelze, allenthalben entdeckte ich die Vorboten des Frühlings, und ich hatte das Gefühl, daß die Welt es gut mit mir meinte, weil ich das Vertrauen dieses Schülers erworben hatte, den ich nun bald wiedersehen würde. Später waren es die von mir geleiteten Diskussionen im Hashomer Hatzair, die ein ähnliches Gefühl der inneren Befriedigung in mir auslösten, wenngleich die nervöse Spannung, in der wir damals alle lebten, die Freude etwas dämpfte. Das College in Chicago war eine Neuerung im Rahmen des »liberal arts«-Bildungsplanes, die Robert Hutchins in die Wege geleitet hatte. In den ersten beiden Studienjahren mußte der Student vier Orientierungskurse besuchen, und zwar jeweils einen aus dem Gebiet der Physik, der Biologie, der Geisteswissenschaften und der Sozialwissenschaften. Ich selbst hatte 1938 und 1939 nach diesem Programm studiert, das damals noch ganz neu war. Die Kurse waren groß; wöchentlich fanden zwei Vorlesungen für 300 bis 500 Studenten statt. Der Kurs wurde dann in Gruppen von 20-30 Teilnehmern aufgeteilt, die sich zweimal wöchentlich unter Leitung eines *instructor* wie mir zu Diskussionen zusammensetzten. In den Sozialwissenschaften wurden in den ersten beiden Jahren des College zwei Orientierungskurse angeboten; später kam ein dritter hinzu.

Jeder dieser Kurse war auf seine Weise ein Protest gegen das, was man später als »Fachidiotentum« bezeichnen sollte. Hutchins war der Ansicht, daß es das Ziel einer liberalen Bildung in den ersten beiden College-Jahren sein müsse, die Denkfähigkeit des Studenten zu entwickeln und ihn nicht sofort in ein spezielles Fach einzuführen. Demgemäß begann jeder Kurs damit, daß ein gewichtiges Problem aufgeworfen wurde, etwa der Konflikt zwischen Freiheit und Ordnung, Tradition und Modernität, Persönlichkeit und Kultur. Die Aufgabe des Studenten bestand darin, diese wichtigen, aber unhandlichen Probleme zu untersuchen, indem er sie aus verschiedenen Blickwinkeln und unter Zuhilfenahme einschlägiger Erkenntnisse aus Anthropologie, Wirtschaftswissenschaft, Geschichte, Psychologie und Soziologie betrachtete. Die Absicht war, den Studenten zum Denken und zur Entwicklung seiner analytischen Fähigkeiten anzuregen. Die Schwierigkeit bestand darin, den Studenten zum Mitmachen zu bewegen und ihm zu zeigen, daß es auf weitläufige Fragen wie diese keine einfache Antwort gab. Dabei würden die Studenten dann mit den geistigen/wissenschaftlichen Hilfsmitteln vertraut werden, die zur Behandlung solcher Fragen zur Verfügung stehen. So war beispielsweise das Studium des Brauchtums für alle Sozialwissenschaften von Bedeutung, nicht nur für die Anthropologie. Vergleichende Religionsbetrachtung konnte Licht auf die vielschichtige Bedeutung des Heiligen werfen. Das Problem der Freiheit in Zeiten einer wirtschaftlichen Rezession ging weit über Wirtschaftswissenschaft hinaus und berührte Fragen der Psychologie und der Ideengeschichte. Die großen Fragen der englischen Reformation waren nicht nur religiöser Natur, sondern berührten u. a. die schweren wirtschaftlichen Probleme der Anglikanischen Kirche. Fragen der Kindererziehung konnte man nicht behandeln, ohne den religiösen oder politischen Überzeugungen Beachtung zu schenken, die die Eltern für diese Aufgabe mitbrachten. Jede der großen Fragen zog sich quer durch verschiedene Disziplinen, und der Lehrkörper des College war ununterbrochen in einer Diskussion darüber begriffen, welche Aspekte des Problems untersucht werden sollten und welche Lektüre die zweckmäßigste und am leichtesten verständliche war. Man erwartete von uns, daß wir belesen genug waren, um einen Vorsprung vor den Studenten zu halten, und außerdem konnte niemand behaupten, auf allen diesen Gebieten Fachmann zu sein. Diese Zeit war für mich außerordentlich anregend, aber mitunter auch recht anstrengend. Der Lehrkörper traf sich fast täglich, gewöhnlich zum gemeinsamen Mittagessen, und diskutierte oft bis weit in die Nacht hinein. Ich erinnere mich lebhaft, wie ich versuchte, mich in zwei oder drei Wochen in das Problem der wirtschaftlichen Konjunktur oder die gesamte englische Geschichte einzuarbeiten!

Der Lehrkörper des College bestand aus einer kleinen Gruppe von älteren Mitgliedern und einer großen Gruppe jüngerer Kräfte wie ich. In groben Umrissen wurde jeder Kurs von den älteren Mitgliedern festgelegt, doch wurde im übrigen von allen erwartet, daß sie Themen und Lektüre vorschlugen und bei der Vorbereitung der Abschlußprüfung mitwirkten. Diese sechsstündige Prüfung stand am Ende der drei Quartale; sie bestand im wesentlichen aus multiple-choice-Fragebögen, die maschinell ausgewertet werden konnten – damals war dieses Verfahren noch eine Neuheit. Fast das ganze Jahr über war der gesamte Lehrkörper damit beschäftigt, diese Fragen vorzubereiten. Die Beteiligung des ganzen Lehrkörpers garantierte, daß die Fragen unsere Unterrichtsinhalte widerspiegelten und daß jeder von uns der zutreffenden Antwort zustimmen konnte. Ich habe wahrscheinlich in meinen ersten Jahren der Lehrtätigkeit am College mehr gelernt als zuvor als Student. Meine eigene Neigung zu einem breiteren Verständnis der Soziologie unter Betonung ihrer geschichtlichen und politischen Dimensionen wurde durch diese Lehrerfahrung verstärkt, die auf Materialen aus der Wirtschaftswissenschaft, der Anthropologie und der Geschichte aufbaute.

Aber dieses Lernen durch Lehren war nicht auf den Austausch mit Studenten beschränkt. Diese College-Kurse waren Lehrergemeinschaften im Kleinformat, in denen jeder von uns ein Beispiel gab und gleichzeitig vom Beispiel anderer lernte. Vier meiner älteren Kollegen waren in dieser Hinsicht besonders wichtig für mich. Indem ich meinen Eindruck von ihrem Unterrichtsstil skizziere, gebe ich natürlich insofern ein Selbstporträt, als Wesensmerkmale und Bestandteile ihrer Arbeit mir bei der Gestaltung meiner eigenen Lehrtätigkeit halfen – zumindest in meinen besseren Augenblicken.

Gerhard Meyer spielte die Rolle des Lehrens durch das Beispiel, das er gab und das von vielen bewundert wurde. Von Haus aus Nationalökonom, waren er und seine Frau Julia Flüchtlinge wie ich; sie waren ein paar Jahre früher als ich nach Chicago gekommen und nahmen mich freundschaftlich auf, als ich dort eintraf. Gerhard war ein Mann, der völlig in jedem Thema aufging, dem er sich zuwandte, und der ganz für seine Studenten da war, für jeden einzelnen von ihnen, wie es schien. Dem religiösen Hintergrund seiner Jugend war er entwachsen, doch die besondere Art seiner Hingabe verlieh ihm etwas Asketisches, weil er buchstäblich die Welt um sich herum vergaß. Er war ein beleibter Mann mit gerötetem Gesicht, stotterte ein wenig und hatte natürlich einen deutschen Akzent. In seinen Vorlesungen war er so völlig von dem, was er vortrug, absorbiert, daß er nicht zu bemerken schien, wenn er dem einen Rand der Rednerplattform gefährlich nahe kam, bevor er kehrtmachte und dem anderen Rand zustrebte, während seine Studenten atemlos seine »Darbietung« und seinen Vortrag verfolgten. Er steckte immer voller Einsichten, Informationen, Bezugnahmen und Anregungen, und seine Hingabe an sein Werk war so vollständig, daß er eine ganze Schar von Jüngern gewann. Ich schätzte ihn als älteren Freund, während er für Studenten, die fähig waren, auf seine besondere Art zu reagieren, zum Gegenstand der Verehrung wurde. Er diente dem College getreulich mehrere Jahrzehnte lang, und als er in den Ruhestand trat, kamen buchstäblich Hunderte seiner früheren Studenten, um von ihm Abschied zu nehmen. Ich bin niemals wieder einem Lehrer begegnet, für den sein Beruf eine Art religiöser Hingabe bedeutete, wie weltlich er in anderer Hinsicht auch sein mochte. Gerhard Meyer erschloß mir neue Dimensionen des Lehrens, auch wenn ich seinem Beispiel nicht zu folgen vermochte.

Andere Lehrer am College in Chicago waren in ihrer Weise ebenfalls Ausnahmeerscheinungen und gaben wichtige Vorbilder für mich ab. Einer von ihnen war Maynard Krueger. Für die Sozialisten hatte er sich einmal um die Vizepräsidentschaft der USA beworben. Er war ein gesuchter Redner und »immer auf Achse«. Gleichzeitig war er dem College ebenso ergeben wie Gerhard Meyer, übergewissenhaft in der Erfüllung seiner Lehr-

Maynard Krueger, ca. 1940

verpflichtungen, aber durchaus pragmatisch in seinem Ansatz. Überhaupt waren die beiden von gegensätzlicher Art. Wo Meyer behäbig und geistesabwesend war, wirkte Krueger sportlich und zupackend in seiner Rede. Was Meyer als kompliziert ansah, fand Krueger übersichtlich. Beide waren Nationalökonomen, doch war der eine Moralist, der andere Politiker. Das Bewunderungswürdigste an Maynard Krueger war seine Klarheit. Er gab nicht vor, Gelehrter zu sein, aber er wußte Bescheid, und er besaß die einzigartige Fähigkeit, zum Kern verwickelter wirtschaftlicher

Probleme vorzudringen und sie in menschlichen Begriffen anschaulich zu machen. Inflation, Zinssätze, Konjunkturzyklen – das waren für ihn keine böhmischen Dörfer, die man ratlos anstaunt, sondern das, was mit Äpfeln und Orangen passiert und was jede Hausfrau von ihrem täglichen Einkauf kennt. Sein großes Talent war es, Wirtschaftswissenschaft selbst für ein durchschnittliches Erstsemester spannend zu machen. Und was er mir als einem jüngeren Kollegen mitgab, ohne es zu wissen, war der Beweis, daß das Unterrichten die Mühe nicht wert ist, wenn es einem nicht gelingt, jene Kluft zu überbrücken, die zwangsläufig zwischen Lehrer und Schüler klafft. Ich hätte keine bessere Personifizierung des Gegensatzes zwischen dem geistigen Stil eines Europäers und dem eines Amerikaners finden können als diese beiden Männer, die meine Lehrer, meine Kollegen und meine Freunde waren.

Eine andere denkwürdige Gestalt des Lehrkörpers an unserem College war Milton Singer. Er stammte aus Austin (Texas) und war nach Chicago gekommen, um bei Charles Morris und Rudolf Carnap Philosophie zu studieren. Dann trat er dem College als Lehrer bei und wurde später Mitarbeiter Robert Redfields am Department of Anthropology. Singer verwuchs ebenso stark mit der Universität Chikago wie Gerhard Meyer und Maynard Krueger. In gewisser Hinsicht war er beiden ebenbürtig. Sein Wissen auf vielen Gebieten war beträchtlich, ebenso beträchtlich aber war seine Fähigkeit, zum Kern einer komplizierten Sache vorzudringen: in dieser Hinsicht verbanden sich in ihm die Qualitäten von Meyer und Krueger. Er hatte auch eine charakteristische Art; er war »Mister Imperturbable« (Mister Unerschütterlich). Die Diskussionen des College-Lehrkörpers waren anregend und oft außerordentlich spannend, aber sie waren auch anstrengend. Die erörterten Themen waren wichtig, aber ebenso wichtig waren die beteiligten Ichs, und beides war nicht immer leicht zu unterscheiden. Wer laufend die Literatur verfolgte oder den neuesten Aufsatz zu einem Thema zitierte, konnte Pluspunkte in diesen Debatten verbuchen; aber Singer spielte dieses Spiel nicht mit. Obwohl er mehr gelesen zu haben schien als jeder andere, war er über diese akademischen Untugenden erhaben.

Milton Singer, etwa Anfang der 50er Jahre

Ohne eine Spur von Aufgeregtheit zwang er die Diskussion zu den inhaltlichen Fragen zurück. Auch das war für mich eine wichtige Lektion, wie weit ich auch hinter Milton Singers Beispiel zurückgeblieben sein mag.
Ein Vorbild wieder anderer Art war David Riesman. Von Haus aus Anwalt, hatte er sich aktiv mit den bürgerlichen Grundrechten beschäftigt, an einer juristischen Fakultät unterrichtet und eine Zeitlang mitgeholfen, aus Europa geflohene Gelehrte an

David Riesman, ca. 1946

amerikanischen Universitäten unterzubringen. Nachdem er dem College-Lehrkörper als älteres Mitglied beigetreten war, nahm er bald entscheidenden Einfluß auf die Umgestaltung eines der sozialwissenschaftlichen Kurse. Was seine Leistung heraushebt, war aber seine persönliche Art. Seine Auffassung von einer Gelehrtengemeinschaft ließ ihn persönliches Interesse an den Ideen und der Arbeit eines jeden nehmen, mit dem er in Kontakt kam. Die Arbeit anderer interessierte ihn, er war von ihr aufrichtig überzeugt; auch war er immer bereit, von anderen zu lernen, und diese Einstellung ließ Gespräche mit ihm zu einem faszinierenden geistigen Erlebnis werden. Jede Begegnung mit ihm wurde zu einer bereichernden persönlichen und geistigen Erfahrung. Er setzte diese Art des Dialogs auch brieflich fort. Von David Riesman lernte ich, daß der menschliche Kontakt, der durch Diskussion entsteht, ein lebenswichtiges Element in jeder Unterrichtssituation ist.

Es gab noch andere im College-Lehrkörper, von denen ich gelernt habe, unter ihnen Edward Shils, Daniel Bell, Benjamin Nelson und Sylvia Thrupp. Leider kann ich nicht auf sie alle zu sprechen kommen.

Als Abschluß dieser vier Porträts ist eine Bemerkung über die menschliche Seite des Unterrichtens am Platze. Was mich rückblickend am meisten beeindruckt, ist die persönliche Qualität, die diese Kollegen in ihren Unterricht hineintrugen. Was ihnen bei aller Unterschiedlichkeit gemeinsam war, war ihre Hingabe und ihr starkes Interesse an Studenten. Freilich wäre es ganz irreführend, diese Fälle zu verallgemeinern. Denn die Rolle des Lehrers stellt gegensätzliche Anforderungen an den einzelnen. Berufliche Vorlieben geraten oft in Konflikt mit dem Unterricht und den Interessen der Studenten; auch ist die für wissenschaftliche Arbeit notwendige Konzentration nicht immer leicht von Geistesabwesenheit zu unterscheiden, ebensowenig wie Aufgabenorientiertheit von Selbstsucht. Wie in anderen Berufen kann es auch beim Unterrichten in einem College zu krankhaften Auswüchsen kommen, die meist von dem geistigen Feuer herstammen, das zur Ausübung dieses Berufes notwendig ist. Kein Lehrer kann jemals ganz sicher sein, daß er von diesem Makel völlig frei ist, von diesen Deformationen, die mit seiner Ausbildung einhergehen, wie Veblen erkannt hat, obwohl es in den meisten Fällen nur Schrullen bleiben, über die man leicht hinwegsehen kann. In dem Maße aber, in dem das Unterrichten von Studenten als eine zeitraubende Form angesehen wird, sich seinen Lebensunterhalt zu verdienen, geben sich manche Kollegen immer unnahbarer. Ihr Austausch mit Kollegen wird durch ihre Überheblichkeit beeinträchtigt, ihre Beziehungen zu Studenten durch regelrechte Verachtung. Manchmal bilden sich Cliquen mit einem Führer und seinen Gefolgsleuten, und die Unterscheidung zwischen denen, die dazugehören, und den Außenseitern wird gehässig und widerwärtig. Die Schilderung meiner Aufnahme in den Lehrberuf wäre unvollständig ohne diesen negativen Aspekt meiner Erfahrung.

Nichtsdestoweniger war das College an der Universität Chicago während meiner Zeit als beginnender *instructor* (1943-1946) eine geistig anregende Stätte, die für meine spätere Arbeit bestimmend wurde. Denn der College-Lehrkörper war mehr als eine Gruppe von Lehrern, die der Zufall zusammengeführt hatte. Es war eine Gesellschaft im kleinen mit einem ganz eigenen Charakter. Ihre wesentlichste Besonderheit war, daß die älteren Mitglieder des Lehrkörpers bei dem Programm blieben, bis sie pensioniert wurden, während jüngere Kräfte wie ich einige Zeit in Chicago unterrichteten, ihren akademischen Grad machten und dann fortgingen, um anderswo zu unterrichten. Als ich mich 1946 von ihm verabschiedete, sagte Gerhard Meyer ziemlich wehmütig zu mir, ich könne nun gehen, wohin ich wolle, er aber müsse bleiben; denn er sei zum »Spezialisten für Allgemeinbildung« geworden. In gewissem Sinne waren die älteren Mitglieder des Lehrkörpers zu lange bei diesem Programm geblieben. Die Folge war, daß durch forgesetztes Experimentieren von anspruchsvollen Leuten zwangsläufig ihre eigenen Interessen eingebracht wurden, so daß die Kurse immer komplizierter wurden und die Kluft zwischen Lehrern und Studenten immer breiter. Ich behielt den Eindruck, daß dieses Problem drängend sei und daß es als Lehrer zu meinen vornehmsten Aufgaben gehören müsse, an meine Studenten heranzukommen.

Kapitel XV

Die ersten Jahre an der Universität von Kalifornien (1947-1951)

Meine dreijährige Unterrichtstätigkeit an der Universität Chicago war ein Teil meiner Lehrjahre. Von 1943 bis 1945 arbeitete ich an meiner Dissertation. Dann ging ich – nach einem einjährigen Zwischenspiel an der Universität von Colorado – 1947 an die soziologische Fakultät der Universität von Kalifornien in Berkeley. In dieser Stadt habe ich seither gelebt. Ich möchte etwas über den äußerlichen Rahmen meines Lebens sagen, bevor ich mich den ersten Jahren meiner akademischen Tätigkeit zuwende.

Berkeley liegt am östlichen Rand der Bucht von San Francisco zusammen mit anderen Städten mittlerer Größe, die nur durch Markierungsschilder und verwaltungsmäßig voneinander getrennt sind. Die ganze Bucht ist von Städten mit insgesamt 2,5 Millionen Einwohnern umringt, von denen San Francisco auf seiner hügeligen Halbinsel zwischen Bucht und dem Pazifik das kulturelle und ästhetische Zentrum bildet und an manche schönen Städte Europas gemahnt. Es gibt viele Universitäten oder Colleges in der ganzen Buchtgegend, und doch fällt Berkeley mit seinen 120 000 Einwohnern durch seine weltbekannte Universität mit damals 21 000 Studenten aus diesem Rahmen. Als ich 1947 dort ankam, erfuhr ich, daß die Bucht im wirtschaftlichen Bereich während des Krieges durch ihre Schiffswerften von Bedeutung gewesen war sowie schon längere Zeit als Endstation transkontinentaler Eisenbahnlinien. Es mag auch erwähnt werden, daß die Schwarzen insbesondere in Berkeley zu den gehobenen Schichten der schwarzen Bevölkerung gehörten, so daß ihr Wohnviertel in der Stadt zwar merklich von den anspruchsvollen Häusern in den Hügeln abwich, aber nicht den Charakter einer heruntergekommenen Armutssiedlung wie die entsprechenden Stadtteile von Chicago hatte.

Wichtig für mich war natürlich das kulturelle Leben der Universität, das mit seinen Vorlesungen, Konzerten, Theateraufführungen sowie mit seinen regen sozialen Kontakten aktiv genug war, um fast eine Metropole für sich zu konstituieren. Nimmt man noch die schöne Aussicht auf die Bucht und den Pazifik sowie das milde Wetter hinzu, so war vielleicht das Wunderlichste die erstaunliche Intensität des geistigen Lebens in diesem »Athen des Westens«, wie Berkeley gelegentlich genannt wurde. Es genügt wohl, mein Engagement in dieser Atmosphäre durch ein persönliches Erlebnis zu vergegenwärtigen.

Sehr bald nach meiner Ankunft wurde ich Mitarbeiter am Institute of Industrial Relations, das damals unter der Leitung von Clark Kerr stand, dem späteren Rektor von Berkeley und darauffolgenden Präsidenten der ganzen Universität von Kalifornien, die im Staat von Kalifornien neun verschiedene Institutionen umfaßt. Als engster Mitarbeiter von Kerr unternahm Lloyd Fisher es, die Mitarbeiter des Instituts zu wissenschaftlichen Arbeiten anzuregen, um dadurch dieser erst kürzlich gegründeten Forschungsstelle ein inhaltliches Profil zu geben. Die Freundschaft mit Fisher war schnell hergestellt, aber der intensive Kontakt mit ihm bedeutete darüber hinaus eine geistige Verbrüderung, die ich (und wohl auch andere) so nie wieder erlebt haben. Fisher war nicht nur menschlich sympathisch, sondern verströmte sich in dem Kontakt mit Kollegen, jedenfalls solchen, die ihm lagen. Jede halbwegs gute Idee wurde besser durch die Unterhaltung mit ihm, wobei hinzukam, daß man sie nur anzudeuten brauchte, um sogleich eine bereichernde Resonanz zu empfangen. In kurzer Zeit kam es dazu, daß wir uns nur noch in halben Sätzen verständigten, weil jeder von uns die Vollendung des Gedankens voraussah und ohne Mühe oder Mißverständnisse auf den ganzen Gedankengang des anderen reagieren konnte. Fishers früher Tod hinterließ eine große Lücke, aber es ist auch ein Zeichen seines Genius, daß die Unterhaltungen mit ihm auf Jahre hinaus nachwirkten. Sicher war Fisher eine Ausnahme, endlos produktiv allein durch die Diskussion, wenn man auf ihn einzugehen wußte. Ich verdanke ihm viel und habe seine Freundschaft nie vergessen. Aber ein Mann wie Fisher konnte auch nur in der besonderen Atmosphäre Berkeleys wirksam sein. Kein anderer erreichte seine Produktivität in der Diskussion, aber viele Kollegen haben über die Jahre hinweg einen freigebigen Beitrag zu der geistigen Gemeinde der Universität geleistet. Jedenfalls war es viel mehr als das angenehme Klima und die schöne Lage, die mich mit Berkeley so lange Zeit verbunden haben. Doch ich habe vorgegriffen, um einen Eindruck von der Atmosphäre zu vermitteln, die Berkeley für mich und viele andere repräsentiert. Nur so läßt sich verständlich machen, warum die manchmal recht traumatischen Ereignisse des Universitätslebens meine Loyalität gegenüber der Institution (und die vieler anderer) letzten Endes nicht beeinträchtigt haben. Aber ich schreibe hier über Berkeley und seine Universität in einer Zeit, als reichliche finanzielle Unterstützung und gereifte Studenten, die aus dem Kriegsdienst zurückkehrten, der akademischen Gemeinde eine besondere Spannkraft verliehen, ein Umstand, der nicht von Dauer war, obwohl seine konstruktiven Folgen bis heute nicht ganz verlorengegangen sind.

Ein neues Department

Als ich 1947 nach Berkeley kam, war im Jahre zuvor das ehemalige *Department of Social Institutions* reorganisiert worden und hieß nun *Department of Sociology and Social Institutions.* Ich war der erste Dozent, der an dieses reorganisierte Department gerufen wurde, das jüngste Mitglied des Fachbereichs, aber auch das erste Mitglied, das in Soziologie promoviert hatte. Für mich war es damals an der Zeit, meine eigenen Forschungsvorhaben und damit die Art von Wissenschaft festzulegen, der ich mich künftig widmen wollte. Zufällig ergab es sich aber, daß meine ersten Jahre in Berkeley nicht nur mit der Einführung der Soziologie, sondern auch mit einer Krise in der dortigen Universitätsverwaltung zusammenfielen, der sogenannten »Eidkontroverse«.

Schon vor meiner Ankunft war ich etwas ratlos über die überflüssige Wiederholung im Namen des Departments, dem ich mich anschließen sollte. Die neue Aufgabe des Departments war es, die bisherige Betonung eines systematischen Studiums der Geschichte und der Ideengeschichte mit einem sorgfältigen Angebot an Soziologiekursen zu verbinden. Auf den ersten Blick zog mich diese geplante Kombination von Interessen an, da mich das mangelnde historische Interesse vieler amerikanischer Soziologen bestürzt hatte. Ich durfte mich als guten Kandidaten für diese Position betrachten, nachdem ich am College der Universität Chicago umfassende Unterrichtserfahrungen gesammelt hatte. Ich hatte sogar den Aufstieg der deutschen Soziologie zu einer neuen akademischen Disziplin studiert und hatte jetzt Gelegenheit, zu beobachten, was die institutionelle Billigung einer »neuen« Disziplin in der Praxis bedeutete.

Die Universität von Kalifornien war und ist noch heute eine komplizierte Einrichtung. Die akademischen Angelegenheiten werden vom Lehrkörper verwaltet, die meisten akademischen Entscheidungen fallen in den einzelnen Departments. In meinem neuen Department war dieser Entscheidungsprozeß allerdings erschwert. Das Department war zwanzig Jahre zuvor von Frederick Teggart (1870-1946) gegründet worden, der auch nach seiner Pensionierung im Jahre 1940 eine treibende Kraft im Hintergrund blieb. Der kleine Lehrkörper bestand aus Gelehrten, die im Geiste Teggarts arbeiteten. Nach dem Ausscheiden Teggarts wurden jedoch Zweifel am Programm seines Departments laut, und ein Ausschuß des Akademischen Senats arbeitete schließlich den üblichen Kompromiß aus, daß zwar das alte Programm beibehalten werden solle, daß aber zusätzliche Kurse in Soziologie in den Lehrplan aufzunehmen seien. Der neue Name des Departments spiegelte diese Aufgabenstellung wider.

Als ich 1947 in Berkeley ankam, war der Leiter des Departments E. W. Strong, der Philosophie der Geschichte lehrte und schon früher für diesen Posten von F. J. Teggart empfohlen worden war. Seine Aufgabe war es, die zusätzlichen Kurse in Soziologie zu überwachen. Doch die amerikanische Soziologie zeichnete sich durch eine Vielfalt ihrer theoretischen Ansätze aus, und es war keine leichte Aufgabe, unter ihnen eine gute Auswahl zu treffen. Teggart hatte einige ältere amerikanische Soziologen positiv beurteilt, doch der gegenwärtige Lehrkörper des Departments stand vielen Standardkursen auf dem Gebiete kritisch gegenüber, und das älteste Mitglied, Professor Margaret Hodgen, lehnte die Soziologie überhaupt ab.[a] In den vorangegangenen Jahren hatte es manche akademischen Grabenkämpfe gegeben, doch niemand belastete mich mit diesen alten Kontroversen, so daß ich die Frage so diskutieren kann, wie sie mir nach dem Eintritt in den neu organisierten Fachbereich erschien. Damals machte ich mir nicht klar, daß meine Situation mit 31 nicht nur günstig, sondern geradezu ein Ausnahmefall war. In ein Department mit neuer, aber schlecht definierter Aufgabenstellung kommend, konnte ich meinen eigenen Kurs steuern, »nur« von der Ungewißheit bedrängt, die jeder geistigen Entscheidung innewohnt. Anders als meine älteren Kollegen, hatte ich noch nicht die Arbeit von Jahren an ein einziges Thema gewendet, was auf akademischem Gebiet dasselbe bedeutet wie die Kapitalinvestition in der Wirtschaft und ähnliche Hemmungen nach sich zieht, in einer anderen Richtung ganz neu anzufangen. Wenn ich in ein durchstrukturiertes Department gekommen wäre, hätte

a) In Berkeley war der Widerstand gegen die Soziologie nicht auf Teggart und seine Gesinnungsgenossen beschränkt, sondern wurde von verschiedenen prominenten Mitgliedern des Lehrkörpers geteilt. Zum wesentlichen Teil gründete dieser Widerstand in der Meinung, bei der Soziologie handele es sich um Kurse über Wohlfahrtsprobleme, die eigentlich in ein Department über soziale Wohlfahrt und ihre Verwaltung gehörten. Solche Kurse als »soziologische« zu bezeichnen, beinhaltete ein Maß an wissenschaftlicher Strenge, das nicht gerechtfertigt war. Tatsächlich wurde diese Geringschätzung der Sozial-Wohlfahrt von den meisten führenden Vertretern der amerikanischen Soziologie geteilt. In der Hitze der folgenden Diskussion ging die Unterscheidung zwischen Soziologie und sozialer Wohlfahrt verloren, und so kam es, daß Professor Margaret Hodgen alle Kurse in Soziologie als akademisch unvertretbar ablehnte. Mißverständnisse dieser Art kommen in akademischen Kontroversen immer wieder einmal vor, weil Universitäten aus Gruppen von Leuten bestehen, die für ihr eigenes akademisches Fach schwärmen. – Ehemalige Schüler von F. J. Teggart haben mir berichtet, daß er im privaten Gespräch gute Worte für eine Reihe älterer amerikanischer Soziologen fand, beispielsweise für Albion Small und W. I. Thomas.

man mir Standardkurse zugeteilt, und meine Entscheidungsfreiheit wäre beschränkter gewesen.

Frederick Teggart und Margaret Hodgen waren beachtliche Gelehrte, die ein neuartiges Studien- und Forschungsprogramm entwickelt hatten. Sie hatten recht, wenn sie um ihr Programm fürchteten, sofern ihm in unüberlegter Weise soziologische Kurse aufgepfropft würden. Teggarts Ansatz hatte zwei Seiten. Die eine bestand in einem wohldurchdachten Kurs in Ideengeschichte, der das moderne soziale Denken einer kritischen Analyse unterwarf, indem es dessen viele Wurzeln in der bis ins Altertum zurückreichenden Idee des Fortschritts untersuchte. Als Unterrichts- und Forschungsprogramm stellt dieser Ansatz einen wichtigen Beitrag dar. Bis auf den heutigen Tag ist es in der amerikanischen Sozialwissenschaft um die Kenntnis ihrer geistigen Vorläufer schlecht bestellt.

Die andere Seite von Teggarts Ansatz schien mir problematischer zu sein. Im Anschluß an eine kritische Prüfung von verschiedenen Geschichtsphilosophien schlug Teggart vor, das Studium der Geschichte auf eine wissenschaftliche Grundlage zu stellen, indem man datierte Ereignisse bei verschiedenen Menschengruppen systematisch miteinander verglich. Teggart brachte frühere kriegerische Zwischenfälle auf den Handelsstraßen nach China in Verbindung mit späteren Einfällen in das römische Reich und begründete damit die Wahrscheinlichkeit eines ursächlichen Zusammenhanges zwischen beiden Gruppen von Ereignissen. Doch so interessant das war: konnten derartige Arbeiten der Forschungsschwerpunkt eines ganzen Departments sein?[1] Meine eigene zögernde Reaktion war, daß man »datierte Ereignisse« nicht als den *Hauptgegenstand* eines soziologischen Herangehens an Geschichte betrachten sollte. Gewiß ist es verhältnismäßig leicht, »datierte Ereignisse« systematisch zu studieren. Aber die Datierung von Ereignissen ist oft zweideutig, und viele wichtige historische Prozesse sind überhaupt nicht »datierbar«. So ist beispielsweise eine Schlacht ein Ereignis, das chronologisch genau bestimmt werden kann, eine Idee jedoch nicht. Teggarts eigener Kurs über die Idee des Fortschritts war kaum geeignet, jene Forschung zu unterstützen, die er befürwortete. Dazu kommt, daß manche datierten Ereignisse, wie beispielsweise Schlachten, Auswirkungen gehabt haben, die genauso komplex und verzweigt waren wie die Auswirkungen einer Idee oder eines Gesetzes. Mir persönlich erschien jedenfalls die Einengung von Forschungsfragen auf das, was datiert und als Ereignis klassifiziert werden kann, als ungebührlich beschränkt.

Zu dem Zeitpunkt, als ich dem umgetauften Department beitrat, mußte ich mich freilich erst noch mit solchen Fragen vertraut machen. Auf institutioneller Ebene war ich einfach der erste Soziologe in dem reorganisierten Department. Es mag sein, daß manche Kollegen an der Universität mich als Vertreter des herrschenden soziologischen Positivismus einstuften, weil ich meine Ausbildung an der Universität Chicago erhalten hatte. Doch die wenigen Veröffentlichungen von mir, die bis Ende der vierziger Jahre erschienen, geben hierüber weder im Positiven noch im Negativen ein klares Bild. Jedenfalls war ich kein typisches Produkt der Chicagoer Schule der Soziologie.

Sozialwissenschaft und das Mißtrauen in die Vernunft

Anstatt die Gebote einer »Gesellschaftswissenschaft« zu akzeptieren, hatte ich mich mit dem Dilemma herumgeschlagen, das aus der Forderung nach empirischer Verifizierung entstand. Meine Doktordissertation war der Versuch gewesen, dieser Forderung wenigstens halbwegs zu genügen, indem ich die Laufbahnmuster von höheren Beamten untersuchte. Gleichzeitig hatte ich mich aber daran gemacht, Probleme der Bürokratie in ihrem größeren historischen und kulturellen Zusammenhang zu untersuchen. Meine Zweifel an der geistigen Bedeutsamkeit der Verifizierung *als solcher* fanden Unterstützung bei meinem Lehrer Louis Wirth.

Er pflegte zu sagen, daß jede Tatsache, mag sie auch noch so gut gesichert erscheinen, von irgendeinem Standpunkt aus umstritten ist – ein eigentümliches Echo meines Vaters, der ja immer die Mehrdeutigkeit von Tatsachen und Rechtsnormen betont hatte. Wirth wollte mit seiner Aussage die umkämpfte Position der

Sozialwissenschaften kennzeichnen. Er glaubte, daß Tatsachen umstritten bleiben, selbst wenn sie über jeden vernünftigen Zweifel hinaus festgestellt sind, weil die Menschen die Wahrheit nicht akzeptieren wollen, wenn sie ihren Interessen zuwiderläuft. Man könnte sagen, daß diese Auffassung ein Nietzschesches Element widerspiegelte, weil sie behauptete, daß Menschen die Wahrheit von Tatsachen nicht als solche beurteilen, sondern unter dem Gesichtspunkt ihrer lebenssteigernden oder lebensverneinenden Folgen. Gleichzeitig trat Wirth der marxistischen Neigung entgegen, die Wahrheit zu einem Nebenprodukt der Geschichte zu machen. Diese Vorstellung ging auf Hegel zurück, der im Geschichtsprozeß die Entfaltung der Vernunft erblickte, nicht aber die Entfaltung des Plans der göttlichen Vorsehung. Marx hatte diese metaphysische Vorstellung weiter säkularisiert. Die Geschichte zerfällt nach Marx in Epochen, die sich durch ihre Produktionsweise unterscheiden, und in jeder Epoche gibt es eine progressive Klasse, die für ihre Zeit im Besitz der Wahrheit ist, weil ihre Interessen mit der neu entstehenden gesellschaftlichen Konfiguration übereinstimmen. Diese Klasse (das Bürgertum im Feudalismus, das Proletariat im Kapitalismus) erkennt die Wahrheit, weil sie ein positives Interesse an der Transformation der Gesellschaft hat, um sowohl ihren eigenen Nutzen als auch die Wohlfahrt der Menschheit zu mehren.

Nach Wirths Auffassung setzte dieser ganze Ansatz genau das voraus, was in Wirklichkeit bewiesen werden mußte, daß nämlich Geschichte *allein* eine Geschichte von Klassenkonflikten ist und daß Wahrheit daher *nur* das Nebenprodukt von Klasseninteressen sein kann. Er hielt daran fest, daß der soziale Ursprung einer Aussage nichts über deren Gültigkeit besagt. In seinem Kurs über die »Soziologie des Geisteslebens« legte Wirth die Auffassung dar, daß die Feststellung von Tatsachen oder die Einigung über Aussagen auf der Grundlage von wissenschaftlichen Kriterien erfolgt, die wahre von falschen Aussagen unterscheiden. Dies ist zwar eine logisch zirkuläre Aussage (d. h. Wahrheit wird zum Nebenprodukt von Kriterien, die von Wissenschaftlern ausgearbeitet wurden). Aber die Zirkularität einer Wahrheit, die durch die Wahrheitskriterien von Gelehrten definiert wird, widerlegt diese Wahrheit nicht. Denn untereinander verlassen sich die Gelehrten auf einen stets vorläufigen Prozeß der Wahrheitsfindung, der ständiger Überprüfung unterliegt und korrigiert oder verbessert werden kann. Tatsache ist, daß Gelehrte eigene Gruppen bilden, denen daran liegt, sich die Unabhängigkeit ihrer Arbeit zu bewahren – ein Punkt, auf den Karl Popper hingewiesen hat. Dieser Punkt verträgt sich nicht mit dem Marxismus, in dessen Augen alle Intellektuellen unbewußte oder exponierte Sprecher derjenigen Klassen sind, welche aus der Organisation der Produktion jeweils entstehen.

Welches waren die geistigen Vorläufer dieser Kontroverse um die »Wissenschaftlichkeit« soziologischer und historischer Forschung? Die Lehren Louis Wirths (der gemeinsam mit Edward Shils Karl Mannheims *Ideologie und Utopie* ins Englische übersetzt hatte), meine beiden Chicagoer Dissertationen, in denen ich mich mit der Forderung nach empirischer Verifizierung auseinandersetzte, und nun die Kontroverse um die Soziologie in Berkeley veranlaßten mich, mich näher mit dem Anspruch der Sozialwissenschaft und insbesondere der Soziologie auf Wissenschaftlichkeit zu befassen. Ich hatte meine ernsthafte soziologische Lektüre mit Mannheims Buch begonnen und war fasziniert, als ich in der bahnbrechenden Arbeit von Hans Barth *Wahrheit und Ideologie* (1945) dieselben Ideen aufgegriffen fand. Beide Bücher nahmen Bezug auf den Umstand, daß die Entwicklung der modernen Wissenschaft seit ihren Anfängen von der Untersuchung des Irrtums begleitet wurde, von der Frage also, wie es kommt, daß Menschen unwissentlich Fehler begehen und sich in Fehlurteilen eigener Machart verfangen. Beide Autoren bezogen sich auf Francis Bacons Typologie der Idole.

In seinem *Novum Organum* (1625) hatte Bacon nachgewiesen, daß die Menschen sich leicht in die Irre führen lassen, und zwar durch Wunschdenken, durch die Einflüsse ihrer Erziehung, durch die Verzerrungen, die aus unserem Gebrauch der Worte entstehen, und durch die sich wandelnden Moden der Denksysteme. Diese vier Irrtumsquellen nannte Bacon Idole des Geistes. Die Typologie des Irrtums sollte der Wissenschaft den Weg gegen den religiösen Obskurantismus der Theologen ebnen. Bacon war überzeugt, daß Gott den Menschen mit einem Geist ausgestattet hatte, der fähig war, die Natur zu ergründen. Im Namen des wahren Glaubens schrieb er gegen Leute mit geringem Glauben, indem er sich den Beistand von führenden Männern der Praxis erbat.

Anderthalb Jahrhunderte später bedurfte die Wissenschaft nicht länger eines Propagandisten wie Bacon; sie hatte ihren Newton (1642-1727) gehabt. Die Veröffentlichung der großen französischen *Encyclopédie* (28 Text- und Bildbände in verschiedenen Ausgaben) war 1751 begonnen worden; ihr Zweck war, das ganze menschliche Wissen zusammenzufassen und zu verbreiten. Doch gab es noch immer Hindernisse auf dem Wege zum menschlichen Fortschritt, in erster Linie die Kirche und deren Kontrolle des Bildungswesens. Einige französische Philosophen trachteten danach, die Bildung von diesem verderblichen Einfluß der Kirche zu befreien, indem sie eine Wissenschaft der Ideen, eine *Ideologie*, entwickelten. Sie gründeten ihre Bemühungen kurzerhand auf eine physiologische Theorie der Wahrnehmung, die sie befähigen würde, Vorurteile aus dem menschlichen Geist zu entfernen. Seit den Tagen Bacons hatte das Bild sich verändert: nicht menschlicher Irrtum, sondern Institutionen, die am Irrtum interessiert waren, standen der Wahrheit und der Reform im Wege.

Um die Mitte des 19. Jahrhunderts hatte das Bild sich abermals verändert. Der Fortschritt der Wissenschaft, unterstützt von der Technik, schien ein Zeitalter des Überflusses für alle zu verheißen. Trotzdem überwog bei den Vielen weiterhin die Armut, während Reichtümer sich in den Händen der Wenigen anhäuften. Weder der Fortschritt der Wissenschaft noch der Kampf gegen das institutionelle Vorurteil hatten genügt, um den Klassenkämpfen ein Ende zu machen; vielmehr wurden diese durch Ideologien verewigt, die unbewußt den Interessen der herrschenden Klasse dienten. Diese Interessen blieben als die wesentlichen Hindernisse für den menschlichen Fortschritt bestehen. In den Augen von Marx konnte nur eine Revolution der arbeitenden Klassen der ganzen Welt diese letzte Barriere auf dem Weg zu einer Gesellschaft des Überflusses ein für allemal beseitigen. Nur dann würde

die Wahrheit siegen, weil Ideologien nicht länger benötigt würden, um die Vielen im Interesse der Wenigen zu unterdrücken.
Aber auch Marx sollte nicht das letzte Wort behalten. Nietzsche (1844-1900) behauptete, daß die ganze Suche nach Erkenntnis eine Illusion sei, gehegt von Menschen, die dieser Illusion im Kampf ums Dasein bedürften. Umgekehrt hatte Freud (1856-1939) das Streben nach Erkenntnis im Lichte der unbewußten Triebe untersucht, die durch jenes Streben sublimiert würden; gleichzeitig hoffte er aber auch auf die therapeutischen Wirkungen der oft schmerzlichen Bewußtmachung dieser Triebe. Indem ich mich auf die Arbeit von Hans Barth stützte, veröffentlichte ich 1951 meinen Essay *Social Science and the Distrust of Reason,* in welchem ich diesen verschiedenen Beschäftigungen mit den Quellen des Irrtums von Bacon bis Freud nachging.[2] Es schien, daß auf diesem Gebiet die Entwicklung des Denkens in einem beträchtlichen Ausmaß in einem vermehrten Verständnis für die menschliche Fehlbarkeit bestanden habe. Und in dem Maße, in welchem neue und tiefersitzende Irrtumsquellen aufgedeckt wurden – von Bacons Idolen des Geistes über Klasseninteressen bis zum Kampf ums Dasein und den verborgenen Trieben der Libido –, wurden auch die Mittel, deren es zur Berichtigung oder Verhütung von Irrtümern bedurfte, immer drastischer – angefangen beim Überzeugen durch Aufklären über Bildungsreform bis zu Revolution oder Psychotherapie.
Was können unsere Bemühungen um Berichtigung des Irrtums und Kontrolle von Voreingenommenheit angesichts dieser Sachlage bewirken? Wir können nur glauben, aber nicht beweisen, daß weiteres Nachdenken sowie Verbesserungen in unseren Methoden imstande sind, Irrtümer zu berichtigen und Voreingenommenheit in wünschenswertem Umfang zu verringern. Mir scheint dies ein »vernünftiger Glaube« zu sein, weil niemand weiß, was nicht gewußt werden kann, aber es bleibt ein Akt des Glaubens. Ich kam zu dem Ergebnis, daß es neben der Verfeinerung der Methoden große Toleranz für intuitivere Weisen der Erkenntnisgewinnung geben sollte, die sich zwar einer Verifizierung entziehen, aber vielleicht einfach Vorzüge eines auf Erfah-

rung gründenden Urteils aufweisen. Vielleicht gibt es so etwas wie ein Zuviel an methodologischer Kontrolle der Voreingenommenheit. Wenn wir uns jedes Vertrauen in die menschliche Urteilsfähigkeit versagen, untergraben wir unbewußt die Grundlage für die Kommunikation zwischen Gelehrten, die letztlich auf dem vorausgesetzten guten Willen ebenso beruht wie auf Argumentation und Beweis. Wir machen diese Voraussetzung schon beim Gebrauch der Sprache selbst. Denn Wissenschaft wie Sprache können nicht gedeihen, wenn wir Grund zur Annahme haben, daß der andere systematisch auf die Zerstörung sinnvoller Kommunikation hinarbeitet.

Zu der Zeit, als ich diesen Fragen nachging, war meine Beschäftigung mit der Zerstörung von Kommunikation nicht bloß theoretisch. Ich erinnerte mich noch gut an die öffentlichen Bücherverbrennungen, die die Nazis zu Beginn ihrer Herrschaft inszeniert hatten. Auch die Bücher meines Vaters waren von der Polizei beschlagnahmt worden, nachdem man ihn aus seinem Beruf vertrieben und ihn als widerspenstigen Regimegegner gebrandmarkt hatte. Jetzt, im Jahre 1949, war meinem eigenen ersten Buch durch eine ironische Wendung des Schicksals ein ähnliches Los beschieden. Im Juli jenes Jahres hatte die University of Colorado Press die *Higher Civil Servants in American Society* veröffentlicht. Etwa ein Jahr nach Erscheinen wurde ich durch einige Anfragen darauf aufmerksam, daß das Buch bereits vergriffen war. Dies erschien mir merkwürdig, und ich bat einige Freunde, der Sache nachzugehen. Anscheinend hatten die Sekretärinnen des Verlages Platz für ihren Nachmittagskaffee gebraucht. Der Verlag hatte an rund 50 seiner Autoren geschrieben und ihnen ihre eigenen Bücher mit einem Preisnachlaß zum Kauf angeboten, doch nur wenige Autoren antworteten, und daraufhin waren die Bücher verbrannt worden. Ich gehörte nicht zu denjenigen, die man benachrichtigt hatte, und so wurde mein Buch, das gerade erst erschienen war, zusammen mit den übrigen vernichtet. Der Vorfall gemahnte nachdrücklich daran, daß Kommunikation in der Tat leicht vernichtet werden kann, sei es durch Nachlässigkeit oder Unaufmerksamkeit oder auch durch eine Politik der

Zerstörung. (25 Jahre später ist das Buch von der Greenwood Press wieder herausgebracht worden.)

Eine Krise in der Universitätsverwaltung

In den Jahren 1949 bis 1951 verbanden sich meine Reflexionen über das »Mißtrauen gegen die Vernunft« mit Überlegungen zur Universitätspolitik, die anläßlich der Eidkontroverse in den Vordergrund rückten. Ich war noch immer damit beschäftigt, mein Verständnis für den akademischen Beruf auszubilden, als diese Kontroverse den Verbleib jedes einzelnen Dozenten an der Universität jedenfalls im Prinzip in Frage stellte und zu einer bitteren Spaltung des Lehrkörpers führte. Mittlerweile sind die besonderen Umstände dieser Kontroverse zwar in den Hintergrund getreten, aber die Einzigartigkeit und das »rein historische« Interesse des Vorgangs sind trügerisch. Die Kontroverse ist ein Beispiel für die Abhängigkeit akademischer Institutionen von der Gesellschaft als ganzer, und im Zusammenhang meiner eigenen Geschichte beleuchtet sie ungelöste Probleme der Gruppenzugehörigkeit. Ich werde keine Darstellung dieser Krise geben, weil detaillierte Analysen veröffentlicht worden sind.[3] Vielmehr will ich meine besonderen Probleme der Beteiligung bei diesem Anlaß überdenken, weil die Universität für mich die wichtigste Institution ist, der ich angehöre.

Die ganze Kontroverse begann und endete mit dem Versuch, an der Universität von Kalifornien eine antikommunistische Personalpolitik durchzuführen. Am Anfang »gelang« es dem Kuratorium der Universität, vermutlich ohne dies zu beabsichtigen, den gesamten Lehrkörper und die ganze Schicht der Akademiker dadurch herabzusetzen, daß durch die Anforderung einer besonderen eidesstattlichen Versicherung die Loyalität der Fakultät und ihr guter Wille öffentlich in Frage gestellt wurden, und zwar zu einer Zeit, in der kein anderer Beruf einem ähnlichen Verdacht unterworfen wurde. Das Resultat war eine zweijährige Kontroverse, durch die die Fakultät in verschiedene Parteiungen zersplittert wurde, während eine Minorität sich weigerte, den verlangten antikommunistischen Eid abzulegen. Die überwältigende Mehrheit der Fakultät unterschrieb den Eid aber, und ich gehörte zu dieser Mehrheit. Am Ende der Kontroverse erließ das Parlament des Staates Kalifornien den Levering Act, der von allen staatlichen Angestellten einen antikommunistischen Eid als Bedingung ihrer weiteren Anstellung forderte. Dieses Gesetz erstreckte sich auch auf den Lehrkörper der Universität von Kalifornien, dadurch wurde der Spezialeid des Kuratoriums null und nichtig – mit dem Resultat, daß die Krise überwunden wurde, ohne das Problem staatlicher Intervention in Personalangelegenheiten der Universität gelöst zu haben. Schließlich entschied das oberste Gericht von Kalifornien, diejenigen Fakultätsmitglieder wieder einzustellen, die den Eid verweigert hatten. Allerdings bedeutete der staatlich angeordnete Eid nunmehr eine permanente Intervention des Staates in die verfassungsmäßig garantierte Autonomie der Universität, über die zwischen dem Kuratorium und der Fakultät immer Einigkeit geherrscht hatte.

1949/50 wußte ich noch nicht, daß es zu dieser Kontroverse eine aufschlußreiche historische Parallele in Deutschland während des Ersten Weltkrieges gegeben hatte. 1916 ordnete das preußische Kriegsministerium einen Zensus der Juden an, um festzustellen, ob die Zahl jüdischer Frontsoldaten dem Anteil der Juden an der Gesamtbevölkerung entsprach. Vorgeblicher Zweck dieser Zählung war es, Gerüchten an der »Heimatfront« entgegenzutreten, daß Juden sich ihren militärischen Verpflichtungen entzogen, was praktisch bedeutete, daß diesen Gerüchten in offiziellen Kreisen Glauben geschenkt wurde, solange nicht der gegenteilige Beweis geführt werden konnte.[4] Analog bedeutete die Forderung eines besonderen Eides, daß das Kuratorium der Universität öffentlich die Loyalität des Lehrkörpers in Zweifel zog, solange nicht der gegenteilige »Beweis« – die Unterzeichnung des vom Kuratorium formulierten Eides – erbracht war.[b]

b) Ein Mitglied des Lehrkörpers und Nicht-Unterzeichner, Professor Ernst Kantorowicz, verband in seiner Person beide Episoden miteinander, wenn auch nicht explizit. Als deutscher Flüchtling und Jude hatte Kantorowicz den Senat von Berkeley schon früh mit seiner Aussage vom

Zur Zeit der Eidkontroverse war ich ein junger Assistant Professor und noch immer damit beschäftigt, mich zu orientieren. Jedenfalls teilte ich aber die allgemeine Empörung und Unruhe im Lehrkörper; im Februar 1950 wurde von einer Massenkündigung des Lehrkörpers gesprochen, und ich schrieb hektische Briefe an Kollegen anderswo. Von den wenigen Antwortschreiben, die ich aus jener Zeit aufbewahrt habe, mahnte eines zur Vorsicht; ein anderes Antwortschreiben gab der Hoffnung Ausdruck, daß ich den Eid nicht unterzeichnen würde, doch wurde hinzugefügt, daß es leicht sei, von der Ferne aus zu raten. Dieser zwiespältige Rat war typisch für die Meinung der Universitätslehrer im ganzen Lande wie auch in Berkeley. Auf jeden Fall unterzeichnete ich den besonderen Eid. Später, im Herbst, appellierte ich an die American Sociological Association bei ihrer Jahresversammlung, einen Protestbrief an das Kuratorium der Universität Kalifornien zu schicken. Ich gehörte zu den vielen, die den Eid aus wirtschaftlichen Gründen unterzeichnet hatten: als Assistant Professor, der seine Eltern, eine Frau und ein Kind zu versorgen hatte, hatte man mich im März 1950 davon unterrichtet, daß es zu spät sei, mich nach einer anderen Stelle für den Herbst umzusehen. Doch war der wirtschaftliche Druck gewiß nicht meine einzige Überlegung bei der Unterzeichnung des zusätzlichen Eides.

Ich fragte mich, inwieweit der besondere Eid des Kuratoriums wirklich die Anstellung auf Lebenszeit gefährdete. Die Aufkün-

14. Juni 1949 beeindruckt, in der er als Historiker des Eides vor den verderblichen Auswirkungen der Politik der *Regents* warnte. In der Randbemerkung, mit der er die Veröffentlichung dieser Aussage versah, verwies Kantorowicz nicht nur auf seinen eigenen Kampf gegen den Kommunismus in Deutschland, sondern lenkte die Aufmerksamkeit ausdrücklich auf die bewußte Status-Erniedrigung von Professoren, die der besondere Eid der *Regents* mit sich brachte.[5] Kantorowicz war im Jahre 1916, dem Jahr des Judenzensus, einundzwanzig. Er war Kriegsfreiwilliger, war bei Verdun verwundet worden und diente dann in der Türkei. Es ist anzunehmen, daß er von jenem Zensus erfaßt worden war und daß die Empörung über die damit verbundene Erniedrigung noch in den Anmerkungen von 1950 nachklang.

digung dieser Anstellung bürdet den Nachweis von Inkompetenz oder moralischen Vergehens der Universität auf. Wenn Haushaltskürzungen die Verringerung des Personals unvermeidlich machen, sind die jüngsten Mitglieder des Lehrkörpers die ersten, die entlassen werden; in den USA ist der rechtliche Status von Mitgliedern des Lehrkörpers mit lebenslänglicher Anstellung unter diesen Umständen ungewiß. Auf jeden Fall fügte die Forderung nach einem besonderen Eid den ursprünglichen Anstellungsvereinbarungen eine neue Bedingung hinzu. In den Augen vieler bedeutete der Eid eine politische Überprüfung, weil sie die Fortsetzung der Anstellung auf dieser Ebene von einem politischen Kriterium abhängig machte und nicht allein von Unterricht, Forschung und Leistungen in der Universität wie bisher. Für mich persönlich war die Aussicht auf ein Ordinariat zur damaligen Zeit noch ungewiß. Die Führung des Lehrkörpers lag natürlich in den Händen seiner älteren Mitglieder, so daß ich persönlich von dem Anschlag des Kuratoriums auf das sogenannte *tenure*-System nicht so stark betroffen war wie sie. Trotzdem war ziemlich offensichtlich, daß das Kuratorium und führende Mitglieder des Lehrkörpers sich in einem Wettstreit um die Vormachtstellung befanden. Einige *Regents* machten ihrem Ärger über die Stubengelehrten in ihrem sprichwörtlichen Elfenbeinturm Luft. So beklagenswert dies war, mir erschien es so, als ob einige Sprecher des Lehrkörpers in ihrer Reaktion zu weit gingen. Denn was bedeutete selbst ein jährlich erneuerter Vertrag in der Praxis? Er räumte mit dem unsicheren rechtlichen Status der Ordinarien auf, aber er war nicht das Vorspiel zu einem häufigen personellen Wechsel des Lehrkörpers oder zu dessen Disziplinierung in einer streng kontrollierten Organisation. Es gab keine Anhaltspunkte dafür, daß das Kuratorium die Abschaffung des Systems der fakultätsinternen Qualifikationsbewertung planten, das dazu beitrug, die Autonomie des Lehrkörpers und die Kontinuität seiner Anstellung zu sichern. Es war noch nicht allzu lange her, daß ich die nationalsozialistische »Gleichschaltung« von Universitäten, Gerichten und anderen Institutionen miterlebt hatte. Diese »Gleichschaltung« hatte den Einsatz von Parteifunktionären in Schlüsselpositionen bestehender Institutionen (Universitätsrektoren, Oberrichter, gehobene Positionen im Justizministerium) zur Voraussetzung. Es gab keine Anhaltspunkte dafür, daß das Kuratorium über den besonderen Eid hinaus daran dachte, eine solche Taktik zu verfolgen, oder auch nur die Mittel besaß, sie vorzubereiten. Unter diesen Umständen schien es mir eine Übertreibung zu sein, den Eid als eine totalitäre Bedrohung zu bezeichnen. Was immer man gegen ihn einwenden mochte, der Eid war *nicht* das Gegenstück zu einer totalitären Maßnahme. Diese Redensarten erschienen mir als allzu simpel, und plötzlich fühlte ich mich, trotz meiner 34 Jahre, alt.

Auch mein Widerstand gegen die antikommunistische Personalpolitik war nicht eindeutig. Die Frage des besonderen Eides verschwamm in dem Umfang, in dem das »Unterzeichne-oder-verschwinde«-Ultimatum vom Februar 1950 sich nicht nur (nominell) gegen Kommunisten richtete, sondern auch gegen unbequeme Geister im Lehrkörper. Zur damaligen Zeit sagte jeder, daß Kommunisten die ersten sein würden, die unterzeichneten, weil sie die moralischen Skrupel der »bürgerlichen Gesellschaft« verachteten. Niemandem, der die Unterschrift verweigert hatte, war tatsächlich vorgeworfen worden, er habe irgend etwas mit dem Kommunismus oder mit Subversion zu tun. Einige *Regents* erklärten sogar in aller Öffentlichkeit, daß der Kommunismus nicht oder nicht mehr das eigentliche Problem sei. Doch in meinen Augen war und bleibt die kommunistische Partei oder jede andere totalitäre Organisation ein Problem, weil sie von ihren Mitgliedern doktrinäre Rechtgläubigkeit verlangt. Jede Bindung an irgendeine Orthodoxie beeinträchtigt die unparteiliche Forschung; der »besondere Eid« war ein geradezu lächerlicher Versuch, dieses Problem zu bewältigen. Mein Vater hatte im Konzentrationslager die totale Kontrolle der Kommunistischen Partei über ihre Mitglieder erlebt; ich selbst hatte dieselbe Erfahrung in Begegnungen mit Kommunisten des deutschen Untergrundes gemacht. Zu allem Überfluß wußte ich von einem Assistenten, daß er sowjetische Propaganda als wortwörtliche Wahrheit nahm und sich unfähig zeigte, sie kritisch zu betrachten. Infolgedessen stand ich dem Ziel der antikommunistischen

Politik nicht so ablehnend gegenüber wie viele meiner Kollegen.[c]

Das alles machte freilich die Forderung nach einem besonderen Eid nicht weniger widerwärtig. Das Kuratorium behandelte Gelehrte, als ob sie Schuljungen wären, die das Wesen des Kommunismus nicht begriffen und deren Treue zur Verfassung ihres Landes ungestraft in Zweifel gezogen werden konnte. Ich fand den unausgesprochenen Argwohn gegen die akademische Welt ebenso empörend wie andere Angehörige des Lehrkörpers, auch wenn ich die übertrieben gewundenen Argumente mancher meiner Kollegen oft als frustrierend empfand.

Bis heute hinterläßt die ganze Episode in mir ein Gefühl der Unzufriedenheit und des Überdrusses. Ich war damals nicht sicher, das Rechte getan zu haben, und bin es noch immer nicht; man lernt, mit dieser Ungewißheit zu leben. Aber die Eidkontroverse ist noch beunruhigender wegen dem, was sie über die Qualität von Gruppen und Institutionen aussagt. Gewiß gab es Momente gehobener Stimmung, als einige Angehörige des Lehrkörpers eine gewisse Entschlossenheit und Solidarität entwickelten, doch gingen diese Momente vorüber – vielleicht mit Ausnahme der Nichtunterzeichner. Häufiger gab es Augenblicke der Niedergeschlagenheit, wenn die Kontroverse von persönlicher Feindschaft, Bemühungen um Wahrung des Gesichts und allem

c) Das Problem ist nicht so überholt, wie es den Anschein hat. In den achtziger Jahren unseres Jahrhunderts könnte es erneut akut werden, wenn die Frage auftauchte, ob ein »islamischer Fundamentalist« als Angehöriger eines Universitätslehrkörpers an einer westlichen Universität zulässig ist. Gesetzt den Fall, er besteht den Test über seine wissenschaftliche Qualifikation. Kann ein Universitätslehrkörper ohne ernste Vorbehalte einen Mann als Mitglied akzeptieren, dessen tiefste Überzeugung es ist, daß die ganze westliche Kultur und alle Maßstäbe, an denen sich Forschung und Wissenschaft ausrichten, teuflische Verirrungen sind, die erbarmungslos ausgemerzt werden müssen, sobald der wahre Glaube die Oberhand gewinnt?
Eine einsichtige Beschreibung des »islamischen Fundamentalismus« bietet V. S. Naipaul: *Among the Believers. An Islamic Journey.* New York: A. A. Knopf 1981, *passim.*

möglichen Taktieren gekennzeichnet war. Noch betrüblicher ist der Gesamteindruck, daß sich selbst dann wenig Gemeinschaftsgefühl entwickelt, wenn Menschen, die einander recht geistesverwandt sind, wie etwa Universitätsprofessoren, vor einer gemeinsamen Herausforderung stehen, weil ihr beruflicher Individualismus eine wichtige Bedingung ihrer schöpferischen Arbeit ist. Das ist natürlich nicht verwunderlich. Ich hatte eine akademische Laufbahn gewählt und versuchte, ein guter Bürger der akademischen Welt zu sein oder zu werden. Aber ich mußte einsehen, daß in einem akademischen Rahmen echte persönliche Kommunikation nur vor dem Hintergrund jener Einsamkeit möglich ist, die ein charakteristisches Merkmal des spezialisierten Fachwissens ist. In diesem Sinne bietet eine Universität des westlichen Typs den Rahmen für Menschen, die von Berufs wegen Außenseiter sind.

Kapitel XVI

Die Zeit meiner Eltern in Palästina (1937-1947)

Ich wende mich nun den Erlebnissen meiner Eltern nach ihrer Emigration aus Deutschland im Jahr 1937 zu. Damals befanden sich meine Schwester und ich noch in Berlin und erwarteten sehnsüchtig den Tag unserer Auswanderung nach Amerika. Inzwischen waren wir damit beschäftigt, den Haushalt aufzulösen und nach Kräften unsere Eltern zu unterstützen, die in einem neuen und fremden Land Fuß zu fassen versuchten.

Emigration nach Palästina

Nur wenige Menschen sind auf eine Emigration vorbereitet, zumal in späteren Lebensjahren. 1937 war mein Vater sechzig und hatte gerade das schlimmste Martyrium seines Lebens hinter sich. Er war krank und furchtbar erschöpft. Man hatte ihn gezwungen, ins Exil zu gehen. Während er körperlich wieder zu Kräften kam, versuchte er, sein innerliches Gleichgewicht zurückzugewinnen, indem er seine Erfahrungen zu Papier brachte. Nach ein oder zwei Monaten der Ruhe und Erholung war seine natürliche Spannkraft wiederhergestellt.

Er besaß ein beachtliches Regenerationsvermögen und war im Vergleich zu meiner Mutter eher imstande, mit seiner neuen Umwelt fertig zu werden. 1937 gerade aus Dachau entlassen, freute er sich über jede kleine Verbesserung seines Zustandes. Schon daß er genug zu essen hatte, trug dazu bei, daß er wieder zunahm und seine Energie zurückgewann. Die Briefe meiner Eltern schilderten in allen Einzelheiten seine zunehmende Kragenweite, den größeren Taillenumfang und sonstige Maße. Aber der vielleicht wichtigste Aspekt seiner Anpassung an das neue Land war der Umstand, daß er sein Leben lang wenig auf seine physische Umgebung geachtet hatte. Er hatte unserer Berliner Wohnung sehr wenig Aufmerksamkeit geschenkt und war ebenso bereit, in ein oder zwei kleinen Zimmern zu leben, wie er früher in einer großen, komfortabel möblierten Etagenwohnung gelebt hatte.

Nicht so meine Mutter. Sie hatte mit den Gegenständen in ihrem Haushalt gelebt und grämte sich über den Verlust jedes einzelnen Stückes. Sie war eine rüstige vierundfünfzigjährige Frau, als sie 1937 Deutschland verließ, und versuchte, aus der Ferne über jedes einzelne ihrer Besitztümer zu disponieren, indem sie meiner Schwester und mir eingehende Instruktionen nach Berlin schrieb. Diese besondere Sorgfalt war zum Teil durch die Umstände der Emigration gerechtfertigt. Meine Eltern konnten nur eine begrenzte Menge ausländischer Währung mitnehmen und mußten mit den Habseligkeiten auskommen, die wir ihnen schickten, einschließlich der Dinge, die wir für diesen Zweck kauften. Die Aussichten meines Vaters waren höchst ungewiß, die Preise in Palästina hoch, und Haushaltsgegenstände, die meine Eltern nicht brauchten, konnten sie immer noch verkaufen oder umtauschen. Unter diesen Umständen taten meine Schwester und ich, was wir konnten, um die Wünsche meiner Mutter zu erfüllen, doch gleichzeitig stellten wir uns lebhaft vor, daß meine Eltern in ihrer neuen Unterkunft nur einen geringen Teil ihrer Besitztümer unterbringen konnten.

Über diesen oder jenen Punkt gingen Argumente zwischen Haifa und Berlin hin und her, und man wußte manchmal nicht, ob man lachen oder weinen sollte. Meine Mutter konnte für alles eine Begründung finden. So sollten wir ihr ihr Abendkleid und den Smoking meines Vaters schicken; zwar trug man diese Kleidungsstücke normalerweise selten, aber es bestand doch die entfernte Möglichkeit, daß meine Eltern dem britischen Hochkommissar für Palästina vorgestellt wurden! Auch Gartenwerkzeug aus unserem Häuschen auf dem Lande sollten wir ihr schicken, denn es wäre doch eine Schande, sie neu kaufen zu müssen, falls meine Eltern zufällig eine Wohnung im Erdgeschoß mit einem dazugehörigen kleinen Garten fänden! Es gab ferner das besagte silberne Tafelservice für 24 Personen, von dem meine Mutter sich nur

unter der Bedingung trennen wollte, daß meine Schwester und ich es unter uns aufteilten und mit nach Amerika nahmen. Das taten wir auch, aber es wurde zu einem Problem für uns, da die Bestimmungen der Nazis alles erfaßten, was aus dem Lande ausgeführt werden durfte. Alles Silber mußte graviert werden, um den Weiterverkauf zu verhindern, und so ließen wir widerstrebend in jedes Teil des Service ein »B« eingravieren.
Das tiefere Problem bei der Sache war klar genug, wurde aber niemals ausgesprochen. Meine Eltern konnten ihren Haushalt selbst aus der Ferne nicht aus der Hand geben, weil die Bestimmungsgewalt über jeden einzelnen Gegenstand ein Symbol dafür war, daß sie die Welt, in der sie zuhause gewesen waren, noch unter Kontrolle hatten. Sie waren des Lobes voll über unsere Bemühungen und entschuldigten sich immer wieder für die Last, die sie uns auflegten. Das bedeutete aber nicht, daß sie ihre Ansprüche zurückschraubten, und gelegentlich begehrten wir auf. Meine Schwester und ich waren mittlerweile junge Erwachsene und neigten dazu, die gewohnheitsmäßige Respektlosigkeit meines Vaters zu übernehmen. Wir zögerten nicht, unseren Eltern mitzuteilen, wenn wir anderer Ansicht als sie waren, oder uns über ihre Wünsche hinwegzusetzen, wenn ihre Ansprüche unvernünftig schienen. Das Problem war nur, daß die Situation uns zwang, unsere jugendliche Unabhängigkeit an der Bewältigung der Familienangelegenheiten und der Disposition über den elterlichen Haushalt zu beweisen. Freilich vertrug sich dies alles mit viel Zuneigung. Zum sechzigsten Geburtstag, den er ein oder zwei Monate nach der Ankunft in Palästina beging, schickten wir meinem Vater einen Extrabrief, in dem wir ihm sagten, wie jung er uns vorkomme, wie bedingungslos unsere Zuneigung zu ihm sei und daß wir uns mit ihm darin einig wüßten, das Leben als eine unendliche Aufgabe anzusehen, für die wir täglich Verantwortung trügen. Ich verfaßte sogar eigens zu diesem Anlaß ein Gedicht, dem sich meine Schwester mit Freuden anschloß, da sie ebenso wie ich wußte, daß meine Eltern über diesen seltenen Gefühlserguß gerührt sein würden.
Bezeichnenderweise gab die Auswahl von Büchern wenig Anlaß zu Meinungsverschiedenheiten. Mein Vater würde für seine

etwaige künftige Arbeit sein »Handwerkszeug« brauchen; und wenn es um die Notwendigkeit von Büchern ging, sympathisierte ich mit ihm. Aber für meine Mutter waren die Gegenstände des Haushalts Schätze, die sie in über dreißig Jahren zusammengetragen hatte. Sie erinnerten sie an ihr Zuhause, an ihre Mühen und Sorgfalt und an ihre Phantasie. Sie hatte unser Heim gestaltet, ohne einen Gedanken daran zu verschwenden, daß Dinge sich ändern konnten, und war entschlossen, so viel wie möglich von diesem Bild zu retten. Meine Schwester und ich verstanden ihre Gefühle, konnten sie aber nicht teilen. Wir lebten gern in unserem Heim, seine Auflösung schmerzte uns, aber jetzt wollten wir es so schnell wie möglich hinter uns bringen. Die Diskussion über einzelne Gegenstände verlängerte nur die Qual und störte unsere jugendliche Bereitschaft, mit leichtem Gepäck zu reisen. Schließlich setzte meine Mutter ihren Willen durch, weil es für uns leichter war, nachzugeben und einfach eine größere Kiste zu schicken, als kostbare Zeit mit weiteren Auseinandersetzungen zu vergeuden. Wir brauchten ja nicht mit den Konsequenzen zu leben, wohl aber meine Eltern.

Wie sich herausstellte, war dies für sie physisch schwieriger als früher, aber gefühlsmäßig leichter. Selbst in dem geräumigen Rahmen unserer Berliner Wohnung hatte meine Mutter Schwierigkeiten gehabt, mit den endlosen Haushaltspflichten fertig zu werden, die sie sich selbst auflud. Viel mehr Schwierigkeiten hatte sie damit aber in Palästina, wo sie und eine gelegentlich engagierte Haushaltshilfe oft von der schieren Vielzahl der Dinge erdrückt wurden, die entweder in dem geringen zur Verfügung stehenden Raum untergebracht oder bei Freunden oder Verwandten ausgelagert werden mußten. Die neue Wohnung meiner Eltern – zuerst in Haifa und dann in Tel-Aviv – war zu vollgestopft, als daß sie wirksam hätte in Ordnung gehalten werden können, so daß die tägliche Routine des Einkaufens, Kochens und Saubermachens mehr Zeit als gewöhnlich verschlang. Aber es gab auch ausgleichende Momente. Im Konzentrationslager hatte mein Vater auf die schmerzlichste Weise gelernt, daß er in Wirklichkeit nicht so hilflos gegenüber physischen Aufgaben war, wie er stets behauptet hatte, und als er meine Mutter sich so abschuften sah, erwachte der Sinn für Ritterlichkeit in ihm. So machte er sich nützlich, so gut er konnte, »lüftete das Bettzeug und machte die Betten, deckte den Tisch, erledigte Besorgungen, veranlaßte, daß Reparaturen ausgeführt wurden«, wie er es uns in einem Brief schilderte. Zum ersten Mal in 27jähriger Ehe machten meine Eltern einen Teil der täglichen Hausarbeit gemeinsam, und zwar unter humorvollen Frotzeleien, mit denen sie sich über die Ungeschicklichkeit meines Vaters und die neuen Beschränkungen ihres Lebens hinwegtrösteten. Meine Mutter kannte nichts Schöneres, als meinen Vater zu umsorgen, der Gebieter und Kind in einem war und die deutschen Konzentrationslager verhältnismäßig unbeschadet überstanden hatte. Nun, da die fremdartige Welt seiner Juristerei nicht mehr als Separatexistenz vorhanden war, mußten sich meine Eltern unter neuen und schwierigen Umständen gemeinsam durchschlagen. Die Folge war, daß ihre fortdauernde Zuneigung zueinander sich zu verdoppeln schien. Wenn es notwendig war, bildeten sie eine Art von Schutz-und-Trutz-Bündnis gegen die feindliche Welt da draußen; die Folgen dieser emotionalen Erneuerung sollte ich später an eigenem Leib verspüren.

Freilich erlegten die reduzierten Umstände ihres neuen Lebens dieser Idylle auch große Belastungen auf. Mein Vater unterhielt eine umfangreiche Korrespondenz mit allen Adressaten, die er sich nur denken konnte, um unsere Emigration zu erleichtern und Publikationsmöglichkeiten für seine große literarische Produktion zu erkunden. Er unternahm auch Anstrengungen, in Palästina seinen Lebensunterhalt zu verdienen. Seine juristische Ausbildung befähigte ihn nicht dazu, in dieser nicht-deutschen Umgebung als Rechtsanwalt tätig zu werden, vom Hebräischen konnte er nur noch ein paar Brocken aus seiner Jugendzeit, und Englisch vermochte er nur zu lesen, aber nicht zu schreiben beziehungsweise zu sprechen. Da das Schreiben seine lebenslange Gewohnheit gewesen war, schien der Journalismus die einzige Alternative zu sein. Fürs erste konnte er nur hoffen, seine deutschen Schriften unterzubringen, wenn er freiwillige Helfer fand, die seine Texte aus Freundschaft für ihn ins Hebräische übersetzten, so daß die geringen Honorare, die auf diese Weise eingingen, meinen Eltern zugute kamen. Das bedeutete unvermeidlicherweise viele vergebliche Wege und eine große Zahl von Artikeln meines Vaters, für die er keine Publikationsmöglichkeit finden konnte. Es bedeutete auch Apelle an einen ganz anderen Kreis von deutschen Freunden, von Männern und Frauen aus der Gewerkschaftsbewegung, die überzeugte Zionisten gewesen waren und im neuen Lande Stellungen innehatten, wo sie einen gewissen Einfluß ausüben konnten. Sie waren bereit, diesem älteren Mann zu helfen, angesichts seiner offenkundigen Notlage, seiner früheren Leiden und seiner Bereitschaft, zum Aufbau eines neuen jüdischen Staates beizutragen. So schrieb Fritz Naphtali, ein früherer deutscher Gewerkschaftsfunktionär und langjähriger Zionist, ein Jahr nach der Ankunft meines Vaters in Palästina:

Viele Jahre lang trieb Bendix im Strom der Assimilation. Erst das Unglück, das über Deutschland hereinbrach und in dessen Verlauf er nach Eretz Israel kam, erweckte in ihm zum ersten Male das Interesse am Zionismus. Die Hingabe und Gründlichkeit, mit welcher der 60jährige Bendix sich dieser völlig neuen Betätigung zuwandte, das Feuer und die Begeisterung, welche der Zionismus in ihm weckte, erfüllten seine Freunde mit großer Freude. Vor allem wandte sich Bendix wieder seinem Spezialgebiet zu, der rechtlichen Regelung von Arbeitsverhältnissen, und schrieb auf Ersuchen der Jewish Agency eine Abhandlung über Aufgaben des Arbeitsrechts in Palästina, die sich die Anerkennung durch juristische Fachleute auf diesem Gebiet erwarb.[1]

Wie sich herausstellte, war diese Einschätzung verfrüht, aber sie zeigt eine bedeutsame Seite der anfänglichen Aktivitäten meines Vaters in dem neuen Lande.

In seinen ersten Jahren in Palästina stürzte sich mein Vater in seine Arbeit; er schrieb eine große Zahl von Aufsätzen, die sich zur Veröffentlichung eignen mochten, und führte eine umfangreiche Korrespondenz. Allein an uns schrieben meine Eltern im Durchschnitt pro Woche zwei zwei- bis dreiseitige Briefe. Das ununterbrochene Schreibmaschineschreiben nach dem Zweifingersystem war außerordentlich zeitraubend. Insgesamt produzierten meine Eltern Hunderte von Seiten, die sie aus Papiersparnisgründen einzeilig und bis dicht an beide Ränder vollschrieben. Dieses ganze Schrifttum betrachteten sie als potentielle

Einnahmequelle, mochte dies realistisch sein oder nicht. Schon wenige Monate nach seiner Ankunft in Palästina begann mein Vater mit der Niederschrift der schon öfter erwähnten Erinnerungen. Zwei Abschnitte aus diesen Erinnerungen erschienen als kleines Buch in hebräischer Übersetzung unter dem Titel *Ich war in Dachau.* Noch heute liest man dieses Manuskript mit einem Gefühl für die fast physische Erleichterung, die diese Niederschrift meinem Vater verschaffte. Sein Drang, diese Schilderung abzufassen, war so groß, daß seine Mitwirkung im Haushalt bald zu wünschen übrig ließ. Ursprünglich hatten sich meine Eltern beim Tippen abgelöst; doch bald kam es durch das Drängen meines Vaters und das Nachgeben meiner Mutter dazu, daß sie tippte, während er diktierte, und zwar für den größten Teil des Tages. Für meine Mutter war diese Belastung groß. Der theoretische gute Wille meines Vaters und seine gelegentliche Mithilfe im Haushalt waren kein Ersatz für die Zeit, die meiner Mutter bei ihren uferlosen und immer noch zunehmenden häuslichen Verpflichtungen fehlte, welche für *sie* oberste Priorität hatten. Gelegentlich »streikte« sie zwar, wenn es ihr zuviel wurde; aber dann war sie doch bald wieder die »Sekretärin« meines Vaters, da sie nichts zu entgegnen wußte, wenn er sich auf psychologische und ökonomische Notwendigkeiten berief.[a]

Eine neue Assimilation?

Schon bald nach seiner Ankunft in Palästina wandte sich mein Vater dem Studium des Zionismus und des Hebräischen zu, wobei er uns in seinen Briefen mitteilte, daß er bereits dabei sei, sich zu assimilieren! Dieser sein Sprachgebrauch entbehrte nicht der Ironie. Sein ganzes Leben lang hatte er von »Assimilation«

a) Ein Leben als freier Schriftsteller zu führen ist überall schwierig. In Palästina Ende der dreißiger und Anfang der vierziger Jahre erwies es sich für einen Sechzigjährigen als nahezu unmöglich. In den zehn Jahren, die meine Eltern in Palästina verbrachten, veröffentlichte mein Vater dreißig Aufsätze.

gesprochen, um seine bereitwillige Übernahme der deutschen Kultur zu bezeichnen. Jetzt benutzte er plötzlich dasselbe Wort für seine Wiederanpassung an jüdisches Leben. Ob diese neue Assimilation von Erfolg gekrönt sein würde?
Eine der Abhandlungen meines Vaters gibt ein gutes Bild von der Situation, in der er sich persönlich befand, obwohl es sich angeblich um eine objektive Schilderung handelt. Der Text befaßt sich mit dem palästinensischen *Jecken;* das war der Spitzname für den neu Eingewanderten, der in den Augen der Einheimischen und der älteren Einwohner durch Kleidung, Sprechweise und Gebaren auffiel. In dem Ausdruck *Jecke* schwingen Verachtung, Mitleid und gutmütige Duldung mit. Die Verachtung gilt den westeuropäischen Manieren des Einwanderers und der angeblichen Überlegenheit seiner Maßstäbe und Ideen. Der neue Einwanderer ist ein potentieller Konkurrent, und eine Weise, mit ihm fertig zu werden, besteht darin, ihn lächerlich zu machen, und zwar auch das schöpferische Beste in ihm, das unter den chaotischen Umständen eines Pionierlandes nicht ausreicht. Die Einheimischen und früheren Einwanderer bemitleiden den Jekken auch wegen seiner ungeschickten Versuche, sich zurechtzufinden. In den Hebräischstunden in der Schule wurde der Ausdruck als scherzhafte Bezeichnung für einen Juden gebraucht, der trotz seiner Bildung ein wenig schwer von Begriff war. Er möchte zwar den Lehrer spielen, hinkt aber selbst seinen Lektionen hinterher. Er sollte Augen und Ohren offenhalten, denn er bedarf dringend der Instruktionen, sonst wird er in den gefährlichen Strudeln dieses neuen Landes untergehen. Immerhin brachte man dem Jecken auch guten Willen entgegen. Eines Tages wird es der Jecke schaffen, seine Energie und sein Wissen werden gebraucht, und es spricht für ihn, daß er bereit ist, Knüffe und Püffe einzustecken. Unbewußt hatte mein Vater seine eigene Unbeholfenheit in dem neuen Lande beschrieben. Viele Jahre später erzählte mir eine Kusine, wie sie einmal mit meinem Vater nach seiner Ankunft in Palästina an einem Sabbath an einer Synagoge vorbeikam, vor der sich eine große Menschenmenge drängte. Mein Vater drehte sich zu ihr um und fragte sie halb ungläubig: »Sind das etwa alles Juden?!«

Der Aufsatz meines Vaters über den Jecken fand ein unerwartetes und aufschlußreiches Echo. Er hatte ihn an seinen alten Freund, Professor Bernhard Schmeidler in München, geschickt und zugleich seine neue Situation beschrieben. Er wollte in Kontakt mit ihm bleiben. Schmeidler antwortete ausführlich und schilderte, wie er selbst seinen Ruhestand gestaltete. Bezeichnenderweise enthält diese Korrespondenz die Bitte meines Vaters um ein klärendes Wort seines christlichen Freundes, ob nicht doch etwas Wahres an der Charakterbesonderheit der Juden sei, die er erst jetzt, nach einem Leben der Assimilation, zu entdecken glaubte. Schmeidlers Antwort machte mit solchen Überlegungen kurzen Prozeß. Er bekannte sich als Rationalisten, der mit diesen naziartigen Spekulationen über den Charakter eines ganzen Volkes nichts zu tun haben wollte, auch wenn er es im Hinblick auf die Zensur nicht so unverblümt ausdrückte. Eine gewisse Spannung zwischen diesen beiden Freunden hatte es immer gegeben. Im Laufe der Zeit hatte Schmeidler seine Vorbehalte gegenüber dem Interesse meines Vaters für »irrationale Kräfte« zum Ausdruck gebracht, während mein Vater mit seiner Betonung des sozialen Handelns sein mangelndes Interesse für die spezialisierten Untersuchungen seines Freundes zur mittelalterlichen Geschichte nicht verhehlte. Sie hatten sich längst über diesen Unterschied zwischen ihnen ausgesöhnt, und er tat ihrer Freundschaft keinen Abbruch. Doch in Schmeidlers Reaktion auf den Artikel über den Jecken kam die alte Spannung wieder zum Vorschein.
Schmeidler glaubte, daß Aufsätze wie dieser meinem Vater Möglichkeiten des Lebensunterhaltes eröffnen konnten. Dann fuhr er fort:

Da Du eine ›rückhaltlose Kritik‹ von mir verlangst, sollst Du sie haben. Der Artikel über den Jecke (amerikanisch: greenhorn, mit etwas anderem Sinn) zeigt, daß Du ganz und gar ein solcher bist. Auf deutsch würde ich sagen: ein Taps. Du bist es trotz aller Deiner Erlebnisse der letzten Jahre in Deutschland, Du bist es stets gewesen und wirst es immer bleiben. Es liegt in Deinem Wesen und ist nur ein Zufall, daß es Dir (und anderen) in neuer Umgebung wieder einmal besonders aufgeht. Es ist eine Schwäche (Du hast etliche Folgen davon reichlich zu spüren bekommen), es ist aber auch eine Stärke, ein unbekümmertes Sichhinwegsetzen über alles, das

Ludwig Bendix, Tel Aviv Mai 1945

›man‹ verständiger- und anständigerweise von den Anderen verlangt und erwartet, ein Fragen nach Dingen, die jedermann sonst für selbstverständlich hält und nicht ausspricht, eine gewisse Dringlichkeit (wenn man feindselig eingestellt ist, nennt man es zudringlich oder aufdringlich), die befremdet und manchmal verletzt. Dies liest jedermann mit einigem Vergnügen aus dem Artikel, wer den Verfasser kennt. Im übrigen ist er auch wieder ›dringlich‹, nämlich eindringlich und wirft Probleme auf.[2]

Else Bendix, Tel Aviv Mai 1945

Das war ein treffendes Porträt meines Vaters aus der Feder seines besten Freundes aus dem Gymnasium rund 40 Jahre zuvor. Es erinnerte an Köhlers Bemerkung, daß es meinem Vater am »lachenden Verständnis des Lebens« fehle. Die drei pflegten einander in dieser Weise zu schreiben und trotzdem Freunde zu bleiben – ein Echo ihres Wahrheitsfanatismus aus der Studentenzeit. Schmeidlers Brief aus München datierte vom 19. Oktober 1937. Das nächste, was mein Vater von ihm hörte, war eine Notiz vom 25. Oktober, die einen einzigen Satz enthielt: »Ich ersuche, weitere Briefe und Sendungen an mich zu unterlassen.« Offenbar hatte der Zensor eine Warnung ausgesprochen, die dem letzten persönlichen Kontakt mit Deutschland ein Ende machte.[3] Ein Jahr später, am 22. Oktober 1938, wurde meinem Vater formell die deutsche Staatsangehörigkeit aberkannt.

Die Emigration meines Vaters war also endgültig geworden, doch seine Immigration nach Palästina und seine Rückkehr zum jüdischen Leben waren es nicht. Er hatte sich definitiv gegen seinen früheren Wunsch nach deutscher Assimilation entschieden. Aber er konnte sich nicht schlüssig werden, wie weit er fähig sein würde, seinen Lebensstil zu ändern, was ja bedeutete, mit der Vergangenheit zu brechen und ein gutwilliger Palästina-Einwanderer zu werden. Er hatte erste Schritte in dieser Richtung unternommen, aber in seinem Alter war es letztlich doch zu schwierig für ihn, durchzuhalten. Seine Erinnerungen waren wichtiger als das Studium des Hebräischen, und der gute Wille, dessen es bedurfte, um deutsche Manuskripte für die Veröffentlichung in einem Lande fertigzumachen, das zum Hebräischen überging, erwies sich als begrenzt. Auch die hingebungsvollen Dienste meiner Mutter als Sekretärin wurden immer wieder durch Krankheit unterbrochen. So wurde der zweite Anlauf meines Vaters zur »Assimilation« zunehmend schwieriger, und schon bald machte er in einem Brief an meine Schwester in einem seltenen Augenblick seinem Herzen Luft:

Das ist ja die furchtbare Problematik der Assimilation, daß ich es nicht gedanklich und willensmäßig überbrücken kann, wenn Ihr in USA Wurzel faßt, und *ich* mit Mu, wie ich erstrebe, soviel Boden gewinne, daß *wir* hierbleiben wollen und müssen. Es wäre für uns nicht bloß demütigend, Eueren Ruf nach USA abwarten zu müssen, weil ich es hier nicht schaffe. Es wäre viel mehr: eine arge, schwer überwindbare zweite Enttäuschung, nach dem Scheitern meiner Assimilation wieder bei meiner Heimkehr zum Judentum gescheitert zu sein. Das wäre wirklich die Todeswunde. Die andere droht dann, wenn ich denke, daß Euch in meinem Alter das gleiche Los treffen wird, wie mich![4]

Von zwei wohlmeinenden Freunden wurde mein Vater darüber unterrichtet, daß seine Erfolgschancen, sei es mit wissenschaftlichen Publikationen in den Vereinigten Staaten, sei es mit Journalismus in Palästina, praktisch gleich null waren. Durch einen früheren Kollegen erfuhr er aus zuverlässiger Quelle, daß in Amerika nur populäre Schriften über Richter einen gewissen Erfolg haben könnten, vor allem dann, wenn sie mit etwas Humor gewürzt waren – das war nun nicht gerade die Art von Schrifttum, für welche mein Vater ein besonderes Talent hatte. Etwa gleichzeitig erfuhr er von seinem freundschaftlichsten und hilfreichsten Berater in Tel-Aviv mehr oder weniger unverblümt, daß ihm nichts übrig bleiben werde, als sich auf vermögende Verwandte im Ausland zu verlassen, da er nicht damit rechnen könne, sich selbst seinen Lebensunterhalt in Palästina zu verdienen.

Zunehmende Enttäuschungen und neue Hoffnung

Mein Vater war nicht der Mann, der die Flinte vorschnell ins Korn warf, zumal für ihn viel auf dem Spiel stand. Er wollte nicht erneut Schriffbruch erleiden, ebensowenig wollte er uns in unseren ersten Jahren in den Vereinigten Staaten zur Last fallen. Schlimmer noch, schon der Gedanke daran, auf einen Ruf nach Amerika zu warten, war Ende 1938 ganz unrealistisch. Ich selbst hatte meine Studien an der Universität Chicago begonnen, und meine Schwester Dorothea wartete in Berlin ungeduldig auf ihre Gesundheitsuntersuchung im März 1939 im amerikanischen Konsulat, bevor sie das Einreisevisum ausgehändigt bekam. Ihre ängstliche Spannung war durch die Ausschreitungen des 9. November 1938 noch gesteigert worden; in dieser sogenannten »Reichskristallnacht« zogen bewaffnete Nazi-Horden durch die Straßen, zerschlugen die Fenster von Juden und stürmten in ganz Deutschland die Synagogen, wobei sie die Inneneinrichtung einschließlich der Kultgegenstände, Gebetbücher u. dgl. dazu benutzten, um Feuer zu legen.[b] Schon im September hatte meine

b) Dieser organisierte Pogrom wurde in der Nazipresse damit »begrün-

Schwester berichtet, daß die Wartelisten im amerikanischen Konsulat unübersehbar lang geworden waren, daß die Aussicht von späten Antragstellern außerordentlich schlecht und die allgemeine Stimmung düster war.
So stand mein Vater auf der einen Seite vor der außerordentlich ungewissen Aussicht auf eine neue Emigration in die Vereinigten Staaten, entweder unter der deutschen Quote oder nach 1938 als Staatenloser, während er auf der anderen Seite praktisch keine Aussichten hatte, in Palästina seinen Lebensunterhalt zu verdienen. In dieser Situation ging er jedem Fingerzeig nach, den er erhielt, und tat im übrigen so, als habe er negative Signale niemals empfangen. Mit 60 Jahren konnte er sich einen wirklichen Wandel seines Lebensstils nicht vorstellen. Selbst in Ermangelung irgendwelcher Aussichten hörte er nicht auf, zu schreiben und zu schreiben und zu schreiben. Zuerst kamen seine Erinnerungen, dann ein Vorschlag für ein palästinensisches Arbeitsrecht, für den er von der Jewish Agency ein Stipendium erhielt – eine Zuwendung, die, wie er klar erkannte, dazu diente, ihm über die Runden zu helfen. Als nächstes schrieb er eine schier endlose Reihe von Sketchen, Filmdrehbüchern, Glossen über historische Themen u.

det«, daß ein junger polnischer Jude am 7. November 1938 in Paris einen deutschen Konsulatsbeamten ermordet hatte. Die organisierten Ausschreitungen dauerten drei Tage, in denen nicht nur Synagogen geschändet, sondern auch 91 Juden getötet wurden; Juden wurden in aller Öffentlichkeit beschimpft und mißhandelt, rund 7500 jüdische Geschäfte wurden verwüstet und 26 000 Juden in Konzentrationslager verschleppt, wo Hunderte von ihnen umkamen. Später mußten die deutschen Juden in ihrer Gesamtheit eine Sühnezahlung von einer Milliarde Reichsmark leisten. Die Versicherungen, die für den entstandenen Schaden aufgekommen waren, mußten von den Juden entschädigt werden. Ferner mußten alle jüdischen Unternehmen in »arischen« Besitz überführt werden. Die Juden wurden gezwungen, alle in ihrem Besitz befindlichen Wertpapiere zu veräußern und alle Kunstgegenstände und Schmuck zu verkaufen; sie durften an kulturellen Veranstaltungen nicht mehr teilnehmen, jüdische Kinder durften keine nichtjüdischen Schulen mehr besuchen, der Besitz von Autos wurde den Juden untersagt, und schließlich wurden sie gezwungen, höhere Steuern zu zahlen.

dgl. für Zeitungen, falls er einen mitleidigen Übersetzer und Redaktor finden konnte. Schließlich schrieb er Gedichte, Hunderte und aber Hunderte von Sonetten. Dies alles war auf Deutsch geschrieben und führte zu Hilferufen, das eine oder andere dieser Erzeugnisse seines rastlosen Geistes irgendwo unterzubringen. Schon 1938 äußerten meine Schwester und ich unsere Zweifel daran, daß diese Anstrengungen irgend etwas Greifbares erbringen würden. Unsere Unfähigkeit, ihm bei der Veröffentlichung seiner Bemühungen zu helfen, verbarg sich hinter der rauhen Sprache des Realismus, die wahrscheinlich zu seinen seelischen Belastungen beitrug. Trotzdem unterbrach dies alles nicht den Fluß der Produktion oder die Versuche meines Vaters, sich der Hilfe anderer zu versichern.
Seine Hilferufe und unser Eingeständnis der Hilflosigkeit führten auch zu einer merkwürdig abstrakten Diskussion bezüglich der Vorzüge und Nachteile seiner Dichtung, was zu einem zweiten Ausdruck dessen führte, wie er wirklich fühlte. Daß uns seine Gedichte nicht gefielen, führte er auf den Propheten zurück, der im eigenen Lande nichts gilt. So erklärte er uns, wie er die Dinge sah.

Die moralische Beurteilung der Persönlichkeit eines Dichters nach seinen Werken ist *überhaupt* problematisch und jedenfalls als solche abhängig von der Vorfrage, welche Funktion die sprachliche Schöpfung im Seelenleben des Schöpfers erfüllt. Das ist bei verschiedenen Dichtertypen ganz verschieden und eine sehr schwierige Aufgabe psychologischer und soziologischer Untersuchung. In vielen Fällen sind die Werke Loslösungs- oder Überwindungsprodukte zwiespältiger Erlebnisse. Deshalb trifft auch Deine Beurteilung meiner Chansons nicht den entscheidenden Punkt: sie sind keineswegs als Ausdruck des Leichtsinns anzusehen, sie sind vielmehr das Ergebnis einer verzweifelten, ja tragischen Lebenssituation und Lebensstimmung.[5]

So hatte mein Vater schon Ende 1938 Vorahnungen eines neuerlichen Scheiterns, konnte aber seine Handlungsweise nicht ändern und verzweifelte auch nicht wirklich. Statt dessen bekannte er sich zu einem vorsichtigen Optimismus, schrieb und wandte sich an Gott und die Welt, um bei Übersetzungen und Veröffentlichungen Hilfe zu erhalten, und dichtete in Augenblicken der

Niedergeschlagenheit Sonette. Nach jeder Niederlage versuchte er es aufs neue.
Das war das Grundmuster seines Lebens in Palästina von 1937 bis 1947. Zwar wurde er zum Gegenstand besonderer Fürsorge durch eine Gruppe vorwiegend deutscher Juden, die ebenfalls in den dreißiger Jahren nach Palästina gekommen waren. Diese Leute waren überzeugte Zionisten, was mein Vater nicht war. Mit ihrem deutschen Hintergrund erkannten diese zionistischen Freunde den Wert der Sachkenntnisse meines Vaters an und fanden den Fall meiner Eltern rührend – ein Stück der alten Heimat, nach Palästina verpflanzt. Die Not meiner Eltern war offenkundig, und so taten diese alten und neuen Freunde, was sie konnten, um für dieses ältere Ehepaar einen Platz im werdenden Staat Israel zu finden. Doch letztlich erwiesen sich auch diese Bemühungen als unzureichend.[6]
Es wurde nicht leichter, sondern schwieriger, mit den Umständen im Lande fertig zu werden, als neue Wellen jüdischer Einwanderer in Palästina eine Zuflucht vor der Hitler-Drohung fanden und der Kampf um die israelische Unabhängigkeit sich verschärfte. Der wirtschaftliche Wettbewerb war hart, der Kampf rücksichtslos. Wie jedes Pionierunternehmen war dies ein Land für die Jungen und nicht für Alte, die die Sprache nicht verstanden und sich nicht leicht anpassen konnten. Mein Vater bezeichnete seine Situation als das »Phänomen Bendix«, weil er in dieser Erfahrung die typische Not von älteren Menschen sah, die in dem im Entstehen begriffenen Staat keine halbwegs anständigen Lebensbedingungen finden konnten.
Damals betrug mein Jahresgehalt in Colorado 3600 Dollar. Angesichts der Kosten und Schwierigkeiten einer Reise im Jahre 1946 schien es unvorstellbar, daß ich meine Eltern jemals wiedersehen würde, wenn sie in Israel blieben. Wir wußten aus ihren Briefen, daß das Leben in Israel schwierig für sie war und daß mein Vater nach vielen Jahren des Bemühens nicht mehr Aussichten hatte, seinen Lebensunterhalt zu verdienen, als zu der Zeit, da er in Palästina eingetroffen war. Das einzig Vernünftige war offenbar, meine Eltern in die Vereinigten Staaten zu holen. Heute ist klar, daß unsere Reaktion eine nostalgische und nicht

eine nüchterne war, nur zu leicht unterstützt von dem liebevollen Ton der Briefe, die wir viele Jahre ausgetauscht hatten.

Schon bei dem Gedanken daran, uns wieder zu sehen, wurden die Verse meines Vaters immer eloquenter. Er sann über die ewigen Probleme von Alter und Jugend nach. Ich war sehr bewegt, als ich dieses lange Gedicht unter seinen Papieren entdeckte bzw. wiederentdeckte. Unmittelbar nach Beendigung des Krieges 1945 dachte er bereits über die Probleme nach, die auf uns zukommen würden, falls die Familie wieder vereinigt würde. In diesen Versen spricht der Alte zum Jungen, und damit sprach er uns in der Weise an, die er am besten verstand. Wir sollten gefaßt seinem Tod ins Auge sehen, die Zukunft zählt und nicht die Vergangenheit, und sein bestes Bild würde in unseren Herzen leben. Ja, das Alter sei eine Bürde, nicht nur für diejenigen, die schwächer werden, sondern auch für die Jungen, die guten Willens sind. Er selbst war einmal jung gewesen und rüstig ausgeschritten, ungeduldig über den Schneckengang der Alten, und trotzdem in gutem Einvernehmen mit ihnen. Es würde nicht lange dauern, habt Geduld, die Tage des Alten sind gezählt. Mein Vater »wußte«, daß die Jungen die Zukunft bauen, all ihre Kraft für die Kämpfe brauchen, die ihnen bevorstehen, ihren eigenen Weg gehen müssen und keine Zeit zu verlieren haben. Die Alten, die ihrem Ende nahe sind, haben wenig zu bieten, auch wenn die Jugend auf ihren einstigen Gaben und Opfern aufbaut. Die Alten können nur sagen: schließt uns nicht aus eurem Vertrauen aus, vergeßt nicht, daß ihr eines Tages auch am Ende sein werdet.

Darauf beschreibt mein Vater, wie die Jungen reagieren würden. Bitte laßt uns wir selbst sein. Wir wissen, was wir euch schulden. Aber seid nicht zornig: so sehr wir euch ehren, es ist schwierig, gleichzeitig ein Erwachsener und ein Kind zu sein. Ja, ihr habt uns bewacht, bis wir zwanzig waren, aber ihr kennt uns auch nur so lange, wie wir in eurer Obhut waren. Wir sind euer größter Schatz, und ihr würdet nichts lieber tun, als uns bis zu unserem Tode zu betreuen. Aber wir können unsere Leidenschaften nicht befriedigen, wenn wir nicht selbst in die Welt hinausgehen. Anders ist uns nicht wohl zumute, komme, was kommen mag, und so sehr ihr euch auch ängstigen mögt. Ihr wollt es ruhig, wir

wollen den Kampf, und in weiteren vierzig Jahren werden wir wie ihr sein.
Mein Vater hatte auch Worte für die Öffentlichkeit, die diesem Zwiegespräch zuhört. Diese recht undeutliche dritte Partei behauptet, daß Alt und Jung den Wald vor lauter Bäumen nicht sehen. Die Gefahren verringern sich nur, wenn die Alten mit all ihren guten Absichten die Jungen rechtzeitig gehen lassen und sich ohne Gram oder Wut zur Ruhe setzen, zufrieden, von ihren Kindern geliebt zu werden. Doch ist es schwierig, mit Würde abzutreten und Raum für die Jugend zu machen: das Alter will nicht aus dem Traum der Unentbehrlichkeit erwachen.

An die Alten:
Ihr fühlt Euch schwach? Und alle sollen beten,
Euch Kräfte, die entschwinden, zu entfachen?
Und weil Ihr traurig seid, soll niemand lachen?
Und weil Euch keiner braucht, seid Ihr betreten?
An die Jungen:
Stürmt nur hinaus. Ihr wißt, die Welt ist Euer.
Wir freuen uns an Eurem jungen Feuer.
So muß es sein. Das Riesenmaß der Dinge
Sorgt schon dafür, daß vieles nicht gelinge.
An beide:
Die einen kommen, andere müssen gehen.
Ihr Beide habt das Leben nur zum Lehen.
Mai/Juni 1945

Nachträglich erkenne ich in diesen Versen von 1945 jene Suche nach Distanz, die für meinen Vater sein ganzes Leben lang kennzeichnend war. Wer war diese Öffentlichkeit, die zu Alt und Jung gleichermaßen spricht und eine betont »objektive« Auffassung ihres Dilemmas vertritt? Die physische Distanz zwischen meinen Eltern und uns hatte diese Objektivität leicht gemacht. Niemand von uns malte sich die tatsächlichen persönlichen Konsequenzen des Alterns für unsere Eltern, für uns und für die Beziehungen zwischen uns aus. Statt dessen machten sich meine Schwester, Jane und ich, sobald der Krieg beendet war, daran, Affidavits für meine Eltern zu besorgen, und Anfang 1947 waren sie im Besitz ihrer Einreisevisen für die Vereinigten Staaten.

Zionistische Freunde

Die bevorstehende Abreise meiner Eltern rief bei ihren Freunden in Palästina eine starke Reaktion hervor, und diese Reaktion war realistischer und zweifellos weniger distanziert als die Verse meines Vaters. Wir hatten zwar Palästina auf unserem Wege in die Vereinigten Staaten besucht, aber wir wußten wenig über das Land, besonders während der kritischen Jahre, bevor Israel seine Unabhängigkeit erreichte. Einer der jüngeren zionistischen Freunde meiner Eltern fragte, ob er uns einen Brief in die Vereinigten Staaten schicken dürfe, obwohl er uns nicht kannte. Mein Vater gab bereitwillig seine Zustimmung, da er sah, daß seine Freunde über diese zweite Emigration betroffen waren. Die Briefe, die diese Freunde bei dieser Gelegenheit schrieben, sowie ein Leitartikel in *Hapraklit*, einer Zeitung, die sich mit Arbeiterproblemen befaßte, deuteten die Entscheidung meiner Eltern als eine Absage an die Sache des Zionismus, ja als eine Absage an das jüdische Volk.

Einer dieser Briefe, datiert vom 15. Oktober 1946, brachte diese Empfindung zum Ausdruck. Ich drucke ihn hier vollständig, zusammen mit meiner Erwiderung, ab, weil diese Briefe die Pein veranschaulichen, die die Marginalität innerhalb der jüdischen Gemeinde hervorruft, aber auch die defensive und aggressive Position, die aus dieser Pein resultiert – sogar zwischen Menschen guten Willens.

An Dorothea und Reinhard Bendix

Etwa seit Jahresfrist kenne ich Ihre lieben Eltern; die Bekanntschaft und Freundschaft fügten sich, nachdem ich das Erinnerungsbuch Ihres Vaters in hebräischer Version gelesen und gewürdigt hatte. So bin ich erst auf Umwegen, durchaus nachträglich und als absoluter Laie mit der geistigen Welt Ihres Vaters in Berührung gekommen und habe damit auch Einblick gewonnen in sein stetiges, waches Dienen am Werk. Obwohl er aus Gründen der Sprache nicht nur, sondern auch der Erziehung und Lebensauffassung außerhalb des hebräischen Kulturkreises zu wirken gezwungen war und infolgedessen nicht das Echo fand, das er verdiente, – hat er am palästinensisch-jüdischen Leben aktiv teilgehabt und unsere Not und Hoffnung mitgelebt. Umso stärker trifft mich jetzt die Tatsache seiner Ausreise, und wenn ich auch weiß, wie sehr es die Eltern zu den

Kindern zieht, ich werde das Gefühl nicht los, daß hier etwas versäumt worden ist – ja, von wem? Vielleicht von mir und meinesgleichen.
Sie werden diese meine Empfindung ohne Kommentar vielleicht nicht verstehen, und so will ich eine Aufklärung versuchen. Der Jude, der hier im Lande Israel Wurzel geschlagen hat, weiß, mit allen Fasern seiner Seele, daß das jüdische Volk als Ganzes und jeder einzelne Jude, wo auch immer er sei, nur eine Hoffnung und Zukunft hat, nämlich Eretz Israel. Für uns zählt, statistisch gesprochen, jeder jüdische Mensch, der hierhergefunden hat, als Träger und Bürge des Volkstums, und jeder Verlust, wie eine große und gesicherte Nation ihn garnicht spüren würde, wird von uns am lebendigen Leibe gefühlt, ein Rückschlag, eine Verminderung der nationalen Kraft, ein Verzögern der Erfüllung. Man fragt sich in solchem Fall unwillkürlich: vielleicht bist Du schuld gewesen – aber wie denn der, der sich verlassen fühlt, kaum in der ersten Erregung gerecht wägen und urteilen wird: man beschuldigt auch, ja, man verurteilt.
Aber wenn ich nun, abstrahierend sowohl von meiner und der meinigen Schuld, die ich zugebe, als auch von der Verantwortung, die Ihre Eltern mit ihrem Schritt auf sich nehmen, objektiv zu fassen versuche, wie das geschehen konnte, – so komme ich auf Sie beide. Unser Land hier ist ein Land der Jugend. Junge Menschen bauten und bauen es, sie gingen und gehen ihren Eltern voraus und schaffen ihnen ihr Heim. Der Versuch Ihres Vaters, als Träger seiner Generation, allein, sich sein zweites Leben hier aufzubauen, konnte aus diesem Grunde nicht gelingen, und wenn er gleichwohl so viel erreicht hat, wie er erreicht hat (in seinen Augen wenig, in meinen – viel), so bezeugt das eine Lebens- und Wirkenskraft, auch ein, vielleicht unbewußtes, doch untrügliches Gefühl für das Richtige, um die ich ihn beneidenswert finde.
Ich kenne Sie beide nicht, und mir steht es nicht zu, doktrinär zu Ihnen zu sprechen. Ihr kurzer Aufenthalt in Erez Israel hat nicht zu Umschwung und Umbruch geführt, und Sie halten vermutlich den geistigen Beruf, dem Sie dienen, für Ihre eigentliche und bleibende Heimat. Aber wenn ich mir erlauben darf, einen Rat auszusprechen – ich will ihn in die Form einer Bitte kleiden – so ist es der: lernen Sie, da es noch Zeit ist, Hebräisch, und lehren Sie es die Generation nach Ihnen. Damit, wenn, was ich nicht wünsche, aber fürchte, – das, was Ihr Vater in Deutschland erfahren hat, eines Tages auch über Sie kommt, Sie die Wurzeln mitbringen zu der einzigen Erde, in der sie haften können.
Emanuel bin Gorion

Der Verfasser dieses Briefes war der Sohn eines prominenten Schriftstellers, der auf Hebräisch, Jiddisch und Deutsch veröffentlicht hatte und dessen Familie in Deutschland naturalisiert gewesen war. Emanuel selbst hatte in Deutschland ein Gymnasium absolviert; zur Zeit dieses Briefwechsels war er Bibliothekar an der Stadtbücherei Tel-Aviv. Deutsch war die Sprache, die wir gemeinsam hatten. Ich beantwortete den Brief am 19. Januar 1947, bevor meine Eltern Palästina verließen.

Lieber bin Gorion,
Es ist nie leicht, die Distanzen von Erziehung, Umgebung und Überzeugung zu überbrücken. Deshalb ist mir der Zweck einer Korrespondenz über das Schicksal unserer Eltern und unserer noch ungeborenen Kinder nicht einsichtig. Ihr Brief ist jedoch so ernst – und vorwurfsvoll –, daß er eine Antwort herausfordert.
Sie bekennen Ihre Schuld, daß es nicht gelungen ist, meine Eltern in das Leben Palästinas einzuordnen. Sie sagen, daß eine Erziehung und Lebensauffassung es notwendig für sie machten, außerhalb des hebräischen Kulturkreises zu wirken. Aber Sie deuten auch an, daß die Schuld für diesen Fehlschlag bei uns liegt, da wir nicht willens waren, am Aufbau Palästinas aktiv teilzunehmen. Sie vergessen dabei, daß unsere Erziehung und Lebensauffassung auch außerhalb des hebräischen Kulturkreises liegt und wir vermutlich von dem gleichen Fehlschlag betroffen werden würden.
In Ihrem Brief sagen Sie weiter, daß der geistige Beruf unsere eigentliche Heimat sei. Sie mißbilligen das, einmal weil es Ihrer Ansicht nach eine zeitweilige Heimat ist und andererseits weil es keine »eigentliche« Heimat sein kann. Sie müssen mir verzeihen, wenn ich sage, daß Sie sich dabei Ihre Aufgabe zu leicht machen. Sie sprechen von jedem palästinensischen Juden (ob er dort seinen Boden gefunden hat oder nicht) als »Träger und Bürge des Volkstums«, als Stärkung der »nationalen Kraft«. Ich muß gestehen, daß mir diese Betonung der jüdischen Nationalidee Sorge macht für die Zukunft, denn ihr Erfolg ist zum mindesten teilweise vom Wachsen des Humanismus und der Toleranz abhängig, die durch den Nationalismus kaum gefördert werden. Und so finde ich denn, daß Sie uns keine Vorwürfe machen sollten, sondern in gewissem Sinne in unserer Schuld sind. Denn es ist nicht der geistige Beruf, sondern die Förderung des Humanismus und der Toleranz, die unser Leben hier möglich und in sehr bescheidenem Maße zweckerfüllt und fruchtbar macht, und die uns ermöglicht, für ein Verständnis einer jüdisch-nationalen Wiedergeburt die Grundlage zu legen. Dabei sage ich nicht, daß wir Zionisten sind oder für den Zionismus werben, sondern nur, daß der Zionismus dem Humanis-

mus verpflichtet ist, weil er ohne ihn nicht möglich geworden wäre und auch heute kaum existieren könnte. Es ist deshalb gefährlich für den Zionismus, diese Verankerung zu verlieren, und dem Streit der Nationalisten durch Beteiligung beizustimmen. Es ist deshalb unrecht, daß Zionisten nicht willens sind zu bekennen, daß ihr Werk auch den Humanisten etwas schuldet, ob diese nun Juden sind oder nicht. Ich bekenne gern, daß hierin ein Paradox liegt, dessen Lösung weder Sie noch ich zu kennen scheinen. Denn jüdische Humanisten sind in den meisten Fällen nur möglich, d. h. sie können vielfach nur wirksam sein, wenn sie außerhalb des hebräischen Kulturkreises schaffen. Und Zionisten sind offenbar nur möglich, wenn sie diesen Humanismus als »Verminderung der Volkskraft« verdammen. Es wäre sicher fruchtbarer, wenn die jüdischen Humanisten mehr Teilnahme an der hebräischen Kultur zeigen würden, und wenn die Zionisten in ihrem Existenzkampf doch auch ihrer Verpflichtung zum Humanismus eingedenk sein würden. Ist es vielleicht die unentrinnbare Tragik der Geschichte, daß die Menschen nur dann historisch wirksam sein können, wenn sie sich aller Ambivalenz entledigt haben und willens sind, den Preis der Intoleranz zu zahlen?
Ihr
Reinhard Bendix

Es folgte noch ein letzter Brief von bin Gorion, in dem er versicherte, uns keine Vorwürfe machen zu wollen.

Lieber Reinhard Bendix,
ich möchte Ihren Brief nicht unerwidert lassen, – nicht um eine Diskussion fortzuführen, die wir beide nicht beabsichtigt haben, sondern um mein erstes Schreiben an Sie zu erklären und, wenn Sie wollen, zu berichtigen. Vor allem: meine Worte sollten kein Vorwurf sein, nicht einmal eine Warnung oder Prophezeiung, sondern bestenfalls ein Rat, und genauer gesagt: eine Bitte. Es handelt sich darum, daß Sie Hebräisch treiben sollten und dieses auch als Tradition in Ihrer Familie begründen. Ich wollte Ihnen gegenüber nicht den Zionisten hervorkehren, wohl aber den Hebraisten. Mir scheint eine Vorstufe zur Lösung der Judenfrage damit gegeben, daß alle Juden in der Welt sich das Hebräische wieder zum Eigentum machen, damit sie, die von der Enge des Ritus sich emanzipiert und den Segen des nationalen Bodens nicht erfahren haben, *ein* Fundament besitzen, das ihr Jude-Sein bestätigt.
Es hat mich bewegt, daß in Ihrer Lebens-Formel weder das verflossene Deutschtum noch das zeitliche Amerikanertum erscheint, und Ihr Bekenntnis zum Humanismus nötigt wie jedes Bekenntnis Achtung ab.

Da Sie aber Ihren Humanismus jüdisch nennen, sollten Sie ihn eines Tages hebräisch nennen dürfen. Hebräisch gehört mit Griechisch und Latein zum lebendigen Erbe der Antike, und Sie hätten somit als Jude das Vorrecht, mit der Welt Ihres Ideals unmittelbar sich verbinden zu können. Mein eigenes Glaubensbekenntnis sieht freilich anders aus, aber indem ich es, der Vollständigkeit und der Offenheit halber, an den Rand dieses Briefes schreibe, liegt mir nichts ferner als Proselyten zu werben. Ich glaube, daß der Mensch eine Heimat braucht, und daß dieses Ideal fundamental ist, wie Vater und Mutter, wie Ehe und Familie, wie Gott, Mensch und Natur. Ich wuchs so auf, als ob Deutschland meine Heimat sei, in einem tiefen Trugglauben, und mir widerfuhr das Glück, daß der Schleier zerriß und die Irrheimat als solche rechtzeitig sich offenbarte. Daß ich diesen Schnitt überstanden habe, verdanke ich dem Hebräischen. Meine neue Heimat, die eigentliche, vorbestimmte, – das Glück ist so groß und unverdient, daß ich es noch gar nicht fasse.
Mit herzlichen Grüßen an Sie und die Ihrigen
Ihr
Emanuel bin Gorion.[7]

Dies war ein eindrucksvolles Glaubensbekenntnis, doch waren wir uns beide darin einig, daß es keinen Zweck hatte, diese Korrespondenz fortzusetzen.
Im Jahre 1980 war ich Gastprofessor an der Hebräischen Universität in Jerusalem und benutzte die Gelegenheit, um bin Gorion in der Nähe von Tel-Aviv zu besuchen. Trotz der großen Unterschiede zwischen uns fanden wir manches, was uns verband. Bin Gorion war damit beschäftigt, die Arbeit seines Vaters auf dem Gebiet der Judaistik fortzusetzen, so wie ich die Arbeit meines Vaters in diesem Buch und in anderen Schriften fortsetze. Jeder von uns erkannte die Beweggründe des anderen, aber auch die Nachteile, die mit jeder Position verbunden waren. Die Zeit hat viel dazu beigetragen, meine eigene, recht abwehrende Reaktion ein halbes Menschenalter zuvor zu mildern. Heute ist das Hebräische eine lebendige Sprache in Israel – offenkundig eine wesentliche nationale Leistung. Trotzdem scheint mir diese wichtige Wiederbelebung des Hebräischen mit den politischen und sozialen Problemen des neuen Staates untrennbar verbunden zu sein. Da ich weder praktizierender Jude bin noch in Israel wohne, wäre das Studium des Hebräischen in meinem Falle ein

symbolisches Zeichen der ethnischen Solidarität. Obwohl ich Jude bin und eine Affinität zu Juden spüre, wäre *ich* nicht glaubwürdig, wenn ich meine Kinder drängen würde, Hebräisch zu studieren oder zum Judentum zurückzukehren. Für bin Gorion dagegen sind das Wohnen in Israel (unabhängig von der religiösen Praxis) sowie die Kultivierung des Hebräischen Schritte auf dem Wege zu einer Erneuerung der jüdischen Zivilisation. Ich weiß diese Auffassung zu schätzen, ebenso wie bin Gorion nicht nur die derzeitigen Probleme Israels anerkannte, sondern auch großzügigerweise zugab, daß meine humanistische Position ein Verdienst eigener Art darstellt, wie individuell, unvollkommen und heikel es auch sein mag. Er war betrübt über den Bruch mit der jüdischen Tradition, den mein Vater auf mich übertragen hatte, doch faßte er in gewisser Weise wieder Mut, als ich ihm erzählte, daß einer meiner Söhne für sich selbst das Judentum wieder entdeckt habe. Wir freuten uns beide, eine Gelegenheit zum besseren gegenseitigen Verständnis gefunden zu haben, mochte sie auch lange genug auf sich haben warten lassen.

Emigration in die Vereinigten Staaten

Dies alles lag in ferner Zukunft, als meine Eltern sich 1947 anschickten, zum zweiten Male zu emigrieren. Mein Vater benutzte die soeben zitierten Briefe, um weitere Reaktionen auf diese zweite Emigration hervorzulocken. Er war immer auf der Suche nach Material, das er für seine schriftstellerischen Projekte verwenden und vielleicht zu Geld machen konnte und hing natürlich auch an den Freunden, die meine Eltern nur ungern ziehen ließen. Die Schiffsreise von Tel-Aviv nach New York dauerte 17 Tage (Februar/März 1947) und gab ihm genügend Zeit für poetische Reflexionen.

Auf einer Ebene empfand er ein Gefühl der Erleichterung, der angestauten Angst und der hohen Erwartungen bei der Aussicht, uns nach so langer Zeit wieder zu sehen.

Neun Jahre zwang ich mich mit hartem Willen.
Ich wußte selbst nicht, wie ums Herz mir war.
Ich fürchte mich vor der Vereinigungsstunde
Und möchte jubeln, daß sie endlich naht.
Ich wußt' es nicht: es war unendlich hart.
Die Träne quillt im Glück der Gegenwart.

Diesen Auszügen aus einem Gedicht namens »Erwartung« folgten Verse, die seinem Wunsch nach dem Alleinsein gewidmet waren, und andere, die sich in liebevollen Worten an meine Mutter wandten. Eine ausführlichere Beschreibung seiner seelischen Verfassung trägt den Titel »Bilanz« und zeigt, wie weit seine Gedanken von einer Diskussion über die kulturelle und politische Verpflichtung zum Hebräischlernen entfernt waren.

Wir liegen tag- und wochenlang auf Deck
Und uns erfüllt ein einziger Gedanke:
Wie auch das Schiff im Wellenmeere schwanke,
Uns packt die Sorge nicht, uns packt kein Schreck.

Vor vielen Jahren zogt Ihr weit hinweg
Als uns'rer Zukunft einz'ge Hoffnungsplanke.
's hat keinen Sinn, daß ich mich gräm' und zanke,
Das leckgeschlag'ne Schiff kommt schon vom Fleck.

Ihr habt gewerkt und seid nicht hingepurzelt.
In Eurem Aufstieg seh' ich noch kein Ende.
Im neuen Lande seid Ihr fest verwurzelt
Und wurdet Schöpfer uns'rer Schicksalswende.

Das Einzelschicksal ist ein Massenlos.
Lebt Euer Leben so, dann seid Ihr groß!

Das letzte Gedicht in dieser Serie trägt den Titel »Vor der Wiedervereinigung«; in ihm gibt mein Vater dem wirklichen Schmerz der Sehnsucht Ausdruck, der im Laufe so vieler Jahre langsam gewachsen war. Eine Zeile sagt alles, wenn er bekennt, daß er nicht daran geglaubt habe, vielleicht sich nicht erlaubt habe, daran zu glauben, daß er uns jemals wiedersehen würde. Er benutzt das Wort »Krampf«, um den Zustand zu beschreiben, den er durchgemacht hatte. Nun, da er und meine Mutter auf dem Wege zu uns waren, fiel es ihm schwer, an sich zu halten.

Es war wahrscheinlich unvermeidlich, daß meine Eltern diese zweite Auswanderung mit hohen Erwartungen unternahmen. Schließlich teilten wir – meine Schwester und ich – diese Erwartungen. Zehn Jahre trennten uns, wir waren eine eng zusammenhaltende Familie gewesen, die aufgrund unserer gemeinsamen Zeit des Unglücks und der Widrigkeiten noch stärker zusammenhielt. Das Bild vom »leckgeschlagenen Schiff«, das »schon vom Fleck kommt«, bezog sich auf das Gefühl, durch das gemeinsame Unglück aneinander gebunden zu sein, und auf das Gefühl, daß unser Fortkommen in Amerika – wenigstens teilweise – für uns alle eine Verantwortung und eine Leistung der ganzen Familie war.

Kapitel XVII

Die zweite Einwanderung meiner Eltern (1947–1952)

Der Staat Israel wurde 1948 gegründet. Sein Wohlstand hing von jungen Einwanderern sowie von finanziellen Zuwendungen aus jüdischen Gemeinden im Ausland ab. Ältere Menschen wie meine Eltern konnte Israel nur absorbieren, wenn sie Entschädigungsleistungen der Bundesrepublik Deutschland erhielten, wie dies in späteren Jahren der Fall war, und wenn ihre Kinder Israelis wurden und zu ihrem Unterhalt beitrugen. Doch hatten meine Schwester und ich uns 1938 bzw. 1939 zur Auswanderung in die Vereinigten Staaten entschlossen, und 1947 standen wir beide erst am Beginn unserer beruflichen Laufbahn. Unter diesen Umständen schien es logisch, daß meine Eltern zu uns nach Amerika kamen. Damals glaubten wir, genug zu verdienen, um sie unterstützen zu können, und es schien wenig sinnvoll zu sein, daß sie so weit weg wohnten. Wir hielten es für besser, sie in der Nähe zu haben, wo wir ihnen im Alter helfen konnten. Damals kam es uns einfach nicht in den Sinn, daß sie vielleicht in Israel bleiben könnten und wir sie dort gelegentlich besuchten. Das Alter meiner Eltern und unser Mangel an finanziellen Möglichkeiten waren die offenkundigsten Gründe, die diese Möglichkeit ausschlossen, doch glaube ich nicht, daß wir sie damals überhaupt ernsthaft erwogen. Als meine Eltern 1947 zu uns kamen, war mein Vater 70, meine Mutter 64, wir waren zehn Jahre lang getrennt gewesen und freuten uns ebensosehr darauf, sie wiederzusehen, wie sie sich auf uns freuten.

Unsere hochfliegenden Erwartungen bezüglich dieser Familienwiedervereinigung waren wahrscheinlich naiv und wurden bitter enttäuscht. Ich war 21 gewesen, als meine Eltern Berlin verlassen hatten und nach Palästina gegangen waren; ich war 31, als ich sie bei ihrer Ankunft in Amerika begrüßte. Niemand von uns konnte die Uhr zurückdrehen; und in unserem Fall wurden die schwierigen Beziehungen zwischen Eltern und ihren erwachsenen Kindern durch Emigration, Sprache und den Zusammenprall verschiedener Kulturen noch erschwert. Meine Eltern fühlten sich in Amerika niemals wirklich zu Hause. Ich werde das Mißlingen dieser Einwanderung beschreiben, um die Schilderung über das Leben meines Vaters und meine Beziehungen zu ihm zu vervollständigen. Er hätte gesagt, daß der Schmerz ein Bestandteil des Lebens ist und daß es letztlich heilsam ist, der Wahrheit ins Gesicht zu sehen. Ich stimme ihm zu.

Meine Schwester war Bibliothekarin geworden und unterrichtete an Bibliotheksschulen (Schools of Library Science) an der Ostküste und im Mittleren Westen. Sie war unverheiratet und bewahrte sich einen größeren Freiheitsspielraum, wenn meine Eltern zu uns in den Westen zogen. Es schien das Richtige zu sein, und wir dachten nicht viel darüber nach. So kam es, daß meine Eltern nach einem mehrmonatigen Besuch bei meiner Schwester zu Jane und mir nach Boulder, Colorado, zogen. Wie sich herausstellte, war diese Übersiedelung nach Colorado nur vorübergehend. Im akademischen Jahr 1946/47, auf meiner ersten Dozentenstelle außerhalb der Universität Chicago, hatte ich eine Lehrverpflichtung von zehn Stunden pro Woche. Das schien nicht übertrieben viel zu sein, als ich die Stelle annahm. Doch in jedem Quartal behandelten meine vier Kurse ein anderes Thema, so daß ich mich verpflichtet fand, in einem einzigen Jahr zwölf verschiedene Kurse zu geben. Das war in der Tat zuviel, und so ergriff ich die Gelegenheit, als ich von der University of California die Einladung nach Berkeley erhielt.

Nach ihrer Ankunft in Boulder lebten meine Eltern bei der Familie eines älteren Kollegen und wurden mit viel Herzlichkeit und Fürsorge umgeben. Mit dieser Gewißheit hielten wir es für das Beste, sie in Boulder zurückzulassen, während wir im Spätsommer 1947 nach Berkeley vorausfuhren, um eine Wohnung für uns alle zu suchen. Wir bemerkten kaum den Nachteil, daß meine Eltern eben erst in den Vereinigten Staaten angekommen und mit der amerikanischen Neigung zur Mobilität nicht vertraut waren. Gewiß, es war am einfachsten, sie mit dem Zug später nachkommen zu lassen, so daß sie eine fertig eingerichtete Wohnung vorfanden. Doch ebenso gewiß war, daß wir sie schon wieder allein ließen, kaum daß unsere Familie sich wieder gefunden hatte, auch wenn diese neue Trennung nur wenige Wochen dauerte. Heute, aus dem Abstand vieler Jahre, habe ich den Verdacht, daß diese kurze Trennung für meine Eltern ein deutliches Symbol unserer Unabhängigkeit war, die wir für selbstverständlich nahmen, doch an die sie sich jetzt erst gewöhnen mußten.

Ich habe bereits meine akademischen Beschäftigungen während meiner ersten Jahre in Berkeley beschrieben. Sie ließen mir nicht viel Zeit, mit meinen Eltern zusammen zu sein; dazu hätte ich ein gemächlicheres Arbeitstempo gebraucht. Wir sahen einander ein- oder zweimal pro Woche, aber es waren gewöhnlich Minuten, die ich mir von drei oder vier anderen dringenden Aufgaben abknapsen mußte. Aber war es wirklich nur eine Frage der Zeit und der dringenden Verpflichtungen? Die Antwort auf diese Frage muß lauten: nein. Zwar war der Druck, der auf mir lastete, real genug. Der liebevolle Ton meines Umganges mit den Eltern hatte sich durch unsere Erinnerung an das gemeinsame Leben in Berlin erhalten. Aber seit damals war ich emigriert, hatte geheiratet, meine Studien in Chicago abgeschlossen und war jetzt dabei, meine akademische Laufbahn zu beginnen. 1947 waren Jane und ich bereits sieben Jahre verheiratet. Meine Eltern waren sich all dessen zwar durchaus bewußt, aber die briefliche Kommunikation hatte sie nicht psychologisch darauf vorbereitet, ihren Sohn und ihre »neue« Schwiegertochter als Erwachsene zu behandeln.

Wie ich bereits zu Anfang sagte, verlieren Eltern, wenn sie alt werden, ihre Funktion als Vorbild für ihre Kinder. Oft genug begehren die Kinder sogar gegen dieses Vorbild auf, nachdem sie ihm so lange gefolgt sind. Wenn die Zeit kommt, müssen Eltern und Kinder einen Mittelweg finden zwischen einer Liebe, die beschützend und förderlich war, aber auch einengend sein kann, und einer Trennung, die die alte Liebe bewahrt, aber Raum für eine neue Unabhängigkeit läßt. Eltern müssen die Unabhängigkeit ihrer Kinder nicht nur zugestehen, sondern sie bekräftigen und sich sogar für sie freuen; auch wenn ihre Liebe unvermindert bleibt, kann sie nicht länger von der alten Bindung zehren. Die Kinder wiederum stehen vor der Aufgabe, ihre schwer erkämpfte Selbständigkeit mit neuen Ausdrucksformen ihrer alten Bindung an die Eltern zu vereinbaren, vorausgesetzt natürlich, daß eine solche Bindung überhaupt vorhanden war. Dieses ideale Modell der Generationenfolge stößt oft auf Schwierigkeiten, weil Eltern nicht loslassen können, weil sie sich an ihre alte Liebe klammern, auch wenn sie nicht dieselbe bleiben kann. Und das Problem der Eltern spiegelt sich in dem der Kinder wider, die es schwierig finden, ihre neue Unabhängigkeit mit reifen Formen der Zuwendung zu ihren Eltern zu verbinden, die nicht länger an die alte Abhängigkeit erinnern. Unsere »Version« dieses allgemeinen Dilemmas wurde erschwert durch das Exil, durch eine lange Trennung, die Illusionen genährt hatte, und durch die zweite Auswanderung meiner Eltern in vorgerücktem Alter, die sie noch abhängiger und unflexibler werden ließ. Dazu kam, daß sie sich wegen sprachlicher Schwierigkeiten von Anfang an in Amerika als Außenseiter fühlten.

Diese Schwierigkeiten wurden freilich nicht sogleich sichtbar. Die ersten Monate ihres Aufenthalts verliefen rundherum erfreulich. Wir alle waren glücklich über die Wiedervereinigung unserer Familie. Dieses gute Gefühl wurde noch durch das freundliche Willkommen verstärkt, das unsere vielen Freunde meinen Eltern bereiteten. Mein Vater war offenkundig ein Mann, der Beachtliches geleistet hatte, und meine Mutter verstand es trotz ihrer begrenzten Englischkenntnisse, zu neuen Bekannten bezaubernd zu sein. Trotzdem war der Wandel in den sozialen Beziehungen wahrscheinlich ausgeprägter, als wir bemerkten. In Palästina hatten die deutschen Juden eine große Familie gebildet, und ihr

Zusammengehörigkeitsgefühl war stärker als das, was sie trennte. Hier in Amerika war diese Art des Zusammengehörigkeitsgefühls nicht vorhanden. Es genügte den Leuten, zu wissen, daß dies unsere Eltern waren, um sie mit einem Überschwang an Gastfreundschaft zu überschütten, den meine Eltern noch nie erlebt hatten. Als meine Eltern nach Westen zogen, wurde diese Freundlichkeit sogar noch größer. Die bezaubernde Offenheit, die Hilfsbereitschaft in den kleinen Dingen des Lebens – das sind die besonderen Merkmale der privaten Umgangsformen in Amerika. Eine formlose Geselligkeit machte Alltagskontakte leicht und angenehm. Meinen Eltern gefiel das, weil es den Kontakt auch zu Fremden erleichterte. Viele Leute sagten: »Oh, we would love to see you«, wobei sie ganz ernsthaft erwarteten, daß meine Eltern die Initiative ergriffen und »einfach einmal vorbeischauten«. Doch meine Eltern erwarteten nach europäischer Art eine formelle Einladung, die natürlich niemals kam, und waren nach einiger Zeit enttäuscht. Mit ihrer deutschen Steifheit glaubten sie nun, die ursprüngliche Einladung sei nicht ernstgemeint gewesen, während die scheinbare Freundlichkeit ihnen unecht vorkam.

Meines Vaters Ängste

Wichtiger war noch, daß die erste Euphorie des Zusammenseins nicht lange währte. Während meine Eltern einige Wochen in Boulder blieben, als wir nach Berkeley gezogen waren, hatte mein Vater Zeit, über die Bedeutung unserer neuen Beziehung nachzudenken. Gerade jetzt bot ihm seine lebenslange Gewohnheit, seine Gefühle in Versen auszudrücken, ein Ventil für seine Empfindungen. Ich erhielt diese Gedichte bald nach unserer Ankunft in Berkeley. Ich war mir damals ihres bewegenden Appells, aber auch ihrer vielen gefühlsmäßigen Untertöne bewußt. Die Verse waren an mich gerichtet, und aus diesem Grund kann ich sie gleichsam von innen lesen und dem Leser diese Innenansicht mitteilen.
Das erste Gedicht lautete:

Meinem Sohn

Die Seele ist mir schwer. Warum? Warum?
So grübl' ich bang. Kann ich die Antwort finden,
Warum die Heiterkeiten mir entschwinden
Und ich rasch spreche und dann gleich verstumm'?

Seit vielen Jahren ging ich damit um,
Mein altes Leben neu an deins zu binden.
Ich wollt' nicht unter noch so schönen Linden
Belauschen Vogelsang und Weltgesumm'.

Nun ist's so weit und du gehst deine Wege.
Es muß so sein. Und doch, ich weiß nicht, was
Mir in der Seele wühlt wie eine Säge
Und summt von Vaterliebe, Vaterhaß.

Wie bin ich stolz auf meinen jungen Luchs.
Plagt mich der Neid auf seinen Eigenwuchs?

Es brauchte Mut, die Möglichkeit von Neid und Haß zuzugeben, auch wenn diese unerlaubten und unerwünschten Gefühle sogleich geleugnet wurden. Noch mehr Mut brauchte es für die folgenden Zeilen:

Ich bin nicht neidisch. Und doch wühlt in mir
Ein spitzes Eisen, das nicht Ruhe läßt
Und mich gemahnt, als hätt' ich ein Gebrest.
Wie ich mich prüfe: es kommt nur von dir.

Wohl bist du unseres Hauses Sproß und Zier,
Doch überpflanzt in ein ganz anderes Nest.
An seinen Sitten hältst du eisern fest,
Umhegt und wohlgeleitet stets von ihr.

Meine Eltern hatten praktisch zehn Jahre lang in deutschsprechenden Gemeinden in Palästina gelebt, und in diesem Rahmen war es nicht notwendig für sie gewesen, sich an ein fremdes Land und eine fremde Kultur anzupassen. Vor diesem Hintergrund waren sie nicht darauf vorbereitet, mich nach vielen Jahren nicht nur erwachsen, sondern auch in einer fremden Welt verwurzelt und erfahren zu finden. In Wirklichkeit waren weder meine

Schwester noch ich jemals so »amerikanisch« geworden, wie meine Eltern glaubten, aber ebensowenig konnten wir zu den deutschen Lebens- und Verhaltensmustern zurückkehren, die wir hinter uns gelassen hatten. Ich hatte mich in einer neuen Welt zurechtfinden müssen, und meine Eltern stellten fest, daß ich ein anderer Mensch war als der Sohn, den sie zehn Jahre zuvor gekannt hatten. Wenn mein Vater in der geschilderten Weise über meine amerikanische Anpassung schrieb, nachdem er erst wenige Monate im Lande war, so verstand er nicht, daß die Alternativen, auf die seine Befürchtungen und Ahnungen zielten, noch weniger wahrscheinlich waren. Als 22jähriger deutsch-jüdischer Flüchtling hätte ich mein ganzes Leben lang in dieser Kategorie bleiben müssen oder ein ethnischer Deutsch-Amerikaner werden sollen, was eine noch weniger plausible Alternative dargestellt hätte. Auf jeden Fall fand er es schon bald nach seiner Ankunft in Amerika schwer zu ertragen, daß ich in eine Welt eingetreten war, die ihm fremd zu bleiben schien. Er war zu alt, um noch umzulernen, und seine Befürchtung, daß wir uns voneinander entfernen würden, war ebenso groß, wie sie realistisch war.

Im dritten Gedicht fragt mein Vater: »Ist's wirklich denn an mir, hier umzulernen?/Ist es an dir, zum Stamm zurückzukehren/ Und den, der's wehrt, entschieden abzuwehren?« Die Frage bleibt offen, und das ist ihr Appell und ihre Provokation. Von einem Siebzigjährigen kann man nicht erwarten oder fordern, daß er sich ändert: das ist der Appell. Wir wußten natürlich, daß eine solche Vorstellung abwegig war, so daß diese Frage rhetorisch war. Was meinte er aber denn damit, ich soll »zum Stamm zurückkehren«? Entweder war es der »Stamm der Familie«, von dem ich mich entfernt hatte, nachdem ich 1938 nach Amerika gekommen war, oder es war der »Stamm« seiner eigenen geistigen Beschäftigungen und Vorlieben, von denen ich mich in seinen Augen in meinen sehr sondierenden Essays jener Zeit entfernte. Es gab wenig Hinweise darauf, daß mein Vater wirklich »sein Leben an meines binden« konnte, wie er es formuliert hatte. Er drückte seine Vorbehalte gegen den Weg aus, den ich in meiner Arbeit einschlug. Er war unsicher. Allerdings war ich auch unsicher, aber das sah er weniger deutlich. Er schrieb: »Lavieren

ist ganz schön und wohl zu schätzen./Ein Kern nur hilft, der alle kann ersetzen.« Damit spielte er nicht nur auf meine tastenden wissenschaftlichen Versuche an, sondern auch direkter auf meine Vermittlung zwischen meiner Frau und meinen Eltern. Und auf einer abstrakten Ebene war mein Vater sich nicht im Zweifel darüber, welches der ideale »Kern« war. Er wollte, daß ich die Familie so wiederherstellte, wie sie einst gewesen war, und meine Arbeit in Bahnen entwickelte, die denen, die er selbst einst verfolgt hatte, zumindest kongruent waren.
Diese Wünsche und Ratschläge finden im vierten Gedicht tastenden Ausdruck.

Ist's denn so schwer, den rechten Weg zu wählen?
Laß' doch die schönen Worte von Kultur.
Gibt es denn wirklich keine and're Spur,
Die uns befreit, anstatt uns neu zu quälen?

Die Stimmen sollst du wägen und nicht zählen.
Zählt eine Stimme, die dem Zorn entfuhr?
Gilt leidenschaftsbefreites Denken nur?
Soll reines Wollen uns allein beseelen?

Eins ist dann klar: ein jeder muß verzichten
Auf Vieles, was Vergangenheit ihm schenkte.
Und wenn er einst allein das Schicksal lenkte,
Darf er danach die Gegenwart nicht richten.

Wenn neue Sterne sich den alten nahen,
Gilt's neue Bahnen finden und bejahen.

Später gab mein Vater freilich zu, daß ich mich, zwischen Frau und Mutter, in einer schwierigen Situation befand.
Auf der verbalen Ebene schien er sich bewußt zu sein, daß wir alle in die prekäre familiäre Situation verwickelt waren. Er schrieb zwar über sich selbst, aber er appellierte gleichzeitig auch an meine Mutter. Als Eltern hatten sie das Familienschicksal mit eigener Hand gelenkt, aber jetzt durften sie unsere Gegenwart nicht an diesem Maßstab messen. In dem abschließenden Verspaar teilte er mir praktisch mit, daß er an uns alle appellierte, neue Wege aus unserem gemeinsamen Dilemma zu finden. Drei Tage

später (die ersten Gedichte waren vom 25. August 1947 datiert) kamen noch zwei weitere Gedichte als Nachtrag hinzu, in denen mein Vater seine Verbundenheit mit mir zum Ausdruck brachte sowie seine Beobachtung unserer Arbeit: meine Frau bei der Töpferei und ich an der Schreibmaschine. Aus diesem Nachtrag zitiere ich nur den letzten Vers:

> Jetzt fühl ich erst das Opfer, das Ihr brachtet.
> Ich hatt's genommen und es kaum beachtet.
> Ich neig' mich Eurem Sieg im Lebenszwang.
> Und meine Seele seufzt wortlosen Dank.

Darunter schrieb mein Vater: »Alles dieses und vieles andere wollte ich Euch in Prosa sagen. Ich wünsche leidenschaftlich, daß die Verse die ersehnte Wirkung tun mögen. In aufrichtiger Liebe zu Euch Beiden.« Diese und viele folgende Verse beschrieben die Situation sehr leidenschaftslos. Aber das Schreiben von Gedichten ist an sich schon ein »Distanzierungsmittel« in persönlichen Beziehungen, auch wenn diese Verse die persönlichsten Gefühle zum Ausdruck bringen. Dieser Tatsache trug mein Vater niemals wirklich Rechnung. Er war ein teilnehmender, kein unparteiischer Beobachter; trotzdem wechselte er in seinen Gedichten immer wieder zwischen diesen beiden Rollen hin und her. Ich war mir niemals sicher, ob ich meinem Vater, dem Richter begegnen würde, der nach Objektivität strebt, oder meinem Vater, dem Anwalt, der Parteigänger einer bestimmten Sache ist. Wie konnten seine Gedichte die Spannungen zwischen uns lösen, wenn sie beide Standpunkte ausdrückten und rasch zum Ersatz für das persönliche Gespräch wurden? Hier lag *mein* Dilemma.
Als ich die Gedichte im September in Berkeley erhielt, war ich gerade damit beschäftigt, mich nach einer Wohnung für uns umzusehen, mich auf eine neue Situation an der Universität einzustellen und mich auf den Beginn des akademischen Jahres vorzubereiten. Die Gedichte fügten dem Wissen um die Probleme lediglich den Schmerz ihrer Artikulation hinzu. Schon 1947 spürte ich, obwohl ich es damals nicht hätte sagen können oder nicht wagte, es mir einzugestehen, daß das Dilemma, welches mein Vater beschrieb, tiefgreifend war und wahrscheinlich nicht

behoben werden konnte. Denn im Grunde appellierte er an *mich*, die Dinge in Ordnung zu bringen, auch wenn er erklärte: »Ein jeder muß verzichten/Auf Vieles, was Vergangenheit ihm schenkte.« Er hatte schon gesagt, daß er nicht mehr jung genug sei, um umzulernen, und dasselbe galt implizit natürlich auch für meine Mutter. Damit war die Aufgabe uns zugeschoben. Aber welchen Teil unserer Vergangenheit sollten wir aufgeben, wo wir gerade erst anfingen, unseren Beruf aufzubauen, mit all den Ungewißheiten, die jedem Anfang anhaften? Mehr noch: wie konnte ich die Unterschiede überbrücken, die uns von meinen Eltern und ihrer Generation trennten, wenn mein Vater selbst, bei all seiner Erfahrenheit und erwiesenen Beredsamkeit, zu geschriebenen Gedichten seine Zuflucht nahm, um mit mir und durch mich mit meiner Frau zu kommunizieren? Gewiß, Einsicht und die erprobte Fähigkeit, Probleme zu formulieren, hatten ihn in den Stand gesetzt, unsere Schwierigkeiten rasch und deutlich wahrzunehmen. Aber die Versifizierung dieser Fragen half uns nicht bei der Bewältigung des unmittelbaren Problems, in Berkeley Fuß zu fassen.

Ansiedlung in Berkeley

Als meine Eltern einige Wochen nach unserem Umzug aus Boulder nachkamen, hatten wir eine Reihe von möblierten Zimmern für sie bereit. Wohnraum war knapp, und ebenso knapp waren die Geldmittel, die uns zur Verfügung standen. So mußten wir vorläufig zu Notbehelfen greifen. Die ersten Kontakte meiner Eltern mit amerikanischen Vermieterinnen verliefen ziemlich stürmisch. Das Angewiesensein auf eine gemeinsame Küche machte meine Mutter sehr unglücklich und hatte auf meinen Vater ungünstige Auswirkungen. In all dem Trubel machten wir uns also auf eine hektische Suche nach einer angemesseneren Unterkunft und fanden schließlich eine kleine Wohnung, in der meine Eltern für sich waren und wir ihnen bei der Einrichtung ihres neuen Hausstandes behilflich sein konnten. Es waren anstrengende Monate, aber meine Eltern konnten sehen, daß wir

uns um sie kümmerten und bereit waren, ihnen bei ihrem Seßhaftwerden zu helfen. Sie konnten auch sehen, daß ihre Schwiegertochter die Kunst verstand, Dinge im Handumdrehen zu erledigen, für die meine Eltern Tage oder Wochen gebraucht hätten, und daß Jane künstlerische Talente besaß, die über den Horizont meiner Eltern hinausgingen. Nachdem sich meine Eltern zehn Jahre lang allein unter großen Mühen durchgeschlagen hatten, waren sie von dieser Hilfe entsprechend beeindruckt und für sie dankbar. Wir halfen ihnen bei hundert Kleinigkeiten des täglichen Lebens, bei denen Jugend, Sprachkenntnis, der Besitz eines Autos sowie die Kenntnis der amerikanischen Mentalität ihnen den Weg ebnen konnten. Bei all dem hielt die ursprüngliche Euphorie über unsere Familienzusammenführung Monate, ja sogar Jahre an, und vielleicht ist sie niemals ganz verschwunden. Es war unverkennbar, daß meine Eltern uns in vieler Hinsicht brauchten und wußten, daß sie auf unsere Hilfe zählen konnten.
Aber unsere Hilfe, die sie zu schätzen wußten, hatte auch eine unglückliche Seite. Meine Eltern brachten in die Beziehung zu uns die Erwartung der älteren Generation mit, daß alle wichtigen Dinge gemeinsam besprochen werden, nicht nur diejenigen, die sie unmittelbar angingen. Das Unterbleiben solcher Diskussionen empfanden sie als Zurückweisung. Die Schwierigkeit war nur, daß manche Dinge nicht diskutiert werden konnten, wenn die Zeit drängte, die Sprache eine Barriere war und Universitätsangelegenheiten, Fragen des akademischen Unterrichts oder künstlerische Probleme zuerst erklärt werden mußten. Meine Mutter sah in unserer Unabhängigkeit eine bewußte Mißachtung ihrer Person. Mein Vater hatte mehr Verständnis und größere Toleranz, aber auch er war durch Alter und Vertreibung empfindlicher geworden als früher. Wir hatten keineswegs die Absicht, uns von ihnen zurückzuziehen oder sie fallenzulassen. Wir halfen ihnen, so gut wir konnten. Aber das, war wir für sie taten, war durch Eile und Hast gekennzeichnet, und dasselbe galt auch zum Teil für die Hilfe, die wir ihnen boten. Für meine Eltern war diese Hast und das ganze Tempo des amerikanischen Lebens eine beständige Irritation. Jane war mit diesem hektischen Tempo

aufgewachsen, und ich hatte mich ihm angepaßt. In den Augen meiner Eltern schienen Jane und ich immer »auf Achse« zu sein. Immer gab es mehr zu tun, als wir schaffen konnten. Unter diesen Umständen und ganz allmählich führten dieser Druck und die tieferen Spannungen, die in den Gedichten meines Vaters zum Ausdruck kamen, dazu, daß wir manchmal auch vor den gelegentlichen Kontakten zurückscheuten, die wir trotz aller Hast und Eile hätten einrichten können.

Eine ganze Weile versuchten wir, meinen Eltern zu erklären, wie beschäftigt wir waren und was wir alles zu tun hatten. Meine Eltern sahen das ein, doch fiel es ihnen manchmal trotzdem schwer, Zugeständnisse zu machen. Nur allzu bald wurden unsere Verpflichtungen von meinen Eltern so ausgelegt, daß wir entweder nicht genug Zeit für sie hatten, oder daß wir uns nicht genug Zeit für sie nahmen. Es war ihnen niemals ganz klar, ob und inwieweit dieser Zeitdruck objektive Notwendigkeit oder subjektiver Vorwand und Rückzug war. Uns selbst war es auch nicht immer klar. Es ging ja nicht nur um meine Beschäftigung an der Universität. In Boulder und dann in Berkeley war Jane mit der Leitung einer Töpferwerkstatt beschäftigt, wie sie es bereits in Chicago getan hatte. Sie stellte Töpfereiwaren her und verkaufte sie und gab nebenbei auch Unterricht. Sie war gewöhnt, selbständig zu handeln, und es fiel ihr kaum ein, meine Eltern um Rat zu fragen. Meine Eltern wußten zwar nicht, was es bedeutet, ein Geschäft zu leiten, erwarteten aber trotzdem, daß Jane Menschen um Rat fragte, die älter waren als sie. Die Sprachbarriere erschwerte die Kommunikation zusätzlich, auch wenn ich mit Übersetzungen aushelfen konnte. Dann kam 1949, nach neunjähriger Ehe, unser erstes Kind, ein Mädchen, und die ganze Situation und unsere Gefühle wurden noch komplizierter. Die Geburt des Kindes brachte uns zwar meinen Eltern näher, weil es für meinen 72jährigen Vater und meine 66jährige Mutter das erste Enkelkind war. Aber das Baby steigerte auch die Erwartung meiner Mutter, um Rat gefragt zu werden; nach ihrer Erfahrung wurden Großmütter immer um ihre Hilfe gebeten, wenn Babies zur Welt gekommen waren. Aber als junge Mutter, die neun Jahre auf das erste Kind gewartet hatte, regte sich bei meiner Frau der Besitzinstinkt; auch fühlte sie sich meiner Mutter und ihrer Mithilfe nicht gewachsen. Da ich zum erwarteten Zeitpunkt der Niederkunft nicht in Berkeley sein konnte, war ich nicht imstande, die zu erwartenden Mißverständnisse ausräumen zu helfen. Infolgedessen konnte das neue Band zwischen meinen Eltern und uns, das unser erstes Baby darstellte, die wachsende Entfernung nicht wettmachen, die bereits eingesetzt hatte.

Mein Vater bei der Arbeit

Es wäre vielleicht anders gekommen, wenn mein Vater sich zur Ruhe gesetzt hätte. Aber solange er gesund war, war er fast so aktiv wie eh und je. Es hatte ihn ermutigt, als 1940 seine Erinnerungen den zweiten Preis bei dem erwähnten Wettbewerb der Harvard University bekamen. Aber vor und nach seiner Ankunft in Amerika beschäftigte er sich stets mit dem Gedanken, daß er nicht nur in Palästina, sondern auch in Deutschland gescheitert sei. *Wir* konnten das nicht einsehen: schließlich hatte er vor Hitler eine erfolgreiche und lohnende Berufslaufbahn gehabt, und in unseren Augen war er für das Scheitern der deutsch-jüdischen Assimilation nicht persönlich verantwortlich. Auch konnte man von einem Mann seines Alters nicht erwarten, daß er in Palästina noch einmal Jura studierte oder die mit einem Exil verbundenen Widrigkeiten problemlos überwand. Aber wir konnten sagen, was wir wollten, er war nicht davon abzubringen, daß die Assimilation in Deutschland gescheitert sei und er in seinem Beruf und als Vater infolgedessen auch. Er konnte auch kaum die Tatsache ertragen, daß er und meine Mutter seit über zehn Jahren finanziell von uns abhängig waren und daß sich an dieser Abhängigkeit auch jetzt in Amerika nichts ändern würde. Nachdem sich meine Eltern in Berkeley eingerichtet hatten, setzte mein Vater aus allen diesen Gründen seine Bemühungen fort, Veröffentlichungsmöglichkeiten für seine Schriften zu finden.

Er war in Amerika mit einem ganzen Koffer voll unveröffentlichter Manuskripte angekommen. Von Zeit zu Zeit kamen neue hinzu, doch er hatte bereits einen mächtigen Vorrat, aus dem er schöpfen konnte. Er glaubte, mit dem Geld, das er in Amerika für seine Veröffentlichungen bekommen würde, seine »Schulden« bei uns zurückzahlen zu können. So bat er mich immer häufiger und eindringlicher, seine Aufsätze zu übersetzen und Veröffentlichungsmöglichkeiten für sie zu finden. Das ganze Gewicht seiner Bitten und Aufforderungen zum Handeln lastete auf mir. Natürlich begrüßte ich es, daß er tätig war. Ich mußte ihm aber auch sagen, daß ich für seine Art der schriftstellerischen Produktion in Amerika keinen Markt kannte, im Gegensatz zu Deutschland, wo für Beiträge in wissenschaftlichen Zeitschriften und sogar für Buchrezensionen Honorare gezahlt wurden. Er wischte diese Ratschläge gern vom Tisch, vielleicht deshalb, weil er sie meiner Beschäftigung mit anderen Dingen zuschrieb; doch wurde meine Einschätzung der Lage durch Freunde aus dem Verlagswesen bestätigt, die er oder ich konsultierten. Mein Vater pflegte stets zu betonen, daß jeder erzielte Gewinn selbstverständlich uns gehören würde, und diese Versicherung erhöhte noch die Dringlichkeit seines Anspruchs auf meine Zeit. Keiner von uns verstand, daß solche dringlichen Bitten in der Vergangenheit durch die räumliche Entfernung für beide Seiten leichter waren. Die Postlaufzeit verzögerte jede Reaktion. Noch wichtiger war, daß durch den brieflichen Verkehr mein Vater nicht in die Lage gekommen war, seinen eigenen Sohn bitten oder mit ihm verhandeln zu müssen, während ich wiederum seine Anliegen nicht persönlich im Gespräch ablehnen mußte. Jetzt, wo wir in engem Kontakt standen, wurden diese früheren Ausweichmanöver unmöglich.

Tatsache ist, daß die Ungeduld meines Vaters und seine Produktivität in keinem praktikablen Verhältnis zu den wenigen Publikationsmöglichkeiten standen, die es vielleicht geben mochte. Um solche Möglichkeiten auch nur erkunden zu können, hätte mein Vater seine deutschen Manuskripte überarbeiten müssen, um sie, was Länge und Stil betraf, für eine Übersetzung und Einsendung an Verlage geeignet zu machen. Solche Textkorrekturen hatte er aber niemals selbst vorgenommen. In Deutschland hatte mein Vater seinen Privatsekretär gehabt, der diese Arbeiten erledigte, wenn er die stenographischen Aufzeichnungen meines Vaters übertrug. In Palästina mußte er sich auf Freunde verlassen, die seine Schriften bei der Übersetzung ins Hebräische bearbeiteten. In Amerika hatte er nur mich, aber ich wußte noch sehr wenig über Veröffentlichungsmöglichkeiten, hatte denkbar wenig schriftstellerische Erfahrung und auch wenig Zeit. Ich wußte nicht, wie ich mit dieser Situation fertig werden sollte, und er wußte es auch nicht; aber dieser Umstand trug kaum zur Entspannung unseres Verhältnisses bei.

Diese Beschreibung unseres Dilemmas und der besonderen Lage meines Vaters mag für manche Leser defensiv klingen – vielleicht ebenso defensiv, wie meine Erklärungen in den Ohren meines Vaters klangen. Ich würde nicht zögern, ein tiefsitzendes Schuldgefühl bei mir zuzugeben – mit demselben Mut, mit dem mein Vater Neid- und Haßgefühle zugab. Aber ich habe mich damals geprüft, und bei der Niederschrift dieses schmerzlichen Berichts habe ich mich erneut geprüft. Damals wie heute wird meine Situation am besten mit dem Wort »Hilflosigkeit«, nicht mit dem Wort »Schuld« beschrieben. Es gibt menschliche Situationen, in denen Probleme ungelöst jahrelang fortbestehen, und für das Problem meiner Eltern gab es, angesichts der Sensibilität meiner Mutter und der Eigensinnigkeit meines Vaters sowie der Schwierigkeiten, die ich geschildert habe, einfach keine Lösung. Es mag »unamerikanisch« sein, das zu sagen, aber es ist wahr und wird auch durch das bequeme Psychologisieren meiner »Schuld« nicht falsch.

Während all diese Mühen und Schwierigkeiten ihren Fortgang nahmen, ergab sich eine andere, recht ironische und paradoxe Entwicklung. 1953 traten in der Bundesrepublik Deutschland Gesetze in Kraft, die die finanzielle Wiedergutmachung für die Opfer der nationalsozialistischen Gewaltherrschaft regelten. Der Verabschiedung dieser Gesetze waren jahrelange Diskussionen vorausgegangen. Mein Vater verfolgte die Entwicklung in Deutschland in der Nachkriegszeit und war zuversichtlich, daß diese Gesetze durchgehen würden. Er begann damit, Unterlagen über die Verluste zu sammeln, die wir erlitten hatten, und drängte uns, ihm dabei zu helfen, weil wir diese Dokumente seiner

Meinung nach brauchen würden. Aber wir waren »busy« – wir waren immer »busy«. Außerdem waren wir davon überzeugt, daß aus den ganzen vorgesehenen Gesetzen nichts werden würde, so daß die Arbeit, um die er uns bat, für die Katz sein würde. Wir hatten gelernt, den Glauben meines Vaters an das Recht mit Skepsis zu beurteilen, und erinnerten uns noch gut an jene Episode aus dem Jahre 1937, gleich nach seiner Freilassung aus Dachau, als wir vor seiner Zimmertür Wache stehen mußten, um zu verhindern, daß seine geplante Eingabe gegen den Kommandanten von Dachau (und möglicherweise andere belastende Eingaben) das Haus verließen. Infolgedessen reagierten wir auf seine Bitten um Hilfe mit Verzögerungen hier und unwillig gewährter Unterstützung dort, während wir die ganze Zeit über bei uns dachten, daß wir Wichtigeres zu tun hätten, aber ihm diesen Gefallen, so gut wir konnten, tun wollten. Das war nun wirklich nicht sehr gut von uns, und mein Vater hatte allen Grund, ungeduldig mit uns zu sein. Denn dieses Mal hatte er recht, und er blieb gegen unsere Ausflüchte hartnäckig. Offenkundig waren wir im Unrecht, und schließlich erledigten wir auch den notwendigen Papierkram. Die Wiedergutmachungsgesetze gingen durch, und es gelang meinem Vater, für die Verluste aus der Zerstörung seiner beruflichen Laufbahn eine Entschädigung zu erhalten. Damals war die Summe, die er bekam, beträchtlich, auch wenn es nur ein unzureichender Ersatz war. Meine Eltern drängten das Geld meiner Schwester und mir auf, so daß sie endlich das Gefühl haben konnten, ihre »Schulden« bei uns zurückgezahlt zu haben. Später erhielt meine Mutter noch eine kleine Pension auf Lebenszeit.

In diesem Falle hatte sich der Glaube meines Vaters an das Recht bewährt, und wir alle hatten den Nutzen davon. Augenscheinlich war unsere gewohnheitsmäßige Skepsis gegenüber dem Recht, die uns die Nazi-Erfahrung eingehämmert hatte, nicht immer angebracht. Betrüblicherweise hatten wir Anfang der fünfziger Jahre nicht mehr das enge Verhältnis zu meinem Vater, um solche ironischen Wendungen des Geschicks und die »eingeübten Unfähigkeiten« seiner Auffassung und unserer zu diskutieren. Ein gewisses Gespräch wurde zwar fortgesetzt, aber die alte Intimität

Else und Ludwig Bendix, 1950/51

war dahin. Es wäre oberflächlich, hier von einem »Scheitern der Kommunikation« zu sprechen. Wir wußten weitgehend, was uns bedrückte, es fehlte nicht an verbalen Fähigkeiten oder an Gefühlen der Großzügigkeit und Zuwendung. Wenn wir schließlich alle zu leiden hatten, dann deshalb, weil Worte die sich verbreiternde Kluft nicht verändern oder beschönigen konnten, die sich zwischen dem Mann, der mein Vater gewesen war, und dem Mann, der ich zu werden versuchte, auftat. Krankheit, altersbedingter Starrsinn und das Gefühl des Scheiterns erschwerten seine Beziehungen zu mir, während jugendliche Ungeduld und die Notwendigkeit, mit meiner Arbeit voranzukommen, meine Beziehungen zu ihm belasteten.

Reinhard und Jane Bendix mit ihren Kindern Erik und Karen, etwa im Frühjahr 1951

Unerwiderte Zuneigung

Unsere Wortlosigkeit war deshalb so schmerzlich, weil dicht unter der Oberfläche so viel Zuneigung vorhanden war. Mein Vater pflegte seine Gedichte zu schreiben, seine Kritiken und viele Abhandlungen über unterschiedliche Gegenstände. Ich pflegte ihm Proben meiner Arbeit vorzulegen. Aber keiner von uns fühlte sich wohl in seiner Haut. Mit Humor und »unbeschwertem« Gespräch versuchten wir, unsere Gefühle zu verbergen. Mein Vater schilderte unsere Situation in einem Gedicht, das er »Liebeserklärung an ›wen es angeht‹« nannte. Das Gedicht ist vom 14. März 1953 und lautet:

> Wenn ich dich liebe über alle Maßen,
> Und die Gefühle droh'n, zu überfließen,
> Wenn ich dein Da-sein möchte voll genießen,
> Vermag mein Herz nur eines: es muß spaßen.
>
> Es spaßt mit dir und hält sich selbst zum Besten.
> Es fehlt der Ausdruck für die Liebes-Fülle.
> Sie sucht sich zu verbergen in der Hülle
> Von Witz und Spott und unfreiwill'gen Gesten.
>
> Du bist so kühl und fern den Zärtlichkeiten.
> Sie könnten dir gar Ärgernis bereiten.
> So schein' ich dann wie du fast hart und herbe
> Und schlag' mich selbst noch kurz bevor ich sterbe,
>
> Um nicht den Liebesdurst zu offenbaren.
> Nur so kann ich mich vor mir selbst bewahren.

Für mich ist es herzbewegend, dieses Gedicht zu lesen. Ich wußte nicht, wie ich reagieren sollte, wenn sich mein Vater so sehr »an mich lehnte«, daß ich mich durch eben die Mittel verteidigen mußte, die er ansprach und selbst benutzte. In einem Gedicht vom Herbst 1953 gebrauchte er über seine eigene Mutter die Wendung: »Lehnt sie sich an dich, wird sie dir zu schwer.« Ein alter Freund der Familie drückte einmal die Befürchtung aus, ich würde »von meinem Vater erdrückt«. Ich fühlte mich zwar nicht erdrückt, aber wenn ich darüber nachdenke, muß ich zugeben, daß ich arg mitgenommen war. Natürlich fühlten sich auch meine Eltern arg mitgenommen.

Ich möchte die Schwierigkeiten, die sich um uns auftürmten, etwas weiter untersuchen, weil das Problem der Generationenfolge weit verbreitet ist, so einzigartig unsere spezielle Version davon auch sein mag. Mein Vater hatte nur wenige Monate gebraucht, um die Entfremdung zwischen uns zu erkennen, die aus unserer langen Trennung und dem Prozeß des Alterns entsprang. 1948, gerade ein Jahr nach seiner Ankunft in Amerika, formulierte er die Gründe explizit, und 1949 folgte ein weiterer

Zyklus von Gedichten. Er erkannte die Probleme scharfsinnig, übersah aber, in welcher Weise er selbst in sie verwickelt war. Er kämpfte darum, die Diskrepanzen zwischen seinen und unseren Erwartungen zu verstehen; es gelang ihm nicht, und uns gelang es auch nicht.

Heute neige ich zu der Ansicht, daß das Selbstbild, welches mein Vater von sich hatte, ein Hauptgrund für unser Dilemma war. Der zweite Vers seines Gedichtzyklus von 1948 macht die Erwartungen deutlich, mit denen er zu uns nach Amerika gekommen war. Er glaubte, daß er durch seine Lebensarbeit einen »Schatz« gefunden habe, wie er sich ausdrückte. In seinem Gedicht spricht er davon, »ein Stück zu unserem Wissen beizutragen«, doch in früheren Jahren hatte er von diesem Beitrag als einer »kopernikanischen Wende« des juristischen Denkens gesprochen. Er hatte weder Lohn noch Ruhm noch das Rampenlicht der Öffentlichkeit gesucht. Aber er schmeichelte sich doch, mit seinem Beitrag zum juristischen Wissen Schneisen in den alten Trott des Üblichen geschlagen zu haben.

> Ich glaubt', ich hätt' ein weniges verschoben,
> Den alten Trott mit seinen ew'gen Plagen,
> Und hoffte auf ein allgemeines Tagen . . .
>
> So wollt' ich lehren bis zu meinem Ende!
> Ihr bleibt im Trott, verschmähet meine Spende.
> Ein neu' Geschlecht verurteilt mich zum Schweigen.
>
> Berkeley, Ende August 1948

Er hatte oft gesagt, daß die Zukunft den Jungen gehöre, aber er hatte nicht daran gedacht, daß seine eigene Wahrnehmung unserer Jugend »altern« würde. Er zog jene Schlußfolgerungen, als ich 32 war und gerade mit meiner wissenschaftlichen Arbeit begonnen hatte. Kaum war er seinen eigenen Kindern als erwachsenen Menschen wiederbegegnet, da war er sich bereits sicher, daß wir in den alten Trott verfallen waren, gegen den er angekämpft hatte. Er glaubte, ich als Angehöriger der neuen Generation hätte ihn zum Schweigen verdammt, weil ich seine Schriften nicht übersetzte und keine Veröffentlichungsmöglichkeiten für sie fand. Mit 71 war sein Geist festgelegt. So weit ich sehen konnte, hatte er gewisse Schwierigkeiten, mir wirklich zuzuhören, wenn ich versuchte, die Hindernisse zu erklären, die einer Veröffentlichung seiner Schriften im Wege standen. Ich war auch persönlich enttäuscht über seine recht lauwarme Reaktion auf einen Essay *(Social Science and the Distrust of Reason,* 1951), in dem ich bewußt versucht hatte, einigen seiner Ideen zu folgen.

Im Abstrakten hatte mein Vater viel über das Altern nachgedacht, aber persönlich mit dem Alter konfrontiert zu werden, war etwas anderes. Unserer Entfremdung lag eine Enttäuschung zugrunde, die unheilbar war. Nur Taten zählten, nicht Worte, und Taten (Hilfe bei der Veröffentlichung seiner Schriften) kamen eben nicht. Wie er es 1948 ausdrückte: »Ich komm' zu euch mit eifervollen Händen/Und biete euch, was ich nur bieten kann,/In unermüdlichem Bemühen an.« Er fühlte sich bis zum Überfließen voll mit Ideen und Gedanken, bereit, sein ganzes Selbst zu verschwenden, aber es war ihm nicht gelungen, unseren jugendlichen Geist zu verändern. Wir hatten ihn und das Denken, an welches er sein ganzes Leben verwandt hatte, verbannt. War die Zeit für ihn gekommen, seine Arbeit zu beenden? War das nicht das Schicksal, das uns alle erwartet? Um sein Bild zu gebrauchen: sollte er nicht froh sein, jetzt in einem sicheren Hafen gelandet zu sein, auch wenn er von fremden Wellen bespült wurde?

In immer neuen Versionen drückte mein Vater seine tiefe Ambivalenz aus; einmal war er vergnügt über den Anblick unserer Jugend und ergab sich in sein Alter, ein andermal erklärte er – wider seine eigenen Einsichten –, daß sein Werk dauern werde, auch wenn er selbst nicht mehr sein würde, und daß eine neue Generation, wenn schon nicht seine eigenen Kinder, in seinem Sinne weiterwirken würde. Einen starken Ausdruck dieser Ambivalenz enthält das folgende, abschließende Gedicht:

So ist das Bild: Im Kreise ihrer Lieben
Großvater, Vater, Mutter und das Kind.
Ein jeder kennt den anderen und bleibt blind:
In jedem brodelt's von geheimsten Trieben.

Denn in der Liebe ist auch Haß verborgen,
Weil jeder lebt in seiner eig'nen Welt,
Und jeder jedem etwas vorenthält.
's gibt keine Einheit zwischen Heut und Morgen.

Du kannst dich diesem Kreise nicht entziehen.
Was Du auch tust, du wirst ihm nicht entflieh'n.
Das Alter hat Vergang'nes in den Knochen.
Die Jugend kommt mit Künft'gem in die Wochen.

Es nutzt kein Sträuben. Du mußt dich ergeben:
Wachstum und Tod im Kampf – das ist das Leben.

Berkeley, 15. 9. 1948

Auch hier ist wieder der Mut zu bewundern, mit dem mein Vater den Haß inmitten der Liebe anerkannte, der Mut, von geheimsten Trieben zu sprechen, die in uns allen vorhanden waren. Tiefstes Bedauern über unser »Amerikanertum« und vor allem darüber, daß wir das Werk, das er uns in so reichem Übermaß anbot, nicht nutzten und darauf aufbauten: diese Gefühle standen im Zentrum von meines Vaters Pein. Aber es kam noch ein weiteres Element hinzu.

Das Problem der Schwiegertochter

Schon bald nach ihrer Ankunft in Amerika begannen meine Eltern, an meiner Frau herumzukritisieren, obwohl sie ihren guten Willen anerkannten. Es kam zu vielen Mißverständnissen, die auf sprachliche Schwierigkeiten zurückzuführen waren. Viele weitere kamen hinzu, weil meine Mutter dazu neigte, schnell übelzunehmen. Früher in Deutschland und wahrscheinlich auch in Palästina hatte mein Vater diese Tendenz durch seine gütige Vermittlung abgemildert, und er versuchte dies auch, nachdem meine Eltern zu uns nach Boulder und Berkeley gezogen waren. Seine distanzierte Perspektive kam ihm dabei zugute. Er beschrieb den Kummer meiner Mutter darüber, daß wir jetzt erwachsen waren. In ihrem Herzen waren wir noch immer ihre Kinder, dazu bestimmt, ihr ganzer Lebensinhalt zu sein und zu bleiben. Sie wußte, daß das eine Illusion war, aber sie klammerte sich an sie. Ihr Herz floß von Liebe über, und sie fand es schwer erträglich, daß unsere Freundlichkeit im Vergleich zu ihren eigenen Gefühlen kühl und distanziert wirkte. Die Gedichte meines Vaters und zweifellos viele Gespräche mit meiner Mutter wiederholten immer wieder das Thema des unvermeidlichen Unabhängigkeitsstrebens der Jugend. Er muß das Hunderte von Malen gesagt haben, indem er meine Mutter und sich daran erinnerte, daß sie selbst in ihrer eigenen Jugend ganz genauso gehandelt hatten.

Distanzierung war wohl auch am Werk, wenn mein Vater die Beziehungen zwischen meiner Mutter und meiner Frau beobachtete, bei denen es um meine Zuneigung zu beiden ging. Er sah, daß ich mit keiner der beiden Frauen unbefangen umgehen konnte, wenn die Ansprüche der beiden auf meine Zuwendung sich gegenseitig ausschlossen. Meine Situation erinnerte ihn an die seines eigenen Vaters:

Ich muß dran denken, was mein Vater sprach,
Als er zum zweiten Male sich vermählte,
Und seine Frau ihn um die Wette quälte
Mit seiner Kinder ew'gem Weh und Ach:

»Die einen zieh'n mir aus das graue Haar.
Die and're läßt kein schwarzes Haar am Schopfe.
Ihr seht mich noch mit völlig kahlem Kopfe.
Bin ich ein Spielball, eig'nen Willens bar?«

Hier wirkt sich aus ein ewiges Geschehen:
Der Mittelsmann hat einen schweren Stand.
Er ist nach beiden Seiten hingewandt,
Und keiner kann er alles zugestehen.

Der Mittelweg hat Sisyphusgefahren.
Gott helfe deinen schwer bedrohten Haaren.

Berkeley, Mitte März 1949

Kein Zweifel, mein Vater versuchte mit diesem Gedicht, einer ernsten Situation heitere Seiten abzugewinnen. Aber so lustig war es in Wirklichkeit gar nicht, weil mein Vater in diesen Zeilen eine

Ludwig Bendix, 1950

Distanziertheit vorgab, die er gar nicht besaß. Von seinem Beobachterposten aus stützte er den Schmerz meiner Mutter und vergrößerte die Ungewißheit meiner eigenen Beziehung zu meiner Mutter und meiner Frau mit seinen beträchtlichen dialektischen Fähigkeiten.

Else Bendix, Berkeley 1960

Es wäre zwecklos, das Hin und Her dieses allseitigen Scheiterns im einzelnen nachzuzeichnen. 1949 schrieb ich meinen Eltern aus New York, nachdem sie von mir mehr Offenheit und weniger Diplomatie verlangt hatten. Ich machte meiner Erbitterung Luft, fuhr dann aber fort:

Ich will dem noch einen Ratschlag hinzufügen, den ich auch aufbewahren will, wenn ich einmal 72 alt bin. Das ist der, daß Eltern ihren erwachsenen Kindern gegenüber eine Politik des Stolzes verfolgen müssen, etwa so: wenn die Kinder uns besuchen wollen, gut, wenn nicht, nicht. Ein Bestehen auf Wärme und Vertrauen, wiederholte Klagen über die Haltung der Kinder führen zu gar nichts, denn sie werden in der Tat als Invasion empfunden.

Aber es half nichts. Es blieb dabei, daß weder sie noch wir einen Mittelweg zwischen einer alten Liebe von Eltern und Sohn und einer neuen Liebe zwischen diesem Sohn und seiner Frau finden konnten. Mein Vater stellte sich auf die Seite meiner Mutter, wenn sie alles, was ich sagte oder tat, auf eine tyrannische Liebe zurückführte, der ich mich so vollständig ausgeliefert hatte, daß ich meine Sohnespflichten versäumte. Meine Eltern hatten den Eindruck, daß wir von ihnen erwarteten, daß sie ihre Wünsche den unseren unterordneten, und wir hatten den Eindruck, daß die Erwartungen und Forderungen meiner Eltern uns zu dominieren drohten. Mir war die Aufgabe zugewachsen, in regelmäßigen Abständen Friedensverhandlungen zu führen. Später (in einem Brief vom 25. April 1952) faßte ich das hieraus resultierende Dilemma folgendermaßen zusammen:

Die Empfindlichkeit anderen Menschen gegenüber kann auch als Waffe benutzt werden; ich stelle das lediglich fest, ohne für mich in Anspruch zu nehmen, daß ich aufgrund dieser Feststellung »schlechte Motive« in Rechnung stellen darf. Nun ist es außerordentlich schwierig, besonders für mich, der ich von beiden Seiten her bombardiert werde, dabei im Gleichgewicht zu bleiben. Denn ich darf unter den Umständen meine eigene Empfindlichkeit nicht in Anrechnung setzen, weil ich dann nicht mehr in der Lage bin, die Empfindlichkeiten der mich bombardierenden Parteien in Rechnung zu stellen. Es fragt sich aber doch, wie lange das für mich menschlich möglich sein wird.

Praktisch war es so, daß meine Frau und ich uns irgendwie »durchwurstelten«, indem wir zwischen Zeiten der »Abkühlung« und Zeiten einer erneuerten Freundlichkeit abwechselten. Der Gesamteffekt war eine gewisse Distanzierung auf unserer Seite und eine Verminderung von Ansprüchen, als meine Eltern älter und schwächer wurden.

Während die Jahre vergingen, fanden meine Eltern mehr und mehr eine Stütze aneinander, doch wurde mein Vater sehr einsam. Die meisten Menschen seiner Generation starben oder wurden ebenso unkommunikativ wie er selbst. Sein Augenlicht, das ihm schon immer zu schaffen gemacht hatte, wurde jetzt immer schlechter. Das Lesen hörte auf, ein Vergnügen für ihn zu sein. Er versuchte es immer wieder, doch wurde es zur Quelle des Verdrusses. In diesem Zusammenhang dachte er an sein eigenes Werk als an bleibende Beiträge, die jedoch »für den Neubau dieser Welt verloren« seien, wie er es in einigen düsteren Versen vom Dezember 1952 ausdrückte. Zuletzt waren ihm nur noch zwei Betätigungsmöglichkeiten geblieben. Er fuhr fort, seine Gedichte zu schreiben, sogar ein Gedicht über die Nutzlosigkeit seiner Gedichte, die niemals gedruckt werden würden und von denen er wußte, daß sie nicht von überragendem Wert waren. Doch so vergänglich und von geringem Interesse sie für uns waren, er fand eine gewisse Befriedigung darin, sie zu schreiben. Er machte kritische Bemerkungen zu manchen meiner Aufsatzentwürfe. Ich gab diese schriftstellerischen Bemühungen an ihn weiter, weil ich irgendwie versuchen wollte, unsere Beziehung lebendig zu erhalten, indem ich ihn über meine Arbeit informiert hielt. Zweifellos wurde er jedesmal an seine früheren, inzwischen enttäuschten Hoffnungen auf eine Zusammenarbeit mit mir erinnert, während ich ebenso oft daran erinnert wurde, daß es uns beiden nicht gelungen war, jenen Gedankenaustausch zu entwickeln, nach dem wir beide uns gesehnt hatten.

Ein letzter Aspekt der Einwanderung meiner Eltern ist vielleicht der wichtigste. Im tiefsten Sinne litten sie darunter, daß sie ihren Status verloren hatten. Als er noch in Palästina war, hatte mein Vater sich unter Menschen bewegt, die seine frühere Karriere als Rechtsanwalt in Berlin und seine Bedeutung als juristischer Schriftsteller kannten. Und meine Mutter wurde von denselben Leuten als die charmante Frau anerkannt, die sie war, als penible Hausfrau und Wächterin über die Gesundheit meines Vaters, als die Frau, die ihm während der schwierigsten Zeit seines Lebens zur Seite gestanden hatte. Ihr Leben in Amerika dagegen konnte ihnen nicht länger ein Gefühl ihrer eigenen Identität geben. Die Erfahrung mit uns war eine profunde Enttäuschung für sie – auch wenn sie sich anerkennend über das äußerten, was wir taten, und sich über unseren »Erfolg« erfreut zeigten. Gelegentliche Erkrankungen und schließlich ihre Unterbringung im Jüdischen Altersheim von Berkeley verschärften für sie noch das Gefühl der Abhängigkeit. Sie gehörten jetzt zu den alten Menschen, für deren Wohlfahrt andere sorgen mußten. Diese Abhängigkeit von anderen und insbesondere von Fremden, nicht nur von den eigenen Kindern, bedeutete einen Statusverlust, der besonders für meinen Vater schwer zu ertragen war. Er war ein stolzer Mann und hatte ein Recht auf seinen Stolz, aber nun gab es nichts mehr, worauf er stolz sein konnte.

Der »lost status«

Aus meiner Werkzeit bin ich fortgerissen
Und lebe unbekannt ein Schatten-Leben,
In dem es keinen Kampf gibt und kein Streben.
Und niemand will von deinem Werk 'was wissen.

Es ist nicht tot, du kannst es gar nicht wissen.
Du mußt von ihm den andern Kenntnis geben,
Wenn sich die Schleier über ihm erheben.
Es gilt ein Nichts, es hat kein Stempel-Kissen.

Da kommt ein Mann in Ämtern und in Würden
Und meint, er könne auf dich niederbürden
Den Händedruck, den du gemieden hattest,
Und den du ihm UNWILLIG jetzt gestattest.

Du bist im Zwang, die Gnade anzunehmen.
Dir ist zu Mut', als müßtest du dich schämen.

Oakland, 25. 8. 52

Während diese Verse entstanden, mußten meine Eltern das politische System Amerikas studieren, um sich auf ihre Einbürgerung vorzubereiten. Meinem Vater war 1938 die deutsche Staatsbürgerschaft aberkannt worden, und für die Ausreise in die

Vereinigten Staaten hatten meine Eltern Reisepapiere von den britischen Behörden in Palästina bekommen. Niemand möchte staatenlos sein, und meine Eltern fanden es nur in der Ordnung, amerikanische Staatsbürger zu werden wie wir. Doch 1952 war mein Vater 75 und meine Mutter 69. Es war eine Qual für sie, in diesem Alter noch fremde Institutionen zu studieren, mit einem Gedächtnis, das sie immer wieder im Stich ließ, und in einer Sprache, die sie nicht beherrschten. Schließlich bestanden sie die Prüfung und wurden im November 1952 naturalisiert. Sie fühlten, daß eine Last von ihnen genommen war, aber die Einbürgerung bedeutete nur den endgültigen Abschied von Deutschland, nicht aber einen neuen Anfang im neuen Lande. Besonders für meinen Vater bedeutete die Einbürgerung, daß er sich damit abfand, alt zu sein und sich zur Ruhe zu setzen. Er versuchte noch immer, uns nach Kräften zu helfen, aber er sah ein, daß er sein Lebenswerk in unsere Hände geben mußte. Er tat es traurig und ohne großes Vertrauen.

Kapitel XVIII

Die Wahl meines Forschungsgebietes: ein letzter Dialog

Ich stehe bei meinem Vater in großer Schuld. Die Fragen, die er mir in frühen Jahren vorlegte, haben meine wissenschaftliche Arbeit bereichert. Und die Liebe, mit der meine Mutter und mein Vater mich in meiner Jugend umgaben, verlieh mir Stärke. Aus Gründen, die sich unserem Verständnis und unserer Kontrolle weitgehend entzogen, gelang es uns nicht, den Generationskonflikt zu lösen; wechselseitig verletzten wir unsere Gefühle, trotz einer letzten Affinität, die zwischen uns bestehen blieb. Ich hätte es begrüßt, wenn mein Vater in unseren sieben gemeinsamen Jahren in Kalifornien Verständnis für meinen sich herausschälenden Ansatz in der amerikanischen Soziologie gezeigt hätte. Aber das war etwas, wozu er nicht imstande war. Nach zehn Jahren Exil und einer noch längeren Zeit, in der er sich nicht in die Arbeit hatte vertiefen können, die ihn befriedigte, ließ ihn seine zunehmende Enttäuschung um so zäher an Ideen festhalten, die er vor 1933 formuliert hatte.

Ein juristischer und ein wissenschaftlicher Ansatz

Sein ethischer Individualismus ging auf die Aussagen über Psychologie zurück, die er 1896 für seinen Lehrer Rudolf Lehmann formuliert hatte. Die bleibende Bedeutung dieser Aussage für meinen Vater selbst sowie ihre spätere Wirkung auf mich sind unverkennbar. Ein so verstandener Individualismus beinhaltet das Interesse am anderen Menschen, dessen Gedanken und Gefühle der Aufmerksamkeit wert sind. Ein solches Interesse gründet sich auf Gegenseitigkeit. Jeder möchte anerkannt werden, aber wir können Interesse für unsere eigene Person nur in dem Ausmaß erhoffen, in dem wir bereit sind, uns für andere zu interessieren. Und ein echtes Interesse an anderen setzt die Fähigkeit zu kritischer Selbstprüfung voraus. Das ist der Geist, in dem mein Vater seinen Anwaltsberuf ausübte und der mich inspirierte, den Beruf des Lehrers zu ergreifen.

Ethischer Individualismus kann nur Früchte zeitigen, wenn er von gleichgesinnten Menschen getragen wird. Eine Haltung des Gebens und Nehmens verkümmert, wenn der andere nur nimmt, aber nicht geben will. Als mein Vater 1938 schrieb, daß sich unsere Familie viel zu sehr in ihrem Individualismus isoliert habe, bezog er sich besonders auf seinen eigenen Entschluß, im Jahre 1919 aus der jüdischen Gemeinde Berlins auszutreten. Im Exil war es zu spät, die frühere Entscheidung rückgängig zu machen, aber nicht zu spät, die eigenen Kinder vor einer Wiederholung dieses Fehlers zu warnen. Trotzdem waren diese nachträglichen Überlegungen wirklich sekundär. Mein Vater hatte dem deutschen Anwaltsstand angehört und sich in dieser Eigenschaft einen Namen machen können. Als er versuchte, nach seinem Ausschluß aus der Berliner Anwaltskammer seine Laufbahn als Rechtsberater fortzusetzen, hatte er sich geweigert, seine juristischen Fähigkeiten kommerziell auszuwerten, weil ihm dies mit seinem Selbstverständnis als Rechtsanwalt unvereinbar schien. Wie jeder Anwalt in seinem Umgang mit Klienten, hatte er sich mit ihren Nöten befaßt und seine Fähigkeiten dazu benutzt, ihre Unbescholtenheit zu verteidigen. Doch anders als viele Anwälte, wenngleich noch immer im Interesse seiner Klienten, hatte er sich zu einem prominenten Kritiker des deutschen Rechtswesens entwickelt. Die Tragödie seines Exils im Alter von sechzig Jahren war, daß es ihn des institutionellen Rahmens beraubte, in welchem sein Individualismus seinen natürlichen Ausdruck gefunden hatte.

Als mein Vater zu uns nach Amerika kam, hatte ihn nichts darauf vorbereitet, den institutionellen Rahmen zu würdigen, in welchem sich *mein* Individualismus entwickelte. Mit dem Universitätsleben hatte er nur als Student in Deutschland ein halbes Jahrhundert zuvor Kontakt gehabt. Er begriff nicht, daß eine amerikanische Universität anders strukturiert war als eine deutsche oder was es bedeutete, in den fünfziger Jahren in Amerika

Professor zu sein. Trotzdem hatte ich viel von der Art gelernt, wie mein Vater an seine Klienten heranging, und versuchte, in einem anderen institutionellen Rahmen diese Haltung in einen akademischen Unterrichtsstil umzusetzen.

Der Dozent an einer amerikanischen Universität hat eine doppelte Aufgabe. Er muß die Werte und Interessen, die er an seinen Unterrichtsstoff heranträgt, zum Ausdruck bringen. Auf diese Weise kann er das persönliche Interesse seiner Studenten für ihn wecken. Denn indem sie sehen können, wie und warum geistige Probleme geeignet sind, ihren Lehrer zu beschäftigen, vermögen die Studenten das Interesse und die Fähigkeit zu erwerben, von ihm *als Wissenschaftler* zu lernen. Doch um Wissenschaftler zu sein, häuft der akademische Lehrer ein gewisses geistiges Kapital an: nur so ist er etwas mehr als ein Redner. Im Idealfall sind seine zentralen Fragestellungen dazu geeignet, seine Arbeit ein ganzes Leben lang zu bestimmen. Die Aufsätze und Bücher, die er schreibt, die Vorlesungen, die er hält, sollten als sein eigener Beitrag zur Wissenschaft erkennbar sein und sich nicht als bloßer Aufguß von anderer Leute Ideen darstellen. Diese erkennbare Identität seiner Arbeit drückt seine Individualität aus *und* bietet dem Studenten ein Bildungserlebnis.

In der Welt, wie ich sie kannte, war es die tyrannische Unterdrükkung, vor der wir fliehen mußten, die meine Perspektive bestimmte. Zwar ist Unterdrückung ein tragischer Aspekt der *conditio humana,* aber an sich noch kein geistiges Problem. Die Aufgabe, die ich mir selbst 1950 stellte, war, aus den Ideen und Erfahrungen, die ich bisher gesammelt hatte, ein Forschungsprojekt zu formulieren. Und damit komme ich in diesem postumen Zwiegespräch mit meinem Vater zur Zusammenfassung unserer unterschiedlichen Standpunkte.

Das Thema der Arbeit meines Vaters war die überragende Sorge um die Gerechtigkeit. Je nach den Umständen, mit denen er es zu tun hatte, bewegte sich diese Sorge in zwei verschiedene Richtungen. In seiner Auseinandersetzung mit den Führern der Berliner Rätebewegung betonte er die Notwendigkeit einer formalen juristischen Rationalität. Revolutionäre Begeisterung im Interesse einer schlecht definierten Volkssouveränität, ein Wahlsystem, das auf der Repräsentation von Berufszweigen beruhte, befriedigten ihn nicht, auch wenn er das Ideal selbst befürwortete. Er fürchtete Anarchie ebensosehr wie Diktatur; beide sind das Ergebnis von revolutionärer Erhebung, wie er schon 1918/19 an der bolschewistischen Revolution und deren Programm erkannte. In diesem Zusammenhang betonte er die Wichtigkeit von umfassenden verfassungsmäßigen Sicherungen und die Unentbehrlichkeit juristischer Spezifizierung.

Die Weimarer Republik gründete formal auf einer neuen Verfassung, die auf die Revolution vom November 1918 folgte. Mein Vater verankerte seine juristische Laufbahn in dieser Verfassung und sah im Eintreten für sie eine Grundvoraussetzung für jede juristische Laufbahn in Deutschland. Da viele konservative Angehörige des deutschen Richterstandes sich offen oder stillschweigend weigerten, für diese neue Verfassung einzutreten, führte er einen Feldzug, in welchem er die untergründigen Voraussetzungen der richterlichen Urteilstätigkeit kritisierte. In diesem Zusammenhang entwickelte er seine Idee von der »Mehrdeutigkeit von Tatsachen und Rechtsnormen«. Dies war eine angewandte Theorie. Er wollte diese Idee als Grundprinzip der juristischen Ausbildung anerkannt wissen; sie sollte die herrschende positivistische Annahmen ablösen, daß das Recht ein lückenloses System darstellt, in welchem jeder Rechtsstreit gerecht und eindeutig entschieden werden kann, indem man die ermittelten Tatsachen den entsprechenden Rechtsnormen subsumiert. In seinen Augen gingen die Richter hinter dieser Fassade des Rechtsformalismus von persönlichen und politischen Annahmen aus, ob sie es wußten oder nicht. Die meisten schwerwiegenden Rechtsstreitigkeiten können nur mit Hilfe moralischer und politischer Werte entschieden werden, das heißt mit Hilfe von Voraussetzungen, die über die Tatsachen und das Recht hinausgehen. Mein Vater verlangte, daß diese oft unausgesprochenen Werte offen auf den Tisch gelegt werden, wo sie kritisch geprüft werden können. Er verlangte auch die für eine solche Aufdekkung erforderliche kritische Selbstprüfung – alles im Namen von Vernunft, Redlichkeit und Gerechtigkeit. Als Rechtsanwalt wandte er sich mit dieser Forderung an Angehörige des Richterstandes, aber im Prinzip meinte er alle staatlichen Beamten. Er war überzeugt, daß die Lebensfähigkeit demokratischer Einrichtungen von der öffentlichen Aufdeckung und Prüfung stillschweigender Voraussetzungen abhing, wo immer Menschen mit öffentlicher Autorität bekleidet sind. Er glaubte sogar, daß eine solche Aufdeckung für alle anderen Bereiche wichtig ist, in denen Menschen die allgemeine Geltung ihrer Arbeit und Ansichten fordern, vor allem in der Wissenschaft mit ihren Ansprüchen auf die »Autorität der Erkenntnis«.

Er war sich klar darüber, daß sein Ansatz Unruhe erzeugen mußte. Zwar gefiel er sich auch in der Rolle des Einzelkämpfers, doch war er in seiner Auffassung des Rechts Moralist, und auf diesen Moralisten in ihm reagierten seine Kritiker. Vielen Leuten waren seine Angriffe auf den Status quo ein Dorn im Auge, und sie fragten nach *seinen* untergründigen Voraussetzungen und Annahmen. Als Anwalt war es sein Recht, die Grundlage öffentlicher Entscheidungen zu kritisieren, aber seine Forderung nach Aufdeckung verborgener Motive konnte man auch als ein Stück Sophisterei abtun. Natürlich konnte er es nicht dabei bewenden lassen, aber ebensowenig seine Kritiker. Sie verwiesen darauf, daß sein Appell an die Richterschaft, ihre »verborgenen Motive« aufzudecken, politisch naiv war. Es läßt sich einiges für die Geheimhaltung von Ermessensurteilen sagen, wenn sie in gutem Glauben erfolgt sind; andernfalls würden Richter sich vielleicht allzusehr von der erwarteten Reaktion der Öffentlichkeit beeinflussen lassen. Wieder andere vertraten den Standpunkt, daß stillschweigende oder unaufgedeckte Voraussetzungen kein Interesse beanspruchen könnten, weil sie unberücksichtigt geblieben seien und nur die öffentlich formulierten Gründe für Urteilsentscheidungen zählten. Für meinen Vater verfehlten diese Argumente den Punkt, auf den es ihm ankam. Er war der Meinung, daß ein Juristenstand, der sich dem Ideal der Rationalität verpflichtet weiß, es der Öffentlichkeit und sich selbst schuldig ist, den Normen nachzuleben, auf die er seine Reputation und Autorität gründet. Zu sagen, daß seine Forderungen impraktikabel seien, erschien ihm als eine törichte Verteidigung des Status quo mit all seinen angestammten Interessen und den

immer wiederkehrenden Konflikten zwischen starren Institutionen und den legitimen Ansprüchen des in seinen Rechten beeinträchtigten einzelnen.
Der Konflikt zwischen ihm und mir wurde augenscheinlich, sobald er diesen Ansatz auf die Sozialwissenschaften übertrug. Er wußte genug von der Soziologie, um deren Mangel an begrifflicher Präzision zu kennen. In unseren Gesprächen am Eßzimmertisch in Berlin hatte er die Bedeutung von Ausdrücken wie »soziale Klasse« oder »Klasseninteresse« angezweifelt. Ich hatte viel von seiner Skepsis gelernt, und nun, da ich an einer amerikanischen Universität Soziologie lehrte, erlaubten mir seine Fragen bezüglich der Überfülle von einander überschneidenden und ungefähr gleichbedeutenden Ausdrücken in der Soziologie keine bequemen Antworten. Trotzdem gab es hier auch ein Paradoxon. Meinem Vater war es in erster Linie um die Idee zu tun, daß alle Tatsachen und Rechtsnormen mehrdeutig sind. Aber wenn alle Aussagen über Tatsachen unter irgendeinem Gesichtspunkt umstritten sind, wie ich es in Chicago gelernt hatte, dann bedeutete dies fast schon, den Wert von Tatsachenaussagen überhaupt anzuzweifeln.
Wenn alle Aussagen verschiedene Deutungen zulassen und daher jede einzelne Aussage relativ ist, dann läßt auch der allgemeine Satz von der »Mehrdeutigkeit« verschiedene Deutungen zu und ist selbst relativ. Mein Vater zog diese logische Frage nicht in Erwägung und brauchte es vielleicht auch nicht. Er hatte *seine* Absichten als Rechtskritiker deutlich genug definiert. Vielleicht hatte er recht, wenn er behauptete, daß beides notwendig sei: die Nichtbeteiligung des Analytikers in einer revolutionären Situation und die Unentbehrlichkeit von Rechtsformen im Interesse der institutionellen Stabilität. Schließlich sind Revolutionäre selbst zu demselben Ergebnis gekommen, daß Stabilität notwendig ist, und sei es auch durch Methoden, welchen einige oder viele ihrer überzeugendsten Ziele geopfert werden. Vielleicht hatte mein Vater abermals recht, wenn er in der Weimarer Republik monarchistische Richter dazu aufrief, die ihren Urteilsentscheidungen zugrunde liegenden Vor-Urteile aufzudecken. Er erhob diese Forderung als Rechtsanwalt, der ein berufliches Interesse

nicht nur an der Verteidigung seiner Klienten, sondern an der Sicherung der neuen Weimarer Verfassung hatte. Da er politisch definierte Absichten im Sinn hatte, achtete er auf die *Logik jeder einzelnen Situation* und forderte keine abstrakte Konsistenz. Ich lernte eine Menge von diesem Ansatz. Ich erkannte, daß es verdienstvoll war, jede »Tatsache« von vielen verschiedenen Gesichtspunkten aus zu betrachten, die zumindest teilweise auf die unterschiedlichen Situationen zurückgehen, in denen die Menschen sich befinden. Aber ich konnte nicht dem Standpunkt meines Vaters beitreten, daß seine Fähigkeit, viele verschiedene Gesichtspunkte wahrzunehmen, von einem wissenschaftlichen Ansatz herrührte. So gebildet und intellektuell er war, sein leitendes Interesse war es, Ideen zum Wiederaufbau der Gesellschaft zu benutzen. So gründete sich meine Skepsis gegen seinen Ansatz letztlich auf die Überzeugung, daß er als Rechtsanwalt nicht behaupten konnte, zu einer »Partei der Unparteilichen« zu gehören und daß ihm der institutionelle Rahmen fehlte, der ihm erlaubt hätte, einen glaubwürdigen Anspruch auf Objektivität in diesem Sinne zu erheben.

Unparteilichkeit – noch einmal

Als Angehöriger des Anwaltsstandes kritisierte mein Vater deutsche Richter, weil sie behaupteten, unparteilich zu sein, wo sie in Wirklichkeit öffentliche Vertrauens- und Autoritätspositionen innehatten und innerhalb des etablierten Rahmens handeln mußten. Mir scheint, daß diese Kritik berechtigt war, auch wenn sie von einem Anwalt geäußert wurde, der das Rechtssystem von einem besonderen Standpunkt aus sah. Ein solches System kann nur aufrechterhalten werden, wenn seine Träger sich für seine Aufrechterhaltung engagieren; dieses Engagement entkräftet jedoch Ansprüche auf Unparteilichkeit. In dieser Hinsicht haben Wissenschaftler eher einen Anspruch auf Unparteilichkeit als Richter oder Anwälte, weil das wissenschaftliche Hauptgeschäft nicht die Beilegung von Streitigkeiten zwischen interessierten Parteien, sondern die Erzeugung und Pflege von Wissen ist. Ich formulierte diesen Anspruch auf Wissenschaftlichkeit im Jahre 1951, doch war mein Vater nicht mehr imstande, die divergierenden Interessen des juristischen und des akademischen Berufes zu sehen (und mit mir zu diskutieren). Ich schrieb, daß sozialwissenschaftliche Forschung

> ... unseren unerschütterlichen Glauben an die konstruktiven und bereichernden *Möglichkeiten* der menschlichen Vernunft bekundet. Dies ist keine uninteressierte Aussage. In einer Welt, die von Kriegen der Nerven, der Waffen und der Worte zerrissen wird, sollten die Universitäten Institutionen der Distanziertheit sein, deren akademisches Personal der Gemeinschaft einen wichtigen Dienst zu leisten hat, für den es Anerkennung von den ökonomischen und politischen Machthabern fordern sollte. Es ist Aufgabe der Sozialwissenschaften, das Werk der menschlichen Aufklärung zu fördern, nicht aber eine Nützlichkeit zu behaupten, die sie häufig nicht besitzen. Sozialwissenschaftler sollten ihren Glauben an die menschliche Vernunft aufrechterhalten, selbst wenn sie oft die alten religiösen Grundlagen für einen solchen Glauben verloren haben. Dies ist ein humaneres Credo als die Sorge um die Verbesserung von sozialen Manipulationstechniken. Es ist die einzige Position, die der großen geistigen Traditionen würdig ist, in welchen die Sozialwissenschaftler stehen. Es ist die Grundlinie der geistigen Verteidigung gegen die Bedrohung des Totalitarismus.[1]

Seit diese Äußerung zu Papier gebracht wurde, haben die Universitäten einen massiven Wandel durchgemacht, der auf ihre Finanzierung aus äußeren Quellen zurückgeht, und das Ende dieser Verwandlung ist noch nicht abzusehen. Doch selbst heute bleiben die Ziele der Distanziertheit und Aufklärung die hauptsächlichen Grundlagen der Universitätsarbeit. Jedenfalls war dies der Kontext, in dem ich für mich selbst zu definieren versuchte, was ich erforschen wollte und warum. Mein Vater konnte diesen Rahmen nicht akzeptieren, und unsere Beziehungen in seinen letzten Lebensjahren wären leichter gewesen, wenn wir beide diesen Unterschied deutlich anerkannt und diskutiert hätten, anstatt uns nach einer geistigen Gemeinschaft zu sehnen, die uns versagt war.

Der Glaube an die Vernunft und das Bemühen, das Irrationale durch Analyse und Selbsterforschung rationaler zu machen, hatte die Grundlage für die Lebensarbeit meines Vaters abgegeben. Er glaubte daran, daß diese Bemühung praktischen Wert für die Rechtsreform haben werde. Wie ich es heute sehe, gelang es ihm nicht, seine Untersuchungen von »irrationalen Kräften« in richterlichen und anderen öffentlichen Entscheidungen und sein Bestehen auf juristischer Rationalität auf einer abstrakten Ebene zusammenzubringen. Statt dessen brachte er diese beiden Interessen gleichzeitig ins Spiel: die juristische Argumentation für revolutionäre Enthusiasten und auch für meine Arbeit als Soziologe, die Analyse von irrationalen Kräften für staatliche Beamte. Die Akzentuierung hing vom jeweiligen Widersacher ab, an den mein Vater dachte. Das war zwar als Kampfstrategie nützlich, stellte aber keine gangbare theoretische Position dar. Im Grunde fehlte meinem Vater das Vertrauen auf den guten Willen des Gesprächspartners in einem geistigen Dialog, ein Mangel an Vertrauen, der bei einem Rechtsanwalt durchaus verständlich, für jede Diskussion unter Wissenschaftlern aber tödlich ist. Ich möchte hier wiederholen, was ich schon früher (in Kapitel XV) gesagt habe, wobei ich mich bei Lesern mit glänzendem Gedächtnis entschuldige:

> Wenn wir uns jedes Vertrauen in die menschliche Urteilsfähigkeit versagen, untergraben wir unbewußt die Grundlage für die Kommunikation zwischen Gelehrten, die letztlich auf dem vorausgesetzten guten Willen ebenso beruht wie auf Argumentation und Beweis. Wir machen diese Voraussetzung schon beim Gebrauch der Sprache selbst. Denn Wissenschaft wie Sprache können nicht gedeihen, wenn wir Grund zu der Annahme haben, daß der andere systematisch auf die Zerstörung sinnvoller Kommunikation hinarbeitet.[2]

In meinen Augen war die Universität diejenige Institution, die für die Kultivierung eines solchen Vertrauens am besten geeignet war, das Rechtssystem, wie mein Vater es verstand, aber nicht. So sehr ich bei der Entwicklung meiner kritischen Sichtweise gegenüber dem »Szientismus« der amerikanischen Soziologie in seiner Schuld stand, so viel ich von seiner Betonung der Vielfalt der Gesichtspunkte bei konfligierenden Interessen von ihm gelernt hatte: als Wissenschaftler forderte ich Vertrauen auf den menschlichen Diskurs, der durch die Maßstäbe einer funktionierenden Gemeinschaft von Wissenschaftlern abgesichert ist. Diese Forderung war von anderer Art als das Vertrauen meines Vaters auf die Sicherung des Rechtssystems, die sein eigenes kritisches Herangehen an die richterliche Urteilstätigkeit deckten. Das Grundprinzip von Universitäten ist die Suche nach und die Weitergabe von Wissen; das Grundprinzip von Rechtssystemen ist die Regelung des menschlichen Zusammenlebens und die Schlichtung von Streitfällen. Letztlich war es dieser unterschiedliche Zweck, der der geistigen Entfremdung zwischen meinem Vater und mir zugrunde lag.

Das Studium von Ideen und Ideologien

Was und warum ich studieren wollte: das war die Frage, die ich mir selbst beantworten mußte. In Chicago hatte ich gelernt, es sei die Aufgabe der Soziologie, den Menschen und sein Handeln in der Gesellschaft zu studieren. Diese Auffassung ergänzte zweifellos den Ansatz meines Vaters, der die Unvermeidlichkeit von konfligierenden Interessen und Weltanschauungen betonte – eine Perspektive, die in seiner Generation weit verbreitet war, wie ich später im Werk Max Webers entdeckte. Da die überwiegende Mehrheit der Menschen damit beschäftigt ist, greifbare Interessen zu verfolgen, so ergibt sich daraus, daß der Gebrauch von Ideen bei der Förderung dieser Interessen ein bedeutsames soziologisches Faktum ist. Anstatt zu fragen, wie Ideen und Interessen zustande kommen, wie ich es noch in Berlin und in meinen ersten Jahren in Chicago getan hatte, wollte ich fragen, wie sie gebraucht werden. Diese Akzentverschiebung bedeutete den Abschluß eines Kapitels in meinem eigenen geistigen Werdegang. Denn das Interesse an der Entstehung von Ideen hatte seinen Ursprung im Historischen Materialismus gehabt, das heißt in der marxistischen Überzeugung, daß der menschliche Geist durch die Aufdeckung von Klassenvorurteil oder falschem Bewußtsein von seinen interessebedingten Voreingenommenheiten befreit werden kann. Diese Befreiung war, wie man glaubte, der Weg zur Befreiung des Menschen überhaupt, weil Marx »Wahrheit« im

Sinne der siegreichen Seite in der Geschichte von Klassenkämpfen definierte. Das Bürgertum hatte diese Art von »Wahrheit« im Zeitalter des Feudalismus besessen, das Proletariat besaß sie im Zeitalter des Kapitalismus. Im Klartext bedeutete dies, daß »Wahrheit« nicht der von den interessebedingten Voreingenommenheiten befreite Geist war. »Wahrheit« war vielmehr der voreingenommene Geist, dessen Interessen auf seiten der Zukunft standen, auf seiten der Sieger im nächsten Abschnitt der menschlichen Geschichte. Aus Karl Löwiths Buch *Weltgeschichte und Heilsgeschehen*, 1953, lernte ich, daß diese ganze Suche nach Wahrheit in der Geschichte ein säkularer Versuch war, das Gefühl einer göttlichen Vorsehung in den menschlichen Angelegenheiten festzuhalten. Das war Sache eines Glaubens, den ich nicht hatte. Wollte man Ideen und Wahrheit nicht als Nebenprodukt der Geschichte betrachten, so bestand die einzige Alternative darin, in ihnen Eigenschaften des in der Gesellschaft handelnden Menschen zu sehen. Erst viel später erfuhr ich, daß Max Weber in einem Brief von 1909 geschrieben hatte: »Zwei Wege stehen offen: Hegel oder – *unsere* Art, die Dinge zu behandeln.«[3] 1950 wußte ich weder dies noch, daß ich ein Jahrzehnt später selbst ein Buch über Weber schreiben würde.

Damals gab es noch unmittelbarere Gründe für mich, mein Interesse von der Entstehung von Ideen auf den Gebrauch von Ideen zu verlagern. Meine Magisterarbeit hatte sich mit »Aufstieg und Anerkennung der deutschen Soziologie« befaßt. Jetzt bewiesen die Kämpfe in Berkeley um die Einfügung der Soziologie in den akademischen Lehrplan, daß selbst beim leidenschaftslosesten Studium der Gesellschaft Entscheidungen verlangt werden. Man konnte auf verschiedene Weise leidenschaftslos sein, und diese Unterschiede führten zu Interessenkonflikten. So waren Ideen selbst die Quelle von Interessen, auch wenn andererseits Interessen die Quelle von Ideen waren. Die Vorstellung, daß Akademiker keine Interessen und Unternehmer keine Ideen haben, war ein irreführendes, wenn auch verbreitetes Vorurteil.

Meine Analyse des Kulturmusters der amerikanischen Bürokratie auf Bundesebene lieferte Erkenntnisse, wenn auch in anderem Zusammenhang, zum Verständnis der Eidkontroverse in Berkeley und zur Beobachtung der Interaktion in einem bürokratischen Rahmen. Anläßlich dieser Analyse hatte ich viel darüber gelernt, wie Ideen benutzt werden. Es schien mir logisch zu sein, den nächsten Schritt zu tun und zu untersuchen, wie Ideen direkt auf Handeln bezogen werden und in diesem Sinne auch von allen Beteiligten verstanden werden. Die Beziehungen zwischen Arbeitgebern und Arbeitnehmern waren ein Gebiet, auf dem Ideen als Waffen eingesetzt werden. Um dieses Gebiet einzugrenzen, beschloß ich, die Ideen derjenigen Leute zu prüfen, die moderne Unternehmen entwickelten. Die Ideologien von Unternehmensführern zu untersuchen, lief den herrschenden Modeströmungen in der Soziologie zuwider, die von einer antikapitalistischen Tradition sowie von der Tendenz beeinflußt waren, alle »eigennützigen« Ideen als der Untersuchung für unwürdig zu betrachten. Trotzdem sind die Ideologien von Unternehmern und Unternehmensführern von Bedeutung: sie haben dazu beigetragen, die Welt der Arbeit zu verändern und in den wirtschaftlich fortgeschrittenen Ländern einen beispiellosen Wohlstand zu schaffen. Die wachsende Spaltung unserer Welt in wenige reiche und viele arme Länder war für mich beeindruckend, aber auch bedrückend. Ich wollte die Anfänge der Industrialisierung vom Standpunkt jener verstehen, die sie in Gang gesetzt und jene Transformation bewirkt hatten, die der Erfolg der Industrialisierung mit sich brachte. Offenbar waren industrielle Beziehungen eine Zone des sozialen Konflikts, in der es bei jeder Streitfrage mindestens zwei Seiten und ihre entsprechenden Ideen gab. Die Frage war, ob ein solch kontroverses Thema, bei dem es um die leidenschaftlichen Anliegen vieler Menschen aus verschiedenen Generationen ging, leidenschaftslos analysiert werden konnte, vor allem, wenn diese Kontroversen von oben nach unten und nicht auch von unten nach oben betrachtet werden sollten.

Ich hatte verschiedene Gründe für diese Entscheidungen. Der wesentlichste war meine Sorge um die verfassungsmäßige Garantie von Persönlichkeitsrechten, die durch moderne totalitäre Regimes vernichtet worden waren. Diese Garantien waren erst zwei Jahrhunderte zuvor entwickelt worden, und diese Entwicklung war mit der Industrialisierung Hand in Hand gegangen. Eine immer größer werdende Zahl von Menschen wurde in Fabriken und Büros einer strengen und unpersönlichen Zucht unterworfen, so daß die formelle Garantie von Persönlichkeitsrechten faktisch mit der Unterordnung der Vielen einherging. Was können Rechte besagen, wenn der dominierende Faktor des Arbeitslebens Pflicht heißt? Welche Antwort hatten die Wortführer des Kapitalismus auf diese Frage gefunden?

Ich nahm mir vor, Ideologien von Unternehmensführern zu studieren, das heißt Ideen über Arbeit, die Autorität von Unternehmern und die Gründe, die für die Unterordnung von Arbeitnehmern angegeben werden. Diese Ideen berühren das Leben eines jeden, der seinen Lebensunterhalt als Beschäftigter einer Organisation verdient, sie berühren seine Freiheit und sein Wohlergehen als Mensch. Da die Gestaltung des Arbeitsplatzes und die Arbeitsumwelt eine unmittelbarere Auswirkung auf die Alltagserfahrung haben als verfassungsmäßige Garantien, sind die Ideen im Zusammenhang mit der Gestaltung des Arbeitsplatzes und der Arbeitsumwelt unserer Aufmerksamkeit wert.

Die moderne Welt der Arbeit wird durch die Industrialisierung in einem politischen Zusammenhang berührt, und im Interesse der Kürze kann man unsere Welt in Teile einteilen, auch wenn dieses Vokabular neueren Ursprungs ist und durch parteiliche Empfindungen gefärbt wird. In der Ersten Welt (Westeuropa sowie europäische Siedlungen außerhalb Europas wie Vereinigte Staaten, Kanada, Australien und Südafrika) priesen die Wortführer des industriellen Fortschritts die Anstrengung des Einzelnen und rechtfertigten die Unterordnung der Beschäftigten. Sie sagten, beides sei das Ergebnis des Besitzes von Eigentum und werde materielle Profite sowohl für den Einzelnen als auch für die Gesellschaft erbringen. In der Zweiten Welt des sowjetischen Einflußbereiches und seit 1949 Chinas priesen die Wortführer des industriellen Fortschritts das Kollektiveigentum und die Kollektivanstrengung und rechtfertigten die Unterordnung der Beschäftigten, weil alle Werktätigen Eigentümer und daher ihrer eigenen Autorität, wie diese durch die Kommunistische Partei repräsentiert werde, unterworfen seien. Für sie können nur Resultate dem Einzelnen nützen, die für die Gesellschaft als ganze erreicht

wurden. Gegenstand meiner Untersuchung wurde es nun, die faktischen und ideologischen Unterschiede zwischen einer individualistischen und einer kollektivistischen Form der Unterordnung in Wirtschaftsbetrieben zu verstehen.
Großorganisationen sind das wirksamste Mittel geworden, die in unserer Welt notwendige Arbeit zu leisten, und dies überzeugte mich auch, daß die Ideologien ihrer Unternehmensführung eines Studiums wert seien. Sie waren bisher in einem umfassenden vergleichend-geschichtlichen Rahmen nicht untersucht worden. Eine frühere, von Max Weber beeinflußte Literatur hatte die Entwicklung einer Arbeitsethik in der westlichen Zivilisation auf den Einfluß religiöser Konzeptionen, insbesondere des Puritanismus des 17. Jahrhunderts, zurückgeführt. Ich wollte nun dieselbe Arbeitsethik in der Entwicklung von weltlichen Appellen nachzeichnen, deren Einfluß weitverbreitet, wenn auch recht oberflächlich war.
Als mein Vater einige Kapitel in ihrer ersten Fassung las, konnte er sich kaum die endgültige Gestalt von *Herrschaft und Industriearbeit* vorstellen, das später, zwei Jahre nach seinem Tod, erschien. Immerhin gab es einen Aspekt dieser Studie, nämlich das Problem der Parteilichkeit und Objektivität, mit dem er sich sein Leben lang beschäftigt hatte. Ich war von seinen Ideen beeinflußt worden. Gab es ein wissenschaftliches Herangehen an parteiliche Auffassungen und wie könnte es aussehen? Die Männer, die Wirtschaftsunternehmen leiten, finden es bequem oder nützlich, Ideen zu gebrauchen, die Disziplin und Autorität am Arbeitsplatz rechtfertigen. Ich nahm mir vor, zu untersuchen, wie Unternehmer und Unternehmensführer die Probleme der Industrialisierung sahen. Diese Männer waren wichtige Mitglieder der Gesellschaft, die »wußten, was sie wollten«. Sie würden nur Ideen übernehmen, die ihnen zusagten, die ihnen geistesverwandt waren. Als Männer der Praxis mochten sie sich vielleicht nicht persönlich mit Ideen herumschlagen; aber dann blieb das Rätsel, daß sie es anscheinend nützlich und gelegentlich sogar notwendig fanden, für diesen Zweck »Ideenmänner« zu engagieren. Trotzdem konnte ich die unternehmerische Sicht des Menschen und der Gesellschaft nicht ohne weiteres akzeptieren. Eine

Analyse mußte über den Standpunkt der Beteiligten hinausgehen, indem ich auf ihn meine eigenen Begriffe anwendete. Indem man die Erfahrungen von Unternehmern und Managern wissenschaftlich betrachtet, beispielsweise den Widerspruch zwischen ihrer Behauptung, dem Arbeitnehmer zu nützen, und dem niedrigen Lohn, den sie ihm zahlen, können ihre Handlungen und Ideen umfassender interpretiert werden, als wenn nur ihre eigenen Ansichten untersucht werden. Diese wissenschaftliche Perspektive wurde erleichtert durch den vergleichenden Ansatz, den ich in *Herrschaft und Industriearbeit* (1960) wählte. Die endgültige Studie enthielt eine Analyse von Unternehmensideologien im Laufe der russischen Industrialisierung von der Zeit Peters des Großen (1689-1725) bis zur Zeit der bolschewistischen Revolution und im Laufe der englischen Industrialisierung vom Ende des 18. bis zum Ende des 19. Jahrhunderts. Sie enthielt ferner eine Analyse von Unternehmensideologien in der amerikanischen Industrie von den achtziger Jahren des 19. Jahrhunderts bis zu den dreißiger Jahren des 20. Jahrhunderts und in der Industrie der DDR zwischen 1945 und 1955. Dieser wissenschaftliche Ansatz hatte seine eigenen Vorbedingungen. Als Analytiker war ich nicht persönlich in industrielle Beziehungen verwickelt und konnte daher an die Erfahrung der Männer, die Unternehmen leiten, unterschiedliche Perspektiven herantragen. Auf diese Weise kommen Folgerungen und Beziehungen in den Blick, die den Beteiligten selbst entgehen oder von ihnen zum Vorteil ihrer eigenen Interessen gedeutet werden.

Dieser wissenschaftliche Ansatz unterscheidet sich von dem des Richters. Dieser ist Teil des Rechtssytems, das Sanktionen verhängt und Streitfälle regelt. Der Sozialwissenschaftler als Angehöriger eines Universitätslehrkörpers erfreut sich einer institutionellen Unterstützung, die die Distanziertheit bei seinen Forschungen fördert, auch wenn diese Forschung Ergebnisse zeitigt, die an der Universität oder der Gesellschaft als ganzer Kritik üben. Diese institutionelle Unterstützung ist von günstigen gesellschaftlichen und politischen Umständen abhängig; sie ist zweifellos anfällig gegen Angriffe von Kräften außerhalb und auch innerhalb der akademischen Welt. Doch solange diese

Unterstützung währt, fördert sie eine Objektivität, die sich generell von der Unparteilichkeit und Selbstprüfung unterscheidet, die mein Vater als praktizierender Jurist von allen staatlichen Beamten verlangte.
Universitäten haben den langen zeitlichen Horizont der Bildung und der Suche nach Erkenntnis. Die Wissenschaftler, die in ihrem Rahmen arbeiten, können sich vom Druck der Termine oder der Notwendigkeit, Resultate hervorzubringen, verhältnismäßig frei fühlen. Im Gegensatz hierzu haben die Justiz und die Exekutive in einem demokratischen Gemeinwesen den viel kürzeren Zeithorizont der öffentlichen Entscheidungsfindung. Richter und Beamte arbeiten mit dem Termindruck für ihre Urteile und Entscheidungen und müssen den Anforderungen von Menschen gerecht werden, die in Not sind. Forschung und Lehre sind dem Handeln entrückter als die juristische Praxis. Daher haben die persönlichen Bindungen, die Universitätsprofessoren eingehen, nur undeutliche Auswirkungen, im Gegensatz zum Recht, wo die Auswirkungen dazu neigen, spezifisch zu sein. Auf seine Weise vereinigte mein Vater das Beste aus beiden Welten in sich, das Engagement für das Handeln und zugleich die Unparteilichkeit. Im Namen der Vernunft war er für beides, juristische Formen und die Selbstprüfung von Entscheidungsträgern, um verfassungsmäßige Grundsätze in die Praxis umzusetzen. Auf diese Weise war er ein prinzipienstrenger Advokat, ein Parteigänger im Interesse der Unparteilichkeit. Der Wissenschaftler kann diese Perspektive nicht teilen. Sein Auftrag ist nicht einmal so spezifisch wie die Klauseln einer Verfassung. Er basiert vielmehr auf einem allgemeinen Glauben an den Fortschritt durch Erkenntnis, eine nach vorne offene Suche, deren Qualität von seinen Fachkollegen beurteilt und eingeschätzt wird. Diese Einschätzung kann sich natürlich im Laufe der Zeit ändern, aber sie versucht immer, die Objektivität und den Scharfblick eines Wissenschaftlers zu beurteilen nach dem Material, das er zusammengetragen hat, nach der Qualität der gestellten Fragen und nach der Umsicht und dem Einfallsreichtum, mit denen es dem Forscher gelungen ist, auf seinem Gebiet die Erkenntnis zu fördern. All dies unterscheidet sich von der Treue zum Geist einer Verfassung und der ausgewo-

genen Interpretation von Tatsachen und Rechtsnormen, die eine gute richterliche Entscheidung auszeichnen. Nachträglich ist klar, daß die Perspektive meines Vaters und meine eigene zwangsläufig divergieren mußten.

1952 erkrankte mein Vater. Im folgenden akademischen Jahr, 1953/54, hatte ich zum ersten Male Anspruch auf ein akademisches Urlaubsjahr von der University of California, und ein Fulbright-Stipendium erlaubte es mir und meiner Familie, dieses Jahr in Deutschland zu verbringen. Das Fulbright-Programm teilte mich dem Gebiet von Frankfurt/Main zu. Von dort aus hatte ich bequemen Zugang zu Materialien über die DDR, das auf Interviews mit DDR-Flüchtlingen und einer sorgfältigen Auswertung von DDR-Veröffentlichungen beruhte.
Dies war für mich die erste Rückkehr nach Europa und Deutschland seit meiner Emigration 1938 und für meine Frau die erste Auslandsreise überhaupt. Es war auch das erste Mal, daß wir es wagten, mit unseren zwei kleinen Kindern im Alter von vier und zwei Jahren zu verreisen. Die Wohnungsnot in Frankfurt war, acht Jahre nach Beendigung des Zweiten Weltkrieges, noch immer groß. Schließlich fanden wir eine Wohnung in Friedrichsdorf, einem Hugenottenstädtchen in der Nähe von Frankfurt. Unsere Vermieter nutzten die Wohnungsknappheit aus, indem sie exorbitante Preise verlangten, die zur damaligen Zeit nur Amerikaner (für gewöhnlich Angehörige der Streitkräfte) bezahlen konnten. Für reich gehalten zu werden, war für uns eine neuartige Erfahrung; in Berkeley kamen wir (und meine Eltern) notdürftig mit dem aus, was ich als Assistant Professor verdiente. Als Amerikaner waren wir unbeliebt, doch hatten wir nur wenige Kontakte zur Bevölkerung und machten uns nichts daraus. Aber dieser Zustand dauerte nicht lange. Bald kamen die Kinder weinend nach Hause und erzählten, andere Kinder hätten ihnen nachgerufen »Ami go home«. Meine Frau war entsetzt über die Ruppigkeit der Deutschen beim Einkaufen. Unsere Vermieter waren, wie wir bald herausfanden, Nazis gewesen, und ihre Mischung aus kriecherischem Neid und kaum verhohlener Verachtung vergiftete die Atmosphäre. Ich kam zwar mit meiner

Arbeit voran, aber unsere Lebensumstände waren, gelinde gesagt, wenig erfreulich.
Zum Glück lernten wir einen Arzt und seine Familie kennen, die auf der gegenüberliegenden Straßenseite wohnten. Bald spielten unsere Kinder und seine zusammen auf der Straße oder in seinem großen Garten. Der Arzt und seine Frau waren unter schauerlichen Umständen aus Danzig entronnen, nachdem die Russen die Stadt bereits besetzt hatten. Sie hatten sich in Friedrichsdorf niedergelassen. Mit Hilfe eines Freundes hatten sie zwar ein Haus bauen können, doch da ihnen die finanziellen Mittel fehlten, hatten sie zwei Räume unvollendet lassen müssen, in denen der Arzt sein Büro und seinen Konsultationsraum hatte unterbringen wollen. Jetzt waren sie sofort bemüht, uns aus unserer unglücklichen Wohnsituation herauszuhelfen. Wir streckten ihnen das Geld für die Einrichtung der leeren Zimmer vor und zogen dann selbst ein; die Kinder wurden in Schlafzimmern neben dem Speicher verstaut. Im Dezember zogen wir um. Was als höchst unerfreuliche Wohnsituation begonnen hatte, war auf einmal zu einem angenehmen Erlebnis geworden. Der Arzt war ein prächtiger Mensch, und war den Kindern sehr zugetan. Er interessierte sich für uns beide und war von einer ansteckenden Lebenslust. Seine Frau – Mutti K., wie wir sie bald nannten – war warmherzig, unendlich hilfsbereit, ging völlig in ihrer Familie und ihrem Haushalt auf und war jetzt nur allzu bereit, uns einzubeziehen, damit wir es »gemütlich« hätten. Wir Erwachsenen konnten sehen, daß ihre Kinder und unsere die ganze Sache für ein großes Abenteuer hielten und eine wundervolle Zeit verlebten. –
Aber auf diesem heiteren Ton kann meine Geschichte nicht enden. Ende Dezember 1953 erhielt ich aus Kalifornien die Nachricht, daß mein Vater schwer erkrankt war. Er hatte einen Herzanfall erlitten, zu dem bald eine Lugenentzündung hinzutrat. Meine Schwester flog an die Westküste, um bei meiner Mutter zu sein, und telegraphierte mir, daß es mit meinem Vater zu Ende ging. Später erfuhr ich aus den Gedichten, die er schrieb, daß er in diesen letzten Monaten jene Leidenschaftslosigkeit geübt hatte, um die er sich sein Leben lang so bemüht hatte. Die

Gedichte beschrieben sein nachlassendes Augenlicht; selbst meine Mutter wurde zu einer verschwommenen Gestalt. Er las nicht mehr, sondern döste vor sich hin. Er bat um Nachsicht für das, was Vergeßlichkeit und partielle Taubheit aus ihm gemacht hatten. Trotzdem beschwor er uns, nicht um ihn zu trauern. Es mußte sein. Er scheint gelassen und heiter bei dem Gedanken gewesen zu sein, daß die Last des Lebens nun von ihm genommen werden sollte.

Viele tausend Kilometer entfernt quälten wir uns mit der Frage, ob ich so schnell wie möglich nach Kalifornien zurückreisen solle. Aber es war noch nicht das Zeitalter des Düsenflugzeuges, und wir kamen widerstrebend zu dem Schluß, daß es wahrscheinlich zu spät war. Ich schickte meinem Vater ein Telegramm, in dem ich ihm sagte, wie viel ich seiner Inspiration verdankte, und der Hoffnung Ausdruck gab, es werde ihm bald besser gehen. Dies letztere war zwar unwahrscheinlich, aber ich erfuhr später, daß er sich über meinen Ausdruck des Dankes und der Zuneigung gefreut hatte. Er starb am 3. Januar 1954. Als ich die traurige Nachricht erhielt, wanderte ich, in Gedanken versunken, lange durch die winterliche Landschaft des Taunus.

Epilog

Eine deutsch-jüdische Familie

Gustav und Hannchen Bendix, die Eltern meines Vaters, und Bertha und Adolf Henschel, die Eltern meiner Mutter, liegen auf dem alten jüdischen Friedhof in Weißensee, im heutigen Ost-Berlin, begraben. Dort befindet sich auch das Grab von Minna Bendix, geborene Steinweg, der Mutter von Gustav Bendix (meiner Urgroßmutter), von der mein Vater behauptete, daß sie weder lesen noch schreiben konnte. Zweifellos wurden diese meine Vorfahren nach ordnungsgemäßem jüdischen Zeremoniell begraben, sonst würden sie nicht auf einem jüdischen Friedhof ruhen. Im Gegensatz zu ihnen waren meine Eltern emanzipiert, im Tode wie im Leben. Mein Vater wollte verbrannt werden, meine Mutter wünschte eine Erdbestattung. Als sie 1968 starb, beschlossen wir, die Asche meines Vaters zusammen mit meiner Mutter auf dem Friedhof Rolling Hills in El Cerrito, Kalifornien, beizusetzen, unweit unserer Wohnung. Die Feuerbestattung, das Fehlen einer jüdischen Trauerzeremonie, ein religiös nicht gebundener Friedhof sowie zuletzt unsere eigene Improvisation: dies alles spiegelt den Individualismus wider, der unser Leben geprägt hat, die Freiheit der Entscheidung, aber auch die Last, immer aufs neue entscheiden zu müssen.

Im Mai 1979 besuchten meine Frau und ich die Gräber meiner Großeltern in Berlin-Weißensee. Der Friedhof birgt rund 120 000 Grabstätten und wird seit fünfzig Jahren nicht mehr gepflegt. Er ist in langgestreckte Areale mit durchnumerierten Grabsteinen unterteilt. Viele Grabsteine sind umgestürzt; überall liegen herabgefallene Zweige und wuchert der Efeu; zwischen den Gräbern sind große Büsche und Bäume gewachsen. Vor der Zerstörung der deutsch-jüdischen Gemeinde Berlins durch die Nazis lebten in Berlin rund 160 000 Juden, bei einer Gesamtzahl von 550 000 Juden in Deutschland mit seiner Bevölkerung von 60 Millionen. Heute leben in Ost-Berlin 200 Juden und in West-

Berlin 6000, und zwar überwiegend ältere Leute, deren finanzielle Mittel begrenzt sind.
Der Grabstein meines Großvaters trägt die Inschrift: »Nach erfolgreicher Arbeit hast Du hier den Frieden gefunden, den Du im Leben nicht erreichen konntest.« Wer immer sich diese Inschrift ausgedacht hat, er muß die Bürde gekannt haben, die mein Großvater zu tragen hatte: die zweimalige Verheiratung mit einer Witwe, die ihrerseits Kinder aus einer vorangegangenen Ehe mitbrachte, und die hieraus resultierenden Kämpfe zwischen der Frau und den Kindern um die Liebe des Vaters. Mein Vater erkannte die Analogie zwischen dieser Situation und dem Kampf zwischen meiner Mutter und meiner Frau um meine Zuneigung; doch er selbst stand vor anderen Problemen.

Die Assimilation meines Vaters

Er hatte recht mit der Erwartung, daß eine andere Generation von Deutschen seine Analyse der richterlichen Urteilstätigkeit besser würde zu schätzen wissen als seine Zeitgenossen.[a] Doch wurden seine diesbezüglichen Hoffnungen in seinen späteren Lebensjahren von dem elementaren Scheitern der deutsch-jüdischen Assimilation überschattet, auf die er bis 1935 noch gebaut hatte. Dieses Gefühl des Scheiterns verließ ihn für den Rest seines Lebens nicht mehr und hatte eine Intensität, die ich auch heute nur schwer verstehen kann. Es ist, als ob er die persönliche Verantwortung für die unglückliche historische Entwicklung

a) Die postume Veröffentlichung *Zur Psychologie der Urteilstätigkeit des Berufsrichters* (1968), herausgegeben von Manfred Weiß, hat in der Bundesrepublik ein beträchtliches und überwiegend positives Echo gefunden. Kritiker nennen dieses Werk häufig in einem Atemzug mit den Schriften Ernst Fraenkels, Otto Kahn-Freunds und anderer, wenn sie bedeutende Vorläufer aus der Weimarer Zeit für ihren eigenen, kritischen Ansatz gegenüber der richterlichen Urteilstätigkeit aufzählen. Ob diese Reaktion auf die Schriften meines Vaters ganz dem entspricht, was er selbst sich erhofft hatte, vermag ich nicht zu beurteilen.

eines ganzen Landes übernehmen wollte. Letztlich war ihm seine Liebe zu Deutschland selbst ein Rätsel; er hatte diese Liebe in seiner Jugend gefaßt, als eine Alternative zu der gespaltenen Loyalität gegenüber der deutschen und der jüdischen Kultur, die für viele seiner Zeitgenossen typisch war.
Wieder einmal drückte er seine Gefühle in einem Gedicht aus.

Ich hab' mich so gesehnt. Ich lebt' im Zwange
Und konnt' den Weg nicht gehen, den ich wollte.
Die Achtung, die ich in der Jugend zollte,
Hat heimlich fortgewirkt, Jahrzehnte lange.

Mein ganzes Leben war ich unzufrieden
Mit meiner Arbeit, die Erfolge brachte.
Im tiefsten Herzensgrunde immer wachte
Die Lieb' zum Lande, das mir nie beschieden.

So schwebt mir immer vor, was ich nicht bin
Und niemals werden kann und doch verehre.
Wenn ich mich frage: »Was hab' ich im Sinn?
Neid' ich die Lehrer, die ich selbst belehre?«

Die Antwort weiß ich nicht. In tiefsten Schlünden
Forsch' ich vergeblich nach den Hinter-Gründen.
Nur EINS ist sicher, niemand wird's bestreiten:
Wunschträume können Lust und Schmerz bereiten.

Oakland, 7. 2. 1953

Als er 1938 schrieb, daß seine vielen Gedichte »Ausdruck einer verzweifelten, ja tragischen Lebenssituation« seien, drückte er nicht nur den lebenslangen Wunsch aus, anderen nahe zu sein, nicht nur seine Verzweiflung über das Scheitern der deutsch-jüdischen Assimilation, sondern letztlich seine unerwiderte Liebe zu dem Land, das ihn nicht haben wollte. Hitlers Aufstieg zur Macht hatte ihn in Abgründe gestoßen, aus denen er sich nicht mehr erheben konnte. Er hatte sich stets am wohlsten mitten in einer aktiven juristischen Laufbahn gefühlt, welche ihm einen täglichen Anreiz für seine Schriften bot. Seine Zeit als Vorsitzender Richter eines Arbeitsgerichts in Berlin von 1927 bis 1928 war *der* Höhepunkt seines Lebens gewesen, nicht nur, weil dieses

Amt ihm die Möglichkeit gab, seine Ideen in die Praxis umzusetzen, sondern auch, weil es ihn der Autorität jenes Landes nahebrachte, dem er zu dienen wünschte. Mehr noch, es gab ihm die Chance seines Lebens, diese Autorität so human zu gestalten, wie er sie haben wollte. Diese Chance war viel zu kurz, und auf seinen Ausschluß aus der Anwaltskammer 1933 folgten 21 Jahre (1933-1954) der Enttäuschung, mit der er fertig zu werden versuchte, so gut es ging. Im Exil blieb zwar der Antrieb zum Schreiben erhalten, aber das Land und die Institutionen, in denen er sich entfalten konnte, waren verloren. Eines seiner Lieblingszitate traf genau auf ihn zu:

> Verbiete Du dem Seidenwurm zu spinnen,
> Wenn er sich schon dem Tode näherspinnt.
> (Goethe, *Torquato Tasso,* V, 2.)

Es war ein tragisches Fazit, aber er beklagte sich nicht, zum Teil deshalb, weil er selbst die Gründe für eine Vaterlandsliebe nicht nennen konnte, die scheinbar so unverständlich war – es sei denn, dem Bruch meines Vaters mit dem Judentum hätte die Sehnsucht nach einer Gemeinschaft zugrunde gelegen, die so warm und bergend sein sollte, wie es eine wirkliche Gemeinschaft niemals sein konnte.

Sein in Weltlichkeit geführtes Leben hatte ihn nicht darauf vorbereitet, in religiösen Begriffen zu denken, seine Sehnsucht nach einer Heimat war kein Patriotismus, sondern die Suche nach einem idealen Deutschland, und seine Rückkehr zum jüdischen Leben geschah verspätet und halbherzig. In einem seiner Briefe an uns nach Berlin bezog sich mein Vater auf den Wunsch nach einer »schöpferisch gewordenen Frömmigkeit«; er sagte weiter: »In dem unverwüstlichen Bedürfnis nach einem sinnvollen Zusammenhang alles geschichtlichen Geschehens steckt das religiöse Glaubenselement.« Aber diese Wendungen artikulierten keinen religiösen Glauben, weil mein Vater nicht mehr daran gewöhnt war, in religiösen Begriffen zu denken.

Die Sprache des Glaubens ist von einer Beredsamkeit, die ihm fremd war. Ich zitiere hier nur ein Beispiel für diese Beredsamkeit, um einen Maßstab nicht nur für die Einschätzung der ambivalenten Haltung meines Vaters, sondern auch für die Charakterisierung meines eigenen, noch größeren Mangels an religiöser Sensibilität zu haben.

Nur in Israel hat es einen ethischen Monotheismus gegeben, und wo er späterhin anderwärts zu finden ist, dort ist er mittelbar oder unmittelbar von Israel hergekommen. Die Existenz dieser Religionsform war durch die Existenz des israelitischen Volkes bedingt, und Israel war damit eine der Nationen geworden, die einen Beruf zu erfüllen haben. Das ist es, was die *Auserwählung* Israels genannt wird. In diesem Worte liegt sonach zunächst nur der einfache Ausdruck einer geschichtlichen Tatsache, die Feststellung einer bestimmten, wesentlichen Eigenart, die hier hervorgetreten ist. Die Tatsache, daß diesem Volke seine besondere Stelle in der Welt zugewiesen war, daß es etwas vollbrachte, wodurch es sich von den anderen unterschied, ist damit bezeichnet.
Aber zugleich soll doch auch mit diesem Worte ein zusprechendes Urteil gefällt werden. Die Verschiedenheit soll als eine berechtigte, die Eigenart als eine wertvolle erklärt werden, die vorhandene Scheidung als eine solche, die durch einen klassischen, bleibenden Besitz begründet ist. Sie soll ... anerkannt sein ... als ein gegenseitiges Verhältnis zwischen Gott und ihm, als der *Bund*, zu dem der Ewige es aus dem Dunkel einer schweigenden Vergangenheit herausgeholt hatte, und in dem allein es seinen geraden Weg und seine verheißende Zukunft entdeckt ... Jeder, der eine Wahrheit hat, erfährt um sie als sein Eigenes, das ihm aufgetragen ist, erfährt um das, was ihn von den Menschen trennt. Der Berufene ist immer ein Auserwählter, einer, der das Wort Gottes vernommen hat, welches ihm den besonderen Weg weist. Offenbarung und Auserwählung sind Begriffe, die einander verlangen.[1]

Das Judentum meines Vaters mag in seinem Gefühl des »Auserwähltseins« in bezug auf sein Wirken für die deutsche Rechtsreform bestanden haben; seine Leidenschaft für die Gerechtigkeit war real. Aber das Gefühl für die Idee eines Bundes zwischen Gott und dem Volk Israel war ihm völlig abhanden gekommen. Gewiß zeigte er ein aktives Interesse am neuen Staat Israel; Verfolgung und Exil hatten seine Sorge um das jüdische Problem vertieft.[b] Später, als er in Amerika war, besuchte er die religiösen

b) Eine seiner unveröffentlichten Arbeiten enthält eine Untersuchung über das wünschenswerte Rechtsverhältnis zwischen dem neuen Staat Israel und Juden in anderen Ländern, die diesen Staat zwar unterstützen,

Veranstaltungen in dem jüdischen Altersheim – aus Höflichkeit gegenüber denjenigen, die ihn darum baten. Er *fühlte* sich nicht als Teil der größeren jüdischen Gemeinschaft, auch wenn er äußerlich ein Teil von ihr war.

Ein Leben zwischen den Kulturen

Meine Eltern hatten für mich eine Lebensform geschaffen, und ich änderte sie nicht. Ich war siebzehn, als Hitler 1933 an die Macht kam. Vor dieser Zeit war ich augenscheinlich unfähig, meine Eltern kritisch zu betrachten. Ich führte ein behütetes Leben und wurde in einer entscheidenden Periode meines Lebens von meinem Vater stark beeinflußt. Ich wußte nichts über die Frömmigkeit meines Großvaters, seinen Umzug nach Berlin oder den bewußten Bruch meines Vaters mit dem Judentum. Vielmehr wuchs ich unter assimilierten deutschen Juden auf, wie meine Eltern es waren, und Fragen der jüdischen Glaubensgemeinschaft oder esoterischere religiöse Ideen wurden nicht diskutiert.
So fehlte mir sowohl das Wissen als auch die Motivation, mich in den ersten Jahren des Hitler-Regimes dem Judentum zuzuwenden; dazu kam, daß mir mit 17 bis 22 Jahren die Zwangsherrschaft der Nazis der schlechtestmögliche Grund zu sein schien, fromm zu werden. Ich sah keinen Grund, warum ich in die jüdische Gemeinde zurückkehren sollte, bloß weil das Hitler-Regime mich als Juden diskriminierte. Mein Vater hatte diesen Individualismus ermutigt, und meine Eltern konnten mich nicht zur Mitgliedschaft in einer religiösen Gemeinschaft drängen, von der sie selbst sich getrennt hatten. Gewiß, ich hatte mich zwei Jahre lang einer linksorientierten zionistischen Gruppe angeschlossen, Kenntnisse über den Zionismus gesammelt, neue Freunde gefunden und die Freuden des Unterrichtens entdeckt.

aber nicht in ihm leben wollen. Er hielt es für psychologisch wichtig, daß sich Juden in allen Teilen der Welt formell zu »ihrem« Staat bekannten, d. h. eine doppelte Staatsbürgerschaft erwarben – ein Gedanke, der vorläufig noch Zukunftsmusik ist.

Trotzdem wurde die Beschäftigung mit geistigen Dingen für mich zu einem Instrument der Verteidigung und bedeutete eine weitere Isolierung. Es war reines Glück, daß diese jugendliche Haltung nicht ernsthafter geprüft wurde. Die Emigration bewahrte mich vor der späteren Massenvernichtung und der mit ihr verbundenen spirituellen Krise.
Einzelne Schriftsteller wie André Schwarz-Bart, Nelly Sachs und Elie Wiesel haben Möglichkeiten gefunden, diese extreme Situation auszudrücken. Die meisten anderen, die an Leib und Seele betroffen worden sind, sind in Schweigen verfallen. Ich gebe zu, daß die Weltreligionen, und in erster Linie das Judentum, versucht haben, dem Eindringen des Absoluten und Ewigen in unsere Erfahrung Sinn abzugewinnen. Doch diese Antworten beruhen auf unterschiedlichen Glaubensakten; der Ungläubige kann mit ihnen nichts anfangen, wenn er Leben und Tod ohne den Glauben an einen höheren Sinn akzeptiert. Ein gläubiger Jude mag sagen, daß Gott an seinem auserwählten Volk seinen Zorn ausläßt, oder wie Nelly Sachs es formuliert: »An uns übt Gott Zerbrechen.« Aber ein Ungläubiger wie Hilde Domin kann dem nicht folgen:

Ich glaube nicht, daß wir da sind, damit die conditio humana an uns auf offener Bühne wieder und wieder vollstreckt werde, stellvertretend und ohne Milderung, Lehrbeispiel eines Weltenlenkers, der unser als Demonstrationsobjekt bedürfte. Die Theologen sehen da manchmal eine Art höheres Programm. Ich sehe nur die Tatsache, die sehr irdische, geschichtliche Tatsache, ich stelle sie fest: und mit Grauen. Wie man vieles mit Grauen ansieht, was geschehen ist und geschieht. Was einfach ›wirklich‹ ist. Den Juden ist häufiger und krasser die Rolle des *Ecce homo* zugefallen, aufgedrängt worden, als anderen. Historisch war ihnen einfach nicht vergönnt, sich von diesem ihrem Sonderstatus zu befreien.[2]

Diese Feststellung eines Ungläubigen bietet keinen Trost, aber man kann sich fragen, ob denn die konventionelle Frömmigkeit *ohne* eine tiefere religiöse Bindung mehr Trost gewährt.
Da ich keinen Glauben gefunden habe, der die Ungewißheiten dieser Welt transzendiert, bleiben mir Fragen, die ich nicht beantworten kann. Es sind uralte Fragen, und ich stelle sie deshalb, um die Natur des Unglaubens, wie ich ihn kennengelernt

habe, zu beschreiben, nicht aber, um die Gläubigen zu provozieren. In Ermangelung eines Unterrichts im Judentum muß ich diese Fragen ganz naiv stellen. Der ethische Monotheismus war der große Beitrag des alten Israel vor mehr als dreitausend Jahren. Damit der jüdische Glaube gedeihen konnte, mußte die Idee eines auserwählten Volkes Israel, einer aus diesem alten Bund entspringenden weltgeschichtlichen Mission der Juden und ihrer Sonderstellung unter allen leidenden Menschen der Welt als eine hier und heute begründete Einschätzung von transzendenter Bedeutung akzeptiert werden. Diejenigen, die sich streng an ihre religiösen Gepflogenheiten halten, nehmen diese Einschätzung am bereitwilligsten vor. Denn sie bewahren das Gefühl für ihr gemeinsames Schicksal mit allen früheren Generationen gläubiger Juden vermittels einer ungebrochenen Folge von immer neuen Ausdeutungen der Geschichte, die vom Altertum bis zur Gegenwart reichen.[3]

Doch ohne Glauben und Ritual kann ich nicht fühlen, was diese gläubigen Juden fühlen, so sehr ich die Überzeugungen respektiere, die ihnen Kraft und Halt geben. Für mich ist der Zusammenhang zwischen dem Verdienst des alten Judentums und der modernen Welt zerbrochen. Ich habe das Gefühl, daß ich nicht Teil des Bundes mit Gott sein kann, den gläubige Juden immer wieder durch Gebet und Ritual erneuern. Ich habe nicht das Gefühl, daß mir – zusammen mit allen anderen Juden – eine besondere Stellung in der Welt zugedacht ist, auch wenn meine Eltern Juden waren und ich es dank meiner Herkunft ebenfalls bin. Dieser Umstand machte mich zwar zum Gegenstand von Naziverfolgungen, aber er machte mich nicht zu einem Mitglied jenes Volkes, das Gott auserwählt hat, damit es durch sein Leiden Zeugnis von Seiner Größe ablege. Vielleicht der wesentlichste Unterschied ist, daß ich mich ehrlicherweise nicht zu den Auserwählten Gottes zählen kann. Die religiöse Leistung Israels vor 3000 Jahren war sehr groß. Aber das ist 3000 Jahre her, und ich kann weder irgendein Verdienst beanspruchen noch irgendeine Verpflichtung fühlen, die auf der entfernten Verwandtschaft beruht, die mich ohne meinen Willen zum Teil dieses Erbes macht. Wie kann ich aus meiner Verwandtschaft mit dem

jüdischen Volk, dessen ferne Vorfahren große religiöse Erneuerer waren, den Antrieb zur Religiosität entnehmen? Wie kann ich einer religiösen Gemeinschaft angehören, wenn mir der Glaube daran fehlt, daß ihr Leiden ein weltgeschichtlicher Auftrag ist, der sich letztlich aus einem Bund zwischen Gott und Seinem auserwählten Volk ableitet? Ich argwöhne Hochmut, wenn jüdische Gläubige sich nur ihrer tiefsten Demut bewußt sind: diese letzte Diskrepanz kann ich nicht überbrücken.
Trotzdem habe ich eine gewisse Affinität zur jüdischen Tradition. Auch ich fühle die Verwandtschaft mit den Mühseligen und Beladenen. Ich halte das Leben für ein kostbares Geschenk, dessen wir niemals würdig sind, weil jede Anstrengung hinter dem zurückbleibt, was wir aus ihm hätten machen können, wenn wir uns mehr angestrengt hätten. Ich glaube an einen Sittenkodex, der nicht nur für einige großartige Gelegenheiten gilt, sondern für jede x-beliebige Begegnung. Ich bewundere gute Taten und Leistungen um so mehr, je mehr das Ich hinter ihnen zurücktritt; denn sie sind selbst schon eine Werbung für das Ich und damit eine zusätzliche Belastung für all jene, die nach Geringerem streben. Aber diese und verwandte Gebote sind allgemeine Richtlinien, denen man in verschiedenen Religionen begegnet. Sie nehmen mir nicht das Gefühl, am Rande der jüdischen Tradition zu stehen.
Einige meiner Jugendfreunde sind aktiv am Aufbau eines jüdischen Staates beteiligt, und ich wünsche ihnen Erfolg. Ich bin ebenso wie sie besorgt darüber, daß Israels Nationalismus eine nationalistische Reaktion auf arabischer Seite provoziert hat, und es bereitet mir keine Genugtuung, dies vorhergesehen zu haben. Aber auch hier bleibe ich am Rande der jüdischen Gemeinschaft, trotz der Gastfreundschaft, mit der ich in Israel empfangen worden bin. Für mich liegt das Grundproblem in dem Appell an die ethnische Solidarität. Man hat mir gesagt, meine Schwierigkeiten mit den religiösen Traditionen des Judentums gehörten nicht zur Sache; viele Israelis teilten meine diesbezügliche Skepsis. Einige haben hinzugefügt, daß sie als weltlich eingestellte Menschen und Bürger Israels stolz darauf sind, Juden zu sein, daß sie eine jüdische Erziehung für ihre Kinder begrüßen, daß sie aber in

eine Synagoge nur gehen würden, wenn sie im Ausland lebten. In der Heimat ist ihre jüdische Solidarität evident, sie braucht nur im Ausland unter Beweis gestellt zu werden. Diese Menschen besitzen ein ethnisches Bewußtsein, das es ihnen erlaubt, religiöse Gepflogenheiten je nach der Anforderung der Situation zu beachten oder zu vernachlässigen. Aber auch die Weltlichsten und Assimiliertesten unter ihnen kommen gewöhnlich aus Familien, die, im Gegensatz zu meiner eigenen Familie, gewissen jüdischen Traditionen mit Selbstverständlichkeit anhingen. Ich habe niemanden kennengelernt, der sich mit meinem Problem eines radikalen Bruches herumschlagen mußte, bei dem jüdische Gepflogenheiten samt und sonders aufgegeben wurden und das Bewußtsein, Jude zu sein, ignoriert oder herabgesetzt wurde. Mein Interesse für die Grundvoraussetzungen des jüdischen Glaubens trotz des Fehlens einer persönlichen religiösen Kultur ist wahrscheinlich das Resultat des vollständigen Mangels einer ethnischen Solidarität in meinem familiären Hintergrund.[c]

c) Meine israelischen Freunde befinden sich da in einer anderen Lage. Vor 45 Jahren lehnten viele von ihnen das Judentum ihrer Eltern ebenso radikal ab, wie es mein Vater getan hatte. Aber sie taten dies als Zionisten und pochten also auf ihre jüdische Identität, was mein Vater eben nicht tat. Gewiß gab es innerhalb des Zionismus viele verschiedene Richtungen; die Säkularisten unter den Zionisten gewöhnten sich nur allmählich daran, in Palästina ihr künftiges Heimatland zu erblicken, während eine Minderheit unter den orthodoxen Juden bis auf den heutigen Tag den säkularen Staat Israel ablehnt und bekämpft. Trotzdem berühren diese verschiedenen Strömungen nicht das prinzipielle Paradoxon, vor dem sich der *weltliche* Zionismus heute sieht, wenn er Teil einer Rückkehr in das Gelobte Land ist, die eine der ältesten *religiösen* Ideen der Juden in der Diaspora ist. Die religiösen Parteien in Israel vertreten etwa 15 Prozent der wahlberechtigten Bevölkerung, üben aber einen politischen und kulturellen Einfluß aus, der in keinem Verhältnis zu ihrer zahlenmäßigen Bedeutung steht. Das mag sich in Zukunft vielleicht ändern, aber Israels Identität zwischen Staat und »Kirche« zeigt eher in die entgegengesetzte Richtung. In allen bedeutsamen religiösen Fragen – wobei der Begriff »bedeutsam« großzügig ausgelegt wird – hat das Oberrabbinat eine gesetzlich garantierte Monopolstellung. Die religiösen Parteien sind bisher unentbehrliche Koalitionspartner bei Regierungsbildungen gewe-

Nichtsdestoweniger hat sich mein Gefühl des Außenseitertums durch die Gründung eines jüdischen Staates in der Tat in einer Hinsicht verringert. Ich nenne mich nicht einen Zionisten, weil ich nicht bereit bin, in Israel zu leben, und weil ich auch nicht glaube, daß die Existenz Israels das jüdische Problem lösen wird. Doch habe ich eine instinktive Sympathie für diese Selbstbehauptung der Juden als Nation, und ich erkenne ihr Recht auf staatliche Existenz an. In einem Zeitalter des Nationalismus war die zionistische Bewegung eine natürliche Reaktion auf die Allgegenwart nationaler Bestrebungen und auf die tausendjährige Zerstreuung und Verfolgung der Juden. Sie hatten bereits bewiesen, daß sie ein Volk mit größerer Widerstandskraft waren als viele andere, und der Erfolg, mit dem sie ihre alte sakrale Sprache zu einer lebendigen Sprache für den Alltagsgebrauch *und* den künstlerischen Ausdruck gemacht haben, ist hierfür ein weiterer Beweis. Dies sind große weltliche Leistungen, die aus einer religiösen Tradition erwachsen und beträchtlich zur Stärkung des Selbstvertrauens von Juden nach der umwälzendsten Episode ihrer langen Leidensgeschichte beitragen. Sie haben auch mein Selbstvertrauen gestärkt, indem ich mich, wie andere auch, mehr oder weniger indirekt an den politischen und moralischen Problemen des neuen Staates beteiligt fühle.

Der Versuch meines Vaters, zum jüdischen Leben zurückzukehren, hatte mit anderen Problemen zu tun. Er kam mit dem Wissen und den Gepflogenheiten nicht zurecht, die diese Entscheidung dem orthodoxen Juden auferlegt. Er hatte wenig Sinn für die enggeknüpften Verwandtschaftsbeziehungen, die dem jüdischen

sen, und es ist nicht abzusehen, ob sich in dieser Hinsicht etwas ändern wird. Schließlich besitzt der Säkularismus, der die Mehrheit der Zionisten ursprünglich erfüllte, keine organisatorischen oder ideologischen Mittel, um einer entschlossenen religiösen Minderheit Paroli bieten zu können. Ein Resultat hiervon heißt: Anpassung. Wie es ein Handbuch formuliert: im Gegensatz zur früheren Auflehnung gegen die Religion steht der weltliche *kibbuz* von heute »in der vordersten Front jener, die bestrebt sind, die alten jüdischen national-religiösen Festtage mit einem neuen Sinn zu erfüllen«. Zweifellos ist dies nur *eine* Phase in einer Entwicklung, die noch nicht zu Ende ist.

Ritual auch für diejenigen, welche nicht religiös sind, Leben einhauchen. Er bekam eine flüchtige Ahnung von der messianischen Idee des Judentums, als er seinen lebenslangen Kampf um die Gerechtigkeit mit der uralten jüdischen Sympathie für die Mühseligen und Beladenen gleichsetzte. Vielleicht war es dies, was ihn an dem Kult und der Tora bewegte, als er sich während seines Aufenthalts in Palästina einmal in eine Synagoge wagte. An dieser Stelle kam er wahrscheinlich dem nahe, was Leschnitzer geschrieben hat:

Sicherlich hätten auch in diesen gewaltigen Erschütterungen viele deutsche Juden, wenn sie eine freie Wahl gehabt hätten, sich aus freien Stücken auf die Seite gestellt, auf die sich Juden traditionell seit vielen Jahrhunderten gestellt haben; auf die Seite der unschuldig Verfolgten. [In einem gewissen Sinne hatte mein Vater dies schon lange getan, ohne es als Teil der jüdischen Tradition zu begreifen.]
Sie hatten keine freie Wahl. Alle Juden wurden mit Gewalt auf eine Seite gepreßt, auf die Seite des Rechts, sicherlich manche wider Willen.
Wieder wurde, religiös gesprochen, der Sinn der jüdischen Geschichte von zwei Jahrtausenden deutlich, der Sinn der Diasporaexistenz, die, politisch sinnlos und fragwürdig, religiös von so überwältigender Bedeutung ist: der seltsame Sinn jener Auserwähltheit, die nicht auf Glück, Wohlstand und Herrschaft hinausläuft, sondern auf Leiden – die Leiden bedeutet hat und Leiden bedeuten muß, solange auf Erden das Recht gebrochen wird.[4]

In der Tat war für meinen Vater die Suche nach Gerechtigkeit sein zentrales Anliegen. Durch seine Identifizierung mit dem Leiden mag der Sinn des »Auserwähltseins« für ihn noch eine gewisse religiöse Bedeutung gehabt haben.
In dieser Hinsicht war der Gegensatz zwischen uns groß. Mein Vater vollzog einen bewußten Bruch mit dem Judentum, während ich davon keine Ahnung hatte und in meiner Familie keine jüdischen Gewohnheiten beobachtete, die ich hätte übernehmen oder ablehnen können. Mein Vater erwarb seine Identifizierung mit Deutschland in seinen frühen Mannesjahren zwischen 1895 und 1900, als das wilhelminische Deutschland in seiner Hochblüte stand. Meine frühen Mannesjahre fielen statt dessen mit den ersten sechs Jahren der Hitler-Diktatur und meiner Auswande-

rung nach Amerika zusammen. Schließlich bewirkte die juristische Laufbahn meines Vaters bei ihm eine kämpferische Haltung, während ich im Zuge meiner akademischen Laufbahn einen kontemplativeren Ansatz entwickelte. Vor allem identifizierte sich mein Vater stark mit der deutschen Kultur und besonders mit der deutschen Idee des Rechtsstaates.

Ich hingegen wuchs mit der Kultur der deutschen Klassiker auf und neigte dazu, dieses Erbe für selbstverständlich zu nehmen. Ich wuchs nicht mit einer instinktiven, jugendlichen Abneigung gegen diese Atmosphäre auf. Die humanen Ideale der deutschen Klassiker sprachen mich an, und dasselbe galt für ihre meisterhafte Beherrschung der deutschen Sprache. Aber diese Eigenschaften großer Literatur waren nicht auf deutsche Schriftsteller beschränkt. Schon früh entdeckte ich die Schriften Joseph Conrads und verfiel dem Reiz seiner einsamen und gebrochenen Helden, deren tragisches Schicksal das Bild einer höheren Tugend und Lauterkeit entwarf. Ich war ebenso fasziniert von Conrads Englisch, dessen gemessener Rhythmus und stilistischer Reichtum (trotz seiner merkwürdigen, nicht-englischen Qualität) mir einen ersten Eindruck von einer nicht-deutschen Kultur verschafften, die nicht minder wertvoll war als die deutsche. Diese meine literarischen Vorlieben überlebten die Hitler-Zeit nicht, aber auch die Klassiker, die mein Vater zitierte, bildeten für mich niemals eine gefühlsmäßige Identifizierung mit Deutschland. Es war eher eine Identifizierung mit gewissen Idealen, die mich bewegten. Da ich in einem assimilierten Milieu aufgewachsen war, war ich eher bereit, dieses Milieu und Deutschland überhaupt als etwas Selbstverständliches hinzunehmen. Und als die Zeit gekommen war, wo ich solcher Dinge bewußt wurde, war der laute Hurra-Patriotismus der Nazis nicht dazu angetan, in mir eine glühende Liebe zur Heimat zu wecken. Vielleicht zeigt dieser Unterschied zwischen der betont affirmativen Haltung meines Vaters und meiner eigenen Nüchternheit, auf wie schwankendem Boden dieser deutsch-jüdische Kult der Klassiker in Wirklichkeit stand. Wenn mein Fall irgend etwas beweist, so dies, daß es nicht leicht war, die *Ehrfurcht* vor den deutschen Klassikern an die nächste Generation weiterzugeben.

Trotzdem muß diese Schilderung meiner Verbindung zu Deutschland nicht auf dieser negativen Note enden. Während meiner ganzen akademischen Laufbahn habe ich immer wieder auf meinen deutschen Hintergrund zurückgegriffen. Mein Buch über Max Weber – um nur dieses eine Beispiel zu zitieren – hat dazu beigetragen, sein komplexes Werk amerikanischen Forschern und Studenten leichter zugänglich zu machen. Dieses fortdauernde Interesse an der deutschen Kulturtradition hat nichts mit nationalen Loyalitäten zu tun. Vielmehr sah ich keinen Zweck darin, auf meinen Zugang zu einer wichtigen geistigen Quelle zu verzichten oder mir von dem barbarischen Hitler-Regime vorschreiben zu lassen, welche Einsichten und Werte ich meinem deutschen Hintergrund verdanken wollte. Nachdem ich früher eine Zeitlang geschwankt hatte (1938-1943), habe ich seither nicht mehr daran gedacht, für immer nach Deutschland zurückzukehren (*eine* Emigration im Leben ist genug), aber ich habe neue Freundschaften in Deutschland geschlossen. Ich kann Leute verstehen, aber nicht mit ihnen sympathisieren, die so tun, als ob mörderische Vorfahren die Deutschen für immer aus der menschlichen Gemeinschaft ausschließen. Trotzdem bleibe ich als deutschsprechender Besucher, der dazu neigt, deutsche und amerikanische Gedankengänge miteinander zu verbinden, am Rande der deutschen Nachkriegsgesellschaft.

Meine amerikanische Familie

Von meinen Beziehungen zur amerikanischen Gesellschaft kann man dasselbe nicht sagen. Ich bin, wie viele andere, ein naturalisierter amerikanischer Staatsbürger geworden (im Jahre 1943). Meine Frau ist Amerikanerin; meine drei Kinder wurden in Kalifornien, wo wir seit 1947 wohnen, geboren und sind dort aufgewachsen. Als Flüchtling aus Hitler-Deutschland habe ich von den Sicherungen, die die politischen Institutionen Amerikas bieten, profitiert, und ich identifiziere mich stark mit ihnen, auch wenn ich mir darüber klar bin, daß die Demokratie ihre Schwächen hat. Meine Familie hat mir als einem amerikanischen

Einwanderer eine Verankerung geboten, die ich aus eigenen Stücken nicht hätte erreichen können. Das Gefühl, ein Einwanderer zu sein, verliert sich nie, und das kulturelle Erbe Europas und besonders Deutschland bleibt in meiner Arbeit wichtig. Ein guter Schlüssel für meine Außenseiterrolle ist meine Beherrschung des Englischen. Wenn ich nach einem Ausdruck suche, wende ich mich an meine Frau als an einen »native speaker«. Als meine Kinder groß wurden, habe ich erfahren, daß mein Englisch, so flüssig es inzwischen geworden sein mochte, oft zu schwerfällig oder zu kompliziert für sie war. Später wurde klar, daß eine Sprache, die man aus Grammatiken und Wörterbüchern gelernt hat, den immer neuen Redensarten des Tages nicht gewachsen ist, die sich meine Kinder (und meine Frau) wie selbstverständlich aneigneten. Bis auf den heutigen Tag verraten ein leichter Akzent, den ich selbst nur gelegentlich empfinde, sowie lustige kleine Irrtümer im Satzbau meine europäische Herkunft.

Ich habe diese Schilderung mit der ewigen Wiederkehr von Generationsspannungen begonnen, und nun, da ich mich dem Ende meines Buches nähere, greife ich dieses Thema noch einmal auf, wenn auch in diesem Falle begrenzt auf die Perspektive eines Vaters. Äußerlich gibt es wenig Ähnlichkeit zwischen meiner Erfahrung und derjenigen meiner drei Kinder, deren Leben nicht durch Diktatur, Emigration und eine zehnjährige Trennung von den Eltern verunstaltet worden ist. Es sind Kinder aus einer Mischehe zwischen zwei nicht-religiösen Ehepartnern, so daß ihre Erziehung ebenso weltlich war wie meine eigene, nur mit dem Unterschied, daß bei ihnen die Spuren eines großen religiösen Kampfes im Hintergrund fehlten. Sie wuchsen mit dem Bewußtsein auf, daß ihre Mutter schwedischer und ihr Vater deutsch-jüdischer Abstammung war – ein Faktum, daß in einer Gesellschaft vieler ethnischer Gruppen nichts Besonderes war und von dem in ihrer Schulzeit kein Aufhebens gemacht wurde.

Ich habe das Gefühl, daß die Arbeit meiner Frau als Künstlerin und meine akademischen Beschäftigungen einen bleibenderen Eindruck gemacht haben. Am wichtigsten war vielleicht die Intensität der Arbeit selbst. Keiner von uns liebt den Müßiggang, und wenn wir auch viel Zeit für unsere Kinder hatten, wandten wir uns wieder unserer Arbeit zu, wenn sie nicht versorgt zu werden brauchten. Und obwohl zur Zeit der Großen Depression eine halbe Welt zwischen uns lag, reagierten wir auf sie in ähnlicher Weise: wir machten uns keine Sorge um das Geld, solange wir genug hatten (viele Jahre hindurch war es sehr wenig). Es kam uns vielmehr darauf an, Dinge zu tun, die uns interessierten, in einem Heim, in dem wir uns wohlfühlten. Und da wir uns beide für die Arbeit des anderen interessierten, gab es nicht jene Temperamentsunterschiede, die die Ehe meiner Eltern gekennzeichnet hatten. Aber ein Heim, das mit Büchern und Kunstwerken vollgestopft ist und in dem Vater und Mutter kreativen Interessen nachgehen, wirft Probleme eigener Art für die Kinder auf, die zwischen künstlerischen und gelehrten Interessen hin- und hergezogen werden und Tag für Tag ihre ständig arbeitenden Eltern vor Augen haben. Ich glaube, dies ist die eine gemeinsame Erfahrung, auf die unsere Tochter und unsere beiden Söhne auf je eigene Weise reagiert haben.

Alle drei besitzen künstlerische Sensibilität, alle drei haben ein Talent zum Schreiben. Aber hier hört die Ähnlichkeit auch schon auf, teilweise wohl deshalb, weil Jane in den Jahren, als die Kinder groß wurden, ihnen viel Zeit widmete und nur mit Unterbrechungen an ihren künstlerischen Arbeiten sitzen konnte, während bei mir ein viel größerer Teil der Zeit vom Druck der Universitätstermine und selbstauferlegten Leistungszwängen in Anspruch genommen wurde. Nach all diesen Jahren fühle ich noch immer die Verpflichtung, mich jener Menschen würdig zu erweisen, die unter Hitler untergegangen sind, und es wäre ein Wunder, wenn die Auswirkung dieser Haltung auf meine Arbeitsweise für meine Kinder ohne Folgen geblieben wäre. Worin diese Folgen bestehen, kann ich freilich nicht sicher sagen, es sei denn, daß alle drei eine gewisse Ambivalenz gegenüber dem akademischen Betrieb und dem Intellektualismus an den Tag legen. Wie mein Vater, wollen meine Kinder das Ergebnis ihrer Arbeit vor sich sehen; sie begnügen sich nicht wie ich mit den langfristigen und stets ungewissen Auswirkungen von Unterricht und Forschung. Hierin mag sich der Einfluß der Mutter und ihrer

Art, die Dinge zu erledigen, widerspiegeln; auf einer anderen, unklareren Ebene mag es sich um ein heilsames Ausweichen vor dem ersten Lebensdrittel ihres Vaters handeln, das ihnen, wenn auch vage, in ihren jungen Jahren durch die Gegenwart meiner Eltern nahegebracht wurde. Während ich auf den Einfluß und den Ehrgeiz meines Vaters reagierte, indem ich es im akademischen Bereich weiterbrachte und auf einem anderen Gebiet arbeitete als er, reagierten meine Kinder auf meinen Einfluß und Ehrgeiz, indem sie eine gewisse Ambivalenz gegenüber dem akademischen Leben zeigten.

Vielleicht ist noch ein Wort über die Religion angebracht. Als unsere Kinder groß wurden, taten wir, was viele weltliche Eltern tun: wir erzählten ihnen Geschichten aus der Bibel oder benutzten leicht zugängliche Bilderbücher, in denen einfache Schilderungen der großen Weltreligionen enthalten waren. Sowohl meine Frau als auch ich scheuten davor zurück, unseren Kindern ein religiöses Interesse aufzudrängen, weil wir uns beide durch unseren Agnostizismus hierfür nicht qualifiziert fühlten. Trotzdem versuchten wir, den Weg zur Entwicklung eines religiösen Interesses offen zu halten; zu einem bestimmten Zeitpunkt besuchten zwei unserer Kinder einen Kursus über Gott, den ein Quäker erteilte, und auf diese Weise lasen beide die ganze Bibel von vorne bis hinten durch. Der Freiraum, den wir unseren Kindern in dieser Hinsicht ließen, hat dazu geführt, daß alle drei als Erwachsene ihr eigenes Interesse entwickelten: die Tochter betätigt sich aktiv in einer unitarischen Kirche, ein Sohn befaßt sich relativ gründlich mit dem Judentum, während der andere Sohn ebenso agnostisch bleibt wie wir es sind.

Letzte Überlegungen

Doch so amerikanisch meine Familie ist, keiner von uns gehört zu den »Mainstreet USA«. Meine Frau ist Künstlerin, die viele Jahre lang als Töpferin und Buchillustratorin gearbeitet hat; seit die Kinder aus dem Haus sind und die finanziellen Sorgen nachgelassen haben, hat sie sich darauf beschränkt, ihre Interessen um ihrer selbst willen zu verfolgen, und sich bewußt geweigert, sich den massiven Zwängen des Kunstmarktes zu unterwerfen. Drei Jahre lang besuchten unsere Kinder während der sechziger Jahre ein deutschsprachiges Internat in der Schweiz, wo sie zweisprachig wurden und lernten, sich in Europa ebenso zu Hause zu fühlen wie in Amerika. Alle drei sind verheiratet, und alle drei Ehen spiegeln das kulturell gemischte Haus wider, aus dem sie stammen. Es trifft zu, daß dieser Hintergrund und das viele Reisen dazu geführt haben, daß sie sich manchmal nicht recht heimisch in Amerika fühlen – ein Gefühl, das ebenso viel damit zu tun haben mag, daß sie in Berkeley, Kalifornien, aufgewachsen sind.

Bei mir ist das Gefühl, nicht ganz zu Hause zu sein, noch ausgesprochener. Es gibt vieles an der amerikanischen Kultur, das mir auf die Nerven fällt, so wie es auch anderen auf die Nerven fällt. Doch meine Hauptsorge liegt anderswo. Seit ich in Amerika lebe, hat mich der amerikanische Glaube an den Fortschritt ein wenig besorgt gestimmt, dessen Symbol die alte Redensart ist: »Wo ein Wille ist, ist auch ein Weg.« So sehr ich mich, wie jedermann, freue, wenn diese Haltung von Erfolg gekrönt wird, so sehr habe ich die zu erwartenden Reaktionen auf Fehlschläge gefürchtet. Schon lange vor der Energiekrise und dem Auftreten von Umweltschützern ist mir klar geworden, daß die individuelle Zuversicht, die die Amerikaner so weit gebracht hat, sie nicht für öffentliche Zwecke vorbereitet hat, es sei denn, es handele sich um schlimmste Notfälle. Nun, da die unerwarteten Konsequenzen von Wissenschaft und Technologie für viele mit Händen zu greifen sind, ist es ernüchternd, zu lesen, was Joan Didion über Kalifornien schreibt, wo ich seit über dreißig Jahren lebe und arbeite:

> Kalifornien ist ein Ort, wo Aufschwungsmentalität und Tschechowsche Untergangstimmung in einem gespannten Verhältnis zueinander stehen; wo den Geist die unausgesprochene, aber bohrende Vermutung quält, daß hier die Dinge gefälligst klappen müssen, weil hier, unter dem unermeßlichen gebleichten Himmel, die Stelle ist, wo uns der Kontinent ausgeht.[5]

Der Glaube an unbegrenzte Möglichkeiten – die Aufschwungsmentalität – fällt einem Menschen, der in Europa aufgewachsen

Reinhard Bendix mit Mitgliedern des kalifornischen Austauschprogramms in Göttingen, 1968/69

ist, nicht leicht, und dieser geistige Vorbehalt hat mich zu einem besorgten Nutznießer amerikanischer Großzügigkeit gemacht. Doch während ich am Rande einer Gruppe und dreier Länder lebe (Deutschland, Amerika, Israel), beteilige ich mich, soweit es in meinen Kräften steht, an einer Institution: der Universität. Wie ein Freund vor einiger Zeit zu mir sagte, ist die Universität meine Heimat. Ich bin im klassischen Sinne Bürger aller Universitäten. Ich fühle mich beeinträchtigt, wenn sie im Niedergang begriffen sind, und befriedigt, wenn sie gedeihen. Für meine Studenten, Kollegen und nicht zuletzt für mich selbst versuche ich, beizutragen, was in meinen Kräften liegt. Vor allem die Universität Chicago und die University of California haben mir institutionelle Unterstützung für meine Forschung und Lehre gewährt. Universitäten existieren in einem größeren gesellschaftlichen Rahmen, und ihre Situation ist niemals völlig gesichert. Gegenwärtig leiden sie nicht nur an finanziellen Engpässen, sondern noch tiefer an der neuen Legitimitätskrise, die die Wissenschaften und die Forschung erfaßt hat. Ebenso leiden sie an den neuen Eingriffen und Übergriffen, die ein Nebenprodukt ihrer Abhängigkeit von Staat und Industrie seit dem Zweiten Weltkrieg sind. Wie alle Institutionen, ruhen auch Universitäten auf unsicheren Fundamenten. In einem derartigen Milieu wird assimilierte Identität auf die Probe gestellt. Für mich mag die Universität eine Heimat sein, und als solche bietet sie mir Möglichkeiten, zum allgemeinen Wohl beizutragen. Aber sie ist keine Zuflucht.
Denn letzten Endes gibt es für niemanden eine wirkliche Zuflucht. Als mein Vater 1938 seine Befürchtungen zu Papier brachte, konnte er diese einfache Schlußfolgerung nicht voraussehen. Damals formulierte er seine Befürchtungen auf folgende Weise:

Selbst wenn sie Mischehen eingingen – merkwürdig, wenn ich mich ernstlich prüfe: ich wünsche es nicht! – und in ihrer neuen Heimat ihren Assimilationswillen mit solcher Entschlossenheit betätigten, wie ich es in meiner immer noch trotz allem und allem geliebten alten Heimat getan hatte, ich werde den furchtbaren Gedanken des ewigen Judenschicksals nicht los, daß sie in meinem Alter das gleiche Los treffen kann, wie mich, und daß es kein Mittel zu geben scheint, sie vor ihm zu bewahren.[6]

Zweiundvierzig Jahre später kann ich nicht sagen, daß seine Befürchtung falsch war, sondern nur, daß sie auf viel mehr Menschen zutrifft als nur die Juden – ob man nun an die anderen Opfer des Holocaust denkt, an die vielen Millionen Menschen, die seit 1938 politische Gefangene und Flüchtlinge geworden sind, oder an die Gefahr der nuklearen Verseuchung und Vernichtung, die über jedem von uns schwebt. Wir alle sind bedroht, auch wenn die Juden nur allzuoft als erste gelitten haben. Angesichts dieses tragischen Erbes, das uns Barbarei, Kriege und Fortschritt der Vergangenheit hinterlassen haben, kann man vielleicht auf den Gedanken kommen, daß die Mischheirat ein kleiner Schritt auf persönlicher Ebene zu Freundschaft und Versöhnung ist.

Zwischen den Problemen, vor denen wir alle miteinander stehen, und dem, was wir als einzelne bewirken können, besteht ein krasses Mißverhältnis. In dieser Hinsicht ist der Unterschied zwischen meinem Vater und mir groß. Er war ein Kind des späten 19. Jahrhunderts, das die Verheißung der Aufklärung noch ernst nahm, trotz der Zunahme von Pessimismus und Untergangsprophezeiungen. Er war überzeugt, daß sein juristischer Ansatz, welche Fehler er im einzelnen auch haben mochte, den Weg zu einem neuen und humaneren Rechtssystem wies. Ich dagegen bin ein Kind der zwanziger und dreißiger Jahre unseres Jahrhunderts. Ich habe beschrieben, wie ich unter Hitler versuchte, einigermaßen Trost in einer möglichst düsteren Auffassung über die *conditio humana* zu finden. Mein glückliches Schicksal hat die Dunkelheit jener Jahre aufgehellt. Als Lehrer und Forscher habe ich bis an die Grenzen meiner Fähigkeit gewirkt und bin imstande gewesen, ein erfülltes Leben zu führen.

Ich bin mir bewußt, wie wenig Menschen dies von sich sagen können. Ich weiß genau um die Diskrepanz zwischen dem, was ich erreicht habe, und dem, was noch zu tun ist. Ich weiß, wieviel ich meiner Frau, meinen Kindern und meinen Freunden verdanke. Und so mag es erlaubt sein, diesen persönlichen Bericht mit einem persönlichen Gebet zu schließen, das uns aus der Zeit der alten Griechen überliefert ist und das besser, als ich es vermöchte, die moralischen Bestrebungen ausdrückt, die mir der Nacheiferung wert scheinen.

Möge ich keines Menschen Feind sein; möge ich der Freund dessen sein, was ewig ist und überdauert. Möge ich niemals streiten mit denen, die mir am nächsten stehen; und wenn ich es tue, möge ich rasch mit ihnen versöhnt sein. Möge ich niemals Böses planen gegen irgendeinen Menschen; und wenn ein Mensch Böses plant gegen mich, möge ich unverletzt entrinnen und ihm nicht zu schaden brauchen. Möge ich nur lieben, suchen und erlangen, was gut ist. Möge ich allen Menschen ihr Glück gönnen und niemanden beneiden. Möge ich mich niemals freuen am Unglück dessen, der mir Unrecht getan hat ... Wenn ich Falsches getan oder gesagt habe, möge ich niemals warten auf den Tadel anderer, sondern stets mich selbst tadeln, bis ich Ersatz geleistet habe ... Möge ich keinen Sieg davontragen, der mir oder meinem Widersacher schadet ... Möge ich Freunde versöhnen, die einander zürnen. Möge ich, soweit ich es vermag, nützliche Hilfe leisten meinen Freunden und allen, die in Bedrängnis sind. Möge ich niemals einen Freund in Gefahr im Stich lassen. Möge ich sanfte und heilende Worte finden, wenn ich die Trauernden besuche, um ihren Schmerz zu lindern ... Möge ich mich selber achten ... Möge ich stets in Zaum halten das, was in mir tobt ... Möge ich mich gewöhnen, sanft zu sein; möge ich niemals wegen äußerer Umstände zornig sein mit Menschen. Möge ich niemals erörtern, wer böse ist und welche bösen Dinge er getan hat, sondern die Guten kennen und in ihren Fußstapfen folgen.[7]

Anmerkungen

Einleitung

1 Der Ausdruck »marginal man« wurde von Robert Park geprägt. Siehe sein Werk *Race and Culture,* Band I der *Collected Papers.* Glencoe: The Free Press 1950, passim.

2 Siehe Jean-Jacques Rousseau: *Der Gesellschaftsvertrag.*

3 Zitiert bei Jacob Katz: »A State within a State«, in *Emancipation and Assimilation.* Westmead: Gregg International Publishers 1972, S. 67. Vgl. auch die Erörterung in Arthur Hertzberg: *The French Enlightenment and the Jews.* New York: Schocken Books 1970, S. 359-368. Vom Deismus beeinflußt, dachte diese humanistische Perspektive an die universalen Eigenschaften des Menschen, nicht an die in ihren verschiedenen Gemeinschaften lebenden Menschen. Der Gedanke, daß die Juden vielleicht den Wunsch haben könnten, Staatsbürger zu sein und gleichzeitig die Bindungen an ihre Gemeinschaft zu behalten, war den liberalen Hauptvertretern der Emanzipationsbewegung fremd.

4 Edmund Wilson: *The Wound and The Bow.* London: W. H. Allen 1952, S. 263-264 und passim.

5 *A Conversation with Czesław Miłosz.* U. S. News and World Report. 25. Januar 1982, S. 32.

6 Siehe die Diskussion dieser Perspektive in Georg Simmels *Soziologie* (Kapitel »Die Kreuzung der sozialen Kreise«).

Kapitel I

1 Dieses unveröffentlichte Manuskript mit dem Titel *Konzentrationslager Deutschland und andere Schutzhafterinnerungen 1933-1937* befindet sich heute in der Bibliothek des New Yorker Leo-Baeck-Instituts. Verweise auf dieses Werk erfolgen in römischen und arabischen Zahlen (z. B. *Konzentrationslager Deutschland,* II, 5), die sich auf Kapitelnummer bzw. Seitenzahl beziehen, da die fünf Kapitel des Manuskripts nicht durchpaginiert sind.

2 Die Angaben in den vorangegangenen beiden Absätzen stammen aus Bernhard Brilling: *Geschichte der Juden in Dorstfeld und Huckarde*

(1731-1942). Beiträge zur Geschichte Dortmunds und der Grafschaft Mark. Band 57 (1960), S. 131-167, sowie aus Arno Herzig: *Judentum und Emanzipation in Westfalen.* Münster: Aschendorfsche Verlagsbuchhandlung 1973, S. 63-66, 75-76.

3 Werner J. Cahnmann: *Village and Small-Town Jews in Germany.* Leo Baeck Institute Year Book, XIX. London: Secker and Warburg 1974, S. 118-119.

4 Cahnmann erwähnt diese Nebenbeschäftigungen aus seiner persönlichen Beobachtung. Siehe *ebd.*, S. 116. Ein eher wehmütig gestimmtes, liebevolles Bild des dörflichen Judentums in der Umgebung von Würzburg zeichnet Yehuda Amichai; siehe seine Erinnerungen in Hans Jürgen Schultz (Hrsg.): *Mein Judentum.* Stuttgart: Kreuz-Verlag 1979, S. 20-35. Doch sind die beiden Schilderungen miteinander nicht unvereinbar.

5 Das *Statistische Jahrbuch der Stadt Berlin 1895*, Berlin 1897, S. 236 bis 237, zeigt die Konzentration von Juden in bestimmten Berufen. Die freien Berufe sind nicht eigens aufgeführt, doch nach August Kneer: *Der Rechtsanwalt. Eine kulturgeschichtliche Studie*, München-Gladbach: Volksvereinsverlag 1928, S. 63, wohnte ein Fünftel aller deutschen Anwälte in Berlin, wovon wiederum mindestens ein Fünftel Juden waren. Jedoch sind die Zahlen für 1890 nur Schätzungen. Ich danke Herrn Dr. Ulrich Dunker, Berlin, für die Erlaubnis, die vorläufigen Ergebnisse seiner Studie über jüdische Anwälte im Jahre 1910 zitieren zu dürfen. Zur Beurteilung des Umfangs der Konzentration von Juden in den freien Berufen sei noch hinzugefügt, daß in den Jahren 1895/96 und 1902/03 – den Jahren, in denen mein Vater sein Studium begann bzw. beendete – der Anteil der Juden an der Studentenzahl der preußischen Universitäten 9 Prozent betrug. Siehe S. Adler-Rudel: *Ostjuden in Deutschland.* Tübingen: J. C. B. Mohr 1959, S. 163. In einer neueren Untersuchung wird, allerdings ohne Angabe der Quelle, mitgeteilt, daß 1933 sechzehn Prozent aller deutschen Anwälte Juden waren. Dieser nationale Durchschnitt dürfte mit der speziellen Konzentration von jüdischen Anwälten in Berlin vereinbar sein. Siehe Donald L. Niewyk: *The Jews in Weimar Germany.* Baton Rouge: Louisiana State University Press 1980, S. 15.

6 Beträchtlichen Aufschluß über diese Punkte bietet Hans Dieter Hellige: *Generationskonflikt, Selbsthaß und die Entstehung antikapitalistischer Positionen im Judentum.* Geschichte und Gesellschaft V (1979) 4, S. 476-518. Den allgemeinen Zusammenhang zwischen Wirtschaftskrise und dem Aufstieg des Antisemitismus Ende des 19.

Jahrhunderts behandelt Hans Rosenberg: *Große Depression und Bismarckzeit.* Band 24 der Veröffentlichungen der Historischen Kommission zu Berlin. Berlin: Walter de Gruyter & Co. 1967, S. 88-117.

7 *Konzentrationslager Deutschland,* III, S. 36.

8 Einer seiner Freunde wird ihn wahrscheinlich in dieser Hinsicht durch die intensiven Diskussionen beeinflußt haben, die die drei damals miteinander hatten und die meinem Vater noch vierzig Jahre später lebhaft gegenwärtig waren. Schmeidler schrieb in seinem Aufsatz für Lehmann, daß sein Gefühlsleben sich vom Christentum genährt habe, wohingegen sein Denkvermögen noch nicht erprobt worden sei. Er stellt außerdem fest, daß der Kurs in Psychologie vor allem deshalb wichtig gewesen sei, weil er die Freundschaft mit älteren und geistig reiferen Mitschülern gefördert habe. Köhler war ein Jahr, Schmeidler zwei Jahre jünger als mein Vater. Dies habe, so schrieb Schmeidler, seinen eigenen Studien sehr geholfen, indem es ihn in seinem Verlangen bestärkt habe, »nicht minderwertig zu erscheinen«. Siehe Rudolf Lehmann: *Erziehung und Erzieher.* Berlin 1901, S. 270. Schmeidlers Aussage sowie viele Briefe von ihm, die mein Vater aufgehoben hat, verraten einen jungen Mann, der sehr vom guten Ansehen bei seinen Freunden abhängig ist. Weder er noch mein Vater scheinen den Verdacht gehabt zu haben, daß ein so abhängiger Freund trotzdem beträchtlichen Einfluß auf einen Menschen mit größerem Selbstbewußtsein ausüben kann. Vgl. im folgenden die weiteren Ausführungen über die drei Freunde.

9 Unter dem Titel »Der verstorbenen Mutter« in Heinrich Huckarde (Pseud.): *Lieder der Einsamkeit.* Reihe Sammlung menschlicher Dokumente. Berlin 1908, S. 87.

10 Die folgende Skizze stützt sich ausschließlich auf die Erinnerungen und die Selbsterforschung meines Vaters gut vierzig Jahre später. Eine andere Informationsquelle hierzu gibt es nicht, mit Ausnahme einer Reihe von Briefen Max Köhlers und Bernhard Schmeidlers an meinen Vater, die die Beziehungen der drei Freunde zueinander dokumentieren helfen. Siehe *Konzentrationslager Deutschland,* III, S. 37-46. Unser Familienalbum enthält Bilder, die für die Beurteilung der Bemerkungen meines Vaters überraschend hilfreich sind, da die körperlichen Merkmale der drei einen wichtigen Bestandteil ihrer Freundschaft ausmachten.

11 Die anderen beiden Aufsätze, die Lehmann zitiert, stammen von »Stud. hist. S.« und »Stud. philos. K.«. Da sich mein Vater in seinen

Erinnerungen auf die Veröffentlichung dieser drei Aufsätze bezieht, kann die Zuordnung keinem Zweifel unterliegen.

12 *Konzentrationslager Deutschland,* III, S. 41.

13 *Ebd.*, III, S. 43.

14 Nicht die Universität Straßburg, wie mein Vater sich zu erinnern glaubte; diese Universität bezog er erst im Sommersemester 1899. Als er im Wintersemester 1899/1900 nach Berlin zurückkehrte – mit den Zwischenstationen Freiburg, Straßburg und München –, besuchte er Diltheys Seminar *Philosophische Übungen* und hatte vermutlich diesmal viel weniger Schwierigkeiten, da der Besuch dieser Übungen durch seine eigenen Nachschriften festgehalten ist, während von der ersten, erfolglosen Begegnung mit Dilthey in seinem ersten Jahr als Student in Berlin keine Nachschriften vorliegen. Nur mit dieser Konstruktion wird seine Erinnerung verständlich, daß er nach dem Scheitern in einem Dilthey-Seminar von Berlin nach Freiburg geflohen sei. Ich kann diese Reihenfolge der Ereignisse mit Hilfe der handschriftlichen Liste der Vorlesungen meines Vaters und seines handschriftlichen Lebenslaufes rekonstruieren, die mir in der Universität Göttingen zugänglich waren. Diese Unterlagen werden dort aufbewahrt, weil mein Vater am 29. Juli 1902 in Göttingen sein Rigorosum machte, obwohl er nie dort studiert hatte. Die schriftliche Prüfung hatte er in Berlin abgelegt; doch dann legte er seine Doktordissertation der Universität Göttingen vor und verlangte, dort promoviert zu werden. Übrigens geht aus den Schriftstücken hervor, daß er regelmäßig juristische Vorlesungen belegt hatte. In Freiburg etwa belegte er nur eine Vorlesung »Über künstlerisches Schaffen«, aber fünf juristische Vorlesungen. Allerdings ist richtig, daß er während seines ersten Semesters in Berlin und im dritten und vierten Semester in Straßburg und München in viele Vorlesungen »hineinschmeckte«, bevor er bei seiner Rückkehr nach Berlin 1899 beschloß, endgültig bei der Juristerei zu bleiben.

15 *Konzentrationslager Deutschland,* III, S. 46.

16 Erich Mühsam: *Namen und Menschen.* (O. O. u. J.) S. 110. Die Schilderung bezieht sich auf die Zustände um 1900.

17 *Konzentrationslager Deutschland,* III, S. 50.

18 Die Erinnerungen berichten mehr von Gefühlen, die der direkte Kontakt mit Schmoller geweckt hatte, als von einer nachträglichen Rekonstruktion dieser Beziehung. Mein Vater studierte bei Schmoller in Berlin 1897 und dann wieder 1899/1900.

19 Wilhelm Dilthey: *Einleitung in die Geisteswissenschaften.* Band I der

Gesammelten Schriften. Stuttgart: B. B. Teubner 1959, S. 55-56.

20 Siehe *ebd.*, V, S. 373, 277. Der Abschnitt, den ich paraphrasierend wiedergegeben habe, findet sich in Diltheys *Beiträgen zum Studium der Individualität,* die ursprünglich 1895/96 erschienen.

21 *Konzentrationslager Deutschland,* III, S. 54-55. Der Text ist in diesem Punkt nicht ganz schlüssig, läßt aber vermuten, daß mein Vater von der ganzen Angelegenheit irgendwann während seiner Referendarzeit, zwischen 1904 und 1907, erfuhr, jedenfalls aber vor dem Tode meines Großvaters 1908. Der Vorfall selbst muß daher in die Zeit zwischen 1884 und 1887 fallen, als mein Vater sieben bzw. zehn war.

Kapitel II

1 Dieser historische Abriß basiert auf Adolf Weissler: *Geschichte der Rechtsanwaltschaft.* Frankfurt/M.: Sauer & Auvermann 1967, *passim.* Das Buch ist erstmals 1905 erschienen. Es ist ein wenig altmodisch, gibt aber in Teil VI eingehenden Aufschluß über jeden der im Text angesprochenen Punkte. Verpflichtet bin ich ferner der Untersuchung von Helga Huffman: *Kampf um die freie Advokatur.* Essen: Juristischer Verlag W. Ellinghaus 1967, *passim.*

2 Dieses Thema findet in der Literatur breite Beachtung. Eine Stellungnahme aus jüngerer Zeit nebst Hinweisen auf die umfangreiche Literatur bietet Fritz Stern: *Gold and Iron.* New York: A. A. Knopf 1977, S. 461-462.

3 Der Begriff »Rechtsstaat« hat im Deutschen eine komplizierte Entwicklung durchgemacht; seit den siebziger Jahren des vorigen Jahrhunderts bedeutete er vor allem »gesetzmäßige Verwaltung«, womit sowohl »Verwaltung in den Grenzen des Rechts« als auch »durch Gesetzgebung hervorgerufene Verwaltungsakte« gemeint waren. Vgl. die umsichtige, knappe Erörterung des Begriffs durch Richard Bäumlin in H. Kunst, Roman Herzog, Wilhelm Schneemelcher (Hrsg.): *Evangelisches Staatslexikon.* 2. Aufl. Stuttgart: Kreuz-Verlag 1975, S. 2041-2052. Es sei noch hinzugefügt, daß der Begriff der gesetzmäßigen Verwaltung ein besonderes ideologisches Gewicht hatte, weil man in den Gesetzen eine Verkörperung moralischer Prinzipien als Eigenschaft des Staates erblickte, während man Nützlichkeitserwägungen und die Verfolgung von Interessen als Eigenschaften der Gesellschaft ansah. Dahinter steht die Ärgernis

erregende Unterscheidung zwischen einer auf Ideen und Grundsätzen aufbauenden Politik und einer grundsatzlosen Machtpolitik (»Realpolitik«). Siehe E. R. Huber: »Das Verbandswesen des 19. Jahrhunderts und der Verfassungsstaat«, in: *Bewährung und Wandlung.* Berlin: Duncker & Humblot 1975, S. 127. Huber bezeichnet seine Position als die des deutschen Spätidealismus, doch finden sich dieselben Unterscheidungen bereits in dem, was er »das Wesen der konstitutionellen Monarchie« im Sinne Metternichs nennt. Siehe E. R. Huber: *Deutsche Verfassungsgeschichte seit 1789.* Stuttgart: W. Kohlhammer Verlag 1963, III, S. 3-26, wo der deutsche monarchische Konstitutionalismus dargestellt wird. In dieser Literatur werden die Begriffe »Rechtsstaat« und »Verfassungsstaat« weithin synonym gebraucht.

4 Siehe Paul Laband: *Das Staatsrecht des Deutschen Reiches.* Aalen: Scientia-Verlag 1964, III, S. 454, 452. Der vorstehende Absatz basiert auf den Darlegungen Labands S. 451-464. Die zitierte Ausgabe ist ein fotomechanischer Nachdruck der Ausgabe von 1913, der bereits mehrere frühere Auflagen vorangegangen waren.

5 Die öffentliche Stellung des Rechtsanwaltes ist eine Frage, die von großem aktuellen Interesse ist. Rechtsanwälte, die in der Bundesrepublik Deutschland die Verteidigung von Personen übernommen hatten, denen man terroristische Akte zur Last legte (etwa Mitglieder der Baader-Meinhof-Bande), sahen sich in einem Interessenkonflikt zwischen ihren Verpflichtungen gegenüber den Mandanten und ihren öffentlichen Verpflichtungen als »Organen der Rechtspflege«. Was bei Laband als theoretischer Rollenzwiespalt erschien, ist für diese Anwälte zu einem schwierigen rechtlichen und persönlichen Problem geworden. Siehe die Diskussion bei Wolfgang Knapp: *Der Verteidiger – Ein Organ der Rechtspflege?* Annales Universitatis Saraviensis, Band 73. Köln: Carl Heymanns Verlag 1974, *passim.*

6 Eine allgemeine soziologische Analyse der akademischen / freien Berufe unter diesen Gesichtspunkten bietet Everett C. Hughes: *The Sociological Eye.* Chicago: Aldine-Atherton 1971, S. 374-386, sowie vom selben Autor: *Men and Their Work.* Glenco: The Free Press 1958, S. 78-87.

7 Gordon Craig: *Deutsche Geschichte 1866-1945.* (Deutsch von K. H. Siber.) 3., verbesserte Aufl. München: Verlag C. H. Beck 1981, S. 43. Eine anschauliche Illustration desselben Themas findet sich bei Stern, *a. a. O.*, S. 159-163 und *passim.*

8 Siehe Walter Isele: *Kommentar zur Bundesrechtsanwaltsordnung vom*

1. 8. 1959. Essen: Juristischer Fachbuchverlag 1976. Dieser jüngste Kommentar zur RAO behandelt die Rechte und Pflichten des Anwalts auf 469 Seiten; der erste Kommentar zur RAO, aus dem Jahre 1878, handelte dasselbe Thema auf 38 Seiten ab. Iseles Arbeit berücksichtigt die Entwicklung der Anwaltsordnung, frühere Kommentare zu ihr sowie die gegenwärtige Praxis bis 1975. Eine brauchbare Zusammenfassung findet sich vor allem S. 1760-1780.

9 Die Deutsche Kolonialgesellschaft trat für den Erwerb neuer Kolonien und die Erweiterung der alten sowie für eine agressive Flottenpolitik ein. Die Zahl ihrer Mitglieder erhöhte sich von 18 000 im Jahre 1893 auf 42 000 im Jahre 1914. Zum erstgenannten Zeitpunkt gehörten zu den Mitgliedern 3000 Angehörige freier Berufe, Lehrer und Geistliche, 2300 Staatsbeamte, 7100 Kaufleute, 1460 Offiziere des Heeres, 790 Grundbesitzer und Rentiers sowie 210 Gelehrte, Schriftsteller und Künstler – ein schönes Beispiel für den Zusammenhang zwischen Gruppen der Mittelschicht und dem offiziellen wilhelminischen Deutschland. Siehe Peter Hampe: »Sozialökonomische und psychische Hintergründe der bildungsbürgerlichen Imperialbegeisterung«, in Klaus Vondung (Hrsg.): *Das wilhelminische Bürgertum.* Göttingen: Vandenhoeck & Ruprecht 1976, S. 68, 182.

10 Ludwig Bendix: *Kolonialjuristische und -politische Studien.* Berlin: Deutscher Kolonialverlag G. Meinecke 1903, S. 102-103, 110-112, und *passim.* Dieser Band enthält auch den Text seiner Doktordissertation *Die rechtliche Natur der sogenannten Oberhoheit in den deutschen Schutzgebieten,* die er 1902 der Universität Göttingen vorgelegt hatte.

11 Ludwig Bendix: *Fahnenflucht und Verletzung der Wehrpflicht durch Auswanderung.* Staats- und völkerrechtliche Abhandlungen, Band V. Leipzig: Duncker & Humblot 1906, S. 275. Gelegentlich war die Kritik meines Vaters auch unmittelbarer politisch. In einem Aufsatz von 1906 übte er scharfe Kritik an der damals herrschenden Praxis der Reichsregierung, alle auswärtigen Angelegenheiten der parlamentarischen Kontrolle zu entziehen; siehe: *Amtliche Veröffentlichungen über auswärtige Angelegenheiten (Blaubücher), Parlamentskontrolle und das Staatswohl.* Schmollers Jahrbuch für Gesetzgebung. (1906), S. 1441-1451. In der Hauptsache waren jedoch seine damaligen und späteren Veröffentlichungen nicht so unmittelbar politischer Art bzw. politisch vor allem in bezug auf die Frage der Rechtsreform.

12 Ludwig Bendix: *Das Fiasko des Kriegswirtschaftsstrafrechts.* Recht und Wirtschaft VI (August/September 1917), S. 1-4. 1912 gegründet,

verfolgte die Vereinigung »Recht und Wirtschaft« und ihre Zeitschrift den Zweck, den Dialog zwischen Juristen, Anwälten, Volkswirtschaftlern und Beamten zu pflegen und zu fördern.

Kapitel III

1 Zitiert aus Gustav Schmoller: *Grundriß der allgemeinen Volkswirtschaftslehre* (1904), I, S. 312, bei Ludwig Bendix: *Beamtentum und Demokratie*. Nord und Süd, Bd. 165 (1918), S. 263.
2 Bendix, *a. a. O.*, S. 264-265.
3 *Ebd.*, S. 266.
4 Siehe Ludwig Bendix: *Das Problem der Rechtssicherheit*. Bd. III der Schriften des Vereins Recht und Wirtschaft. Berlin: Carl Heymanns Verlag 1914, besonders S. 36-38. Die Schrift ist wieder abgedruckt worden in Ludwig Bendix: *Zur Psychologie der Urteilstätigkeit des Berufsrichters*. Neuwied: Hermann Luchterhand Verlag 1968, S. 159 bis 205. Im folgenden wird nach diesem Text zitiert.
5 Siehe Ludwig Bendix: »Rechtssicherheit«, in: *Zur Psychologie* ... a. a. O., S. 168, 173, 180f., 184f.
6 Ludwig Bendix: »Rechtssicherheit«, in: *Zur Psychologie* ... a. a. O., S. 168. Die Erörterung läßt insbesondere jene zahlreichen Fälle unberücksichtigt, in denen der Streit durch einen Kompromiß der Parteien beigelegt oder durch ein Geständnis des Angeklagten entschieden wird.
7 *Ebd.*, S. 180.
8 *Ebd.*, S. 183.
9 Dieser abschließende Absatz der Zusammenfassung, die mein Vater 1932 seinem Werk nachschickte, erschien posthum in dem erwähnten Band *Zur Psychologie der Urteilstätigkeit*, a. a. O., S. 153-154.
10 *Konzentrationslager Deutschland*. III, S. 48.
11 Ludwig Bendix: *Mehr Rechtssicherheit?* Recht und Wirtschaft, VII (1918), S. 176-177.
12 *Ebd.*, S. 178.
13 Ludwig Bendix: »Rechtssicherheit«. In: *Zur Psychologie* ... op. cit., S. 199.
14 *Ebd.*, S. 196-198.
15 Ludwig Bendix: »Tragik des Berufsrichters und der Rechtsunterworfenen in Deutschland«. Wieder abgedruckt in: *Zur Psychologie* ...

op. cit., S. 379-390.

16 Ludwig Bendix: *Mehr Rechtssicherheit?* op. cit., S. 178.

17 Meine Darstellung stützt sich auf Ludwig Bendix: *Die tatsächliche Feststellung im Strafurteil – eine Fiktion.* Recht und Wirtschaft, Bd. VII (1918), S. 1-5, sowie id.: *Die freie Beweisführung des Strafrichters.* Archiv für Strafrecht. Bd. 63 (1916), S. 31-45.
Zu diesen beiden Aufsätzen kamen noch eine Reihe weiterer hinzu, in denen mein Vater denselben Gedanken unter anderen Aspekten vertrat. Ich verweise auf: *Strafrecht und Gesetzesänderung.* Zeitschrift für die gesamte Strafrechtswissenschaft. Bd. 39 (1918), S. 1-28, sowie *Die Rechtspflicht des Schweigens und die Haftung der Rechtsanwälte für richterliche Fehlsprüche.* Sächsisches Archiv für Rechtspflege. Bd. 11 (1916), S. 369-379.
Eine ausführliche, wenngleich gelegentlich lückenhafte Bibliographie für den Zeitraum von 1914 bis 1918 findet sich in Ludwig Bendix: *Zur Psychologie der Urteilstätigkeit,* S. 408-412.

18 Die vorangegangenen Ausführungen basieren auf der Lektüre folgender Rezensionen (wo bekannt, werden Verfasser und Titel angegeben): Rezensionen zu *Das Problem der Rechtssicherheit* (1914): Literarisches Zentralblatt (27. Juni 1914), S. 887-888, Frischeisen-Köhler; Zeitschrift für die gesamte Strafrechtswissenschaft. Bd. 36 (1915), S. 245; Archiv für öffentliches Recht. Bd. 34 (1915), S. 494 bis 495, Prof. Kurt Wolzendorff; Rheinische Zeitschrift für Zivil- und Prozeßrecht. Bd. 7 (1915), S. 132-140, Landrichter Dr. Bovensieper; Juristische Wochenschrift. Bd. 25 (1920), S. 241-243, Prof. C. A. Emge. – Reaktionen auf die Artikel *Rechtssicherheit* und *Die tatsächliche Feststellung im Strafrecht,* die in »Recht und Wirtschaft« erschienen: *Mehr Rechtssicherheit!* Bd. 7 (1918), S. 189-190, Rechtsanwalt Ernst Fuchs, Karlsruhe, der bekannte Führer der Freirechtsbewegung; *Die tatsächliche Feststellung im Strafurteil – eine Fiktion.* Bd. 8 (1919), S. 39-40, Oberlandesgerichtsrat Dr. Feisenberger, Leipzig; *Noch ein Wort für die Rechtssicherheit.* Bd. 8 (1919), S. 95-97, Oberlandesgerichtsrat Dr. A. Zeiler, Zweibrücken; *Die tatsächliche Feststellung im Strafurteil eine Fiktion?* Bd. 8 (1919), S. 97-98, Prof. Dr. Max Frischeisen-Köhler, Halle.

19 Ludwig Bendix: »Gewisses und ungewisses Recht.« (1929) Wieder abgedruckt in Bendix: *Zur Psychologie der Urteilstätigkeit,* a. a. O., S. 315-378.

20 Einen anschaulichen Augenzeugenbericht über die Atmosphäre dieser Zeit gibt Carl Zuckmayer in seiner Autobiographie *Als wär's ein*

Stück von mir. Frankfurt/M.: Fischer Bücherei GmbH. 1969, S. 157ff.

21 Siehe die beiden großen Besprechungen von Oberlandesgerichtspräsident Levin (Vorname unbekannt) in *Juristische Wochenschrift.* Bd. 56 (1927), S. 2614-2617 bzw. Bd. 58 (1929), S. 226-232.

Kapitel IV

1 Dieses und die vorangegangenen Zitate basieren auf einer Sammlung von Theaterkritiken, die meine Mutter aus Zeitungen ausgeschnitten und aufbewahrt hatte. Der Text ist eine Rückübersetzung aus dem Englischen, da die deutschen Zeitungsausschnitte verloren-gegangen sind. Die Übersetzung ins Englische besorgte Waltraut Browning.

2 Ich könnte mir denken, daß er auf solchen Spaziergängen zu seiner anderen Strategie gegenüber diesen immer wiederkehrenden Auseinandersetzungen Zuflucht nahm: er stellte philosophische Betrachtungen über sie an. Diese Reflexionen haben Eingang in seine Erörterung über »Die Frauen und das Recht« gefunden; vgl. Ludwig Bendix: *Die irrationalen Kräfte in der Arbeitsgerichtsbarkeit.* Berlin: Verlag »RUT« Recht und Tonkunst 1929, S. 21-25.

3 Ich habe diese Information nach dem persönlichen Augenschein und in Gesprächen mit Frau Käthe Thon (Berlin), der Tochter des Försters Bachmann, rekonstruiert.

4 Eine Schilderung der Reaktion der Juden auf den Ausbruch des Krieges im Jahre 1914 bietet Egmont Zechlin: *Die deutsche Politik und die Juden im Ersten Weltkrieg.* Göttingen: Vandenhoeck & Ruprecht 1969, S. 86-100. Der Stimmungsumschwung, der von der anfänglichen Solidarität zwischen Juden und Deutschen zu einer steigenden Welle des Antisemitismus führte, wird beschrieben bei Saul Friedländer: »Die politische Veränderung der Kriegszeit und ihre Auswirkungen auf die Judenfrage«, in Werner Mosse und Arnold Paucker (Hrsg.): *Deutsches Judentum in Krieg und Revolution 1916 bis 1923.* Band 25 der Schriftenreihe des Leo-Baeck-Instituts. Tübingen: J. C. B. Mohr 1971, S. 27-66.

5 Nach seiner Gewohnheit publizierte mein Vater eine juristische Analyse des Falles, doch sind seine unveröffentlichten Erinnerungen von größerem Interesse. Siehe Ludwig Bendix: *Die Einführung neuen*

Strafrechts in den dem Oberbefehlshaber Ost unterstellten russischen Gebieten Litauens. Ein Beitrag zur Frage der Angliederung besetzter Gebiete. Zeitschrift für die gesamte Strafrechtswissenschaft. Band 38 (1916/17), S. 51-74.

6 Eine weitere Untersuchung des Archivmaterials hat ergeben, daß die von Deutschland verfolgte pro-jüdische Politik in Litauen andere Ziele hatte als eine Umsiedlung von Kriegsveteranen nach dem Krieg. Es hat sich vielleicht vorwiegend um einen Versuch gehandelt, die Juden auf die deutsche Seite herüberzuziehen und so die litauische Nationalbewegung zu bekämpfen. Siehe Zechlin: *Die deutsche Politik und die Juden*, op. cit., S. 236 und *passim*.

7 Dieses Zitat ist der Beschreibung des Falles entnommen, die sich in dem schriftlichen Nachlaß meines Vaters befand.

Kapitel V

1 Ein konstitutioneller Monarchist wie E. R. Huber führt den unklaren Status der Interimsregierung auf die dem Kaiser verbliebene Restautorität zurück. Zwischen dem 9. November, als der Kaiser seine Autorität angeblich stillschweigend preisgab, und dem 28. November, als er von seinem holländischen Exil aus formell seinen Thronverzicht erklärte, war die verfassungsrechtliche Situation in Deutschland keineswegs klar. Trotzdem besteht Huber darauf, daß der Kaiser durch seine letzte offizielle Tat – sogar nachdem sein Thronverzicht bereits publik gemacht worden war – berechtigt war, seine von der Verfassung vorgesehene militärische Kommandogewalt auf den Chef der Obersten Heeresleitung zu übertragen und so die Unabhängigkeit der OHL von der Beaufsichtigung durch die neue Regierung zu bewahren. Wie der Kaiser eine Kommandogewalt behalten haben konnte, die er stillschweigend preisgegeben hatte, wird nicht deutlich gemacht. Diese esoterische Angelegenheit ist deshalb wichtig, weil die Generäle und insbesondere Hindenburg später ihren Anspruch auf unabhängige Autorität von dieser letzten Tat des Kaisers herleiteten. Wenn man sich der Interpretation Hubers anschließt, muß man zu dem Schluß kommen, daß der Kaiser bewußt die Autorität der nach ihm kommenden Zivilregierungen untergraben habe, indem er die oberste militärische Gewalt ihrer Zuständigkeit entzog. Siehe E. R. Huber: *Deutsche Verfassungsgeschichte*. Stuttgart: Verlag W. Kohl-

hammer 1978, Band V, S. 699 ff. Zu allen weiteren Einzelheiten siehe diese Arbeit Hubers, die trotz ihrer Tendenz mit Nutzen zu gebrauchen ist.

2 Die spätere Wahl zum Rätekongreß am 16. Dezember 1918 lieferte für diesen Eindruck den schlagenden Beweis. 60 Prozent der Delegierten sprachen sich für die Mehrheitssozialdemokraten aus, 20 Prozent für die USPD und noch weiter links stehende Gruppen, 5 Prozent für die Demokraten; die restlichen 15 Prozent waren politisch nicht festgelegt, waren aber für einen gemäßigten Kurs.

3 Die Resolution bezeichnete als Zivilregierung das Exekutivkomitee und den Rat der Volksbeauftragten, was sich auf das damals regierende Koalitionskabinett aus SPD und USPD bezog. Sie ignorierte bzw. verwarf die Entwicklung seit dem 9./10. November, die einen de-facto-Kompromiß zwischen Ebert und General Groener, zwischen der Interimsregierung und der Obersten Heeresleitung darstellte. Der Text der Resolution vom 18. Dezember ist abgedruckt in Huber, *op. cit.*, V, S. 840. Meine Interpretation schließt sich an die Gesamtdarstellung von Gordon A. Craig an: *Deutsche Geschichte 1866-1945*. München: Verlag C. H. Beck 1981[3], Kapitel XI.

4 Für die Oberste Heeresleitung waren Milizorganisationen und Soldatenräte von vornherein anathema, weil sie die grundsätzliche Rechtfertigung der alten Militärorganisation in Frage stellten: daß nämlich allein das Korps der Berufsoffiziere die für eine geordnete Demobilisierung erforderliche Qualifikation und Tradition besäßen. Diese Behauptung ist ernsthaft anzuweifeln. Siehe F. L. Carsten: *Revolution in Central Europe, 1918-1919*. London: Temple Smith, und Berkeley: University of California Press 1972, Kapitel 2. Carsten verweist auf die Parallele zu dem Argument, daß die Beibehaltung der alten Beamtenschaft notwendig sei, um eine geregelte Verwaltung zu gewährleisten. Dieses Argument über die Unentbehrlichkeit im Amt befindlicher Experten hat etwas Zirkuläres und führt zur Blindheit für mögliche Alternativen, selbst wenn es in bestimmten Situationen triftig sein mag.

5 Die Diskrepanz zwischen der Selbstwahrnehmung eines Menschen und seiner tatsächlichen politischen Beteiligung war nicht nur eine besondere Eigenart meines Vaters. Ich bin davon überzeugt, daß sie vielmehr eine recht weit verbreitete Eigenschaft von deutschen Intellektuellen und Gesellschaftskritikern war, ob jüdischer Abkunft oder nicht. Ein weiteres Beispiel hierfür sind der Elitismus und die Beschreibung seiner tatsächlichen Kontakte mit der Arbeiterklasse

von Leo Löwenthal: *Mitmachen wollte ich nie. Ein autobiographisches Gespräch mit Helmut Dubiel.* Frankfurt/M.: Suhrkamp Verlag 1980, S. 45-48 und *passim*. Dieser Punkt hängt eng mit der in der Einleitung besprochenen Marginalität zusammen.

6 Ludwig Bendix: *Grundsatzlosigkeiten in den beiden amtlichen Verfassungsentwürfen.* Berlin: Verlag »Der Arbeiter-Rat« 1919, S. 14-20.

7 Ludwig Bendix: *Bausteine zur Räteverfassung.* Berlin: W. Moeser Buchhandlung 1919, S. 153.

8 *Ebd.*

9 *Ebd.*, S. 97. In einer Reihe von Aufsätzen »Zum staatsrechtlichen Aufbau der Räteverfassung«, erschienen in Band I von *Der Arbeiter-Rat* (1919), untersuchte mein Vater jeden einzelnen Vorschlag einer Räteverfassung und fand sie allesamt mangelhaft. Diese Aufsätze sind, zusammen mit zusätzlichem Material, wieder abgedruckt in den oben zitierten *Bausteinen zur Räteverfassung.* Zwei Führer der USPD, Ernst Däumig und Richard Müller, waren Redakteur bzw. führender Beiträger zum *Arbeiter-Rat*; der persönliche Konflikt dieser Männer mit meinem Vater wird weiter unten zur Sprache kommen.

10 Siehe die eingehende Erörterung in *Bausteine,* S. 97-135. Zusätzlich gab es das Sonderproblem der Kriminellen, Prostituierten und vielen sonstigen »asozialen« Elementen, die ein Leben im verborgenen führen. Mein Vater hielt es für notwendig, alle Anstrengungen zu unternehmen, um diese asozialen Elemente ebenfalls nach dem Räteprinzip zu organisieren. Immerhin waren auch sie »Volk«, das Volk bestand aus schlechten wie aus guten Menschen, und es mochte sogar nützlich sein, solchen Personen Verantwortung zu übertragen, anstatt sie lediglich als Objekt der Sozialgesetzgebung zu behandeln. Nur das anmaßende autoritäre Denken von einst wies diese Forderung zurück und verkannte das menschliche Element, das auch in diesem ausgestoßenen Teil der Gesellschaft existierte. Siehe *Bausteine,* S. 110. Ein solcher, auf Prinzipien beruhender Vorschlag war typisch für meinen Vater. Meine Mutter mißbilligte zutiefst seine Neigung, sich über Konventionen hinwegzusetzen, und er wiederum fand ein gewisses »jungenhaftes« Vergnügen daran, die Leute aus ihrem »konventionellen Schlummer« zu reißen.

11 Bendix: *Grundsatzlosigkeiten,* S. 7-8 (aus dem Vorwort). Das vorangegangene Zitat stammt aus demselben Absatz.

12 Ein schlagendes Beispiel für diese Unengagiertheit ist der Kommentar meines Vaters zum Versailler Vertrag, der nicht als herausragendes Ereignis in den internationalen Beziehungen abgehandelt wird, son-

dern als ein Dokument, das wesentliche Fragen zu zwei rechtlichen Grundbegriffen aufwirft: »Souveränität« und »Privateigentum«. Der Vertrag sah vor, dem Kaiser und anderen den Prozeß zu machen, und zwar auf der Grundlage eines neu geschaffenen Kriminalkodex, der rückwirkend angewendet werden sollte. Mein Vater bezeichnete eine solche rückwirkende Kriminalisierung als »strafrechtliche Kulturlosigkeit«, war aber nichtsdestoweniger für ein neues Völkerrecht, das die alte Souveränität beseitigte, vorausgesetzt, es galt gleichermaßen für Sieger und Besiegte. Die Forderung des Vertrags nach Konfiskation von Privateigentum zur Sicherung der Reparationszahlungen gefährdete sowohl das Privateigentum als auch die Souveränität. Diese Probleme kehrten anläßlich der Nürnberger Prozesse im Anschluß an den Zweiten Weltkrieg so ungelöst wie eh und je wieder. Meines Vaters Abhandlung über *Völkerrechtsverletzungen Großbritanniens* (1919) war ebenfalls als Beitrag zu einer neuen Art von Völkerrecht gedacht, das auf die Seite des Gewinners ebenso anwendbar war wie auf die Seite des Verlierers, auch wenn sie mit der im kaiserlichen Deutschland verbreiteten englandfeindlichen Stimmung konform ging. Siehe Ludwig Bendix: »Grundsätze des neuen Geistes im Versailler Friedensvertrag«, in *Recht und Wirtschaft* Band 8 (1919), S. 224-227.

13 Der Hintergrund seines Problems war, daß die USPD versuchte, die verfassunggebende Versammlung möglichst hinauszuschieben, um noch mehr Unterstützung für ihre Minderheitsposition zu gewinnen. Siehe David W. Morgan: *The Socialist Left and the German Revolution.* Ithaca: Cornell University Press 1975, S. 134-138. Das prinzipiellere Interesse meines Vaters an der Frage der Souveränität kommt zum Ausdruck in Ludwig Bendix: »Ist die Nationalversammlung souverän?« *Der Arbeiter-Rat*, Band I (1919), Nr. 6, S. 20-21 und Nr. 7, S. 19. Der Aufsatz ist wieder abgedruckt in *Grundsatzlosigkeiten*, S. 51-57.

14 Siehe die Kritik des bolschewistischen Elitismus in Ludwig Bendix: *Die Geistesverfassung der russischen Bolschewisten.* Berlin: »Der Firn« Verlag für praktische Politik und geistige Erneuerung 1921, S. 6-15; die Kritik an Däumig in *Bausteine*, S. 135 ff., gibt ein Beispiel für elitäre Tendenzen in der USPD; die Kritik an den autoritären Methoden der Mehrheits-SPD findet sich ebd., S. 110, sowie *Grundsatzlosigkeiten*, S. 28-29; die Kritik an dem alten autoritären Geist von Richtern und Beamten, die die SPD im Amt beließ, wird an verschiedenen Stellen in *Grundsatzlosigkeiten, passim,* wiederholt.

15 Der Unterschied zwischen Trennung von der Gemeinde und Trennung vom Judentum ist auf den vorgedruckten Karten der jüdischen Gemeinde deutlich hervorgehoben. Zahlen über die Beendigung der Mitgliedschaft enthält die *Zeitschrift für Demographie und Statistik des Judentums* N. F. (Januar/Februar 1924), Nr. 1, S. 29. Zu einer zeitgenössischen Reaktion vgl. den anonymen Aufsatz »Die Flucht in das Nichts (Zur Austrittsbewegung)«. *Ost und West* Band XX (Januar/Februar 1920), S. 2-14.

16 Eine solche Erklärung religiöser Beweggründe wurde in der Tat von orthodoxen Juden gewünscht, die aus Reformsynagogen austreten wollten und hiermit die Erlaubnis bekamen, eigene orthodoxe Gemeinden zu gründen. Zum Wortlaut der einschlägigen Gesetze und einer knappen Diskussion vgl. Ismar Freund: *Die Rechtsstellung der Synagogengemeinde in Preußen und die Reichsverfassung.* Berlin: Philo-Verlag 1926, vor allem S. 38-43. Die sozialen und politischen Implikationen dieser Gesetzgebung analysiert Uriel Tal: *Christians and Jews in Germany.* Ithaca: Cornell University Press 1975, S. 110-119 und *passim.*

17 *Konzentrationslager Deutschland,* V, S. 107.

18 Eine allgemeine und ausgewogene Untersuchung über Assimilation bietet nun Donald L. Niewyk: *The Jews in Weimar Germany.* Baton Rouge: Louisiana State University Press 1980, Kapitel 5.

Kapitel VI

1 Diese allgemeine Stimmung hatte die verschiedensten Gründe. Die Linke war unzufrieden, weil die Revolution nicht weit genug gegangen war, die Demokraten und Mehrheitssozialdemokraten waren im Interesse einer verfassunggebenden Versammlung gegen Massenbewegungen, und die Rechte war überhaupt gegen populistische Bestrebungen jeglicher Art. Vgl. Dieter Groh: »Der Umsturz von 1918 im Erlebnis der Zeitgenossen«, in J. J. Schoeps (Hrsg.): *Zeitgeist im Wandel.* Band 2. *Zeitgeist der Weimarer Republik.* Stuttgart: Ernst Klett Verlag 1968, S. 17 ff.

2 Ludwig Bendix: »Freiwilligenfrage, Schutzhaft und der neue Staatsgedanke«, in *Der Arbeiter-Rat* I (April 1919), Nr. 11, S. 7.

3 *Ebd.,* S. 8.

4 Groh, *op. cit.,* S. 18-19.

5 Selbst ein gemäßigter USPD-Politiker wie Hugo Haase war überzeugt, daß man auf die technische Fachkenntnis der alten Beamtenschaft nicht verzichten könne.

6 Die Gründe dafür, warum monarchistische Beamte sich nicht in den Ruhestand versetzen lassen wollten, dokumentiert Wolfgang Runge: *Politik und Beamtentum in Deutschland*. Stuttgart: Ernst Klett Verlag 1965, S. 100 ff., 204 ff.

7 Man darf nicht vergessen, daß die immer größer werdenden Schwierigkeiten parlamentarischer Kompromisse sowohl vor dem Ersten Weltkrieg als auch nach 1918 die Richter in dieser Ansicht bestärkten. Im vorstehenden Absatz verbindet sich die normative Darstellung der Reichsverfassung unter Bismarck durch E. R. Huber (siehe oben, Kap. II, Anm. 3 und Kap. V, Anm. 1) mit der Untersuchung von John Dawson: *The Oracles of the Law*. Ann Arbor: University of Michigan Law School 1968, S. 432 und den Befunden der in der nächsten Anmerkung zitierten Studie F. K. Küblers.

8 Solche Meinungsäußerungen waren in der *Deutschen Richterzeitung* von 1909 bis 1914 zu lesen. Das zuletzt angeführte Zitat stammt aus einem Beitrag von OA (Oberamtsrichter?) Riß aus dem Jahre 1910. Die Nachweise für die Zitate finden sich in einer Studie von Friedrich Karl Kübler: »Der deutsche Richter und das demokratische Gesetz«, in *Archiv für civilistische Praxis*, Band 162 (1963), S. 104-128, auf der meine Erörterungen an dieser Stelle basieren. Die in der *Deutschen Richterzeitung* geäußerten Ansichten dürften insofern im großen und ganzen repräsentativ sein, als zwei Drittel der deutschen Richter dem Deutschen Richterbund angehörten, der die Zeitschrift herausgab, und das letzte Drittel im wesentlichen aus preußischen Richtern bestand, die selbst die Mitgliedschaft in diesem konservativen Verein für unvereinbar mit ihrem Beamtenstatus hielten: wohl eher eine autoritäre als eine demokratische Haltung.

9 Vgl. Kübler, *op. cit.*, S. 114. Diese Betonung der persönlichen Gewissensentscheidung bei der richterlichen Urteilsfindung erinnert an bestimmte Argumente meines Vaters, an seine Betonung »irrationaler« Elemente bei der Entscheidung aller nicht-routinemäßigen Fälle. Inhaltlich begründet ist diese Ähnlichkeit, weil mein Vater in der Tat der Ansicht war, daß es Rechtsentscheidungen ohne richterliche Vor-Annahmen und Voraussetzungen nicht gebe. Aber trotzdem ist es eine oberflächliche Ähnlichkeit, weil mit dieser Ansicht noch nichts darüber ausgesagt ist, welcher Art diese Voraussetzungen sind. Leeb und andere konservativ gesinnte Richter nahmen während des

Kaiserreichs Unparteilichkeit für sich in Anspruch, bestanden jedoch in der Weimarer Republik auf ihrem »Rechtsempfinden«. Gegen dieses politisch motivierte Messen mit zweierlei Maß kämpfte mein Vater an. In seinen Augen mußte es für die Richter Ehrensache sein, entweder die neue Verfassung als maßgebendes Gesetz für das Land zu akzeptieren oder auf ihr Amt zu verzichten, wenn ihr Gewissen ihnen dies verbot.

10 Vgl. Reichsgerichtsrat Reichert in der *Deutschen Richterzeitung* (1925), Beilage zum 6. Richtertag, Sp. 17 f.; zitiert *ebd.*, S. 116.

11 Eine umfassende kritische Sichtung der umfangreichen Literatur zu diesem Thema bietet Dieter Simon: *Die Unabhängigkeit des Richters*, Darmstadt: Wissenschaftliche Buchgesellschaft 1975, *passim.*

12 Ludwig Bendix: »Die Forderung nach Absetzbarkeit des Richters«, in *Unser Weg* (1921), S. 481.

13 Nach den Personalnachrichten des *Justizministerialblattes* für Preußen mit Datum vom 5. März 1921 waren acht Ministerialräte des Justizministeriums zu Vorsitzenden Richtern ernannt worden. Siehe Ludwig Bendix: »Die Forderung nach Absetzbarkeit«, *op. cit.*, S. 481.

14 In seinem Aufsatz »Rechtsbeugung im künftigen deutschen Strafrecht« in *Die Justiz*, II (1927), S. 73, erkennt mein Vater den Pensionsanspruch als solchen als ein wohlerworbenes Recht an, da er einen integralen Bestandteil des Beamtengehalts darstellt.

15 Dieses rechtspolitische Programm fand sich unter den unveröffentlichten Papieren des Autors. Sein genaues Entstehungsdatum war nicht zu ermitteln, doch mag es um 1918 oder 1919 als Broschüre erschienen sein. Sein Inhalt deckt sich mit den Forderungen, die Ludwig Bendix in den *Grundsatzlosigkeiten* und in seiner Schrift *Obrigkeitsstaat, Richtertum und Anwaltschaft* (Berlin: Industrieverlag Späth & Linde 1919) erhob. Die Betonung der Richterpersönlichkeit in § 1 ist wörtlich zu nehmen; sie unterscheidet sich von konservativen Bekundungen über das »eigene Rechtsempfinden« des Richters (siehe oben, Anm. 9). Denn die Vertreter des Deutschen Richterbundes verbanden mit dieser Betonung der Subjektivität eine nach außen hin anonyme, abstrakte Rechtsprechung, während mein Vater diesen Deckmantel der Anonymität gerade ablehnte.

16 Ludwig Bendix: »Die Rechtskunst«, in *Philosophie und Recht* (1920), S. 58.

17 Bendix: »Regierung und Rechtssprechung«, in *Die Deutsche Republik* (1927), S. 11-14.

18 Siehe Bendix: »Die Rechtsbeugung im künftigen deutschen Strafrecht«, in *Die Justiz* (1927), II, S. 42-75, mit einer Gegenüberstellung der Formulierung von 1871 (§ 336 StGB) und jener im vorläufigen Entwurf von 1909 und den beiden Entwürfen der Strafrechtskommission von 1913 bzw. 1925.

19 *Ebd.*, S. 56-57.

20 *Ebd.*, S. 58.

21 *Ebd.*, S. 69.

22 *Ebd.*, S. 72. Unter staatsfeindlichen Überlegungen verstand mein Vater solche, »die den freiheitlichen Grundsätzen und Zielen des Reiches oder der Länder entgegengesetzt sind«. Diese zirkuläre Formulierung setzt voraus, daß jene »Grundsätze und Ziele« in der Verfassung definiert sind.

23 *Reichsgesetzblatt* 1921, S. 905. Nach diesem Gesetz war der Staatsgerichtshof als Teil des Reichsgerichts einzurichten; ihm oblag die Aburteilung von Verstößen gegen die Gesetze oder die Verfassung durch den Reichspräsidenten, den Ministerpräsidenten und die Kabinettsmitglieder auf Reichsebene. Die Mitglieder dieses Sondergerichts sollten zum Teil vom Reichsgericht ernannt werden, die andere Hälfte sollte von parlamentarischen Gremien gewählt werden. Durch dasselbe Gesetz war noch ein weiterer Staatsgerichtshof in Verbindung mit dem Reichsverwaltungsgericht geschaffen worden, dem die Rechtsfindung in besonderen Verfassungsfragen oblag.

24 Dieser besondere Staatsgerichtshof sowie alle Berufungsgerichte sollten im Interesse der Kontrolle durch das Volk mit Laienrichtern besetzt werden, zumindest in der Zeit des Übergangs vom obrigkeitlichen zum demokratischen System. Vgl. Bendix: »Die Forderung nach Absetzbarkeit des Richters«, in *Unser Weg* (1921), S. 482, und *Obrigkeitsstaat, Richtertum und Anwaltschaft*, S. 32-33.

25 Siehe Ludwig Bendix: »Die Rechtsbeugung im künftigen deutschen Strafrecht«, in *Die Justiz* (1927), II, S. 73.

26 Diese Ideen in bezug auf Rechtsbeugung wollte mein Vater nicht nur auf Staatsanwälte angewendet wissen, sondern auch auf alle Personalakten, in denen Vorgesetzte die Qualifikation von nachgeordneten Verwaltungsbeamten beurteilten. Damit sollte die Auswahl aller Staatsbeamten gemäß demokratischen Grundsätzen erleichtert werden. Vgl. Ludwig Bendix: »Zur Regelung der Rechtsbeugungsdelikte«, in *Allgemeine Deutsche Beamtenzeitung* (7. Februar 1929).

27 Ludwig Bendix: »Richter, Rechtsanwälte und Arbeitsgerichte«, in *Die Justiz* I (1926), S. 188-189.

28 Ludwig Bendix: »Fürstenabfindung – eine Rechtsfrage?« in *Allgemeine Preußische Polizeibeamtenzeitung* (1. Januar 1926). Das Zitat ist einem Artikel zur Kontroverse über Fürstenabfindung entnommen, in der die Guthaben der von der Revolution enteigneten Fürsten zur Diskussion standen. Siehe auch Ludwig Bendix: »Abdecker und Fürsten. Ein Präzedenzfall für entschädigungslose Enteignung«, in *Vorwärts* (10. März 1926).

29 Siehe Ludwig Bendix: *Das Streikrecht der Beamten*. Berlin-Grunewald: Dr. Walter Rothschild 1922, und »Zum Streikrecht der Beamten. Ein Wort zur Verständigung«, in *Der Freie Beamte* (1922), S. 74-75.

30 Bendix: *Streikrecht*, S. 54.

31 *Ebd.*, S. 55, 85.

32 *Ebd.*, S. 84.

Kapitel VII

1 »Was wir wollen.« *Die Justiz* 1 (Oktober 1925), S. 2.

2 Ludwig Bendix: *Die irrationalen Kräfte der zivilrichterlichen Urteilstätigkeit*. Breslau: Schletter'sche Buchhandlung 1927, S. 230.

3 *Ebd.*, S. 231.

4 Außer dem eben angeführten Werk siehe auch Ludwig Bendix: *Die irrationalen Kräfte der strafrichterlichen Urteilstätigkeit*. Berlin: E. Laubsche Verlagsbuchhandlung 1928, und *Die irrationalen Kräfte in der Arbeitsgerichtsbarkeit*. Berlin, Verlag »RUT«, Recht und Tonkunst, 1929.

5 Siehe Bendix: *Zivilrichterliche Urteilstätigkeit*, S. XI-XII.

6 *Ebd.*, S. XVI-XVII.

7 Siehe Bendix: *Strafrichterliche Urteilstätigkeit*, S. IX-XI. Siehe die Besprechung der *Zivilrichterlichen Urteilstätigkeit* von Oberlandesgerichtspräsident Levin in der *Juristischen Wochenschrift*, Band 56 (1927), S. 2614-2617, auf die mein Vater einging. Eine positivere Bewertung nimmt F. Sander in der *Zeitschrift für öffentliches Recht*, Band 12 (1932), S. 144, vor.

8 Es handelte sich hier um eine Bestimmung des Arbeitsgerichtsgesetzes von 1926 (§ 18, Abschn. 2), die vorsah, daß nicht nur Richter, sondern auch juristisch qualifizierte Persönlichkeiten, die die Befähigung zum Richteramte besaßen und ihrer wirtschaftlichen Stellung nach weder

als Arbeitgeber noch als Arbeitnehmer anzusehen waren, als Arbeitsgerichtsvorsitzende berufen werden konnten, wenn sie besondere Erfahrungen auf dem Gebiete des Arbeitsrechts vorweisen konnten. Ludwig Bendix war einer von acht Rechtsanwälten, die in Preußen auf der Basis dieser Bestimmung zu nebenamtlichen Vorsitzenden berufen wurden.

9 Ludwig Bendix: »Reichsverfassung und Rechtsanwendung, insbesondere auf dem Gebiet des Arbeitsrechts.« *Arbeitsrecht* Band XIII (April 1926), S. 273-274. Der Absatz zeichnet sich durch eine Mischung von prophetischer Erkenntnis, Leidenschaftlichkeit und lyrischen Qualitäten aus.

10 Die Kennzeichnung des Arbeitsrichters als Vermittlers basiert auf Ludwig Bendix: »Der Vergleich – die erste Richteraufgabe.« *Arbeitsrecht* XVI (Juni 1929), S. 337-346.

11 Siehe Ludwig Bendix: »Zwei Jahre Arbeitsgerichtsbarkeit.« *Soziale Praxis* XXXVIII (Juli 1929), S. 673-674 sowie *Irrationale Kräfte der Arbeitsgerichtsbarkeit, op. cit.*, S. 20-21. Eine ausführlichere Darstellung der arbeitsrichterlichen Tätigkeit meines Vaters bietet *Gewisses und ungewisses Recht* (1930), wieder abgedruckt in *Zur Psychologie der Urteilstätigkeit*, op. cit., S. 315-378.

12 Friedrich Nietzsche: *Über Wahrheit und Lüge im außermoralischen Sinn.* Werke (ed. Schlechta), III, 314.

13 Die Ernennung meines Vaters zum nebenamtlichen Vorsitzenden am Arbeitsgericht Berlin wurde im Dezember 1928 nicht wieder erneuert. Die wahrscheinlichen Gründe hierfür werden in *Konzentrationslager Deutschland*, III, S. 94, auseinandergesetzt. Einer der ausschlaggebenden Gründe war, daß die Arbeitgeberorganisationen ihre inoffizielle Unterstützung einstellten, da die arbeitsrichterliche Vermittlertätigkeit ihren Interessen zuwiderlief. Außerdem erregte das unkonventionelle Herangehen meines Vaters an die arbeitsgerichtliche Schlichtung den Unwillen seines Vorgesetzten am Gericht, der ein Mann der alten Schule war. Siehe *ebd.*, III, S. 93.

14 Der vorangegangene Absatz und dieses Zitat sind eine Zusammenfassung einer Schlüsselstelle in den Erinnerungen meines Vaters. Siehe *ebd.*, III, S. 96-97.

15 In dieser Hinsicht war der Bruch zwischen der Zeit der Weimarer Republik und den ersten Jahren des Hitler-Regimes in den Augen mancher Zeitgenossen nicht so ausgeprägt, wie es nachträglich scheint. Wo es bisher schon viel Subversion gegeben hatte, wurde die Lage durch noch mehr Subversion nicht drastisch verändert. Selbst-

verständlich war diese Beurteilung je nach den Beobachtungsmöglichkeiten des einzelnen verschieden, und sie erklärt auch nicht die eigensinnige Halsstarrigkeit meines Vaters, wie er selbst zugab.

Kapitel VIII

1 Ludwig Bendix: »Die Anerkennung der relativen Wahrheit des Strafurteils durch das Reichsgericht.« *Monatsschrift für Kriminalpsychologie und Strafrechtsreform.* Band 25 (1934), S. 228-235. Die erwähnte Entscheidung datiert vom 14. März 1932. Der erste Absatz des Artikels zählt kurz alle Publikationen auf, in denen mein Vater seit 1918 ähnliche Ansichten vertreten hatte.

2 In seinen Erinnerungen bemerkt mein Vater, daß die richterliche Urteilstätigkeit unter den Nazis Spuren des Einflusses seiner Ideen verraten habe, was ihn nicht überraschte, da wissenschaftliche Wahrheiten von sämtlichen Parteien gebraucht und mißbraucht werden könnten. Siehe *Konzentrationslager Deutschland*, II, S. 16. Soweit ich sehe, setzte er sich nicht mit der Frage auseinander, ob seine Ideen zu den damals um sich greifenden Mißbräuchen beigetragen haben könnten. Eine Analyse, welche die Gefahren betont, die von einer richterlichen Ermessensfreiheit in der Hand reaktionärer, geschweige denn nazistischer Richter ausgehen, und daher für ein striktes Befolgen des Buchstabens des Gesetzes eintritt, bietet Ernst Fränkel: *Zur Soziologie der Klassenjustiz und Aufsätze zur Verfassungskrise 1931/32.* Darmstadt: Wissenschaftliche Buchgesellschaft 1968, *passim.* Der erste von Fränkels Aufsätzen erschien 1927 und wurde von meinem Vater in *Arbeitsrecht und Schlichtung* (1930), S. 61-62, kritisch besprochen.

3 Meine kurze, zusammenfassende Darstellung folgt Gordon A. Craig: *Deutsche Geschichte 1866-1945, op. cit.*, Kapitel XV. Das Brüning-Zitat steht auf S. 474. Eine umfassende Darstellung der antikonstitutionellen Position der deutschen Armeeführung während der Weimarer Republik bietet Karl Dietrich Bracher: *Die Auflösung der Weimarer Republik.* Villingen: Ring-Verlag 1960, vor allem S. 254-268 und *passim.*

4 Craig: *op. cit.*, S. 492/493, 500-507.

5 Hierzu und zu weiteren Einzelheiten siehe Horst Göppinger: *Die Verfolgung der Juristen jüdischer Abstammung durch den Nationalso-*

zialismus. Villingen: Ring-Verlag 1963, S. 13, 34-35 und *passim.*

6 *Konzentrationslager Deutschland,* I, S. 92-93.

7 *Ebd.*, I. S. 95-96.

8 *Ebd.*, II, S. 23-25.

9 Ludwig Bendix: »Nochmals: Analogie im Strafrecht?« *Monatsschrift für Kriminalpsychologie und Strafrechtsreform* XXVI (1935), S. 155-158.

10 Die folgende Schilderung basiert auf *Konzentrationslager Deutschland,* II, S. 45 ff. Der genannte Prozeß fand 1935 statt.

11 *Ebd.*

12 Zitiert *ebd.*, II, S. 42.

13 *Ebd.*, II, S. 47.

14 *Ebd.*, II, S. 53.

15 *Ebd.*, II, S. 63.

16 *Ebd.*, II, S. 66.

Kapitel X

1 *Konzentrationslager Deutschland*, I, S. 28.

2 *Ebd.*, I, S. 15-16.

3 Siehe Jehuda Reinharz: *Fatherland or Promised Land. The Dilemma of the German Jews, 1893-1914.* Ann Arbor: University of Michigan Press 1975, S. 30-31.

Kapitel XI

1 *Konzentrationslager Deutschland*, II, 87.

2 *Ebd.*, III, 6.

3 *Ebd.*, III, 9.

4 *Ebd.*, III, 20-21.

5 *Ebd.*, IV, 68.

6 *Ebd.*, IV, 41.

7 *Ebd.*, V, 67-72. Vermutlich bezieht sich diese positive Erfahrung mit jüdischen Konzentrationslagerinsassen trotz der erwähnten Gegensätze auf eine relativ homogene deutsch-jüdische Gruppe. Zwischen ethnisch und kulturell heterogenen jüdischen Gruppen gab es auch in den Konzentrationslagern häufig sehr erbitterte Gegensätze. Ich verdanke

diesen Hinweis dem Aufsatz von Leni Yahil, »Jews in Concentration Camps in Germany Prior to World War II« (S. 31), der mir in Druckbogen vorlag, aber in einer Veröffentlichung des Yad Vashem, Israel erschienen ist. Professor Yahil hat die hebräische Übersetzung der Memoiren meines Vaters verwertet, behandelt aber darüber hinaus die ganze jüdische Konzentrationslagererfahrung in den Jahren 1933-1939.

Kapitel XII

1 Paul Sering: »Die Wandlungen des Kapitalismus« und »Der Faschismus«. *Zeitschrift für Sozialismus* (Juli/August 1935), S. 704-725; (September-Dezember 1935), S. 765-787, 839-856.
2 Ludwig Bendix: *Zur Psychologie der Urteilstätigkeit . . ., op. cit.*, S. 153.
3 *Ebd.*, S. 153-154.
4 I. B. Singer: *Die Familie Moschkat.* (Aus dem Amerikanischen von Gertrud Baruch.) München–Wien: Carl Hauser Verlag 1984, S. 756 f.

Kapitel XIII

1 Gerechterweise betont der Autor dieses Abschnittes, daß von über einer halben Million deutscher Juden wahrscheinlich nicht mehr als 16 000 eingefleischte Zionisten waren, und er erwähnt eine Schätzung, der zufolge bis 1933 nur 2 000 deutsche Juden nach Palästina ausgewandert waren. Siehe Donald L. Niewyck: *The Jews in Weimar Germany.* Baton Rouge: Louisiana State University Press 1980, S. 141, 149 mit den Quellenangaben für die genannten Zahlen. Das Zitat in der Fußnote a findet sich in dem genannten Werk auf S. 129-130.
2 *Konzentrationslager Deutschland,* V, S. 110.
3 Ludwig Bendix an Dorothea Bendix, 16. April 1938.
4 Dorothea Bendix an Ludwig Bendix, 24. April 1938.
5 Ludwig Bendix an Dorothea Bendix, 29. April 1938.
6 Ludwig Bendix an Dorothea Bendix, 22. Mai 1938. Einen Tag, nachdem dieser Brief geschrieben wurde, verließ ich Deutschland, um meine Eltern in Palästina zu besuchen.
7 Zitiert in *Konzentrationslager Deutschland,* V, S. 1.
8 Reinhard Bendix an seine Eltern, 7. September 1938.

Kapitel XIV

1 *Konzentrationslager Deutschland,* V, S. 109.
2 Siehe Reinhard Bendix: »Social Theory and Social Action in the Sociology of Louis Wirth.« *American Journal of Sociology* LIX (Mai 1954), S. 523-529.
3 Reinhard Bendix: *Higher Civil Servants in American Society.* (Reprint der Ausgabe von 1949.) Westport: Greenwood Press 1974.

Kapitel XV

1 In ihrem Artikel über Frederick Teggart in der *Encyclopedia of the Social Sciences* (1968) stellt Professor Hodgen diesen Ansatz als sein wissenschaftliches Hauptziel heraus. Unter Berufung auf das Zeugnis Edgar Zilsels behauptet Hodgen auch, daß Teggart zum ersten Male ein historisches Gesetz mit der notwendigen wissenschaftlichen Genauigkeit aufgestellt habe. Mein Kollege, Professor Kenneth Bock, bezweifelt dies und betont, daß Teggart die historische Forschung der Geschichte als einer Form der Erzählkunst gegenüberstellte, bezüglich »zeitloser Gesetze« der Geschichte aber skeptisch war. Vgl. auch Margaret Hodgen an Provost Deutsch in einem Brief vom 4. Juli 1945, in Margaret Hodgen: *The Department of Sociology and Social Institutions, 1919-1946.* (Pasadena 1971) (= Manuskript in den University Archives der University of California, Berkeley).
2 Siehe Reinhard Bendix: *Social Science and the Distrust of Reason.* University Publications in Sociology and Social Institutions. Berkeley: University of California Press 1951.
3 Siehe David P. Gardner: *The Californian Oath Controversy.* Berkeley: University of California Press 1967.
4 Siehe Egmont Zechlin: *Die deutsche Politik und die Juden im Ersten Weltkrieg.* op. cit., S. 524-538.
5 Siehe Ernst Kantorowicz: *The Fundamental Issue.* Privatdruck 1950, insbesondere S. 14-22.

Kapitel XVI

1 Fritz Naphtali: »Dem sechzigjährigen Ludwig Bendix«. *Davar,*

17. Mai 1938 (hebräisch geschrieben). Naphtali hatte maßgeblich dazu beigetragen, die Kontakte herzustellen, die zu dem erwähnten Auftrag der Jewish Agency für meinen Vater führten. Es sollte bei insgesamt zwei derartigen Aufträgen in zehn Jahren bleiben.

2 Zitiert aus den in meinem Besitz befindlichen unveröffentlichten Briefen Bernhard Schmeidlers an Ludwig Bendix.

3 Die beiden Freunde nahmen den brieflichen Kontakt wieder auf, nachdem 1945 der Krieg zu Ende war. Schmeidler starb 1959, fünf Jahre nach meinem Vater.

4 Brief von Ludwig Bendix an seine Tochter Dorothea vom 17. September 1938.

5 Brief von Ludwig Bendix an seine Tochter Dorothea vom 14. November 1938. Hervorhebung von mir. Ein Teil dieses Briefes ist im Vorwort bereits zitiert worden.

6 Die deutsch-jüdische Einwanderung nach Palästina beschreibt in einem größeren Rahmen Curt D. Wormann: »German Jews in Israel – Their Cultural Situation Since 1933«. *Leo Baeck Institute Year Book XV*. New York: East and West Library 1970, besonders S. 73-87.

7 Dieser Briefwechsel zwischen bin Gorion und mir befindet sich in meinem Besitz. Er wird an dieser Stelle – mit Genehmigung Emanuel bin Gorions – zum ersten Male veröffentlicht.

Kapitel XVIII

1 Reinhard Bendix: *Social Science and the Distrust of Reason.* Publications in Sociology and Social Institutions. Berkeley: University of California Press 1951, Band I, S. 42. Diesen Ansatz habe ich in späteren Veröffentlichungen ausführlicher entfaltet. Siehe u. a. »Sociology and the Distrust of Reason.« *American Sociological Review,* Band 35 (Oktober 1970), S. 831-843 (auch in *Scholarship and Partisanship* [zusammen mit Guenther Roth, Berkeley: University of California Press 1971], S. 84-105); »Science and the Purposes of Knowledge«. *Social Research* (Sommer 1975), S. 331-359; ferner meine Heidelberger Max-Weber-Vorlesungen vom Frühjahr 1981: *Freiheit und historisches Schicksal.* Frankfurt/M.: Suhrkamp 1982.

2 Siehe oben, Kapitel XV, S. 363.

3 Zitiert bei Wolfgang Schluchter: Die Entwicklung des okzidentalen Rationalismus (Tübingen: J.C.B. Mohr, Paul Siebeck, 1979), S. 34.

1 Leo Baeck: *Das Wesen des Judentums.* Siebente Auflage. Wiesbaden: Fourier-Verlag o. J., S. 58 f.
Das Buch erschien erstmals vor dem Ersten Weltkrieg und war als Antwort auf Adolf von Harnacks *Das Wesen des Christentums* gedacht. Ich zitiere diese Formulierung jüdischen Glaubens, weil Baeck der prominenteste Wortführer des deutschen Judentums war und daher der kulturellen Umwelt meines Vaters nahe stand.

2 Hilde Domin: »Offener Brief an Nelly Sachs.« *Von der Natur nicht vorgesehen. Autobiographisches.* München: R. Piper Verlag 1974, S. 137-138.

3 Eine eindrucksvolle Schilderung solcher Umdeutungen findet sich bei Fritz Y. Baer: *Galuth.* New York: Schocken Publishers 1947, *passim.*

4 Adolf Leschnitzer: *Saul und David. Die Problematik der deutsch-jüdischen Lebensgemeinschaft.* Heidelberg: Lambert Schneider 1954, S. 158. Leschnitzer war der Lehrer meiner Schwester und besorgte 1936/37 die britischen Einwanderungszertifikate nach Palästina für meine Eltern. Sein Buch ist eine beredte und bohrende Untersuchung der deutsch-jüdischen Tragödie.

5 Joan Didion: *Slouching Towards Bethlehem.* New York: Simon & Schuster 1979, S. 172. Das Zitat stammt aus einem Aufsatz »Notes of a Native Daughter«, der zuerst 1965 erschien.

6 *Konzentrationslager Deutschland*, V, 109.

7 Zitiert bei Gilbert Murray: *Five Stages of Greek Religion.* Boston: Beacon Press o. J., S. 197-198.

ed from

nhof's in

ambridge, MA.

Ord

Sch